금성출판사

구성과 특징

자습서 구성 및 활용 방법

수학 다잡기

수학 교과서의 본책

체계적인 예습, 진도, 평가 시스템을 갖춘 3단계 개념 학습

평가 문제 다잡기

시험 대비 자료집

다양한 유형의 문제로 평가 대비 강화

교과서 다잡기 구성과 특징

체계적인 3단계 개념 학습(선수 학습 , 본 학습 , 마무리 학습)과 다양한 유형의 문제로 교과서 개념과 각종 시험까지 완벽 대비할 수 있습니다.

선수 학습 - 예습

단원 도입

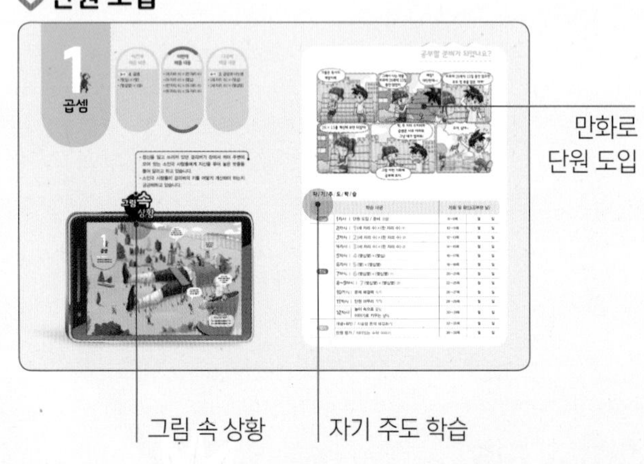

만화로 단원 도입

그림 속 상황

자기 주도 학습

준비 팡팡

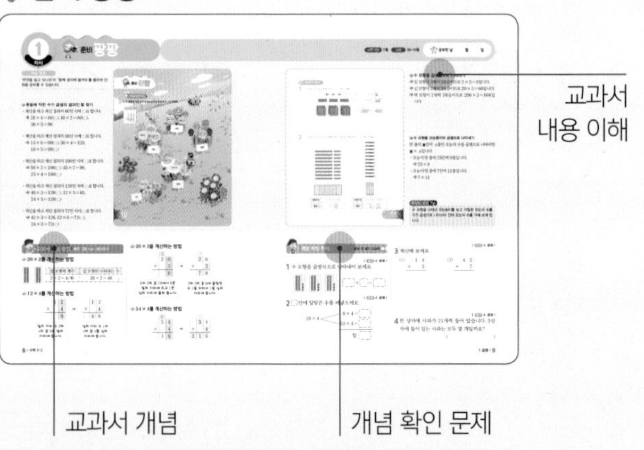

교과서 내용 이해

교과서 개념

개념 확인 문제

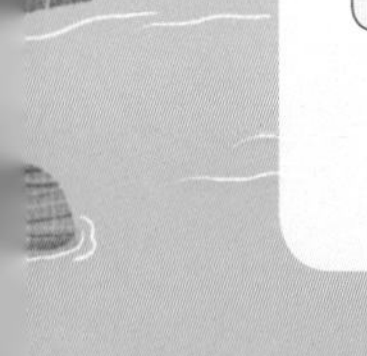

본 학습-진도

단원의 주요 개념을 파악합니다.

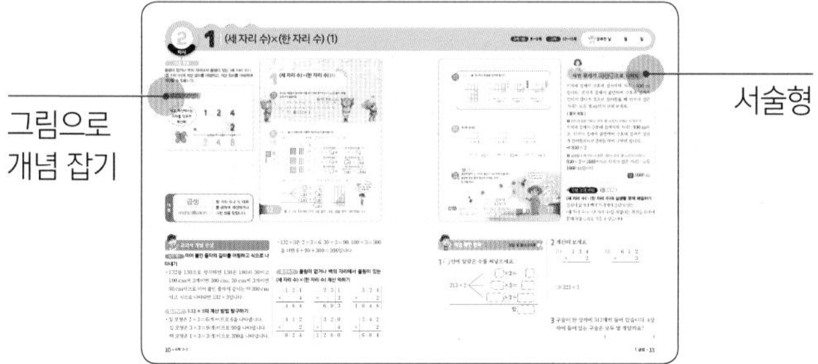

그림으로 개념 잡기

서술형

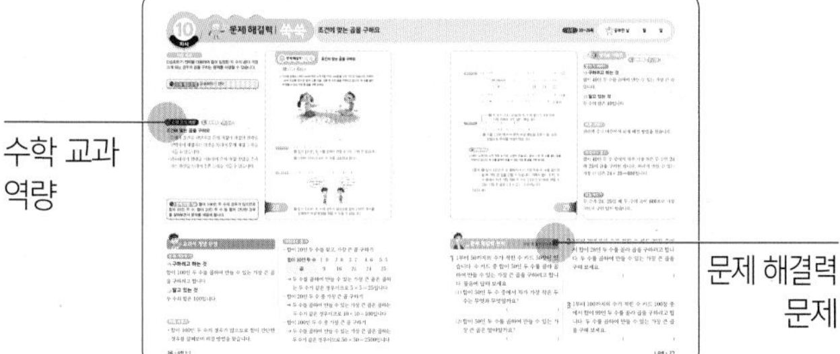

수학 교과 역량

문제 해결력 문제

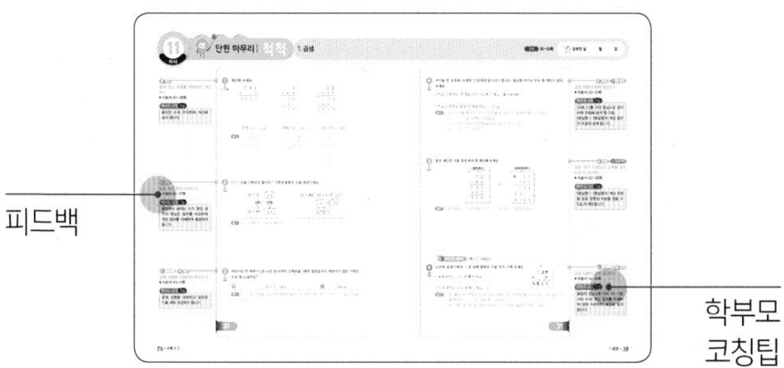

피드백

학부모 코칭팁

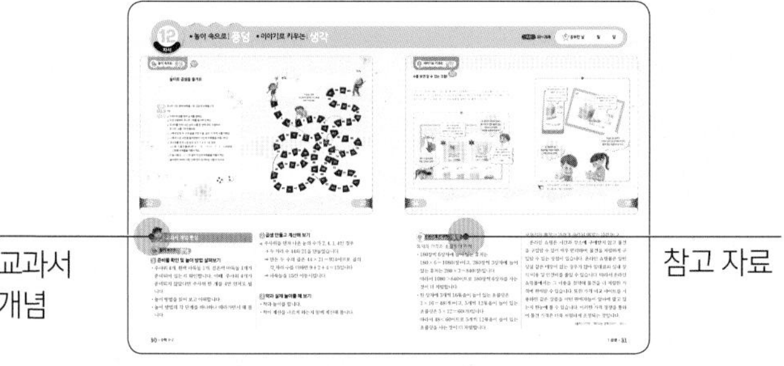

교과서 개념

참고 자료

마무리 학습-평가

다양한 유형의 문제를 통해 실력을 확인합니다.

개념+확인

교과서 개념과 확인 문제를 풀면서 개념을 이해합니다.

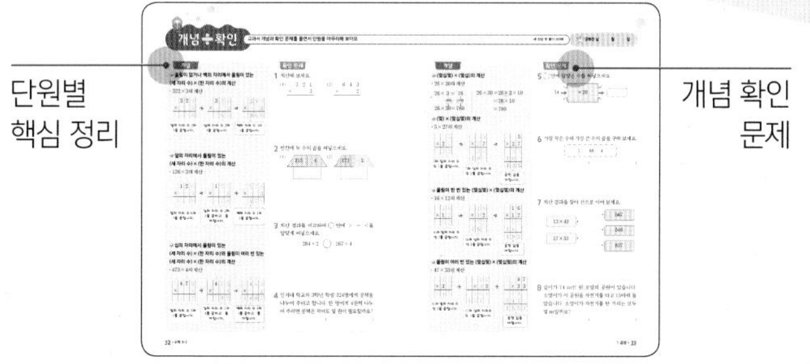

단원별 핵심 정리

개념 확인 문제

서술형 문제 해결하기

서술형 평가에 대비하며 문제 해결력을 기릅니다.

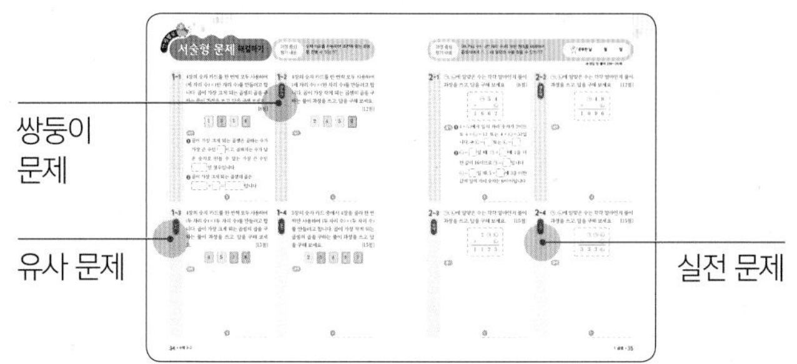

쌍둥이 문제

유사 문제

실전 문제

단원 평가

다양한 문제를 풀면서 단원에 대한 학습을 마무리합니다.

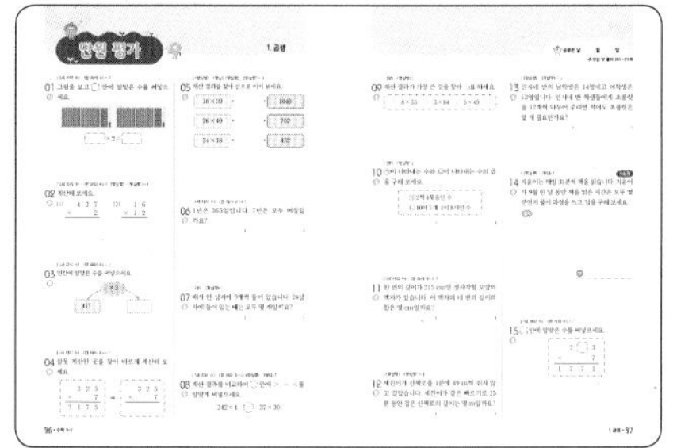

차례

지도 계획표 3-2

지도 계획표는 선생님들께서 사용하시는 지도서의 학기 지도 계획표를 『수학 다잡기』에 맞추어 수정 구성한 것입니다.
학교마다 다를 수 있으니 참고하시기 바랍니다.

월	주	차시	내용
9월	1주	1차시	1. 곱셈 단원 도입 / 준비 팡팡
		2차시	1 (세 자리 수)×(한 자리 수) (1)
		3차시	2 (세 자리 수)×(한 자리 수) (2)
		4차시	3 (세 자리 수)×(한 자리 수) (3)
	2주	5차시	4 (몇십몇)×(몇십)
		6차시	5 (몇)×(몇십몇)
		7차시	6 (몇십몇)×(몇십몇) (1)
		8~9차시	7 (몇십몇)×(몇십몇) (2)
	3주	10차시	문제 해결력 쑥쑥
		11차시	단원 마무리 척척
		12차시	놀이 속으로 풍덩 / 이야기로 키우는 생각
	4주	1차시	2. 원 단원 도입 / 준비 팡팡
		2~3차시	1 원의 중심과 반지름
		4차시	2 원의 지름
		5차시	3 컴퍼스를 이용하여 원 그리기
10월	1주	6차시	4 원을 이용하여 여러 가지 모양 꾸미기
		7차시	문제 해결력 쑥쑥
		8차시	단원 마무리 척척
		9차시	그림 속으로 쓱쓱 / 이야기로 키우는 생각
	2주	1차시	3. 나눗셈 단원 도입 / 준비 팡팡
		2차시	1 (몇십)÷(몇)
		3차시	2 (몇십몇)÷(몇) (1)
		4차시	3 (몇십몇)÷(몇) (2)
	3주	5차시	4 나머지가 있는 (몇십몇)÷(몇) (1)
		6차시	5 나머지가 있는 (몇십몇)÷(몇) (2)
		7차시	6 (세 자리 수)÷(한 자리 수) (1)
		8차시	7 (세 자리 수)÷(한 자리 수) (2)
	4주	9차시	8 (세 자리 수)÷(한 자리 수) (3)
		10차시	문제 해결력 쑥쑥
		11차시	단원 마무리 척척
		12~13차시	놀이 속으로 풍덩 / 이야기로 키우는 생각

월	주	차시	내용
11월	1주	1차시	4. 들이와 무게 단원 도입 / 준비 팡팡
		2차시	1 들이 비교하기
		3차시	2 들이의 단위
		4차시	3 들이를 어림하고 재어 보기
	2주	5차시	4 들이의 덧셈과 뺄셈
		6차시	5 무게 비교하기
		7~8차시	6 무게의 단위
		9차시	7 무게를 어림하고 재어 보기
	3주	10차시	8 무게의 덧셈과 뺄셈
		11차시	문제 해결력 쑥쑥
		12차시	단원 마무리 척척
		13차시	요리 속으로 냠냠 / 이야기로 키우는 생각
	4주	1차시	5. 분수 단원 도입 / 준비 팡팡
		2차시	1 분수로 나타내기 (1)
		3차시	2 분수로 나타내기 (2)
		4차시	3 전체의 분수만큼 알아보기 (1)
12월	1주	5차시	4 전체의 분수만큼 알아보기 (2)
		6차시	5 여러 가지 분수 (1)
		7~8차시	6 여러 가지 분수 (2)
	2주	9차시	7 분모가 같은 분수의 크기 비교
		10차시	문제 해결력 쑥쑥
		11차시	단원 마무리 척척
		12차시	시간 속으로 째깍 / 이야기로 키우는 생각
	3주	1차시	6. 그림그래프 단원 도입 / 준비 팡팡
		2차시	1 그림그래프 알아보기
		3차시	2 그림그래프 그리기
		4차시	3 그림그래프 해석하기
	4주	5~6차시	4 자료를 조사하여 그림그래프로 나타내기
		7차시	문제 해결력 쑥쑥
		8차시	단원 마무리 척척
		9차시	정보 속으로 딸깍 / 이야기로 키우는 생각

1 곱셈

이전에 배운 내용	이번에 배울 내용	다음에 배울 내용
3-1 4. 곱셈 • (몇십) × (몇) • (몇십몇) × (몇)	• (세 자리 수) × (한 자리 수) • (두 자리 수) × (몇십) • (한 자리 수) × (두 자리 수) • (두 자리 수) × (두 자리 수)	4-1 3. 곱셈과 나눗셈 • (세 자리 수) × (몇십) • (세 자리 수) × (몇십몇)

- 정신을 잃고 쓰러져 있던 걸리버가 잠에서 깨어 주변에 모여 있는 소인국 사람들에게 자신을 묶어 놓은 밧줄을 풀어 달라고 하고 있습니다.
- 소인국 사람들이 걸리버의 키를 어떻게 계산해야 하는지 궁금해하고 있습니다.

그림 속 상황

공부할 준비가 되었나요?

자/기/주/도/학/습

	학습 내용	계획 및 확인(공부한 날)	
예습	1차시 | 단원 도입 / 준비 팡팡	6~9쪽	월 일
진도	2차시 | 1 (세 자리 수)×(한 자리 수) (1)	10~11쪽	월 일
	3차시 | 2 (세 자리 수)×(한 자리 수) (2)	12~13쪽	월 일
	4차시 | 3 (세 자리 수)×(한 자리 수) (3)	14~15쪽	월 일
	5차시 | 4 (몇십몇)×(몇십)	16~17쪽	월 일
	6차시 | 5 (몇)×(몇십몇)	18~19쪽	월 일
	7차시 | 6 (몇십몇)×(몇십몇) (1)	20~21쪽	월 일
	8~9차시 | 7 (몇십몇)×(몇십몇) (2)	22~25쪽	월 일
	10차시 | 문제 해결력 쑥쑥	26~27쪽	월 일
	11차시 | 단원 마무리 척척	28~29쪽	월 일
	12차시 | 놀이 속으로 풍덩 이야기로 키우는 생각	30~31쪽	월 일
평가	개념+확인 / 서술형 문제 해결하기	32~35쪽	월 일
	단원 평가 / 재미있는 수학 이야기	36~39쪽	월 일

준비 팡팡

1 차시

학습 목표

'무엇을 알고 있나요'와 '함께 생각해 볼까요'를 통하여 단원을 준비할 수 있습니다.

푯말에 적힌 수가 곱셈의 결과인 꽃 찾기

- 계산을 하고 계산 결과가 80인 식에 ○표 합니다.
  ➡ $20 \times 4 = 80$(○), $40 \times 2 = 80$(○), $30 \times 3 = 90$
- 계산을 하고 계산 결과가 90인 식에 ○표 합니다.
  ➡ $15 \times 6 = 90$(○), $30 \times 4 = 120$, $18 \times 5 = 90$(○)
- 계산을 하고 계산 결과가 100인 식에 ○표 합니다.
  ➡ $50 \times 2 = 100$(○), $45 \times 2 = 90$, $25 \times 4 = 100$(○)
- 계산을 하고 계산 결과가 120인 식에 ○표 합니다.
  ➡ $40 \times 3 = 120$(○), $12 \times 5 = 60$, $24 \times 5 = 120$(○)
- 계산을 하고 계산 결과가 72인 식에 ○표 합니다.
  ➡ $42 \times 3 = 126$, $12 \times 6 = 72$(○), $24 \times 3 = 72$(○)

교과서 개념 완성 | 배운 것을 다시 생각하기

20×2를 계산하는 방법

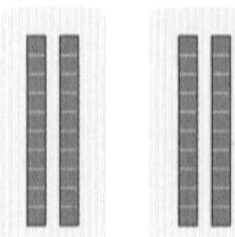

십 모형의 개수	십 모형이 나타내는 수
2×2=4(개)	20×2=40

12×4를 계산하는 방법

$$\begin{array}{r} 12 \\ \times\ \ 4 \\ \hline 8 \end{array} \rightarrow \begin{array}{r} 12 \\ \times\ \ 4 \\ \hline 48 \end{array}$$

일의 자리 수 2와 4의 곱 8을 일의 자리에 씁니다.

십의 자리 수 1과 4의 곱 4를 십의 자리에 씁니다.

26×3을 계산하는 방법

$$\begin{array}{r} {}^{1}\ \ \\ 26 \\ \times\ \ 3 \\ \hline 8 \end{array} \rightarrow \begin{array}{r} {}^{1}\ \ \\ 26 \\ \times\ \ 3 \\ \hline 78 \end{array}$$

6과 3의 곱 18에서 8은 일의 자리에 쓰고 1은 십의 자리에 올려 씁니다.

2와 3의 곱 6에 올림한 수 1을 더하여 7을 십의 자리에 씁니다.

54×4를 계산하는 방법

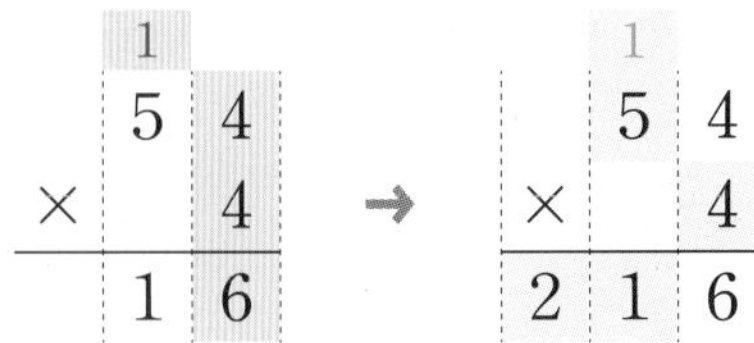

$$\begin{array}{r} {}^{1}\ \ \\ 54 \\ \times\ \ 4 \\ \hline 16 \end{array} \rightarrow \begin{array}{r} {}^{1}\ \ \\ 54 \\ \times\ \ 4 \\ \hline 216 \end{array}$$

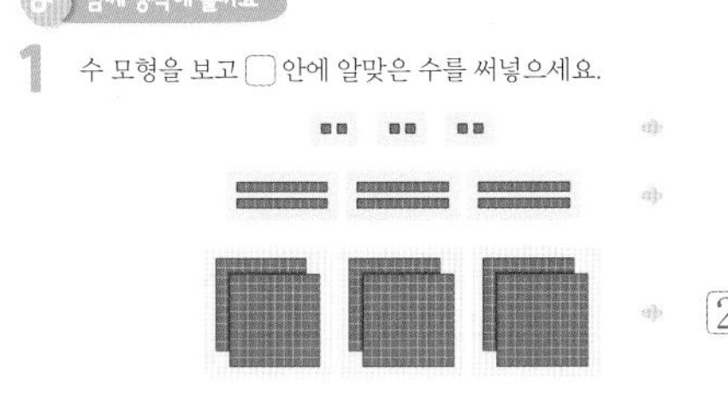

함께 생각해 볼까요
1 수 모형을 보고 □ 안에 알맞은 수를 써넣으세요.
2×3=6
20×3=60
200×3=600

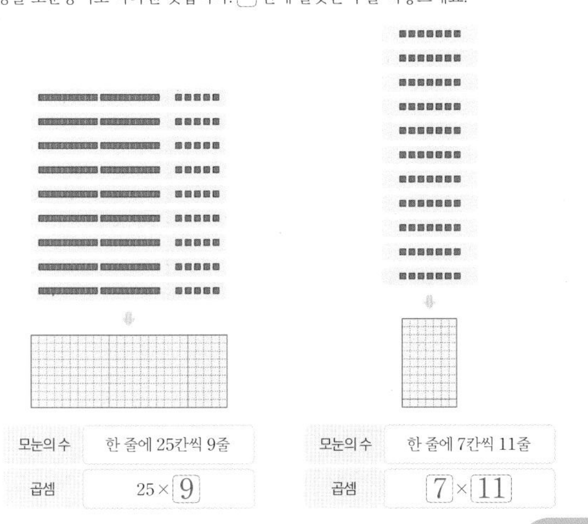

수 모형을 곱셈식으로 나타내기

➜ 일 모형이 2개씩 3묶음이므로 $2\times3=6$입니다.

➜ 십 모형이 2개씩 3묶음이므로 $20\times3=60$입니다.

➜ 백 모형이 2개씩 3묶음이므로 $200\times3=600$입니다.

수 모형을 모눈종이와 곱셈으로 나타내기

한 줄에 ■칸씩 ▲줄인 모눈의 수를 곱셈으로 나타내면 ■×▲입니다.

- 모눈이 한 줄에 25칸씩 9줄입니다.
  ➜ 25×9
- 모눈이 한 줄에 7칸씩 11줄입니다.
  ➜ 7×11

학부모 코칭 Tip

수 모형을 나타낸 모눈종이를 보고 색칠된 모눈의 수를 각각 곱셈으로 나타내어 전체 모눈의 수를 구해 보게 합니다.

개념 확인 문제

정답 및 풀이 206쪽

| 3-1 4. 곱셈 |

1 수 모형을 곱셈식으로 나타내어 보세요.

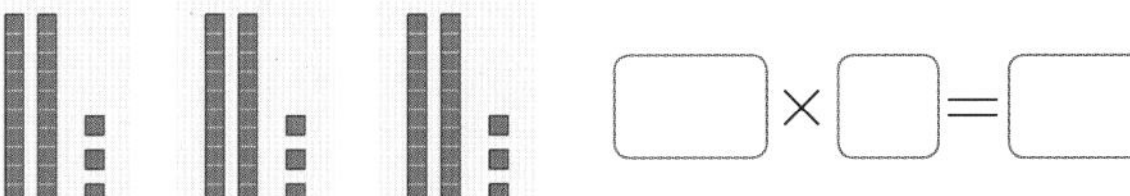

□×□=□

| 3-1 4. 곱셈 |

2 □ 안에 알맞은 수를 써넣으세요.

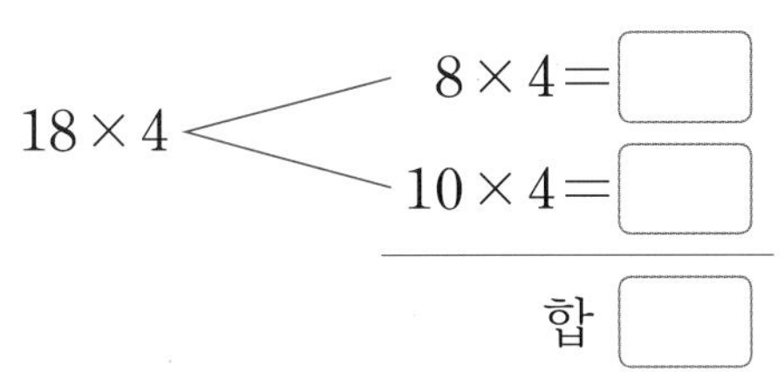

18×4 < $8\times4=$□, $10\times4=$□

합 □

| 3-1 4. 곱셈 |

3 계산해 보세요.

(1) $\begin{array}{r} 14 \\ \times\ \ 3 \\ \hline \end{array}$

(2) $\begin{array}{r} 42 \\ \times\ \ 7 \\ \hline \end{array}$

| 3-1 4. 곱셈 |

4 한 상자에 사과가 21개씩 들어 있습니다. 5상자에 들어 있는 사과는 모두 몇 개일까요?

(　　　　　　　　)

1 | (세 자리 수)×(한 자리 수) (1)

학습 목표

올림이 없거나 백의 자리에서 올림이 있는 (세 자리 수)×(한 자리 수)의 계산 결과를 어림하고, 계산 원리를 이해하여 계산할 수 있습니다.

그림으로 개념 잡기

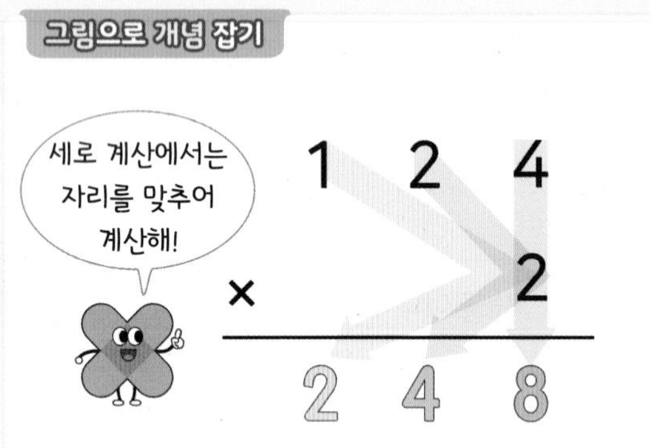

세로 계산에서는 자리를 맞추어 계산해!
1 2 4
× 2
2 4 8

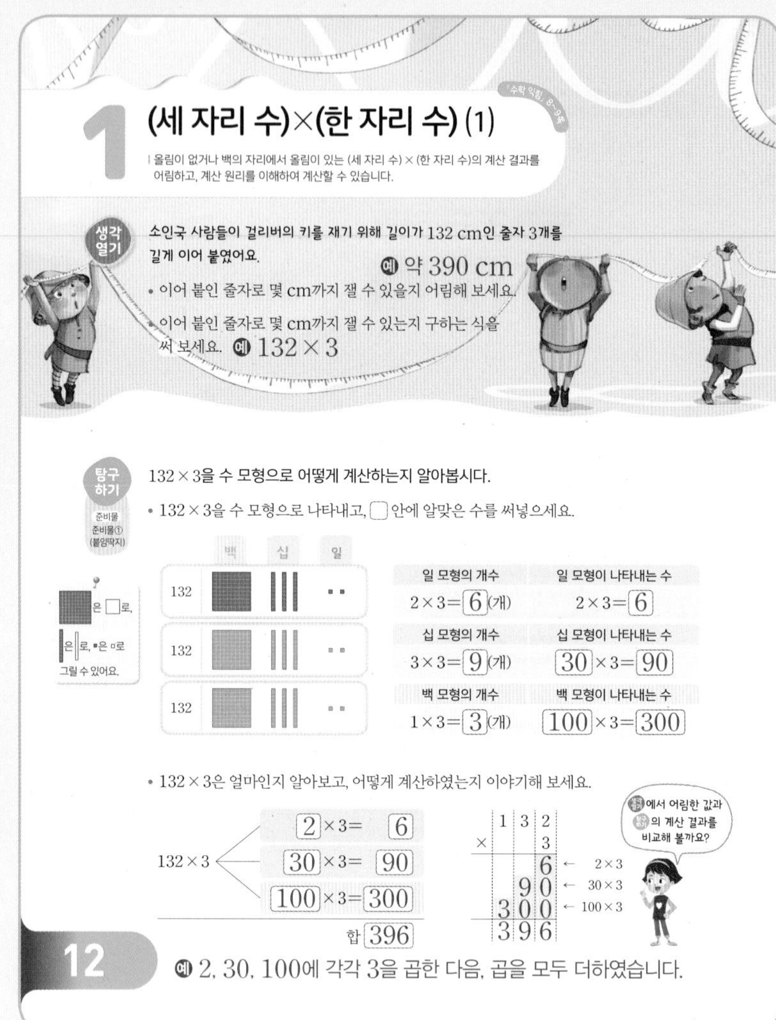

1 (세 자리 수)×(한 자리 수) (1)
올림이 없거나 백의 자리에서 올림이 있는 (세 자리 수)×(한 자리 수)의 계산 결과를 어림하고, 계산 원리를 이해하여 계산할 수 있습니다.
생각 열기
소인국 사람들이 걸리버의 키를 재기 위해 길이가 132 cm인 줄자 3개를 길게 이어 붙였어요.
• 이어 붙인 줄자로 몇 cm까지 잴 수 있을지 어림해 보세요. 예 약 390 cm
• 이어 붙인 줄자로 몇 cm까지 잴 수 있는지 구하는 식을 써 보세요. 예 132×3
탐구하기
132×3을 수 모형으로 어떻게 계산하는지 알아봅시다.
• 132×3을 수 모형으로 나타내고, □ 안에 알맞은 수를 써넣으세요.
백 십 일
일 모형의 개수 2×3=6(개)
일 모형이 나타내는 수 2×3=6
십 모형의 개수 3×3=9(개)
십 모형이 나타내는 수 30×3=90
백 모형의 개수 1×3=3(개)
백 모형이 나타내는 수 100×3=300
• 132×3은 얼마인지 알아보고, 어떻게 계산하였는지 이야기해 보세요.
132×3
2×3=6
30×3=90
100×3=300
합 396
2×3
30×3
100×3
12
예 2, 30, 100에 각각 3을 곱한 다음, 곱을 모두 더하였습니다.

어휘	곱셈 multiplication	몇 개의 수나 식 따위를 곱하여 계산하거나 그런 셈을 말합니다.

교과서 개념 완성

생각 열기 이어 붙인 줄자의 길이를 어림하고 식으로 나타내기

- 132를 130으로 생각하면 130은 100과 30이고 100 cm씩 3개이면 300 cm, 30 cm씩 3개이면 90 cm이므로 이어 붙인 줄자의 길이는 약 390 cm이고, 식으로 나타내면 132×3입니다.

탐구하기 132×3의 계산 방법 탐구하기

- 일 모형은 2×3=6(개)이므로 6을 나타냅니다.
  십 모형은 3×3=9(개)이므로 90을 나타냅니다.
  백 모형은 1×3=3(개)이므로 300을 나타냅니다.
- 132×3은 2×3=6, 30×3=90, 100×3=300을 더한 6+90+300=396입니다.

확인하기 올림이 없거나 백의 자리에서 올림이 있는 (세 자리 수)×(한 자리 수) 계산 익히기

$121 \times 4 = 484$

$231 \times 3 = 693$

$524 \times 2 = 1048$

$412 \times 2 = 824$

$320 \times 4 = 1280$

$342 \times 2 = 684$

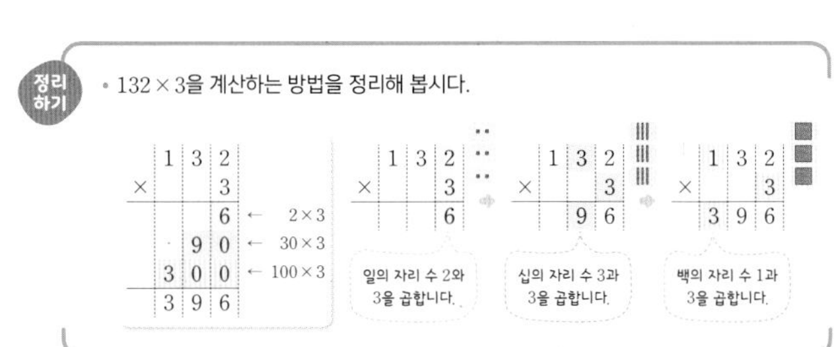

확인하기 계산해 보세요.

121 × 4	231 × 3	524 × 2
484	693	1048

412×2=824 320×4=1280 342×2=684

생각솔솔 문제 해결 농장에 닭이 114마리, 염소가 301마리 있습니다. 농장에 있는 닭과 염소의 다리는 각각 몇 개일까요?

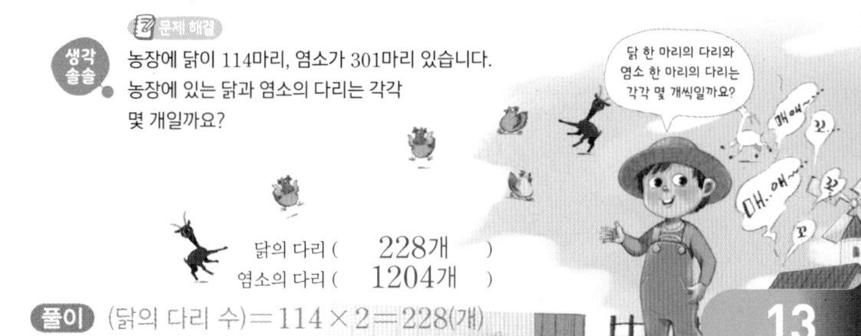

닭의 다리 (228개)
염소의 다리 (1204개)

풀이 (닭의 다리 수)=114×2=228(개)
(염소의 다리 수)=301×4=1204(개)

이런 문제가 서술형으로 나와요

민지네 집에서 수호네 집까지의 거리는 830 m입니다. 민지가 집에서 출발하여 수호네 집까지 걸어서 갔다가 집으로 돌아왔을 때 민지가 걸은 거리는 모두 몇 m인지 구해 보세요.

| 풀이 과정 |

❶ 민지가 걸은 거리는 모두 몇 m인지 구하는 식 세우기

민지네 집에서 수호네 집까지의 거리는 830 m이고, 민지가 집에서 출발하여 수호네 집까지 갔다가 돌아왔으므로 2배를 하여 구하면 됩니다.

→ 830×2

❷ 곱셈을 하여 민지가 걸은 거리는 모두 몇 m인지 구하기

830×2=1660이므로 민지가 걸은 거리는 모두 1660 m입니다.

답 1660 m

• 수학 교과 역량  문제 해결

(세 자리 수)×(한 자리 수)의 실생활 문제 해결하기

올림이 없거나 백의 자리에서 올림이 있는 (세 자리 수)×(한 자리 수)를 해결하는 과정을 통하여 문제 해결 능력을 기를 수 있습니다.

개념 확인 문제

정답 및 풀이 206쪽

1 □ 안에 알맞은 수를 써넣으세요.

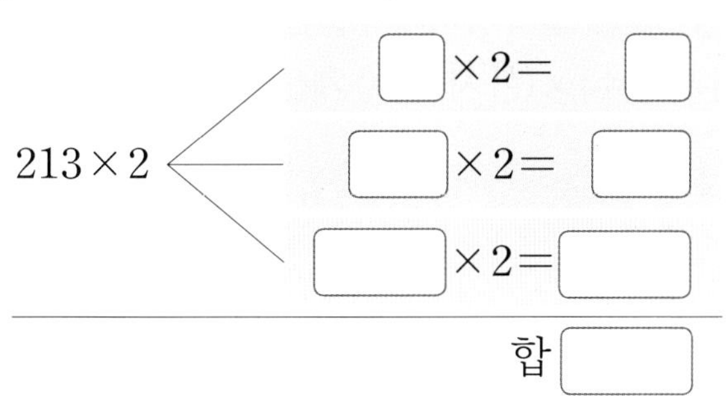

2 계산해 보세요.

(1) 134 × 2

(2) 612 × 3

(3) 323×3

3 구슬이 한 상자에 512개씩 들어 있습니다. 4상자에 들어 있는 구슬은 모두 몇 개일까요?

( )

2 (세 자리 수)×(한 자리 수) (2)

학습 목표

일의 자리에서 올림이 있는 (세 자리 수)×(한 자리 수)의 계산 결과를 어림하고, 계산 원리를 이해하여 계산할 수 있습니다.

그림으로 개념 잡기

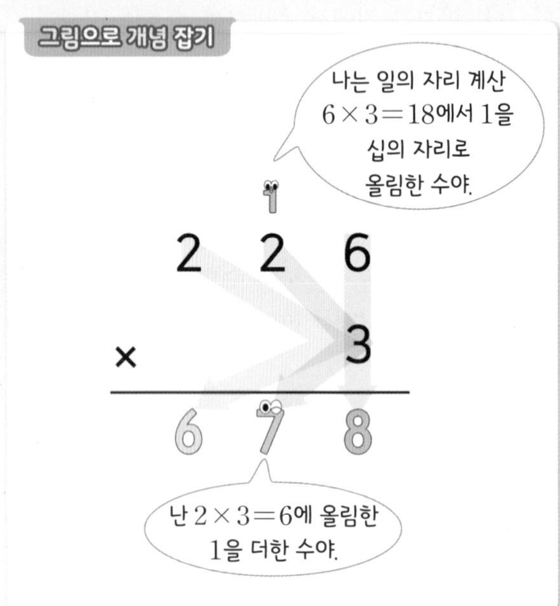

나는 일의 자리 계산 6×3=18에서 1을 십의 자리로 올림한 수야.
1
2 2 6
× 3
6 7 8
난 2×3=6에 올림한 1을 더한 수야.

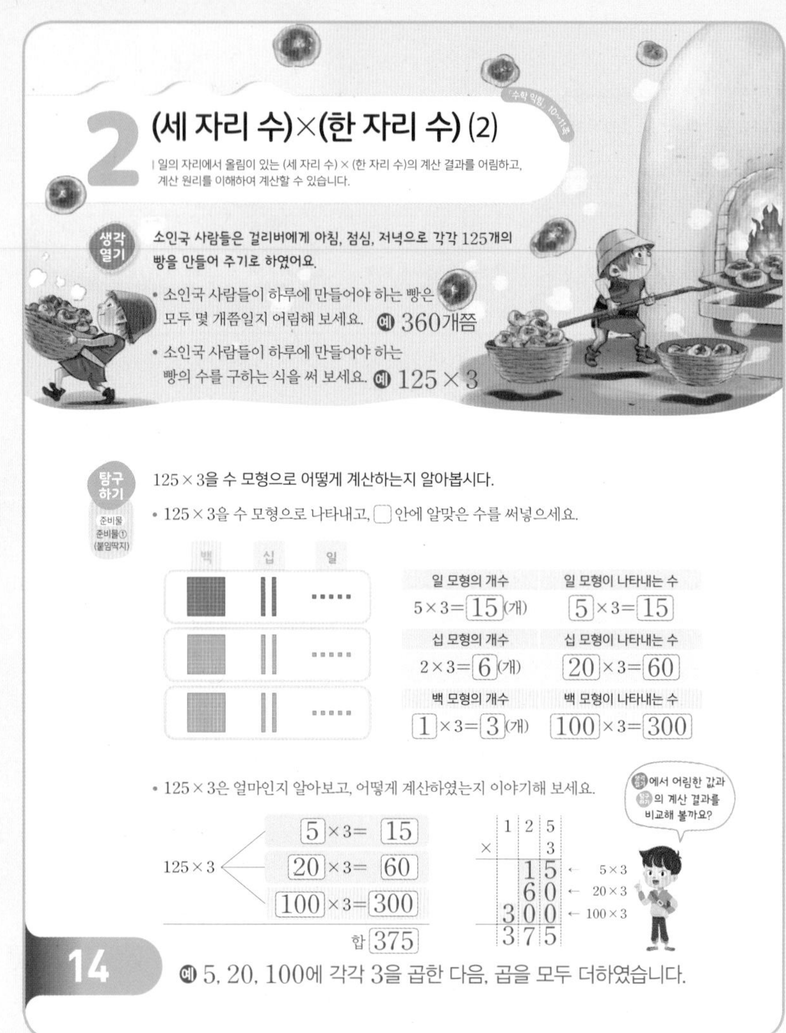

2 (세 자리 수)×(한 자리 수) (2)

일의 자리에서 올림이 있는 (세 자리 수)×(한 자리 수)의 계산 결과를 어림하고, 계산 원리를 이해하여 계산할 수 있습니다.

생각 열기 소인국 사람들은 걸리버에게 아침, 점심, 저녁으로 각각 125개의 빵을 만들어 주기로 하였어요.

- 소인국 사람들이 하루에 만들어야 하는 빵은 모두 몇 개쯤일지 어림해 보세요. 예 360개쯤
- 소인국 사람들이 하루에 만들어야 하는 빵의 수를 구하는 식을 써 보세요. 예 125×3

탐구 하기 125×3을 수 모형으로 어떻게 계산하는지 알아봅시다.

준비물 준비물① (붙임딱지)

- 125×3을 수 모형으로 나타내고, □ 안에 알맞은 수를 써넣으세요.

일 모형의 개수	일 모형이 나타내는 수
5×3=15(개)	5×3=15
십 모형의 개수	**십 모형이 나타내는 수**
2×3=6(개)	20×3=60
백 모형의 개수	**백 모형이 나타내는 수**
1×3=3(개)	100×3=300

- 125×3은 얼마인지 알아보고, 어떻게 계산하였는지 이야기해 보세요.

125×3 → 5×3=15, 20×3=60, 100×3=300, 합 375

	1	2	5	
×			3	
		1	5	← 5×3
		6	0	← 20×3
	3	0	0	← 100×3
	3	7	5	

생각에서 어림한 값과 탐구의 계산 결과를 비교해 볼까요?

14

예 5, 20, 100에 각각 3을 곱한 다음, 곱을 모두 더하였습니다.

교과서 개념 완성

생각 열기 **소인국 사람들이 하루에 만들어야 하는 빵의 수를 어림하고 식으로 나타내기**

- 125를 120으로 생각하면 120은 100과 20이고, 100개씩 3묶음이면 300개, 20개씩 3묶음이면 60개이므로 하루에 만들어야 하는 빵의 수는 약 360개이고, 식으로 나타내면 125×3입니다.

탐구하기 **125×3의 계산 방법 탐구하기**

- 일 모형은 5×3=15(개)이므로 15를 나타냅니다. 십 모형은 2×3=6(개)이므로 60을 나타냅니다. 백 모형은 1×3=3(개)이므로 300을 나타냅니다.
- 125×3은 5×3=15, 20×3=60, 100×3=300을 더한 15+60+300=375입니다.

확인하기 **일의 자리에서 올림이 있는 (세 자리 수)×(한 자리 수) 계산 익히기**

		2	
	2	1	8
×			3
	6	5	4

		1	
	4	0	9
×			2
	8	1	8

		2	
	2	1	5
×			4
	8	6	0

		1	
	1	1	3
×			4
	4	5	2

		2	
	3	2	7
×			3
	9	8	1

		1	
	4	1	6
×			2
	8	3	2

정리하기 • 125 × 3을 계산하는 방법을 정리해 봅시다.

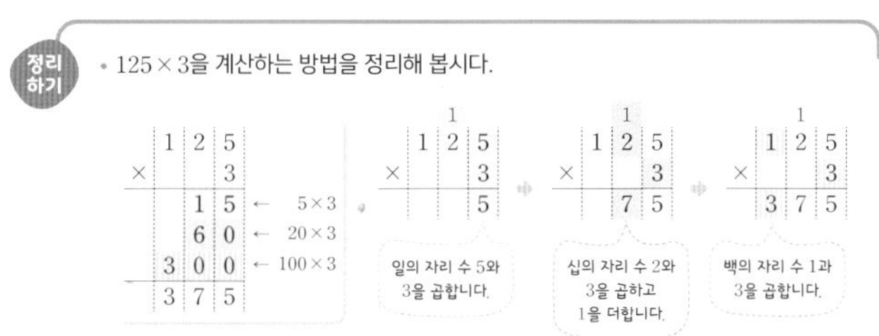

확인하기 계산해 보세요.

$218 \times 3 = 654$ $409 \times 2 = 818$ $215 \times 4 = 860$

$113 \times 4 = 452$ $327 \times 3 = 981$ $416 \times 2 = 832$

생각 솔솔 추론
잘못 계산한 곳을 찾아 이유를 쓰고, 바르게 계산해 보세요.

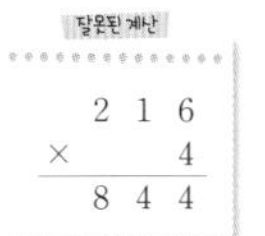

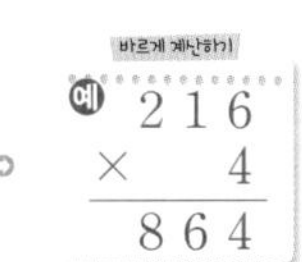

이유 예 일의 자리 계산 $6 \times 4 = 24$에서 올림한 수인 2를 십의 자리 계산에서 더하지 않았습니다.

15

이런 문제가 서술형으로 나와요

소정이는 매일 줄넘기를 102개씩 합니다. 소정이가 2주 동안 한 줄넘기는 모두 몇 개인지 풀이 과정을 쓰고, 답을 구해 보세요.

| 풀이 과정 |

❶ 소정이가 일주일 동안 한 줄넘기의 개수 구하기

일주일은 7일이므로 소정이가 일주일 동안 한 줄넘기는 $102 \times 7 = 714$(개)입니다.

❷ 소정이가 2주 동안 한 줄넘기의 개수 구하기

소정이가 일주일 동안 줄넘기를 714개 하였으므로 2주 동안 한 줄넘기는 $714 \times 2 = 1428$(개)입니다.

답 1428개

수학 교과 역량 

잘못된 부분 찾아 바르게 계산하기

잘못 계산한 곳을 찾아 그 이유를 설명하는 과정을 통하여 추론 능력을 기를 수 있습니다.

개념 확인 문제

정답 및 풀이 206쪽

1 □ 안에 알맞은 수를 써넣으세요.

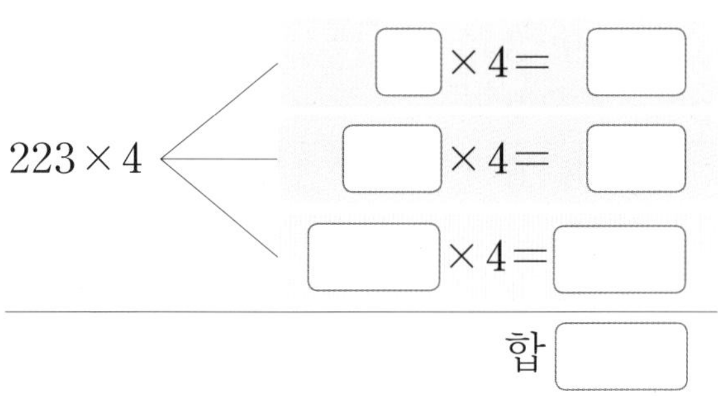

2 계산해 보세요.

(1) $\begin{array}{r} 136 \\ \times \quad 2 \\ \hline \end{array}$ (2) $\begin{array}{r} 319 \\ \times \quad 3 \\ \hline \end{array}$

3 고구마를 한 상자에 127개씩 담았습니다. 3상자에 담은 고구마는 모두 몇 개일까요?

( )

3 | (세 자리 수)×(한 자리 수) (3)

학습 목표

십의 자리에서 올림이 있는 (세 자리 수)×(한 자리 수)와 올림이 여러 번 있는 (세 자리 수)×(한 자리 수)의 계산 결과를 어림하고, 계산 원리를 이해하여 계산할 수 있습니다.

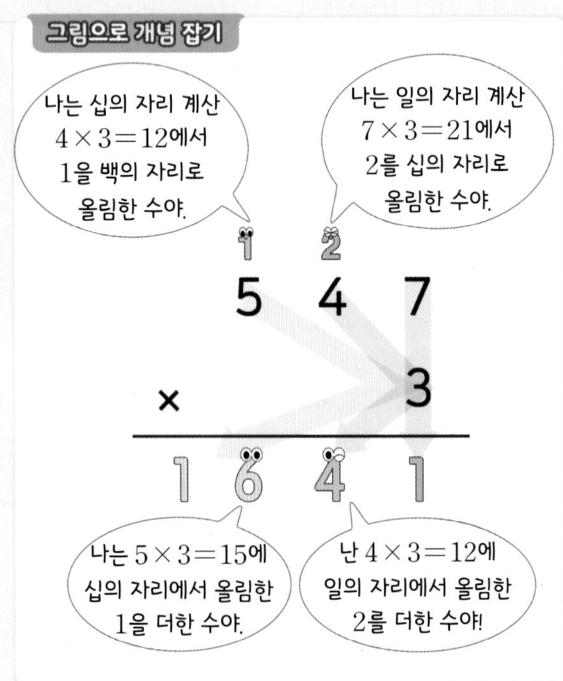

그림으로 개념 잡기
나는 십의 자리 계산 4×3=12에서 1을 백의 자리로 올림한 수야.
나는 일의 자리 계산 7×3=21에서 2를 십의 자리로 올림한 수야.
1 2
5 4 7
× 3
1 6 4 1
나는 5×3=15에 십의 자리에서 올림한 1을 더한 수야.
난 4×3=12에 일의 자리에서 올림한 2를 더한 수야!

3 (세 자리 수)×(한 자리 수) (3)

십의 자리에서 올림이 있는 (세 자리 수)×(한 자리 수)와 올림이 여러 번 있는 (세 자리 수)×(한 자리 수)의 계산 결과를 어림하고, 계산 원리를 이해하여 계산할 수 있습니다.

생각 열기 걸리버에게 줄 빵을 만들 때 한 상자에 262봉지씩 들어 있는 밀가루 7상자를 사용하였어요.

- 사용한 밀가루는 모두 몇 봉지쯤일지 어림해 보세요. 예 2100봉지쯤
- 사용한 밀가루의 봉지 수를 구하는 식을 써 보세요. 예 262×7

탐구하기 262×7을 어떻게 계산하는지 알아봅시다.

- 262×7을 어떻게 계산할 수 있을지 생각해 보세요.

262×7 — 2×7= 14, 60×7= 420, 200×7=1400, 합 1834

□와 □에는 각각 어떤 수를 써야 할까요?

- 262×7은 얼마인지 알아보세요.

	2	6	2	
×			7	
		1	4	← 2×7
	4	2	0	← 60×7
1	4	0	0	← 200×7
1	8	3	4	

→

	4	1	
	2	6	2
×			7
1	8	3	4

- 262×7을 어떻게 계산하였는지 이야기해 보세요.

예 2, 60, 200에 각각 7을 곱한 다음, 곱을 모두 더하였습니다.

생각 열기에서 어림한 값과 탐구하기의 계산 결과를 비교해 볼까요?

16

교과서 개념 완성

생각 열기 **사용한 밀가루의 봉지 수를 어림하고 식으로 나타내기**

- 262를 300으로 생각하면 300봉지씩 7상자이므로 사용한 밀가루의 봉지 수는 약 2100봉지이고, 식으로 나타내면 262×7입니다.

탐구하기 **262×7의 계산 방법 탐구하기**

- 262×7은 2×7=14, 60×7=420, 200×7=1400을 더한 14+420+1400=1834입니다.
- □에는 일의 자리 계산에서 올림한 1을 씁니다. □에는 십의 자리 계산에서 올림한 4를 씁니다.

확인하기 **십의 자리에서 올림이 있거나 올림이 여러 번 있는 (세 자리 수)×(한 자리 수) 계산 익히기**

1. 계산해 보세요.

	1		
	4	9	3
×			2
	9	8	6

	5	1	
	5	9	3
×			6
3	5	5	8

	3	3	
	2	7	8
×			4
1	1	1	2

		1	
	5	0	2
×			7
3	5	1	4

2. 서우가 6년 동안 결석 없이 등교한 날수는 (1년 동안 등교하는 날수)×6입니다.

정리하기

• 262×7을 계산하는 방법을 정리해 봅시다.

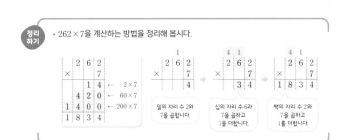

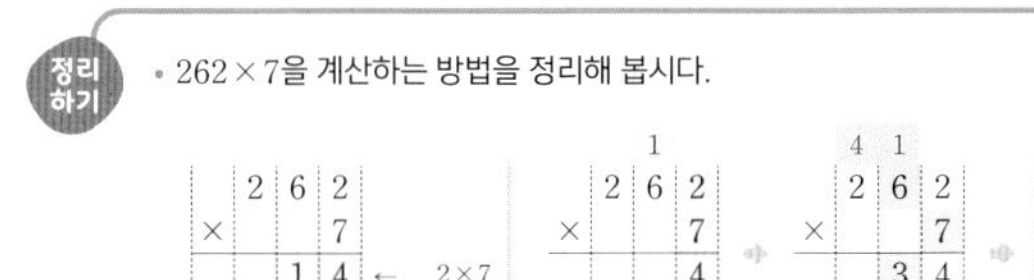

2 6 2
× 7
1 4 ← 2×7
4 2 0 ← 60×7
1 4 0 0 ← 200×7
1 8 3 4
일의 자리 수 2와 7을 곱합니다.
십의 자리 수 6과 7을 곱하고 1을 더합니다.
백의 자리 수 2와 7을 곱하고 4를 더합니다.

확인하기

1. 계산해 보세요.

$493 \times 2 = 986$ $593 \times 6 = 3558$ $278 \times 4 = 1112$ $502 \times 7 = 3514$

2. 서우네 초등학교는 1년 중 192일을 등교합니다. 서우가 이 학교에서 6년 동안 결석 없이 등교한다면 등교한 날은 모두 며칠일까요?

식 $192 \times 6 = 1152$ 답 1152일

풀이 (서우가 6년 동안 결석 없이 등교한 날수) $= 192 \times 6 = 1152$(일)

생각솔솔 문제 해결

(세 자리 수)×(한 자리 수)의 계산 결과의 크기를 비교한 것입니다. ★이 0보다 큰 수일 때, ★이 될 수 있는 수를 모두 찾아보세요. 1, 2, 3, 4

762×3 > 500×★

풀이 $762 \times 3 = 2286$입니다.
$500 \times 5 = 2500$, $500 \times 4 = 2000$이므로
★이 될 수 있는 수는 5보다 작은 수인 1, 2, 3, 4입니다.

17

이런 문제가 서술형으로 나와요

주희가 상자 한 개를 포장하는 데 빨간색 리본은 135 cm를, 노란색 리본은 124 cm를 사용하였습니다. 주희가 상자 5개를 포장하는 데 사용한 리본은 모두 몇 cm인지 풀이 과정을 쓰고, 답을 구해 보세요.

| 풀이 과정 |

❶ 주희가 상자 한 개를 포장하는 데 사용한 리본의 길이 구하기

상자 한 개를 포장하는 데 사용한 빨간색 리본과 노란색 리본의 길이의 합은 $135 + 124 = 259$ (cm)입니다.

❷ 주희가 상자 5개를 포장하는 데 사용한 리본의 길이 구하기

주희가 상자 한 개를 포장하는 데 사용한 리본은 259 cm이므로 상자 5개를 포장하는 데 사용한 리본은 모두 $259 \times 5 = 1295$ (cm)입니다.

답 1295 cm

수학 교과 역량 문제 해결

(세 자리 수)×(한 자리 수)를 활용하여 문제 해결하기

곱셈을 이용한 다양한 문제를 해결해 보는 과정을 통하여 문제 해결 능력을 기를 수 있습니다.

개념 확인 문제

정답 및 풀이 206~207쪽

1 □ 안에 알맞은 수를 써넣으세요.

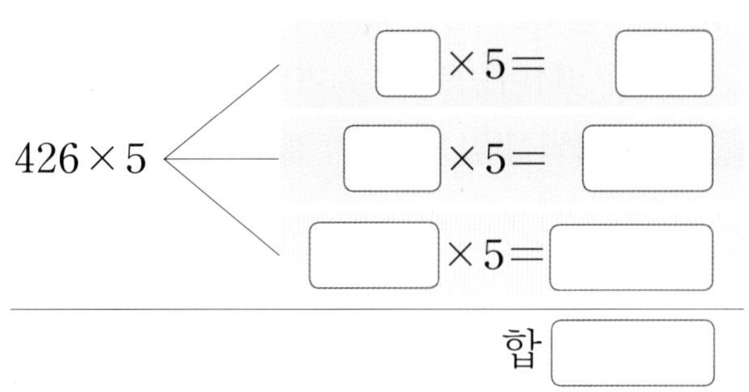

2 계산해 보세요.

(1) 534×4 (2) 373×6

3 다운이는 매일 우유를 185 mL씩 마십니다. 다운이가 일주일 동안 마신 우유는 모두 mL일까요?

( )

4 | (몇십몇)×(몇십)

학습 목표

(몇십몇) × (몇십)의 계산 결과를 어림하고, 계산 원리를 이해하여 계산할 수 있습니다.

그림으로 개념 잡기

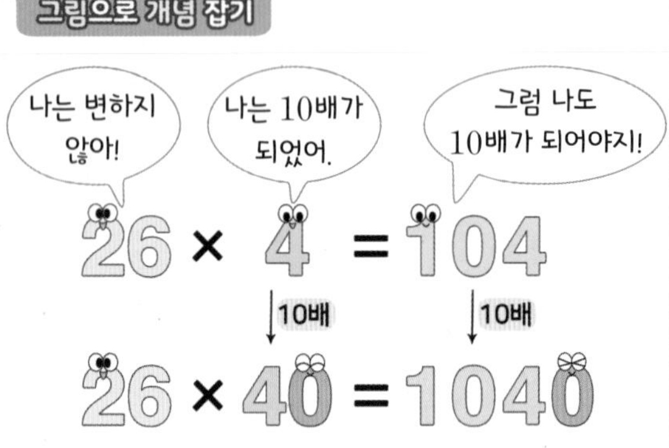

나는 변하지 않아!
나는 10배가 되었어.
그럼 나도 10배가 되어야지!
26 × 4 = 104
10배
10배
26 × 40 = 1040

참고 (몇십몇) × (몇십)은 (몇십몇) × (몇)의 10배이기 때문에 일의 자리에 0을 쓴다는 것을 이해하게 합니다.

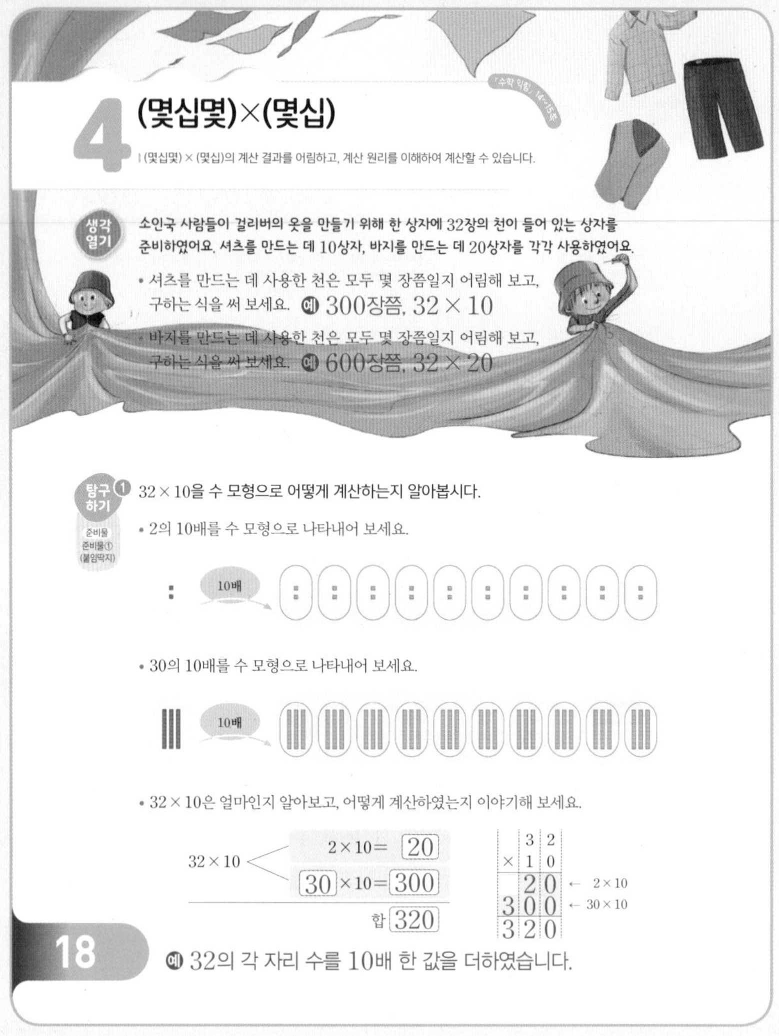

4 (몇십몇)×(몇십)

| (몇십몇) × (몇십)의 계산 결과를 어림하고, 계산 원리를 이해하여 계산할 수 있습니다.

생각 열기 소인국 사람들이 걸리버의 옷을 만들기 위해 한 상자에 32장의 천이 들어 있는 상자를 준비하였어요. 셔츠를 만드는 데 10상자, 바지를 만드는 데 20상자를 각각 사용하였어요.

- 셔츠를 만드는 데 사용한 천은 모두 몇 장쯤일지 어림해 보고, 구하는 식을 써 보세요. 예 300장쯤, 32×10
- 바지를 만드는 데 사용한 천은 모두 몇 장쯤일지 어림해 보고, 구하는 식을 써 보세요. 예 600장쯤, 32×20

탐구하기 1 32×10을 수 모형으로 어떻게 계산하는지 알아봅시다.

준비물 준비물① (붙임딱지)

- 2의 10배를 수 모형으로 나타내어 보세요.

10배

- 30의 10배를 수 모형으로 나타내어 보세요.

10배

- 32×10은 얼마인지 알아보고, 어떻게 계산하였는지 이야기해 보세요.

32×10 — $2 \times 10 =$ 20, 30 $\times 10 =$ 300, 합 320

	3	2	
×	1	0	
	2	0	← 2×10
3	0	0	← 30×10
3	2	0	

예 32의 각 자리 수를 10배 한 값을 더하였습니다.

18

교과서 개념 완성

생각 열기 **셔츠와 바지를 만드는 데 각각 사용한 천의 수를 어림하고 식으로 나타내기**

- 32를 30으로 생각하면 30장씩 10상자이므로 셔츠를 만드는 데 사용한 천의 수는 약 300장이고, 식으로 나타내면 32×10입니다.
- 32를 30으로 생각하면 30장씩 20상자이므로 바지를 만드는 데 사용한 천의 수는 약 600장이고, 식으로 나타내면 32×20입니다.

탐구하기 1 **32 × 10의 계산 방법 탐구하기**

- 2의 10배인 20과 30의 10배인 300을 더합니다.

32×10은 백 모형이 3개, 십 모형이 2개이므로 320입니다.

탐구하기 2 **32 × 20의 계산 방법 탐구하기**

- 32×20은 32×2를 10배 한 것과 같습니다.
- 32×2는 64이므로 32×20은 640입니다.

확인하기 **(몇십몇) × (몇십) 계산 익히기**

$40 \times 6 = 240$ → (10배, 10배) → $40 \times 60 = 2400$

$72 \times 3 = 216$ → (10배, 10배) → $72 \times 30 = 2160$

$33 \times 9 = 297$ → (10배, 10배) → $33 \times 90 = 2970$

$80 \times 5 = 400$ → (10배, 10배) → $80 \times 50 = 4000$

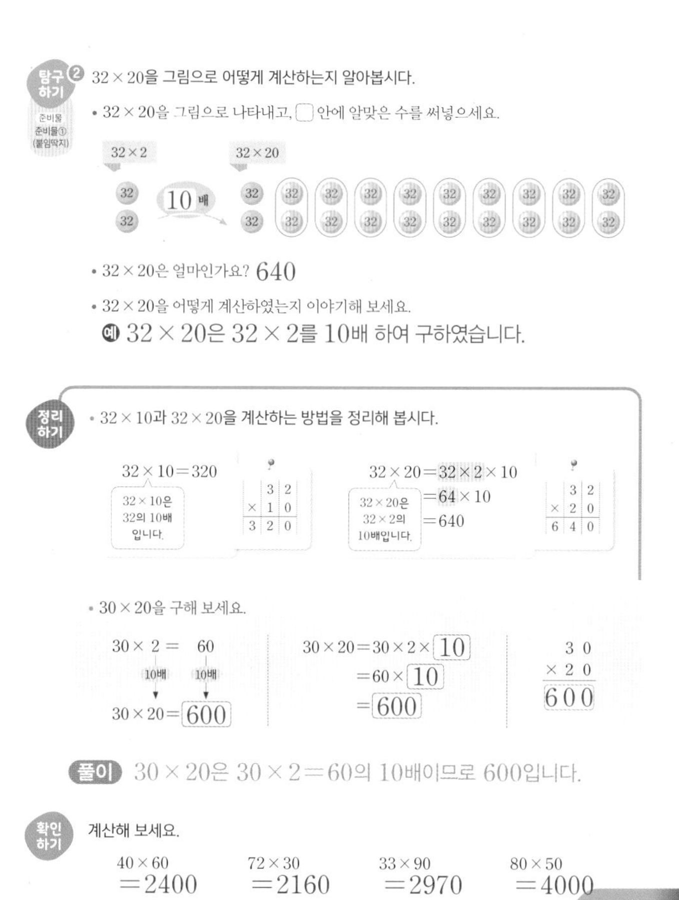

탐구하기 ❷ 32×20을 그림으로 어떻게 계산하는지 알아봅시다.
• 32×20을 그림으로 나타내고, □ 안에 알맞은 수를 써넣으세요.
32×2
32×20
10 배
• 32×20은 얼마인가요? 640
• 32×20을 어떻게 계산하였는지 이야기해 보세요.
예 32×20은 32×2를 10배 하여 구하였습니다.
정리하기 • 32×10과 32×20을 계산하는 방법을 정리해 봅시다.
32×10=320
32×10은 32의 10배입니다.
32×20=32×2×10 =64×10 =640
32×20은 32×2의 10배입니다.
• 30×20을 구해 보세요.
30×2=60
30×20=600
30×20=30×2×10 =60×10 =600
풀이 30×20은 30×2=60의 10배이므로 600입니다.
확인하기 계산해 보세요.
40×60 =2400
72×30 =2160
33×90 =2970
80×50 =4000
19

이런 문제가 서술형으로 나와요

혜성이는 한 묶음에 17장인 색종이를 40묶음 사고, 태솔이는 한 묶음에 22장인 색종이를 30묶음 샀습니다. 혜성이와 태솔이가 산 색종이는 모두 몇 장인지 풀이 과정을 쓰고, 답을 구해 보세요.

| 풀이 과정 |

❶ 혜성이가 산 색종이의 수 구하기

혜성이가 산 색종이는 모두 $17 \times 40 = 680$(장)입니다.

❷ 태솔이가 산 색종이의 수 구하기

태솔이가 산 색종이는 모두 $22 \times 30 = 660$(장)입니다.

❸ 혜성이와 태솔이가 산 색종이는 모두 몇 장인지 구하기

두 사람이 산 색종이는 모두 $680 + 660 = 1340$(장)입니다.

답 1340장

개념 확인 문제

정답 및 풀이 207쪽

1 □ 안에 알맞은 수를 써넣으세요.

$30 \times 4 = \square$ (10배, 10배) $30 \times 40 = \square$

$37 \times 4 = \square$ (10배, 10배) $37 \times 40 = \square$

2 계산해 보세요.

(1) $\begin{array}{r} 2\ 4 \\ \times\ 3\ 0 \\ \hline \end{array}$

(2) $\begin{array}{r} 7\ 5 \\ \times\ 5\ 0 \\ \hline \end{array}$

3 귤을 한 봉지에 20개씩 담으려고 합니다. 29봉지에 담는 귤은 모두 몇 개일까요?

( )

4 28×70을 계산하는 과정을 잘못 설명한 학생은 누구인지 이름을 써 보세요.

현아: 28×7의 값을 10배 하면 돼.
수종: 2×70의 값과 8×70의 값을 더하면 돼.

( )

5 | (몇)×(몇십몇)

학습 목표

(몇)×(몇십몇)의 계산 결과를 어림하고, 계산 원리를 이해하여 계산할 수 있습니다.

그림으로 개념 잡기

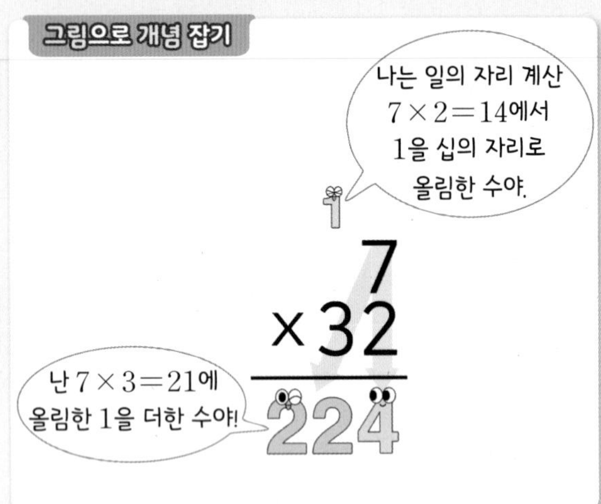

나는 일의 자리 계산 7×2=14에서 1을 십의 자리로 올림한 수야.
1
7
×32
224
난 7×3=21에 올림한 1을 더한 수야!

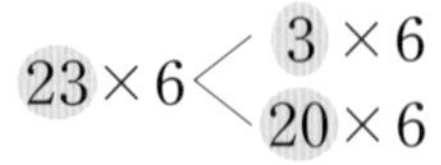

참고

곱셈에서는 곱하는 수를 나누어 계산할 수 있음을 이해하게 합니다.

23×6 < 3×6, 20×6

6×23 < 6×3, 6×20

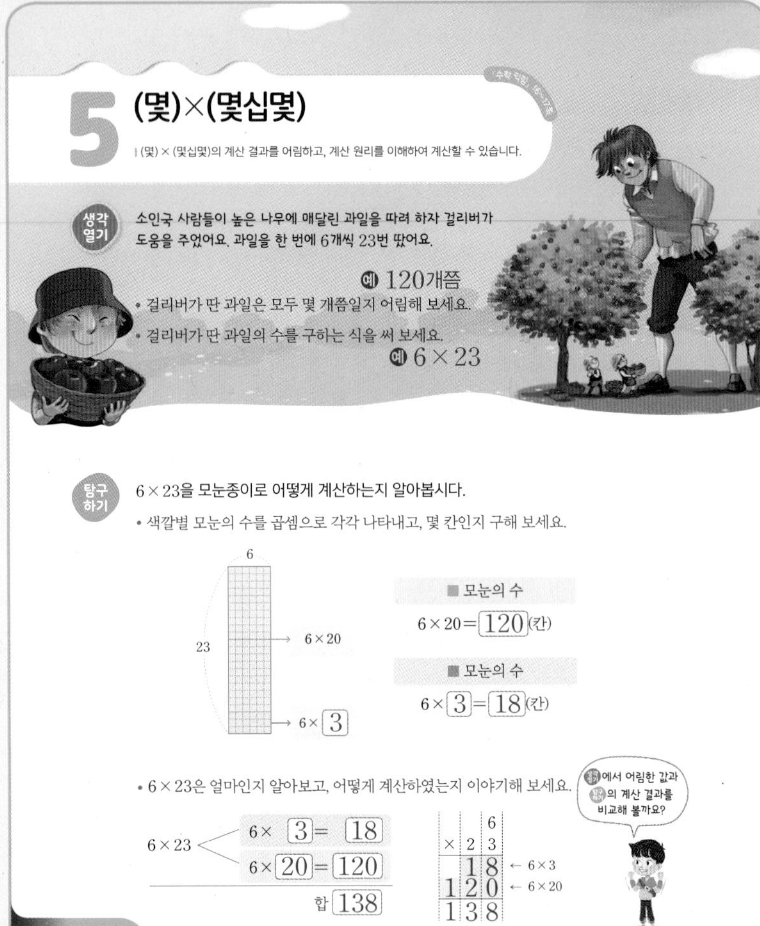

5 (몇)×(몇십몇)
(몇)×(몇십몇)의 계산 결과를 어림하고, 계산 원리를 이해하여 계산할 수 있습니다.
생각열기
소인국 사람들이 높은 나무에 매달린 과일을 따려 하자 걸리버가 도움을 주었어요. 과일을 한 번에 6개씩 23번 땄어요.
예 120개쯤
• 걸리버가 딴 과일은 모두 몇 개쯤일지 어림해 보세요.
• 걸리버가 딴 과일의 수를 구하는 식을 써 보세요.
예 6×23

탐구하기 6×23을 모눈종이로 어떻게 계산하는지 알아봅시다.

• 색깔별 모눈의 수를 곱셈으로 각각 나타내고, 몇 칸인지 구해 보세요.

6×20, 6×3

■ 모눈의 수 6×20=120(칸)

■ 모눈의 수 6×3=18(칸)

• 6×23은 얼마인지 알아보고, 어떻게 계산하였는지 이야기해 보세요.

6×23 < 6×3=18, 6×20=120 합 138

		6
×	2	3
	1	8
1	2	0
1	3	8

← 6×3, ← 6×20

생각열기에서 어림한 값과 탐구의 계산 결과를 비교해 볼까요?

20

예 • 23을 20과 3으로 나누어 6과 각각 곱한 후 더하였습니다.
• 6×3과 6×20을 구한 후 더하였습니다.

교과서 개념 완성

생각열기 걸리버가 딴 과일의 수를 어림하고 식으로 나타내기

• 23을 20으로 생각하면 6개씩 20묶음이므로 걸리버가 딴 과일의 수는 약 120개이고, 식으로 나타내면 6×23입니다.

탐구하기 6×23의 계산 방법 탐구하기

• 초록색 모눈의 수: 6칸씩 20줄 → 6×20=120(칸), 파란색 모눈의 수: 6칸씩 3줄 → 6×3=18(칸)

• 6×20=120이고, 6×3=18이므로 6×23은 120과 18을 더한 138입니다.

확인하기 (몇)×(몇십몇) 계산 익히기

1. 계산해 보세요.

		5
×	1	9
	4	5
	5	
	9	5

		4
×	4	6
	2	4
1	6	
1	8	4

		8
×	2	6
	4	8
1	6	
2	0	8

		6
×	4	5
	3	0
2	4	
2	7	0

• 6×23을 계산하는 방법을 정리해 봅시다.

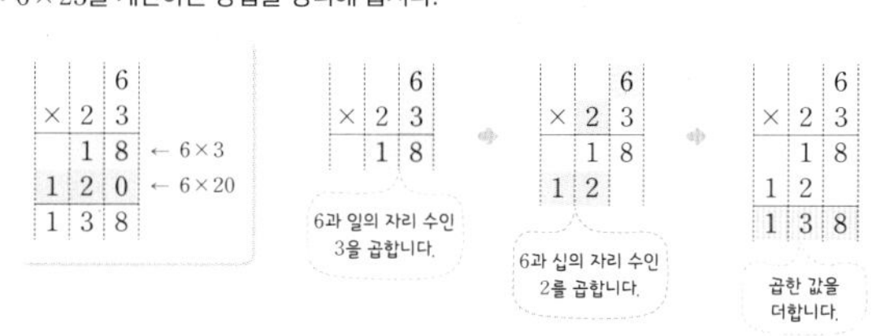

1. 계산해 보세요.

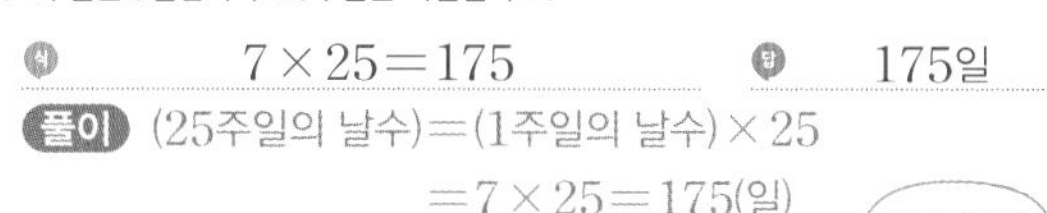

2. 1주일은 7일입니다. 25주일은 며칠일까요?

식 $7\times25=175$ 답 175일

풀이 (25주일의 날수)=(1주일의 날수)×25
=7×25=175(일)

의사소통
두 곱셈의 계산 결과를 비교하고, 알게 된 점을 이야기해 보세요.

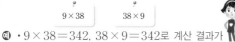

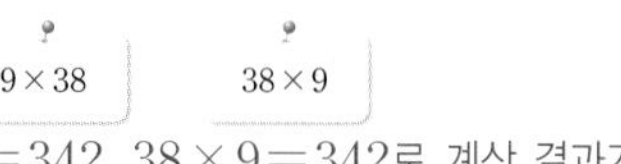

예 • 9×38=342, 38×9=342로 계산 결과가 같습니다.
• 곱셈에서 곱해지는 수와 곱하는 수의 순서를 바꾸어 곱해도 계산 결과는 같습니다.

21

이런 문제가 서술형으로 나와요

곶감이 한 줄에 9개씩 22줄이 있었습니다. 서현이가 곶감 7개를 먹었다면 남은 곶감은 몇 개인지 풀이 과정을 쓰고, 답을 구해 보세요.

| 풀이 과정 |

❶ 처음에 있던 곶감의 수 구하기

곶감이 한 줄에 9개씩 22줄이 있었으므로 처음에 있던 곶감은 모두 9×22=198(개)입니다.

❷ 서현이가 먹고 남은 곶감의 수 구하기

서현이가 곶감 7개를 먹었으므로 남은 곶감은 198−7=191(개)입니다.

답 191개

두 곱셈의 계산 결과를 비교하고, 알게 된 점 이야기하기

9×38, 38×9의 계산 결과를 비교하여 알게 된 점을 이야기해 보는 과정을 통하여 의사소통 능력을 기를 수 있습니다.

개념 확인 문제

정답 및 풀이 207쪽

1 □ 안에 알맞은 수를 써넣으세요.

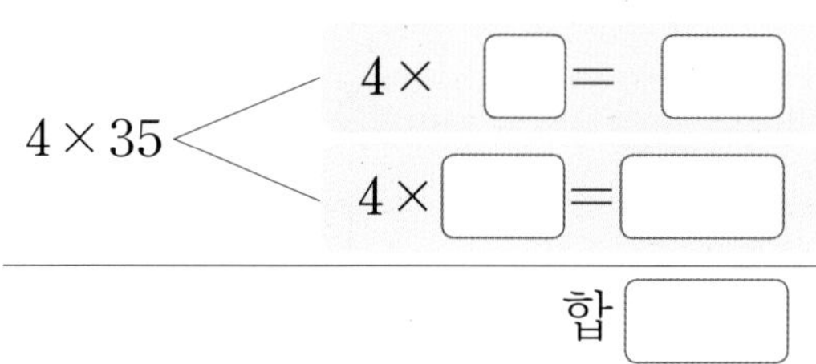

2 계산해 보세요.

(1) 5 × 27

(2) 7 × 43

3 계산 결과가 가장 큰 것을 찾아 ○표 하세요.

5×33 3×47 6×24

4 사탕이 한 봉지에 9개씩 들어 있습니다. 16봉지에 들어 있는 사탕은 모두 몇 개일까요?

( )

6 | (몇십몇)×(몇십몇) (1)

학습 목표

올림이 한 번 있는 (몇십몇)×(몇십몇)의 계산 결과를 어림하고, 계산 원리를 이해하여 계산할 수 있습니다.

그림으로 개념 잡기

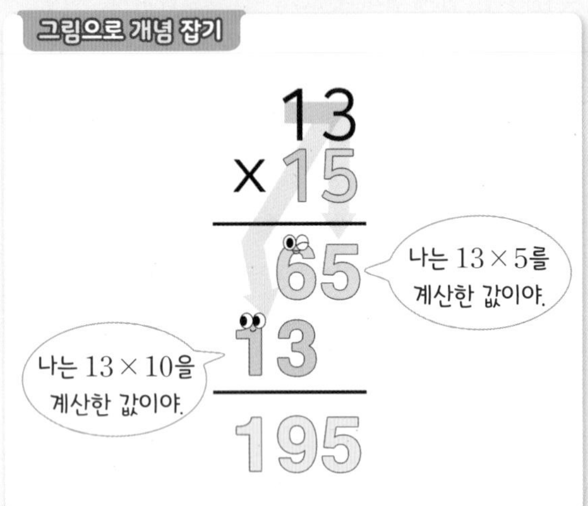

13
× 15
65
13
195
나는 13×5를 계산한 값이야.
나는 13×10을 계산한 값이야.

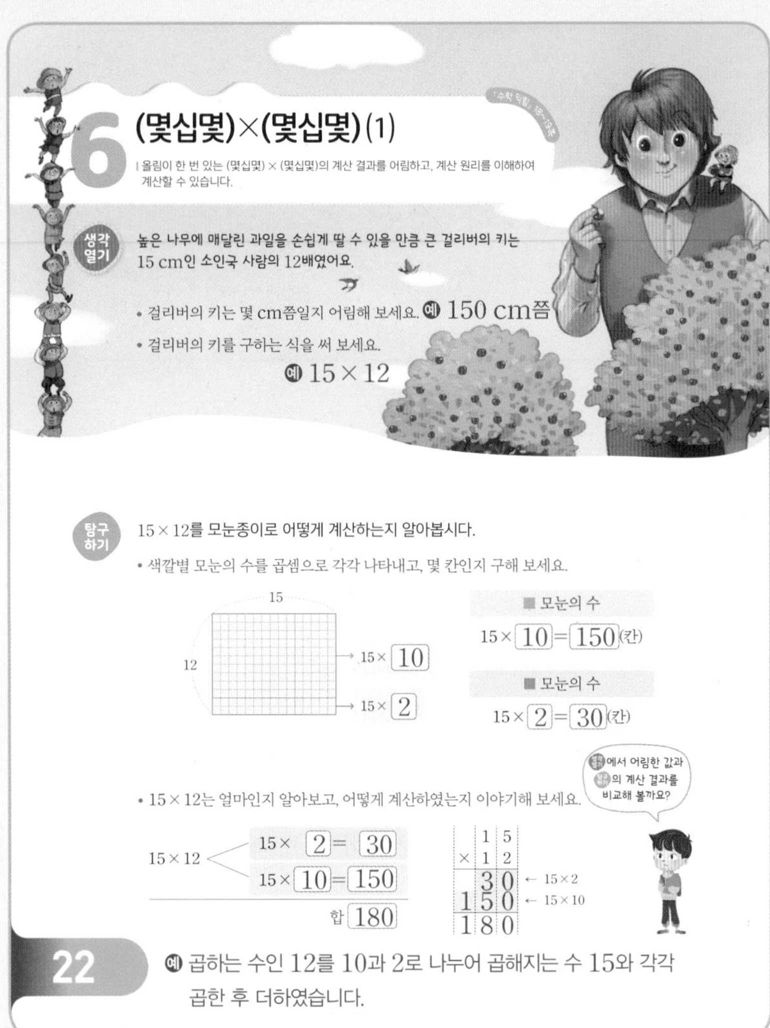

6 (몇십몇)×(몇십몇)(1)

올림이 한 번 있는 (몇십몇)×(몇십몇)의 계산 결과를 어림하고, 계산 원리를 이해하여 계산할 수 있습니다.

생각열기 높은 나무에 매달린 과일을 손쉽게 딸 수 있을 만큼 큰 걸리버의 키는 15 cm인 소인국 사람의 12배였어요.

- 걸리버의 키는 몇 cm쯤일지 어림해 보세요. 예 150 cm쯤
- 걸리버의 키를 구하는 식을 써 보세요. 예 15×12

탐구하기 15×12를 모눈종이로 어떻게 계산하는지 알아봅시다.

- 색깔별 모눈의 수를 곱셈으로 각각 나타내고, 몇 칸인지 구해 보세요.

15, 12, → 15×10, → 15×2

■ 모눈의 수 15×10=150(칸)

■ 모눈의 수 15×2=30(칸)

생각에서 어림한 값과 탐구의 계산 결과를 비교해 볼까요?

- 15×12는 얼마인지 알아보고, 어떻게 계산하였는지 이야기해 보세요.

15×12 < 15×2=30, 15×10=150, 합 180

	1	5
×	1	2
	3	0
1	5	0
1	8	0

← 15×2
← 15×10

22

예 곱하는 수인 12를 10과 2로 나누어 곱해지는 수 15와 각각 곱한 후 더하였습니다.

교과서 개념 완성

생각 열기 **걸리버의 키는 몇 cm인지 어림하고 식으로 나타내기**

- 12를 10으로 생각하면 15 cm씩 10개이므로 걸리버의 키는 약 150 cm이고, 식으로 나타내면 15×12입니다.

탐구하기 **15×12의 계산 방법 탐구하기**

- 초록색 모눈의 수: 15칸씩 10줄
  → 15×10=150(칸)

  파란색 모눈의 수: 15칸씩 2줄 → 15×2=30(칸)
- 15×10=150이고, 15×2=30이므로 15×12는 150과 30을 더한 180입니다.

확인하기 **올림이 한 번 있는 (몇십몇)×(몇십몇) 계산 익히기**

1. 계산해 보세요.

		7	2
	×	1	3
	2	1	6
	7	2	
	9	3	6

		5	0
×		3	1
		5	0
1	5	0	
1	5	5	0

	1	4
×	1	5
	7	0
1	4	
2	1	0

	2	9
×	2	1
	2	9
5	8	
6	0	9

이런 문제가 서술형으로 나와요

직사각형 모양의 바닥에 타일을 가로로 15장, 세로로 16장 붙였습니다. 똑같은 모양과 크기의 바닥 3곳에 같은 타일을 붙인다면 필요한 타일은 모두 몇 장인지 풀이 과정을 쓰고, 답을 구해 보세요.

| 풀이 과정 |

❶ 직사각형 모양의 바닥에 붙인 타일의 수 구하기

바닥 한 곳에 붙인 타일은 $15 \times 16 = 240$(장)입니다.

❷ 똑같은 모양과 크기의 바닥 3곳에 붙이는 데 필요한 타일의 수 구하기

바닥 한 곳에 붙이는 데 필요한 타일은 240장이므로 바닥 3곳에 붙이는 데 필요한 타일은 $240 \times 3 = 720$(장)입니다.

답 720장

정리하기

• 15×12를 계산하는 방법을 정리해 봅시다.

15와 일의 자리 수인 2를 곱합니다. 15와 십의 자리 수인 1을 곱합니다. 곱한 값을 더합니다.

15×12: 30 ← 15×2, 150 ← 15×10, 180

• □ 안에 알맞은 수를 써넣으세요.

32×14: 128 ← 32×4, 320 ← 32×10, 448

확인하기

1. 계산해 보세요.

$72 \times 13 = 936$ $50 \times 31 = 1550$ $14 \times 15 = 210$ $29 \times 21 = 609$

2. 사탕을 한 명에게 24개씩 나누어 주려고 합니다. 14명에게 나누어 주려면 모두 몇 개의 사탕이 있어야 할까요?

식 $24 \times 14 = 336$ 답 336개

풀이 (14명에게 나누어 주는 데 필요한 사탕의 수) $= 24 \times 14 = 336$(개)

23

개념 확인 문제

정답 및 풀이 207~208쪽

1 □ 안에 알맞은 수를 써넣으세요.

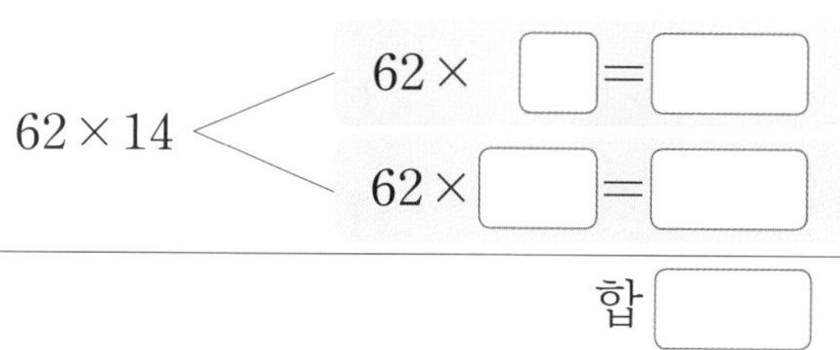

62×14 < $62 \times$ □ = □, $62 \times$ □ = □

합 □

2 계산해 보세요.

(1) $\begin{array}{r} 24 \\ \times\ 23 \\ \hline \end{array}$ (2) $\begin{array}{r} 47 \\ \times\ 12 \\ \hline \end{array}$

3 계산 결과가 다른 하나를 찾아 기호를 써 보세요.

㉠ 21×28 ㉡ 13×37 ㉢ 14×42

( )

4 밤 농장에서 수확한 밤을 한 바구니에 52개씩 담았더니 14바구니가 되었습니다. 수확한 밤은 모두 몇 개일까요?

( )

7 | (몇십몇)×(몇십몇) (2)

학습 목표

올림이 여러 번 있는 (몇십몇)×(몇십몇)의 계산 결과를 어림하고, 계산 원리를 이해하여 계산할 수 있습니다.

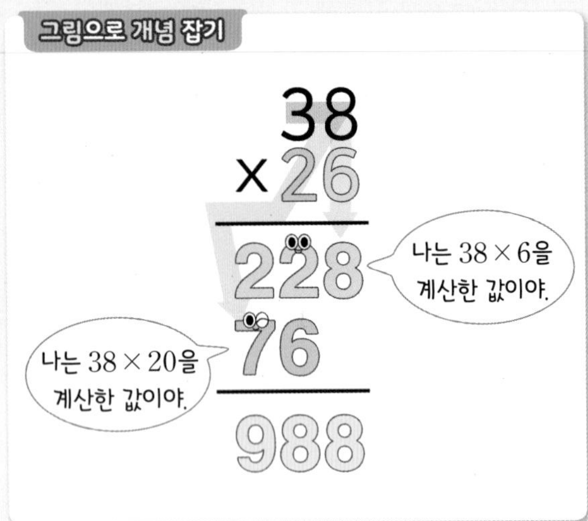

그림으로 개념 잡기
38
×26
228
76
988
나는 38×6을 계산한 값이야.
나는 38×20을 계산한 값이야.

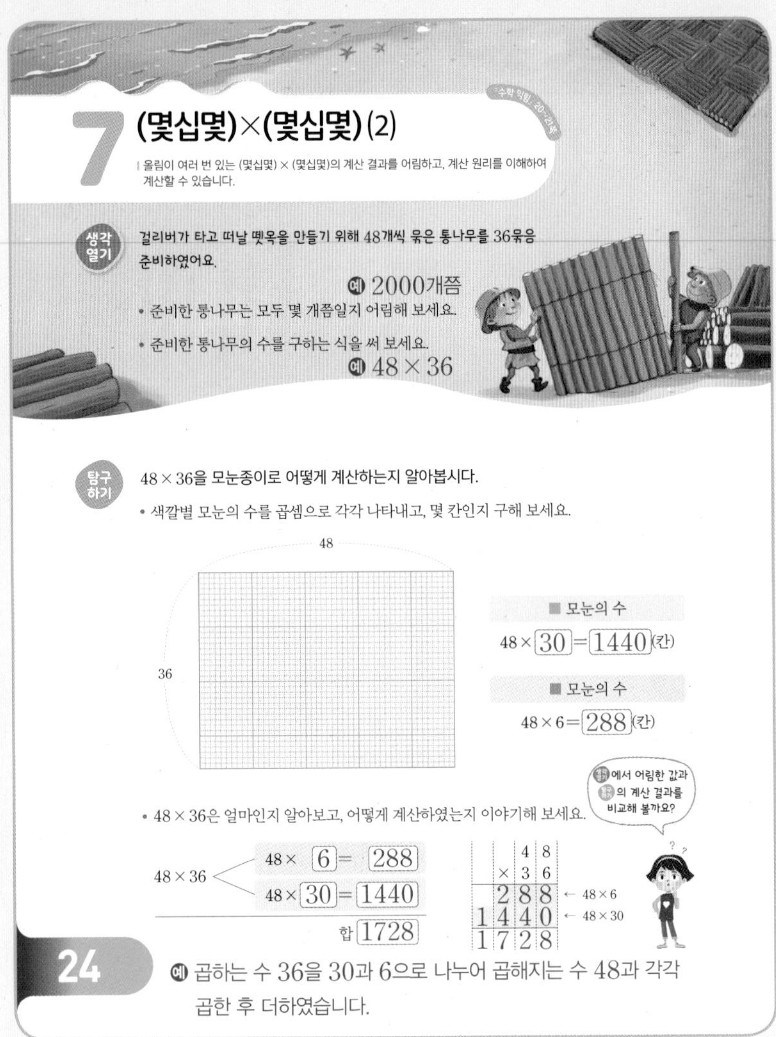

7 (몇십몇)×(몇십몇) (2)

올림이 여러 번 있는 (몇십몇)×(몇십몇)의 계산 결과를 어림하고, 계산 원리를 이해하여 계산할 수 있습니다.

생각열기 걸리버가 타고 떠날 뗏목을 만들기 위해 48개씩 묶은 통나무를 36묶음 준비하였어요.

• 준비한 통나무는 모두 몇 개쯤일지 어림해 보세요. 예 2000개쯤

• 준비한 통나무의 수를 구하는 식을 써 보세요. 예 48×36

탐구하기 48×36을 모눈종이로 어떻게 계산하는지 알아봅시다.

• 색깔별 모눈의 수를 곱셈으로 각각 나타내고, 몇 칸인지 구해 보세요.

■ 모눈의 수 48×30=1440(칸)

■ 모눈의 수 48×6=288(칸)

• 48×36은 얼마인지 알아보고, 어떻게 계산하였는지 이야기해 보세요.

48×36: 48×6=288, 48×30=1440, 합 1728

		4	8	
	×	3	6	
	2	8	8	← 48×6
1	4	4	0	← 48×30
1	7	2	8	

생각열기에서 어림한 값과 탐구하기의 계산 결과를 비교해 볼까요?

예 곱하는 수 36을 30과 6으로 나누어 곱해지는 수 48과 각각 곱한 후 더하였습니다.

24

교과서 개념 완성

생각 열기 준비한 통나무의 수를 어림하고 식으로 나타내기

• 48을 50, 36을 40으로 생각하면 50개씩 40묶음이므로 준비한 통나무의 수는 약 2000개이고, 식으로 나타내면 48×36입니다.

탐구하기 48×36의 계산 방법 탐구하기

• 초록색 모눈의 수: 48칸씩 30줄 → 48×30=1440(칸)

파란색 모눈의 수: 48칸씩 6줄 → 48×6=288(칸)

• 48×30=1440이고, 48×6=288이므로 48×36은 1440과 288을 더한 1728입니다.

확인하기 올림이 여러 번 있는 (몇십몇)×(몇십몇) 계산 익히기

1. 계산해 보세요.

		4	7
×		3	1
		4	7
1	4	1	
1	4	5	7

		1	5
×		8	2
		3	0
1	2	0	
1	2	3	0

		3	6
×		2	8
	2	8	8
	7	2	
1	0	0	8

		7	4
×		5	5
	3	7	0
3	7	0	
4	0	7	0

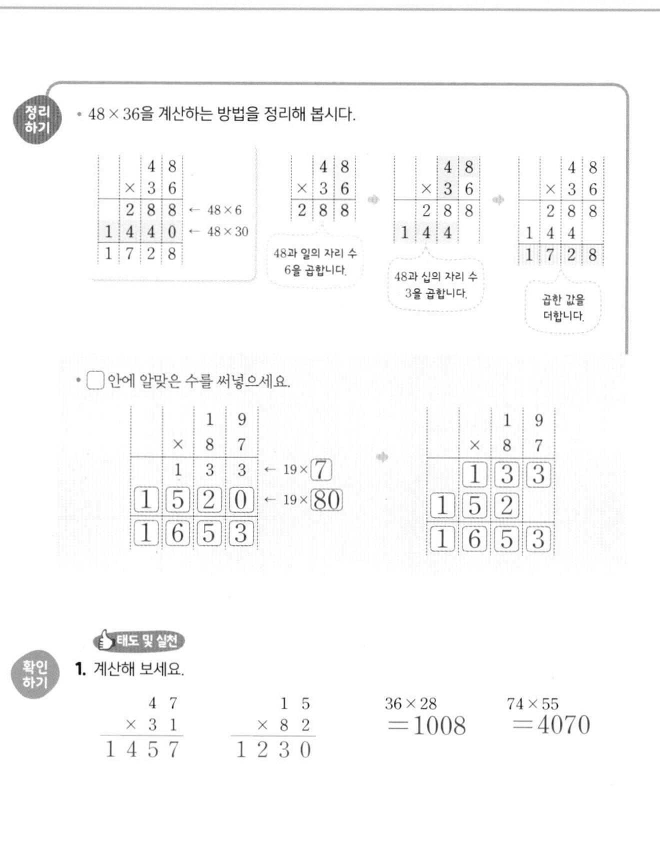
정리하기
• 48 × 36을 계산하는 방법을 정리해 봅시다.

```
    4 8
  × 3 6
  2 8 8  ← 48×6
1 4 4 0  ← 48×30
1 7 2 8
```

48과 일의 자리 수 6을 곱합니다. → 48과 십의 자리 수 3을 곱합니다. → 곱한 값을 더합니다.

• □ 안에 알맞은 수를 써넣으세요.

```
    1 9
  × 8 7
  1 3 3  ← 19×7
1 5 2 0  ← 19×80
1 6 5 3
```

태도 및 실천

확인하기

1. 계산해 보세요.

47 × 31 = 1457, 15 × 82 = 1230, 36 × 28 = 1008, 74 × 55 = 4070

2. 초콜릿이 한 상자에 35개씩 들어 있습니다. 18상자에 들어 있는 초콜릿은 모두 몇 개일까요?

식 35 × 18 = 630 답 630개

풀이 (18상자에 들어 있는 초콜릿 수) = 35 × 18 = 630(개)

25

이런 문제가 서술형으로 나와요

어떤 수에 28을 곱해야 할 것을 잘못하여 더하였더니 85가 되었습니다. 바르게 계산한 값은 얼마인지 풀이 과정을 쓰고, 답을 구해 보세요.

| 풀이 과정 |

❶ 어떤 수 구하기

어떤 수를 □라고 하면 □ + 28 = 85이므로 □ = 57입니다.

❷ 바르게 계산한 값 구하기

어떤 수는 57이므로 바르게 계산하면 57 × 28 = 1596입니다.

답 1596

수학 교과 역량 

18상자에 들어 있는 초콜릿은 모두 몇 개인지 구하기

실생활에서 곱셈이 이용되는 상황 속 문제를 해결해 보며 수학의 유용성을 느끼고 수학에 대한 흥미를 가질 수 있습니다.

개념 확인 문제

정답 및 풀이 208쪽

1 □ 안에 알맞은 수를 써넣으세요.

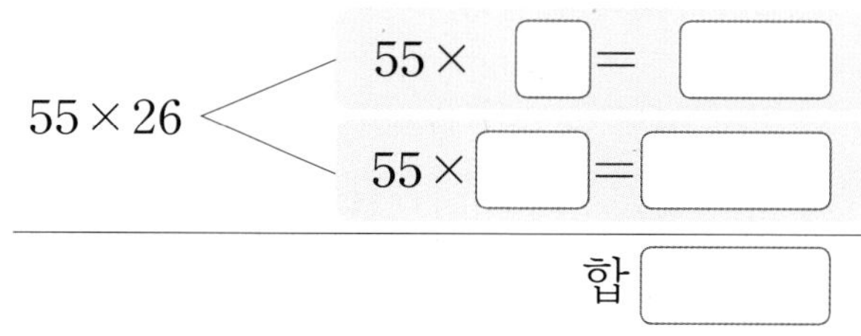

2 계산해 보세요.

(1) $\begin{array}{r} 92 \\ \times\ 16 \\ \hline \end{array}$ (2) $\begin{array}{r} 37 \\ \times\ 44 \\ \hline \end{array}$

3 빈칸에 알맞은 수를 써넣으세요.

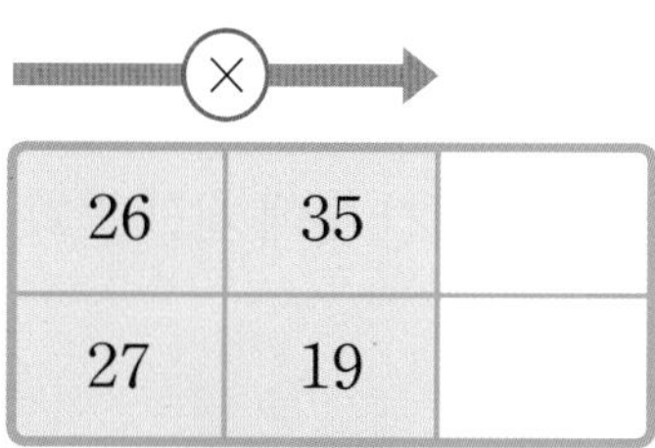

26	35	
27	19	

4 지희는 매일 46분씩 운동합니다. 지희가 8월 한 달 동안 운동을 한 시간은 몇 분일까요?

( )

풀이

		8	3
×		3	2
	1	6	6
2	4	9	
2	6	5	6

		7	1
×		2	7
	4	9	7
1	4	2	
1	9	1	7

		1	8
×		6	4
		7	2
1	0	8	
1	1	5	2

		5	5
×		4	4
	2	2	0
2	2	0	
2	4	2	0

		4	2
×		3	9
	3	7	8
1	2	6	
1	6	3	8

		2	3
×		6	8
	1	8	4
1	3	8	
1	5	6	4

• 사다리를 타고 내려간 곳에 계산 결과를 써 보세요.

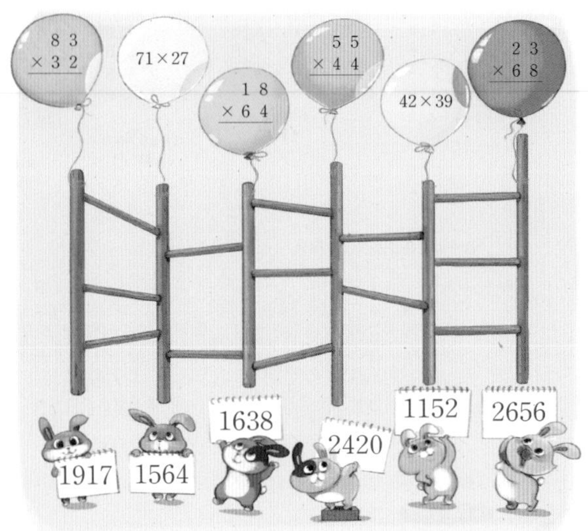

• 운동장에 학생들이 한 줄에 28명씩 25줄로 서 있습니다. 운동장에 서 있는 학생은 모두 몇 명일까요?

식 $28 \times 25 = 700$ 답 700명

26

교과서 개념 완성

익히기 곱셈 익히기

• 사다리를 타고 내려간 곳에 계산 결과 쓰기

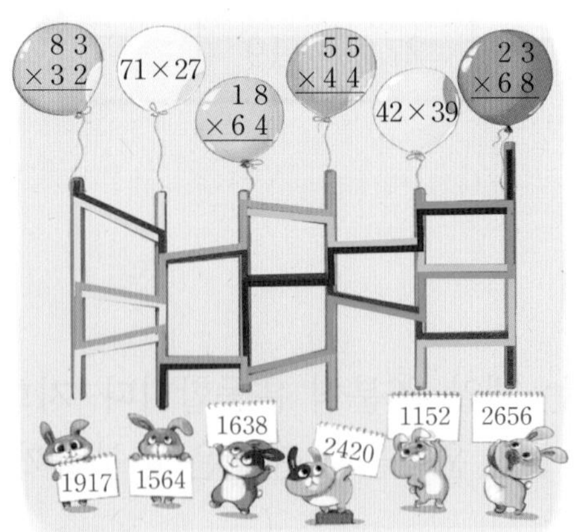

적용 곱셈 문제 해결하기

• 25줄로 서 있는 학생은 모두 몇 명인지 구하기
→ $28 \times 25 = 700$이므로 운동장에 서 있는 학생은 모두 700명입니다.

• 47판에 있는 달걀은 모두 몇 개인지 구하기
→ $30 \times 47 = 1410$이므로 달걀은 모두 1410개입니다.

• 물컵 36개에 물을 가득 채우는 데 걸리는 시간은 모두 몇 초인지 구하기
→ $15 \times 36 = 540$이므로 물을 가득 채우는 데 걸리는 시간은 모두 540초입니다.

• 한 판에 30개씩 들어 있는 달걀이 47판 있습니다. 달걀은 모두 몇 개일까요?

식 $30 \times 47 = 1410$ 답 1410개

• 한 사람이 물컵 한 개에 물을 가득 채우는 데 15초가 걸립니다. 똑같은 물컵 36개에 물을 가득 채우는 데 걸리는 시간은 모두 몇 초일까요?

식 $15 \times 36 = 540$

답 540초

도전 문제 해결

• 할머니와 은서가 산책로를 걷고 있습니다. 1분에 58 m씩 쉬지 않고 같은 빠르기로 산책로를 걸었더니 35분이 걸렸습니다. 이 산책로의 길이는 모두 몇 m일까요? 2030 m

풀이 (산책로의 길이)$= 58 \times 35 = 2030$ (m)

이런 문제가 서술형으로 나와요

사탕을 한 봉지에 35개씩 담았더니 29봉지가 되고, 17개가 남았습니다. 처음에 있던 사탕은 모두 몇 개인지 풀이 과정을 쓰고, 답을 구해 보세요.

| 풀이 과정 |

❶ 봉지에 담은 사탕의 수 구하기

29봉지에 담은 사탕은 $35 \times 29 = 1015$(개)입니다.

❷ 처음에 있던 사탕의 수 구하기

봉지에 담고 남은 사탕은 17개이므로 처음에 있던 사탕은 모두 $1015 + 17 = 1032$(개)입니다.

답 1032개

수학 교과 역량 문제 해결

산책로의 길이 구하기

문제를 이해하고 알맞은 식을 세워 해결해 보는 과정을 통하여 문제 해결 능력을 기를 수 있습니다.

개념 확인 문제

정답 및 풀이 208쪽

1 두 수의 곱을 구해 보세요.

49	27

(　　　　　　　　)

2 계산 결과 큰 것부터 차례로 기호를 써 보세요.

㉠ 50×39　㉡ 24×63　㉢ 45×48

(　　　　　　　　)

3 표범의 무게는 87 kg이고, 코끼리의 무게는 표범의 무게의 약 54배입니다. 코끼리의 무게는 약 몇 kg인가요?

약 (　　　　　　　　)

4 □ 안에 알맞은 수를 써넣으세요.

$$\begin{array}{r} 1\ 8 \\ \times\ \square\ 5 \\ \hline \square\ 0 \\ 7\ 2\ \ \\ \hline 8\ 1\ 0 \end{array}$$

10 차시 문제 해결력 | 쑥쑥 조건에 맞는 곱을 구해요

학습 목표

단순화하기 전략을 이용하여 합이 일정한 두 수의 곱이 가장 크게 되는 경우의 곱을 구하는 문제를 해결할 수 있습니다.

문제 해결 전략 단순화하기 전략

수학 교과 역량 문제 해결 추론

조건에 맞는 곱을 구해요

- 문제의 조건을 확인하고 문제 해결에 적절한 전략을 선택하여 해결하는 과정을 통하여 문제 해결 능력을 기를 수 있습니다.
- 단순화하기 전략을 이용하여 문제 해결 방법을 추측하는 과정을 통하여 추론 능력을 기를 수 있습니다.

문제 해결 Tip 합이 100인 두 수의 경우가 많으므로 합이 10인 두 수, 합이 20인 두 수 등 합이 간단한 경우를 살펴보면서 문제를 해결해 봅니다.

문제 해결력 | 쑥쑥 조건에 맞는 곱을 구해요

문제 해결 추론

지수와 은호는 1부터 100까지의 수가 적힌 카드 100장을 각각 가지고 있습니다. 더하여 100이 되도록 각자 한 장씩 고른 다음, 고른 두 수의 곱을 구하려고 합니다. 두 수를 곱하여 만들 수 있는 가장 큰 곱을 구해 보세요.

문제 이해하기 • 구하려고 하는 것은 무엇인가요?
예 합이 100인 두 수를 곱하여 만들 수 있는 가장 큰 곱입니다.
• 알고 있는 것은 무엇인가요?
예 더하여 100이 되는 두 수를 고르려고 합니다.

계획 세우기 • 어떤 방법으로 문제를 해결할 수 있을지 계획을 세워 보세요.

간단한 수로 방법을 찾아볼까?

그래. 합이 10인 두 수로 먼저 알아보자.

예 합이 100인 두 수의 경우가 많으므로 합이 간단한 경우를 살펴보면 해결 방법을 찾을 수 있을 것 같습니다.

28

교과서 개념 완성

문제 이해하기

>> 구하려고 하는 것

합이 100인 두 수를 곱하여 만들 수 있는 가장 큰 곱을 구하려고 합니다.

>> 알고 있는 것

두 수의 합은 100입니다.

계획 세우기

- 합이 100인 두 수의 경우가 많으므로 합이 간단한 경우를 살펴보며 해결 방법을 찾습니다.

계획대로 풀기

- 합이 10인 두 수를 찾고, 가장 큰 곱 구하기

합이 10인 두 수	1, 9	2, 8	3, 7	4, 6	5, 5
곱	9	16	21	24	25

→ 두 수를 곱하여 만들 수 있는 가장 큰 곱은 곱하는 두 수가 같은 경우이므로 $5 \times 5 = 25$입니다.

- 합이 20인 두 수 중 가장 큰 곱 구하기
  → 두 수를 곱하여 만들 수 있는 가장 큰 곱은 곱하는 두 수가 같은 경우이므로 $10 \times 10 = 100$입니다.
- 합이 100인 두 수 중 가장 큰 곱 구하기
  → 두 수를 곱하여 만들 수 있는 가장 큰 곱은 곱하는 두 수가 같은 경우이므로 $50 \times 50 = 2500$입니다.

계획대로 풀기 • 합이 10인 두 수를 찾고, 두 수의 곱을 비교하여 가장 큰 곱을 구해 보세요. 25

합이 10인 두 수	1, 9	2, 8	3, 7	4, 6	5, 5
곱	9	16	21	24	25

• 합이 20인 두 수를 찾고, 두 수의 곱을 비교하여 가장 큰 곱을 구해 보세요. 100

• 합이 100인 두 수를 곱하여 만들 수 있는 가장 큰 곱을 구해 보세요. 2500

되돌아보기 • 구한 답이 맞았는지 확인해 보세요.
예 두 수가 50, 50일 때 두 수의 곱이 2500으로 가장 크므로 구한 답이 맞습니다.

• 문제를 해결한 방법을 친구들과 이야기해 보세요.
예 수를 간단하게 하여 문제 해결 방법을 찾은 다음, 같은 방법으로 문제를 해결하였습니다.

생각을 키워요

1부터 50까지의 수가 적힌 수 카드 50장이 있습니다. 합이 49인 두 수를 골라 곱을 구하려고 합니다. 두 수를 곱하여 만들 수 있는 가장 큰 곱을 구해 보세요.

[풀이] 예 합이 49인 두 수 중에서 차가 가장 작은 두 수를 곱하였을 때 가장 큰 곱을 만들 수 있습니다. 따라서 합이 49인 두 수 중에서 차가 가장 작은 두 수는 24와 25이므로 만들 수 있는 가장 큰 곱은 $24 \times 25 = 600$입니다.
[답] 600

29

생각을 키워요

문제 이해하기

≫ 구하려고 하는 것
합이 49인 두 수를 곱하여 만들 수 있는 가장 큰 곱입니다.

≫ 알고 있는 것
두 수의 합은 49입니다.

계획 세우기
간단한 수로 바꾸어서 문제 해결 방법을 찾습니다.

계획대로 풀기
합이 49인 두 수 중에서 차가 가장 작은 두 수인 24와 25의 곱을 구하면 됩니다. 따라서 만들 수 있는 가장 큰 곱은 $24 \times 25 = 600$입니다.

되돌아보기
두 수가 24, 25일 때 두 수의 곱이 600으로 가장 크므로 구한 답이 맞습니다.

문제 해결력 문제

정답 및 풀이 209쪽

1 1부터 50까지의 수가 적힌 수 카드 50장이 있습니다. 수 카드 중 합이 50인 두 수를 골라 곱하여 만들 수 있는 가장 큰 곱을 구하려고 합니다. 물음에 답해 보세요.

(1) 합이 50인 두 수 중에서 차가 가장 작은 두 수는 무엇과 무엇일까요?

( )

(2) 합이 50인 두 수를 곱하여 만들 수 있는 가장 큰 곱은 얼마일까요?

( )

2 1부터 30까지의 수가 적힌 수 카드 30장 중에서 합이 28인 두 수를 골라 곱을 구하려고 합니다. 두 수를 곱하여 만들 수 있는 가장 큰 곱을 구해 보세요.

( )

3 1부터 100까지의 수가 적힌 수 카드 100장 중에서 합이 99인 두 수를 골라 곱을 구하려고 합니다. 두 수를 곱하여 만들 수 있는 가장 큰 곱을 구해 보세요.

( )

단원 마무리 | 척척

추론

곱셈 계산 원리를 이해하고 계산하기

▶자습서 10~25쪽

학부모 코칭 Tip

올림한 수에 주의하여 계산해 보게 합니다.

1 계산해 보세요.

12~27쪽

$$\begin{array}{r} \overset{2}{7}41 \\ \times \quad 5 \\ \hline 3705 \end{array} \qquad \begin{array}{r} 5 \\ \times 64 \\ \hline 20 \\ 30 \\ \hline 320 \end{array} \qquad \begin{array}{r} 52 \\ \times 47 \\ \hline 364 \\ 208 \\ \hline 2444 \end{array}$$

$213 \times 3 = 639$ $336 \times 2 = 672$ $25 \times 13 = 325$

풀이

$$\begin{array}{r} 213 \\ \times \quad 3 \\ \hline 639 \end{array} \qquad \begin{array}{r} 3\overset{1}{3}6 \\ \times \quad 2 \\ \hline 672 \end{array} \qquad \begin{array}{r} 25 \\ \times 13 \\ \hline 75 \\ 25 \\ \hline 325 \end{array}$$

추론

곱셈 계산 원리 이해하기

▶자습서 16~17쪽

학부모 코칭 Tip

곱셈에서 곱하는 수가 몇인 경우와 몇십인 경우를 비교하여 계산 원리를 이해하여 해결하게 합니다.

2 21×40을 구하려고 합니다. □ 안에 알맞은 수를 써넣으세요.

18쪽

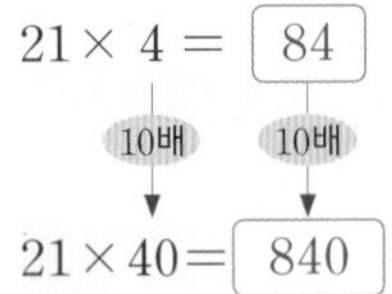

$21 \times 4 =$ [84]

10배 10배

$21 \times 40 =$ [840]

$21 \times 40 = 21 \times 4 \times$ [10]

$=$ [84] $\times$ [10]

$=$ [840]

풀이 21×40은 21×4의 10배입니다.

문제 해결 추론

곱셈 상황을 이해하고 계산하기

▶자습서 10~11쪽

학부모 코칭 Tip

곱셈 상황을 이해하고 알맞은 식을 세워 계산하게 합니다.

3 하은이는 한 바퀴가 120 m인 원 모양의 산책로를 3바퀴 걸었습니다. 하은이가 걸은 거리는 모두 몇 m일까요?

12쪽

식 $120 \times 3 = 360$ 답 360 m

풀이 하은이가 산책로를 120 m씩 3바퀴 걸었으므로 걸은 거리는 모두 $120 \times 3 = 360$ (m)입니다.

30

4 쿠키를 한 상자에 48개씩 12상자에 담으려고 합니다. 필요한 쿠키는 모두 몇 개인지 알아 보세요.

22쪽

- 필요한 쿠키는 몇 개쯤인지 어림해 보세요. 예 500개쯤
- 필요한 쿠키는 모두 몇 개일까요? 576개

풀이
- 쿠키 48개를 약 50개, 쿠키 12상자를 약 10상자로 생각하면 필요한 쿠키는 $50 \times 10 = 500$(개)쯤일 것 같습니다.
- 한 상자에 48개씩 12상자에 담으므로 필요한 쿠키는 모두 $48 \times 12 = 576$(개)입니다.

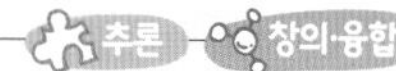

곱셈 상황의 문제 해결하기
▶자습서 22~21쪽

학부모 코칭 Tip
48과 12를 각각 몇십으로 생각하여 어림해 보게 한 다음, (몇십몇)×(몇십몇)의 계산 결과와 비교해 보게 합니다.

5 잘못 계산한 곳을 찾아 바르게 계산해 보세요.

24쪽

잘못된 계산	바르게 계산하기 (예)
72×62	72×62
144	144
432	432
576	4464

풀이 72와 곱하는 수인 62의 십의 자리 수 6과의 곱의 자리를 잘못 썼습니다.

곱셈 계산 과정에서 오류를 찾아 바르게 계산하기
▶자습서 22~25쪽

학부모 코칭 Tip
(몇십몇)×(몇십몇)의 계산 과정을 알고 잘못된 부분을 찾을 수 있는지 확인합니다.

생각을 넓혀요 문제 해결 추론

6 오른쪽 곱셈식에서 ★과 ♥에 알맞은 수를 각각 구해 보세요.

16쪽

★39
× ♥
2956

- ♥에 알맞은 수를 구해 보세요. 4
- ★에 알맞은 수를 구해 보세요. 7

풀이
- 9×♥의 일의 자리 숫자가 6이므로 9의 단 곱셈구구에서 일의 자리 숫자가 6인 곱셈구구를 찾으면 $9 \times 4 = 36$이므로 ♥=4입니다.
- ★×4에 1을 더한 값이 29이므로 ★×4=28인 수를 찾으면 ★=7입니다.

문제 해결 추론

곱셈 상황의 문제 해결하기
▶자습서 14~15쪽

학부모 코칭 Tip
올림이 있는 (세 자리 수)×(한 자리 수)의 계산 원리를 이해하여 일의 자리부터 계산해 보게 합니다.

31

12 차시 •놀이 속으로 | 풍덩 •이야기로 키우는 | 생각

놀이 속으로 | 풍덩 

함께하는 활동

놀이로 곱셈을 즐겨요

준비물 주사위 4개, 흰색 바둑돌 1개, 검은색 바둑돌 1개

인 원 2명

방 법
❶ 가위바위보를 하여 순서를 정해요.
❷ 이긴 사람부터 주사위 4개를 동시에 던져요.
❸ 주사위를 던져 나온 눈의 수를 한 번씩 모두 사용하여 두 자리 수를 2개 만들어요.
❹ ❸에서 만든 두 수의 곱을 구한 다음, 곱의 각 자리 수를 더해요.
❺ ❹에서 나온 수만큼 놀이판에서 자신의 바둑돌을 이동시켜요.
예 주사위를 던져 나온 눈의 수가 2, 4, 1, 4인 경우
→44와 21을 만들었다면 $44 \times 21 = 924$, $9+2+4=15$이므로 15만큼 바둑돌을 이동시켜요.
❻ 다음 사람도 ❷~❺와 같이 자신의 바둑돌을 이동시켜요.
❼ 놀이판의 100이 적힌 칸에 먼저 도착하는 사람이 이겨요.

32 33

교과서 개념 완성

놀이 속으로 | 풍덩

1 준비물 확인 및 놀이 방법 살펴보기

- 주사위 4개, 흰색 바둑돌 1개, 검은색 바둑돌 1개가 준비되어 있는지 확인합니다. 이때, 주사위 4개가 준비되지 않았다면 주사위 한 개를 4번 던져도 됩니다.
- 놀이 방법을 읽어 보고 이해합니다.
- 놀이 방법의 각 단계를 하나하나 따라가면서 해 봅니다.

2 곱셈 만들고 계산해 보기

예 주사위를 던져 나온 눈의 수가 2, 4, 1, 4인 경우

→ 두 자리 수 44와 21을 만들었습니다.

→ 만든 두 수의 곱은 $44 \times 21 = 924$이므로 곱의 각 자리 수를 더하면 $9+2+4=15$입니다.

→ 바둑돌을 15칸 이동시킵니다.

3 짝과 실제 놀이를 해 보기

- 짝과 놀이를 합니다.
- 짝이 계산을 바르게 하는지 함께 계산해 봅니다.

수학 32~35쪽 공부한 날 월 일

수를 보면 알 수 있는 것들! 창의력 키우기

물건을 사기 전에 여러 가지를 비교해 보면 좀 더 똑똑하게 물건을 살 수 있습니다. 같은 가격의 물건이라면 어느 것의 양이 더 많은지, 적은지 비교해 보고, 똑같은 물건이라면 판매하는 곳에 따라 가격이 다를 수 있으므로 어디에서 사는 것이 더 싼지, 비싼지 비교해 볼 수 있습니다.

아무리 저렴한 물건이라도 나에게 필요한 물건이 아니라면 사기 전에 한번 더 생각해 보는 것은 어떨까요?

34 35

이야기로 키우는 생각

휴지의 가격과 초콜릿의 가격

- 180장씩 6상자에 들어 있는 휴지는 $180 \times 6 = 1080$(장)이고, 280장씩 3상자에 들어 있는 휴지는 $280 \times 3 = 840$(장)입니다.
  따라서 $1080 > 840$이므로 180장씩 6상자를 사는 것이 더 저렴합니다.
- 한 상자에 3개씩 16묶음이 들어 있는 초콜릿은 $3 \times 16 = 48$(개)이고, 5개씩 12묶음이 들어 있는 초콜릿은 $5 \times 12 = 60$(개)입니다.
  따라서 $48 < 60$이므로 5개씩 12묶음이 들어 있는 초콜릿을 사는 것이 더 저렴합니다.

오프라인 매장의 가격과 온라인 매장의 가격 비교

온라인 쇼핑은 시간과 장소에 구애받지 않고 물건을 구입할 수 있어 매우 편리하며, 물건을 저렴하게 구입할 수 있는 장점이 있습니다. 온라인 쇼핑몰은 일반 상점 같은 매장이 없는 경우가 많아 임대료와 실내 장식 비용 및 인건비를 줄일 수 있습니다. 따라서 온라인 쇼핑몰에서는 그 비용을 절약해 물건을 더 저렴한 가격에 판매할 수 있습니다. 또한 가격 비교 사이트를 이용하면 같은 상품을 어떤 판매자들이 얼마에 팔고 있는지 한눈에 볼 수 있습니다. 이러한 가격 경쟁을 통하여 물건 가격은 더욱 저렴하게 조정되는 것입니다.

[출처] 이연주, 『재미있는 경제 이야기』, 2014.

개념 + 확인

교과서 개념과 확인 문제를 풀면서 단원을 마무리해 보아요.

개념

올림이 없거나 백의 자리에서 올림이 있는 (세 자리 수)×(한 자리 수)의 계산

• 322×3의 계산

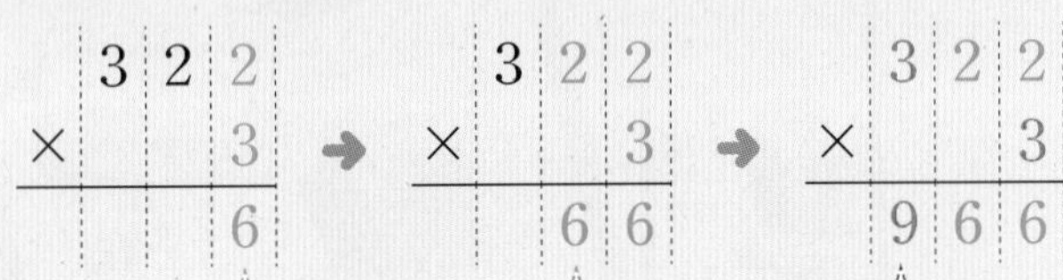

일의 자리 수 2와 3을 곱합니다. → 십의 자리 수 2와 3을 곱합니다. → 백의 자리 수 3과 3을 곱합니다.

일의 자리에서 올림이 있는 (세 자리 수)×(한 자리 수)의 계산

• 126×3의 계산

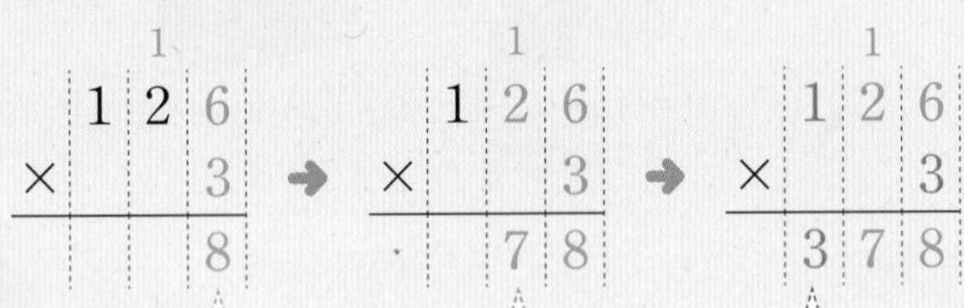

일의 자리 수 6과 3을 곱합니다. → 십의 자리 수 2와 3을 곱하고 1을 더합니다. → 백의 자리 수 1과 3을 곱합니다.

십의 자리에서 올림이 있는 (세 자리 수)×(한 자리 수)와 올림이 여러 번 있는 (세 자리 수)×(한 자리 수)의 계산

• 473×4의 계산

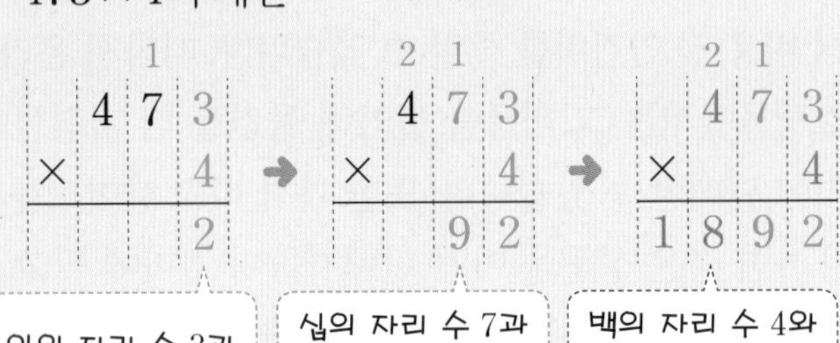

일의 자리 수 3과 4를 곱합니다. → 십의 자리 수 7과 4를 곱하고 1을 더합니다. → 백의 자리 수 4와 4를 곱하고 2를 더합니다.

확인 문제

1 계산해 보세요.

(1) $\begin{array}{r} 3\ 2\ 1 \\ \times\quad\ 3 \\ \hline \end{array}$ (2) $\begin{array}{r} 6\ 4\ 3 \\ \times\quad\ 2 \\ \hline \end{array}$

2 빈칸에 두 수의 곱을 써넣으세요.

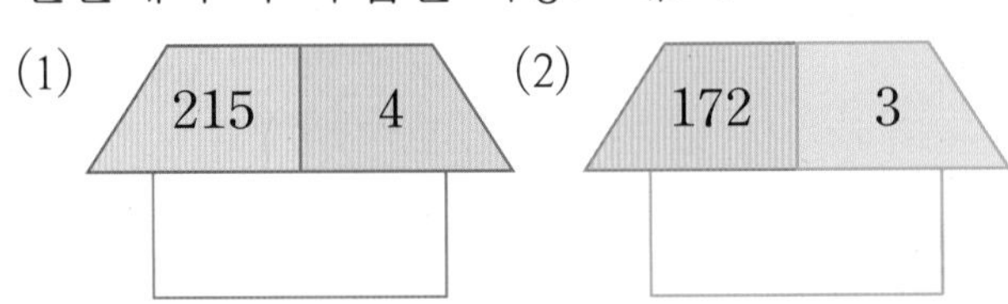

3 계산 결과를 비교하여 ○ 안에 >, =, <를 알맞게 써넣으세요.

284×2 ○ 167×4

4 민지네 학교의 3학년 학생 324명에게 공책을 나누어 주려고 합니다. 한 명에게 4권씩 나누어 주려면 공책은 적어도 몇 권이 필요할까요?

(　　　　　　　　)

개념

(몇십몇)×(몇십)의 계산

· 26×30의 계산

26×3=78 (10배, 10배) 26×30=780

$26\times30=26\times3\times10$
$=78\times10$
$=780$

(몇)×(몇십몇)의 계산

· 5×27의 계산

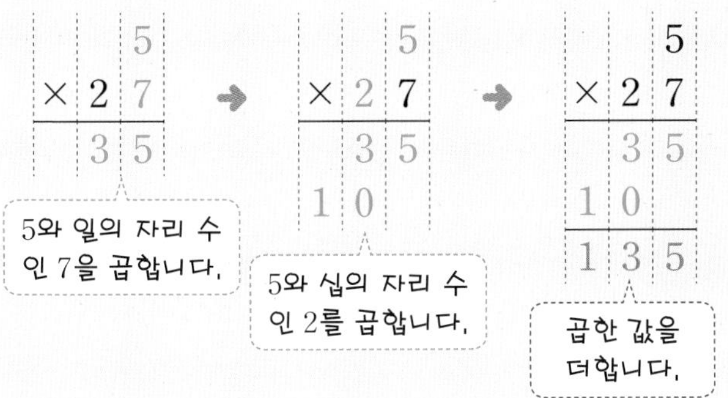

올림이 한 번 있는 (몇십몇)×(몇십몇)의 계산

· 16×12의 계산

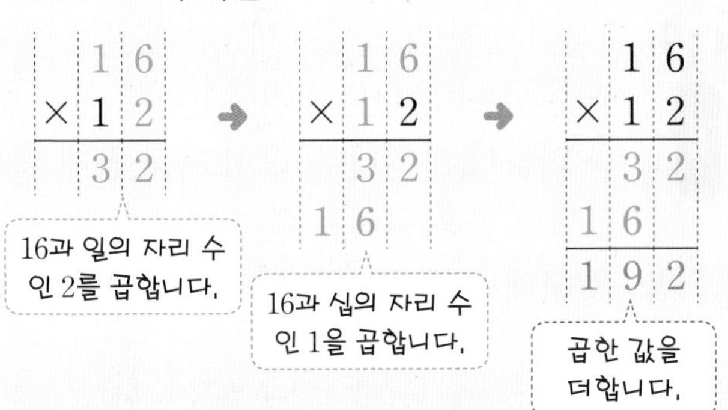

16과 일의 자리 수 인 2를 곱합니다.
16과 십의 자리 수 인 1을 곱합니다.
곱한 값을 더합니다.

올림이 여러 번 있는 (몇십몇)×(몇십몇)의 계산

· 47×33의 계산

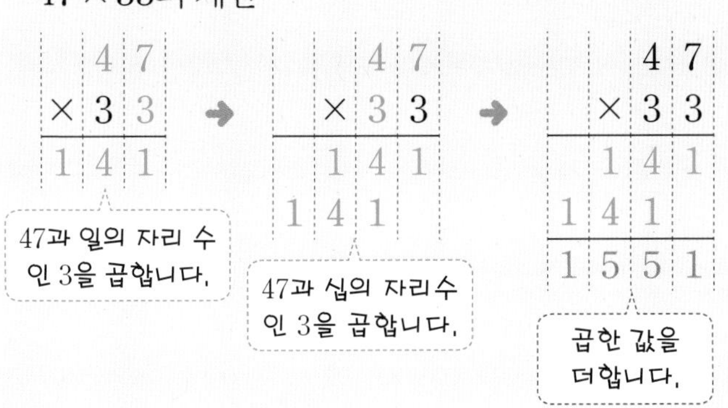

47과 일의 자리 수 인 3을 곱합니다.
47과 십의 자리수 인 3을 곱합니다.
곱한 값을 더합니다.

확인 문제

5 □ 안에 알맞은 수를 써넣으세요.

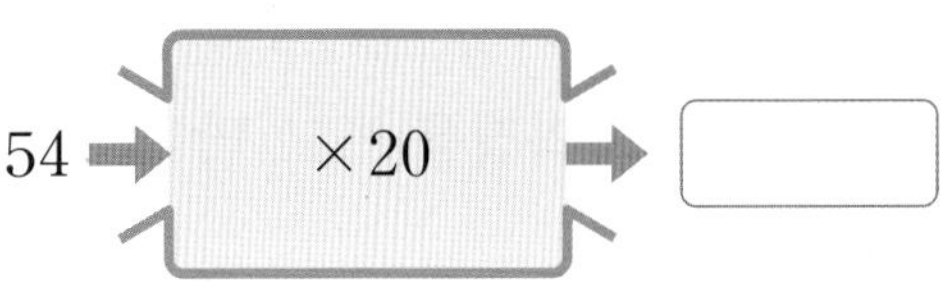

6 가장 작은 수와 가장 큰 수의 곱을 구해 보세요.

7 88 4

( )

7 계산 결과를 찾아 선으로 이어 보세요.

13×42 ·	· 867
17×51 ·	· 546
	· 837

8 길이가 74 m인 원 모양의 공원이 있습니다. 소영이가 이 공원을 자전거를 타고 15바퀴 돌았습니다. 소영이가 자전거를 탄 거리는 모두 몇 m일까요?

( )

단계별로 서술형 문제 해결하기

과정 중심 평가 내용 숫자 카드를 사용하여 조건에 맞는 곱셈을 만들 수 있는가?

1-1 4장의 숫자 카드를 한 번씩 모두 사용하여 (세 자리 수)×(한 자리 수)를 만들려고 합니다. 곱이 가장 크게 되는 곱셈의 곱을 구하는 풀이 과정을 쓰고, 답을 구해 보세요. [8점]

1 3 5 6

풀이

❶ 곱이 가장 크게 되는 곱셈은 곱하는 수가 가장 큰 수인 □이고, 곱해지는 수가 남은 숫자로 만들 수 있는 가장 큰 수인 □인 경우입니다.

❷ 곱이 가장 크게 되는 곱셈의 곱은 □×□=□입니다.

답 ....

1-2 쌍둥이

4장의 숫자 카드를 한 번씩 모두 사용하여 (세 자리 수)×(한 자리 수)를 만들려고 합니다. 곱이 가장 작게 되는 곱셈의 곱을 구하는 풀이 과정을 쓰고, 답을 구해 보세요. [12점]

2 4 5 9

풀이

답 ....

1-3 유사

4장의 숫자 카드를 한 번씩 모두 사용하여 (두 자리 수)×(두 자리 수)를 만들려고 합니다. 곱이 가장 크게 되는 곱셈의 곱을 구하는 풀이 과정을 쓰고, 답을 구해 보세요. [15점]

4 5 7 8

풀이

답 ....

1-4 실전

5장의 숫자 카드 중에서 4장을 골라 한 번씩만 사용하여 (두 자리 수)×(두 자리 수)를 만들려고 합니다. 곱이 가장 작게 되는 곱셈의 곱을 구하는 풀이 과정을 쓰고, 답을 구해 보세요. [15점]

2 3 4 6 7

풀이

답 ....

➔ 정답 및 풀이 209~210쪽

2-1 ㉠, ㉡에 알맞은 수는 각각 얼마인지 풀이 과정을 쓰고, 답을 구해 보세요. [8점]

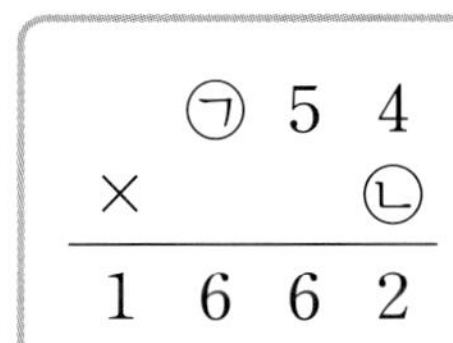

풀이 ❶ $4\times$㉡에서 일의 자리 숫자가 2이므로 $4\times$㉡$=12$ 또는 $4\times$㉡$=32$입니다. ➔ ㉡=□ 또는 ㉡=□

❷ ㉡=□일 때, ㉠×□에 1을 더한 값이 16이므로 ㉠=□입니다.

㉡=□일 때, $5\times$□에 3을 더한 값의 일의 자리 숫자는 6이 아닙니다.

답 ....

2-2 

㉠, ㉡에 알맞은 수는 각각 얼마인지 풀이 과정을 쓰고, 답을 구해 보세요. [12점]

㉠ 4 8
× ㉡
1 0 9 6

답 ....

2-3 유사

㉠, ㉡에 알맞은 수는 각각 얼마인지 풀이 과정을 쓰고, 답을 구해 보세요. [15점]

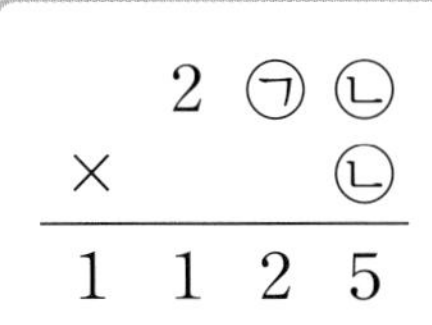

풀이

답 ....

2-4 

㉠, ㉡에 알맞은 수는 각각 얼마인지 풀이 과정을 쓰고, 답을 구해 보세요. [15점]

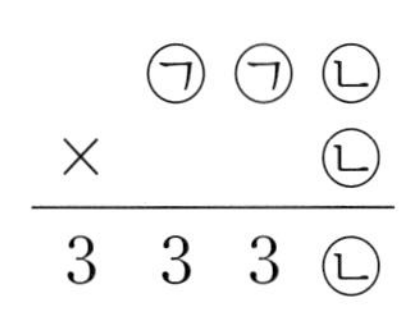

답 ....

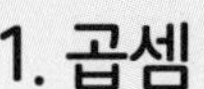

| (세 자리 수)×(한 자리 수)(1) |

01 그림을 보고 □ 안에 알맞은 수를 써넣으세요.

하

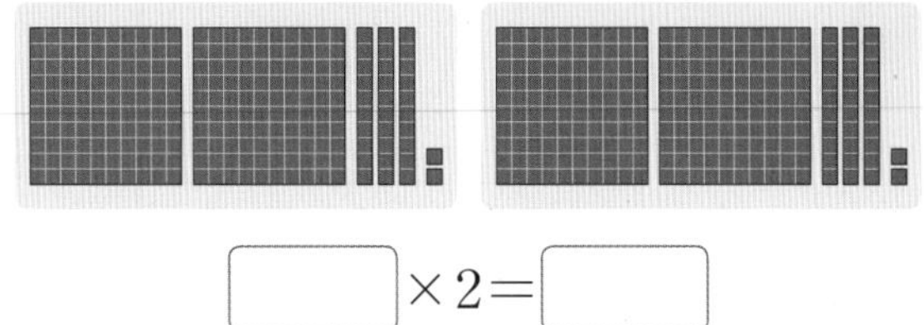

□×2=□

| (세 자리 수)×(한 자리 수)(2), (몇십몇)×(몇십몇)(1) |

02 계산해 보세요.

하

(1) $\begin{array}{r} 4\ 3\ 7 \\ \times \quad\ \ 2 \\ \hline \end{array}$ (2) $\begin{array}{r} 1\ 6 \\ \times\ 1\ 2 \\ \hline \end{array}$

| (세 자리 수)×(한 자리 수)(3) |

03 빈칸에 알맞은 수를 써넣으세요.

하

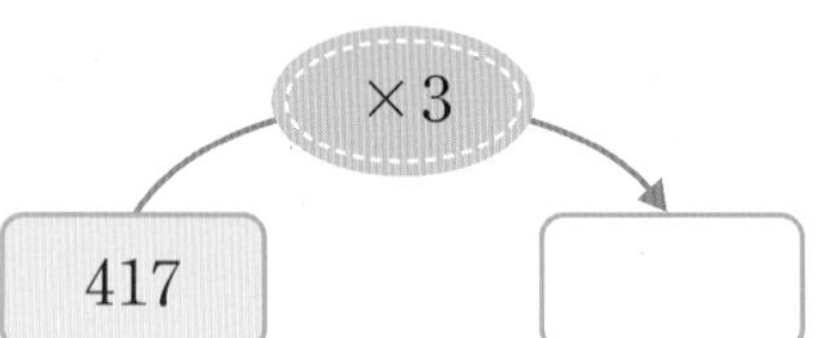

| (세 자리 수)×(한 자리 수)(3) |

04 잘못 계산한 곳을 찾아 바르게 계산해 보세요.

하

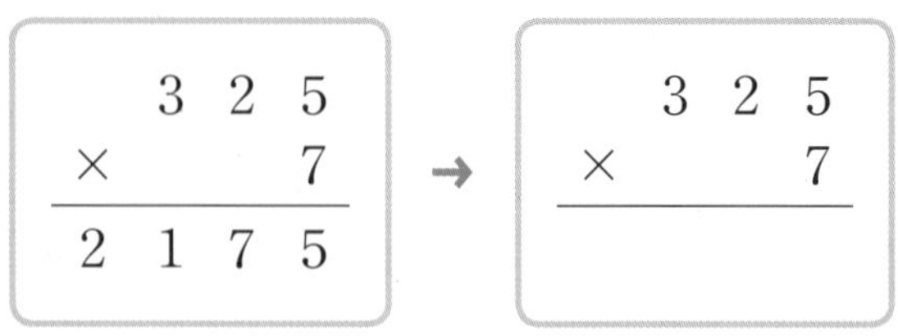

| (몇십몇)×(몇십), (몇십몇)×(몇십몇)(2) |

05 계산 결과를 찾아 선으로 이어 보세요.

중

18×39 •	• 1040
26×40 •	• 702
24×18 •	• 432

| (세 자리 수)×(한 자리 수)(3) |

06 1년은 365일입니다. 7년은 모두 며칠일까요?

중

( )

| (몇)×(몇십몇) |

07 배가 한 상자에 9개씩 들어 있습니다. 24상자에 들어 있는 배는 모두 몇 개일까요?

중

( )

| (세 자리 수)×(한 자리 수)(3), (몇십몇)×(몇십) |

08 계산 결과를 비교하여 ◯ 안에 >, =, <를 알맞게 써넣으세요.

중

242×4 ◯ 37×30

➜ 정답 및 풀이 210~211쪽

| (몇)×(몇십몇) |

09 계산 결과가 가장 큰 것을 찾아 ○표 하세요.

중

8×33 3×84 5×45

| (몇)×(몇십몇) |

10 ㉠이 나타내는 수와 ㉡이 나타내는 수의 곱을 구해 보세요.

중

㉠ 2씩 4묶음인 수
㉡ 10이 7개, 1이 8개인 수

( )

| (세 자리 수)×(한 자리 수)(2) |

11 한 변의 길이가 215 cm인 정사각형 모양의 액자가 있습니다. 이 액자의 네 변의 길이의 합은 몇 cm일까요?

중

( )

| (몇십몇)×(몇십몇)(2) |

12 세진이가 산책로를 1분에 49 m씩 쉬지 않고 걸었습니다. 세진이가 같은 빠르기로 25분 동안 걸은 산책로의 길이는 몇 m일까요?

중

( )

| (몇십몇)×(몇십몇)(1) |

13 민지네 반의 남학생은 14명이고 여학생은 13명입니다. 민지네 반 학생들에게 초콜릿을 12개씩 나누어 주려면 적어도 초콜릿은 몇 개 필요한가요?

중

( )

| (몇십몇)×(몇십) | 서술형

14 지윤이는 매일 35분씩 책을 읽습니다. 지윤이가 9월 한 달 동안 책을 읽은 시간은 모두 몇 분인지 풀이 과정을 쓰고, 답을 구해 보세요.

중

풀이

답

| (세 자리 수)×(한 자리 수)(3) |

15 □ 안에 알맞은 수를 써넣으세요.

중

$$\begin{array}{r} 2\,\square\,3 \\ \times\quad\ 7 \\ \hline 1\,7\,7\,1 \end{array}$$

➔ 정답 및 풀이 210~211쪽

| (몇)×(몇십몇) |

16 1부터 9까지의 숫자 중에서 □ 안에 들어갈 수 있는 수를 모두 구해 보세요.
중

□×38＞200

(　　　　　　　　)

| (몇십몇)×(몇십몇)(2) |

17 어떤 수에 34를 곱해야 할 것을 잘못하여 더하였더니 71이 되었습니다. 바르게 계산한 값을 구해 보세요.
중

(　　　　　　　　)

| (세 자리 수)×(한 자리 수)(3) |

18 4장의 숫자 카드를 한 번씩 모두 사용하여 (세 자리 수)×(한 자리 수)를 만들려고 합니다. 곱이 가장 크게 되는 곱셈의 곱을 구해 보세요.
상

8　2　5　6

(　　　　　　　　)

| (몇십몇)×(몇십) |　서술형

19 윤기네 귤 농장에서 수확한 귤을 한 상자에 45개씩 40상자에 나누어 담았더니 16개가 남았습니다. 윤기네 농장에서 수확한 귤은 모두 몇 개인지 풀이 과정을 쓰고, 답을 구해 보세요.
상

풀이

답 ....

| (몇)×(몇십몇), (몇십몇)×(몇십몇)(2) |　서술형

20 그림과 같이 길이가 26 cm인 색 테이프 19장을 2 cm씩 겹치게 이어 붙였습니다. 이어 붙인 색 테이프의 전체 길이는 몇 cm인지 풀이 과정을 쓰고, 답을 구해 보세요.
상

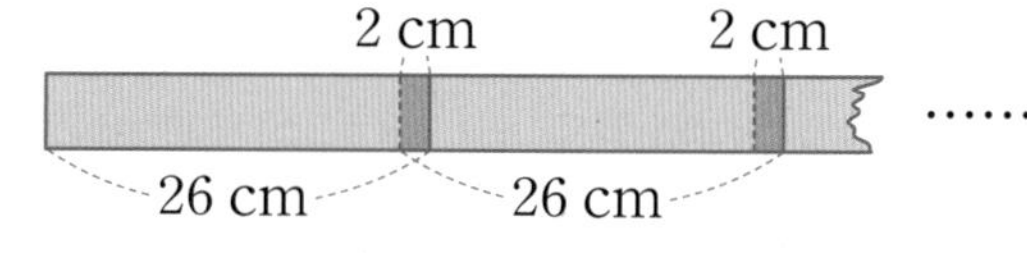

풀이

답 ....

송편을 모두 몇 개 만들었을까요?

송편을 만들어서 이웃들과 나누어 먹을까?
네!

송편을 몇 개 만들어야 돼요?

한 통에 28개씩 담은 송편이 12통 필요하단다.
그럼 송편을 모두 몇 개 만들어야 해요?

한 통에 28개씩 12통에 담아야 하니까 28 × 12를 계산하면 돼!
그럼 336개를 만들면 되겠다!
오물 조물

오~. 정확하게 계산했구나.
흐뭇~
짝짝

맛있는 송편을 나누어 먹을 수 있다는 건 아주 좋은 일 같아요!
그렇지? 나눈다는 것은 좋은 것이야!
후다닥

2 원

이전에 배운 내용

2-1 2. 여러 가지 도형
- 원 알아보기
- 원 찾아보기
- 원 모양 본떠 그리기

이번에 배울 내용

- 여러 가지 방법으로 원 그리기
- 원의 중심과 반지름 알아보기
- 원의 지름을 알아보고 반지름과 지름 사이의 관계 이해하기
- 컴퍼스를 이용하여 원 그리기
- 원을 이용하여 다양한 모양 꾸미기

다음에 배울 내용

6-2 4. 원주율과 원의 넓이
- 원주와 원주율
- 원의 넓이

- 민속촌을 방문한 아이들이 민속촌에서 볼 수 있는 여러 가지 상황 속에서 발견한 원을 살펴보고 있습니다.
- 강강술래, 장구, 징 등에서 찾은 다양한 크기의 원을 그리는 방법을 궁금해하고 있습니다.

그림 속 상황

공부할 준비가 되었나요?

자/기/주/도/학/습

	학습 내용	계획 및 확인(공부한 날)	
예습	1차시 ∣ 단원 도입 / 준비 팡팡	40~43쪽	월 일
진도	2~3차시 ∣ 1 원의 중심과 반지름	44~47쪽	월 일
	4차시 ∣ 2 원의 지름	48~49쪽	월 일
	5차시 ∣ 3 컴퍼스를 이용하여 원 그리기	50~51쪽	월 일
	6차시 ∣ 4 원을 이용하여 여러 가지 모양 꾸미기	52~53쪽	월 일
	7차시 ∣ 문제 해결력 쑥쑥	54~55쪽	월 일
	8차시 ∣ 단원 마무리 척척	56~57쪽	월 일
	9차시 ∣ 그림 속으로 쓱쓱 / 이야기로 키우는 생각	58~59쪽	월 일
평가	개념+확인 / 서술형 문제 해결하기	60~63쪽	월 일
	단원 평가 / 재미있는 수학 이야기	64~67쪽	월 일

1 차시 준비 팡팡

학습 목표

'무엇을 알고 있나요'와 '함께 생각해 볼까요'를 통하여 단원을 준비할 수 있습니다.

원을 찾아 색칠하기

- (가)에서 원을 찾아 색칠하는 활동입니다.

- 원의 특징
  - 뾰족한 부분이 없습니다.
  - 길쭉하거나 찌그러진 곳 없이 어느 쪽에서 보아도 똑같이 동그란 모양입니다.

원, 삼각형, 사각형을 이용하여 나만의 작품 만들기

스케치북에 원, 삼각형, 사각형을 이용하여 나만의 작품을 만들어 보는 활동입니다.

예

교과서 개념 완성 | 배운 것을 다시 생각하기

원 알아보기

그림과 같은 모양의 도형을 원이라고 합니다.

  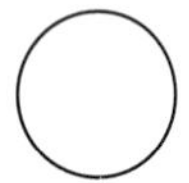

삼각형과 사각형 알아보기

- 그림과 같은 모양의 도형을 삼각형이라고 합니다.

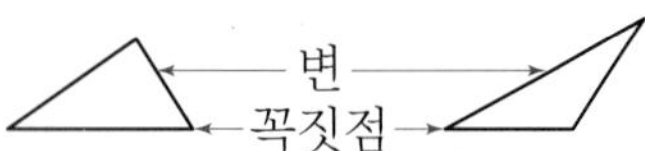

- 그림과 같은 모양의 도형을 사각형이라고 합니다.

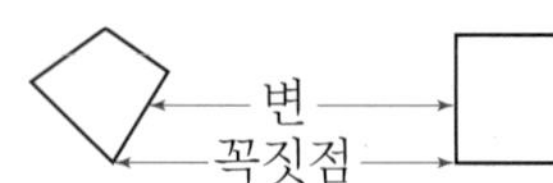

주변에서 원 찾아보기

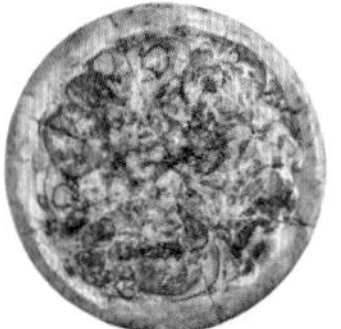

학부모 코칭 Tip

원에 대한 개념이 부족하면 동전, 피자, 바퀴 등 실생활에서 원 모양을 찾아보게 하고, 원에 대해 충분히 알고 있다면 원의 특징에 대해 설명해 보게 합니다.

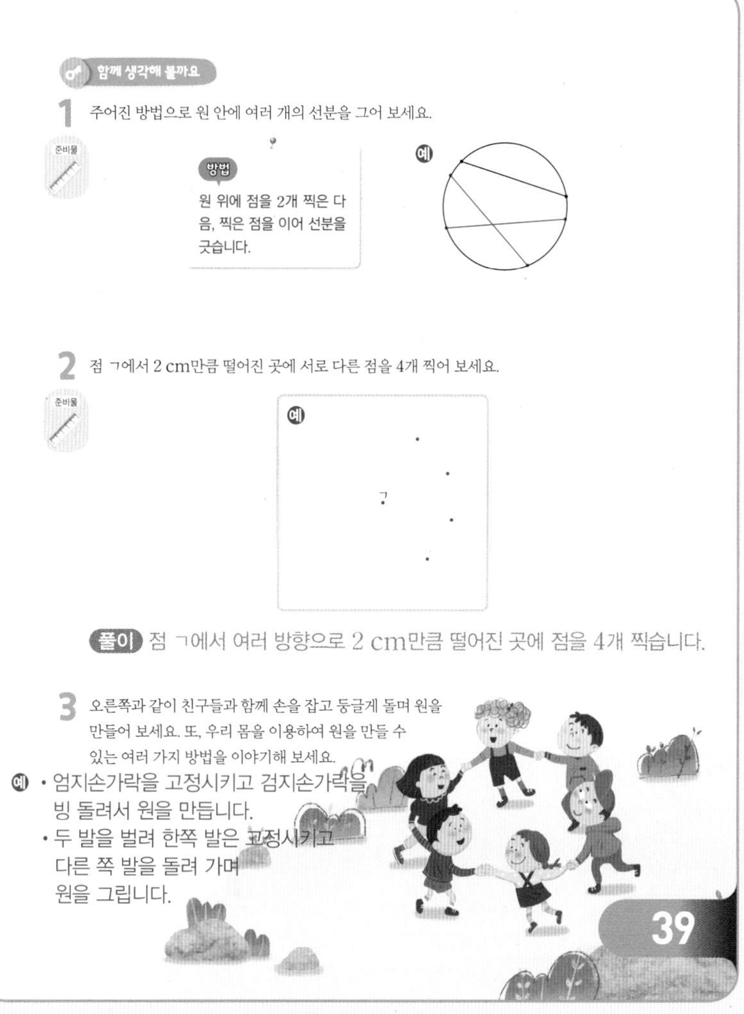

함께 생각해 볼까요
1 주어진 방법으로 원 안에 여러 개의 선분을 그어 보세요.
준비물
방법
원 위에 점을 2개 찍은 다음, 찍은 점을 이어 선분을 긋습니다.
예
2 점 ㄱ에서 2 cm만큼 떨어진 곳에 서로 다른 점을 4개 찍어 보세요.
준비물
예
ㄱ
풀이 점 ㄱ에서 여러 방향으로 2 cm만큼 떨어진 곳에 점을 4개 찍습니다.
3 오른쪽과 같이 친구들과 함께 손을 잡고 둥글게 돌며 원을 만들어 보세요. 또, 우리 몸을 이용하여 원을 만들 수 있는 여러 가지 방법을 이야기해 보세요.

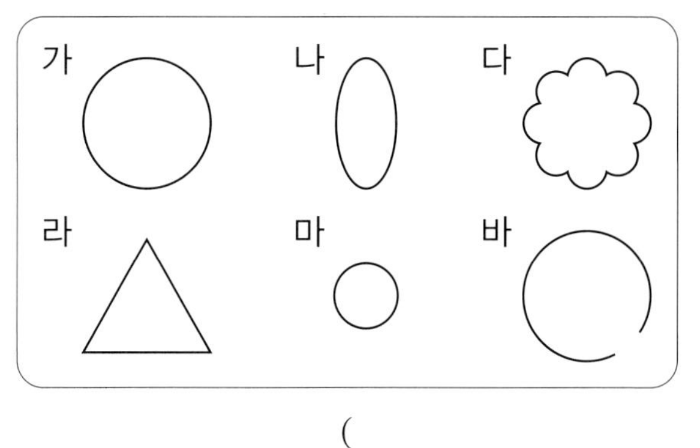

• 엄지손가락을 고정시키고 검지손가락을 빙 돌려서 원을 만듭니다.
• 두 발을 벌려 한쪽 발은 고정시키고 다른 쪽 발을 돌려 가며 원을 그립니다.
39

원 안에 여러 개의 선분 긋기

원 위에 점을 2개 찍고, 두 점을 이어 선분을 그어 보는 활동입니다.

일정한 거리에 여러 개의 점 찍기

점 ㄱ에서 여러 방향으로 2 cm만큼 떨어진 곳에 서로 다른 점을 4개 찍어 보는 활동입니다.

친구들과 함께 손을 잡고 둥글게 돌며 원을 만들어 보고, 우리 몸을 이용하여 원을 만들 수 있는 방법 이야기하기

- 친구들과 함께 손을 잡고 둥글게 돌며 원을 만들어 봅니다.
- 팔을 쭉 펴서 팔 돌리기를 해서 원을 만들어 봅니다.

개념 확인 문제

정답 및 풀이 212쪽

| 2-1 2. 여러 가지 도형 |

1 원을 모두 찾아 기호를 써 보세요.

가 나 다

라 마 바

( )

| 2-1 2. 여러 가지 도형 |

2 도형을 보고 □ 안에 알맞은 수를 써넣으세요.

(1)

삼각형은 변이 □개, 꼭짓점이 □개입니다.

(2)

사각형은 변이 □개, 꼭짓점이 □개입니다.

1 | 원의 중심과 반지름

학습 목표

원의 중심과 반지름을 알고, 원의 반지름의 성질을 이해합니다.

그림으로 개념 잡기
나도 원이지?
아니야, 원은 나처럼 중심에서 원 위의 점까지의 거리가 모두 같아야 해!

수학 익힘 24~25쪽

1 원의 중심과 반지름

| 원의 중심과 반지름을 알고, 원의 반지름의 성질을 이해합니다.

생각 열기 민속촌의 체험 마당에서는 투호, 강강술래, 팽이치기와 같은 전래 놀이를 할 수 있어요. 그림 (가), (나)와 같이 친구들이 서로 다른 위치에서 투호를 하고 있네요.

- 모두에게 공평하기 위해서는 (가)와 (나) 중 어떤 위치에서 하는 것이 더 좋을까요?
  예 (나)와 같이 하는 것이 더 좋을 것 같습니다.
- 공평하다고 생각한 위치에서 놀이를 하는 친구들을 이으면 어떤 도형에 가까울까요?
  예 원에 가깝습니다.

투호란? 같은 거리에서 화살을 던져 항아리에 많이 넣는 사람이 이기는 놀이예요.

그림 (가)

그림 (나)

탐구하기 여러 가지 방법으로 원을 그려 봅시다.

방법 1 원 모양이 있는 물건을 찾아 본떠서 원을 그려 보세요.

예

동전, 원 모양 접시 등을 본뜨면 원을 그릴 수 있어.

원 모양의 물건을 본뜨지 않고 원을 그릴 수 있는 방법이 있을까?

40

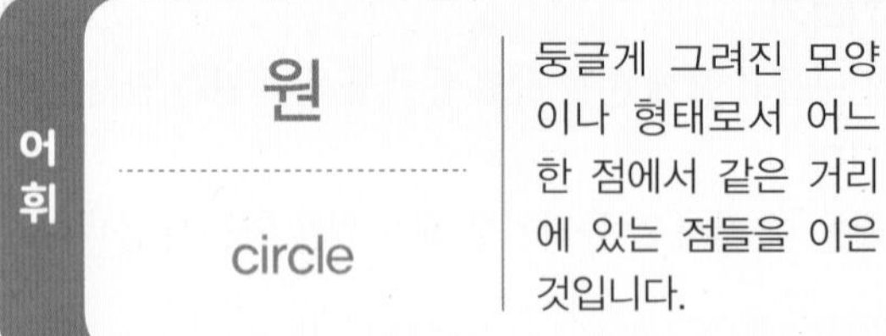

어휘
원
circle
둥글게 그려진 모양이나 형태로서 어느 한 점에서 같은 거리에 있는 점들을 이은 것입니다.

교과서 개념 완성

생각 열기 공평한 투호가 되기 위한 위치 선정 방법 생각하기

- 그림 (나)는 모든 친구들이 항아리로부터 일정한 거리에서 화살을 던지기 때문에 모두에게 공평한 투호가 되기 위해서는 (나)와 같이 하는 것이 더 좋을 것 같습니다.
- 공평하다고 생각한 위치에서 놀이를 하는 친구들의 위치를 이으면 원에 가까운 도형이 됩니다.

탐구하기 여러 가지 방법으로 원 그리는 방법 탐구하기

방법 1 본을 떠서 원 그리기

500원짜리 동전, 종이컵 등 원 모양이 있는 물건을 찾아 본을 떠서 원을 그립니다.

방법 2 자를 이용하여 같은 거리에 있는 점을 여러 개 찍어 원 그리기

점의 개수를 많이 찍을수록 그린 원의 모양이 좀 더 원에 가깝습니다.

방법 3 누름 못과 띠 종이를 이용하여 원 그리기

띠 종이를 누름 못으로 고정하고, 띠 종이의 다른 구멍에 연필을 넣은 후, 연필을 돌려 원을 그립니다.

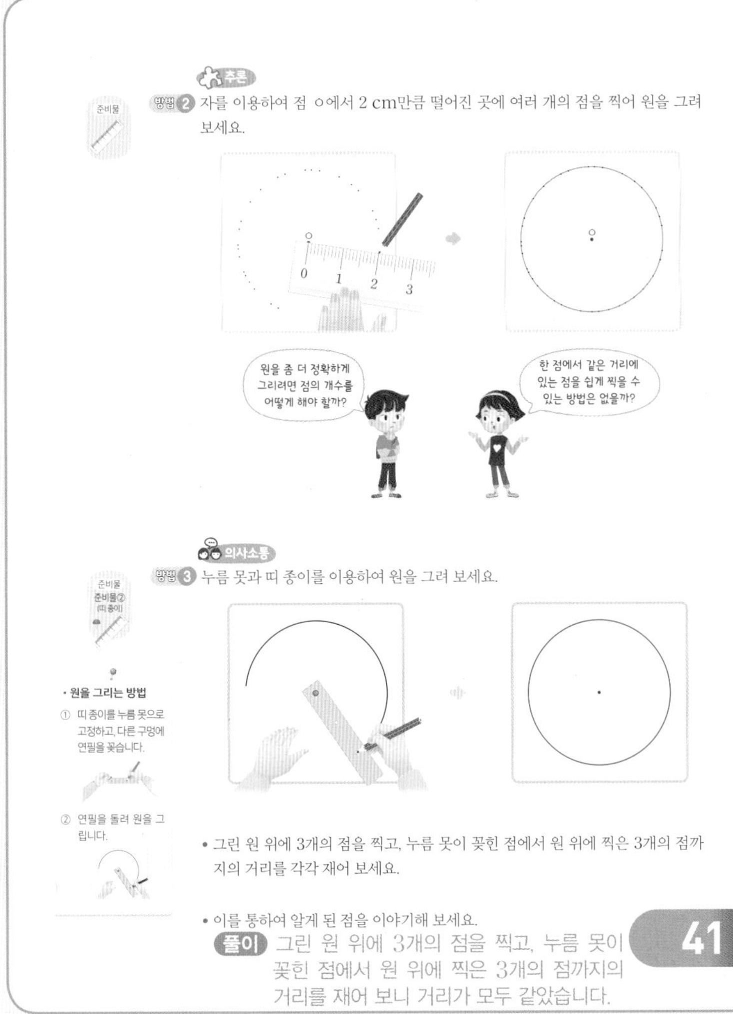
추론

활동 2 자를 이용하여 점 ㅇ에서 2 cm만큼 떨어진 곳에 여러 개의 점을 찍어 원을 그려 보세요.

준비물
0
1
2
3
원을 좀 더 정확하게 그리려면 점의 개수를 어떻게 해야 할까?
한 점에서 같은 거리에 있는 점을 쉽게 찍을 수 있는 방법은 없을까?

의사소통

활동 3 누름 못과 띠 종이를 이용하여 원을 그려 보세요.

• 원을 그리는 방법

① 띠 종이를 누름 못으로 고정하고, 다른 구멍에 연필을 꽂습니다.

② 연필을 돌려 원을 그립니다.

• 그린 원 위에 3개의 점을 찍고, 누름 못이 꽂힌 점에서 원 위에 찍은 3개의 점까지의 거리를 각각 재어 보세요.

• 이를 통하여 알게 된 점을 이야기해 보세요.

풀이 그린 원 위에 3개의 점을 찍고, 누름 못이 꽂힌 점에서 원 위에 찍은 3개의 점까지의 거리를 재어 보니 거리가 모두 같았습니다.

41

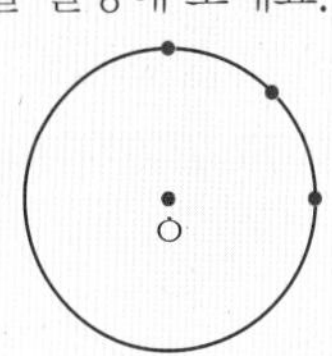

이런 문제가 서술형으로 나와요

점 ㅇ에서 원 위의 3개의 점까지의 거리를 직접 재어 보고, 알게 된 점을 설명해 보세요.

| 자로 재어 보기 |

1 cm, 1 cm, 1 cm

| 설명 |

예 점 ㅇ에서 원 위의 점까지의 거리는 모두 같습니다.

수학 교과 역량  

다양한 방법으로 원 그려 보기

찍은 점의 개수가 많아질수록 좀 더 정확하게 원을 그릴 수 있음을 이해하는 활동을 통하여 추론 능력을 기르고, 다양한 방법으로 원을 그려 보는 활동을 하며 알게 된 내용을 설명해 보는 과정을 통하여 의사소통 능력을 기를 수 있습니다.

개념 확인 문제

정답 및 풀이 212쪽

[1~3] 점을 이어 원을 그리려고 합니다. 물음에 답해 보세요.

1 8개의 점을 이어 원을 그려 보세요.

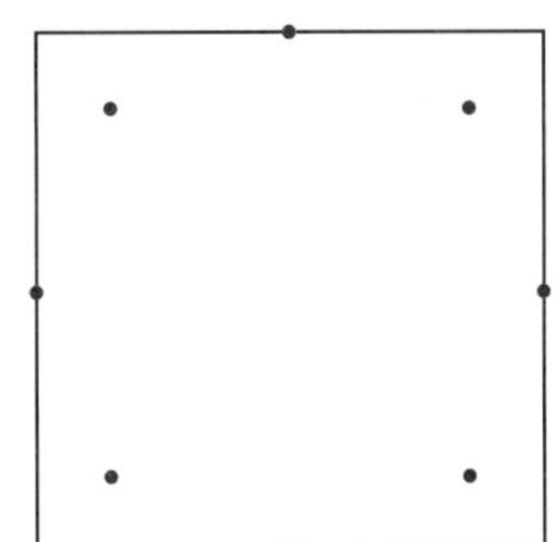

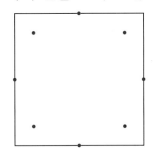

2 16개의 점을 이어 원을 그려 보세요.

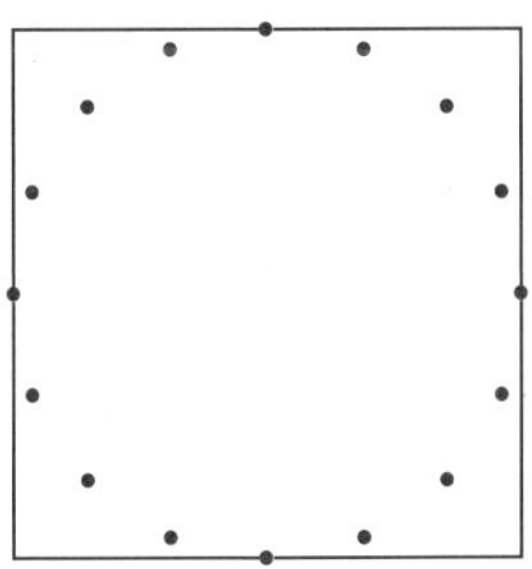

3 알맞은 말에 ○표 하세요.

점의 개수가 (많을수록, 적을수록) 원을 좀 더 정확하게 그릴 수 있습니다.

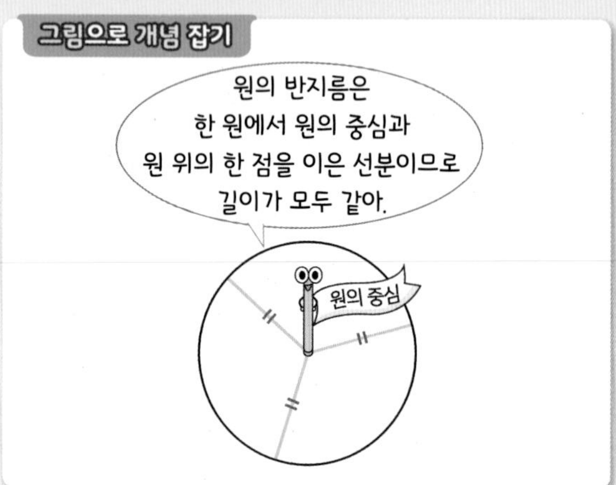
그림으로 개념 잡기
원의 반지름은
한 원에서 원의 중심과
원 위의 한 점을 이은 선분이므로
길이가 모두 같아.
원의 중심

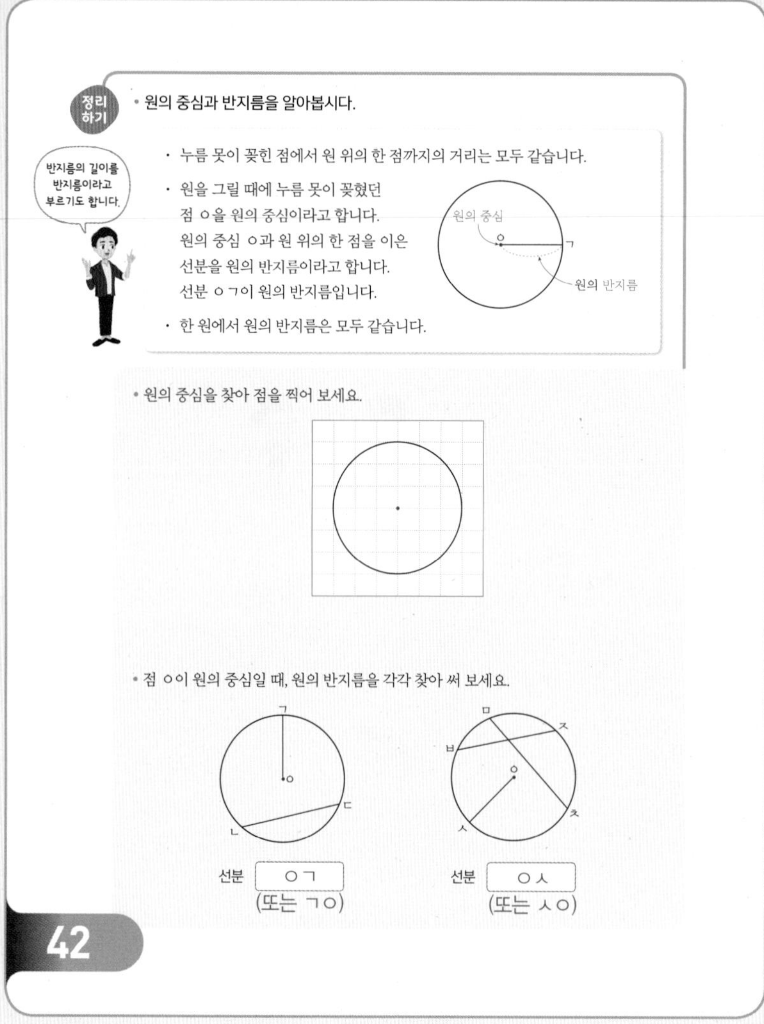
정리하기
원의 중심과 반지름을 알아봅시다.
반지름의 길이를 반지름이라고 부르기도 합니다.
누름 못이 꽂힌 점에서 원 위의 한 점까지의 거리는 모두 같습니다.
원을 그릴 때에 누름 못이 꽂혔던 점 ㅇ을 원의 중심이라고 합니다. 원의 중심 ㅇ과 원 위의 한 점을 이은 선분을 원의 반지름이라고 합니다. 선분 ㅇㄱ이 원의 반지름입니다.
한 원에서 원의 반지름은 모두 같습니다.
원의 중심
원의 반지름
원의 중심을 찾아 점을 찍어 보세요.
점 ㅇ이 원의 중심일 때, 원의 반지름을 각각 찾아 써 보세요.
선분 ㅇㄱ (또는 ㄱㅇ)
선분 ㅇㅅ (또는 ㅅㅇ)
42

어휘	반지름 radius	원의 중심과 원 위의 한 점을 이은 선분입니다.

교과서 개념 완성

정리하기 원의 중심과 반지름 정리하기

- 원을 그릴 때 누름 못이 꽂혔던 점 ㅇ을 원의 중심이라고 합니다.
- 원의 중심 ㅇ과 원 위의 한 점을 이은 선분을 원의 반지름이라고 합니다.

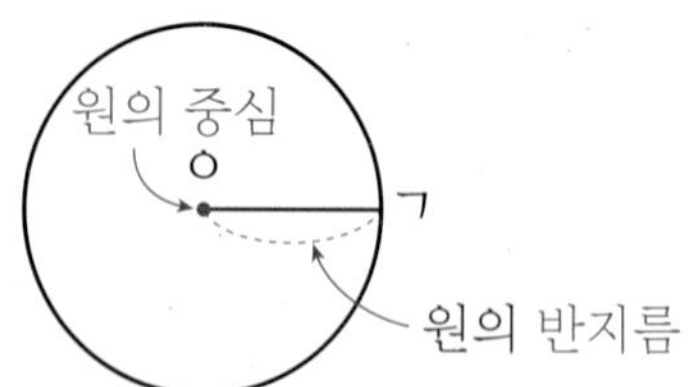
원의 중심
ㅇ
ㄱ
원의 반지름

확인하기 원을 그리고 성질 이해하기

1. 누름 못과 띠 종이를 이용하여 모양이 같은 원 그리기
   ① 띠 종이에서 작은 원의 반지름에 해당하는 구멍을 찾습니다.
   ② 띠 종이를 누름 못으로 고정한 다음, 찾은 구멍에 연필을 넣어 원을 그립니다.

2. 원의 반지름을 3개 긋고, 길이를 재어 비교하기
   원의 중심에서 원 위의 한 점을 이어 선분 3개를 긋고, 그은 반지름의 길이를 재어 길이를 비교하면 반지름의 길이는 모두 같습니다.

확인하기
1. 누름 못과 띠 종이를 이용하여 왼쪽과 같은 모양을 그려 보세요.
2. 원의 반지름을 3개 긋고, 길이를 재어 비교해 보세요.
예
위치나 방향에 관계없이 원의 중심과 원 위의 한 점을 이어 선분을 그어 보세요.
예 • 원의 반지름은 모두 2 cm입니다.
• 한 원에서 원의 반지름은 모두 같습니다.
태도 및 실천
생각 솔솔
그림에서 원 모양의 물건을 찾아 원의 중심과 반지름을 각각 나타내어 보세요.
예
원의 반지름
원의 중심
한 원에는 원의 중심이 몇 개일까? 또, 한 원에 반지름을 몇 개나 그을 수 있을까?
43

이런 문제가 서술형으로 나와요

신영이가 원의 중심과 반지름에 대해 다음과 같이 설명하였습니다. 잘못 설명한 이유를 쓰고, 바르게 고쳐 보세요.

| 이유 |

❶ 예 한 원에 그을 수 있는 반지름은 무수히 많기 때문입니다.

| 바르게 고치기 |

❷ 예 한 원의 반지름은 무수히 많아.

수학 교과 역량 태도 및 실천

실생활에서 원의 중심과 반지름 알아보기

생활 속에서 원을 찾아보고, 원의 중심과 반지름을 나타내어 보는 활동을 통하여 수학의 유용성과 흥미를 느낄 수 있습니다.

개념 확인 문제

정답 및 풀이 212쪽

1 원의 중심을 찾아 써 보세요.

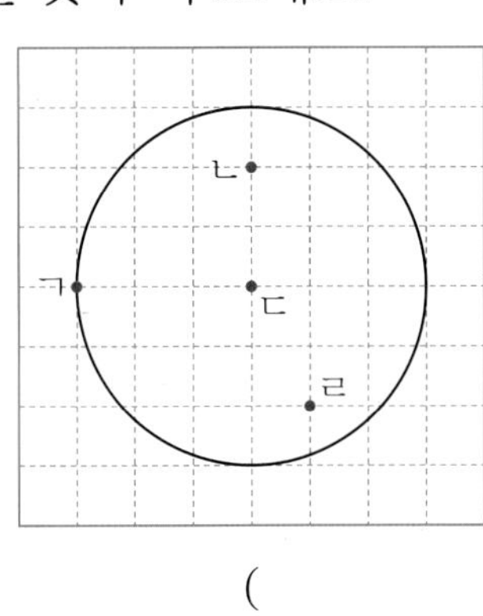

( )

2 점 ㅇ이 원의 중심일 때, 원의 반지름을 모두 찾아 써 보세요.

( )

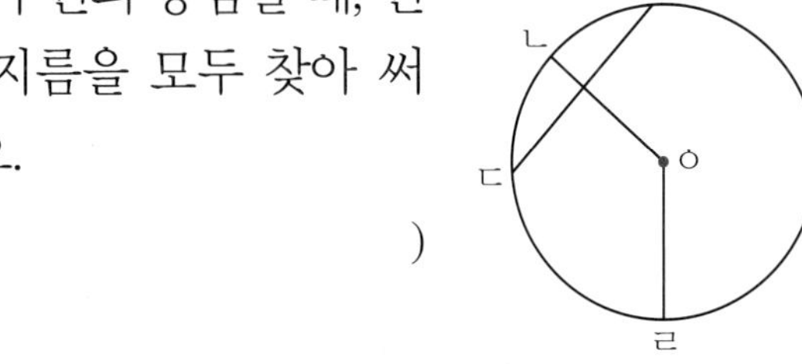

3 □ 안에 알맞은 수를 써넣으세요.

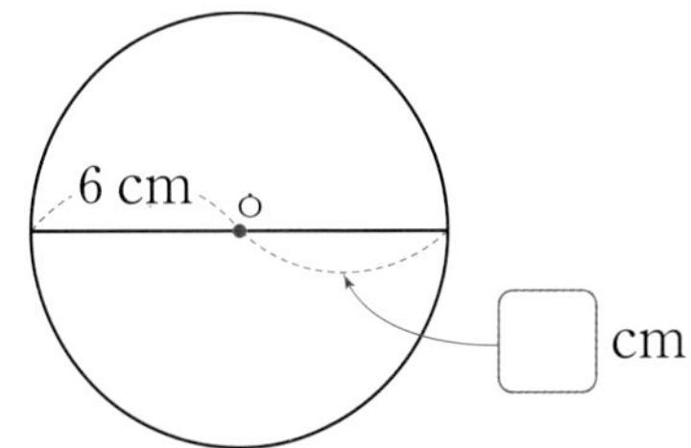

2 | 원의 지름

학습 목표

원의 지름을 알고, 반지름과 지름 사이의 관계를 이해합니다.

그림으로 개념 잡기

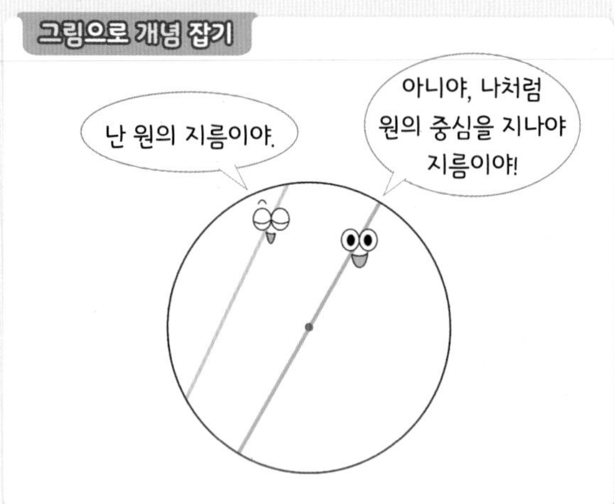

난 원의 지름이야.
아니야, 나처럼 원의 중심을 지나야 지름이야!

어휘	지름 diameter	원의 중심을 지나는 직선으로 원 위의 두 점을 이은 선분입니다.

2 원의 지름

「수학 익힘」 26~27쪽

| 원의 지름을 알고, 반지름과 지름 사이의 관계를 이해합니다.

생각 열기 준비물

체험 마당에서 8명의 친구들이 강강술래를 하고 있어요.

- 친구들 사이의 거리를 비교하여 가장 멀리 떨어져 있는 친구를 찾아보세요. 예 맞은편에 있는 친구가 가장 멀리 떨어져 있습니다.
- 각자 가장 멀리 떨어져 있는 친구와 선분으로 이어 보세요.
- 이은 선분을 보고 알 수 있는 것을 이야기해 보세요.

예 • 가장 멀리 떨어져 있는 친구와 이은 선분이 다른 친구와 이은 선분보다 더 깁니다.
• 각자 가장 멀리 떨어져 있는 친구와 이은 선분들이 한 점에서 만납니다.

탐구 하기 준비물

원 위의 두 점을 이은 선분에 대해 알아봅시다.

- 점 ㄱ과 원 위의 다른 한 점을 이은 선분 중 길이가 가장 긴 선분을 찾아보세요.
  선분 ㄱㄹ(또는 선분 ㄹㄱ)
- 점 ㄴ과 점 ㄱ, ㄷ, ㄹ, ㅁ을 각각 이어 선분을 긋고, 그중 길이가 가장 긴 선분을 찾아보세요.
  선분 ㄴㅁ(또는 선분 ㅁㄴ)
- 위에서 찾은 길이가 가장 긴 두 선분의 공통점을 이야기해 보세요.
  예 원의 중심을 지납니다.
- 위에서 찾은 선분과 그 원의 반지름은 어떤 관계가 있을지 이야기해 보세요.

44

교과서 개념 완성

생각 열기 강강술래를 하는 친구들 사이의 거리 비교해 보기

- 8명의 친구들이 원 모양으로 손을 잡고 강강술래를 하고 있습니다. 친구들 사이의 거리를 비교하여 가장 멀리 떨어져 있는 친구를 찾아보면, 맞은편에 있는 친구가 가장 멀리 떨어져 있습니다.
- 각자 가장 멀리 떨어져 있는 친구와 선분으로 이어 보면 다른 친구와 이은 선분보다 더 깁니다.
- 각자 가장 멀리 떨어져 있는 친구와 이은 선분들이 한 점에서 만납니다.

탐구하기 원 위의 두 점을 이은 선분 탐구하기

- 점 ㄱ과 점 ㄹ, 점 ㄴ과 점 ㅁ을 이은 선분이 가장 길고, 이 두 선분은 원의 중심을 지납니다.
- 선분 ㄱㄹ 또는 선분 ㄴㅁ과 같이 원 위의 두 점을 이은 선분 중에서 길이가 가장 긴 선분은 원의 반지름의 2배입니다.

생각 솔솔 본떠 만든 원의 중심 찾기

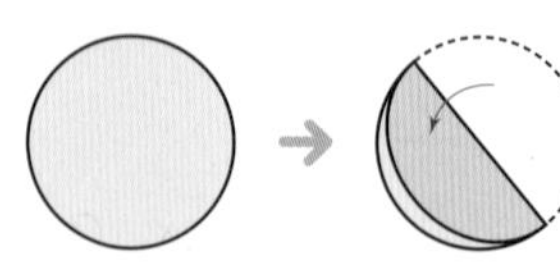

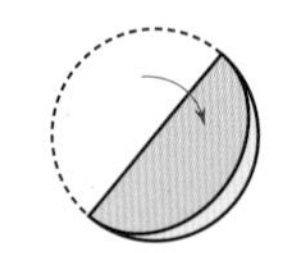

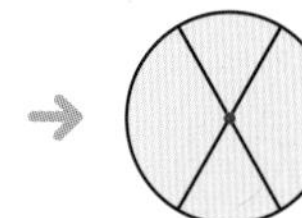

접은 두 선분은 각각 원의 지름이고 두 선분이 만나는 점이 원의 중심입니다.

정리하기 • 원의 지름을 알아봅시다.

• 원 위의 두 점을 이은 선분이 원의 중심 ㅇ을 지날 때, 이 선분을 원의 지름이라고 합니다. 선분 ㅇㄱ과 선분 ㅇㄴ은 원의 반지름이고, 선분 ㄱㄴ은 원의 지름입니다.

• 한 원 위의 두 점을 이은 선분 중 길이가 가장 긴 선분이 지름입니다.

• 한 원에서 지름은 반지름의 2배입니다.

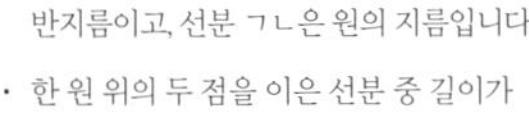

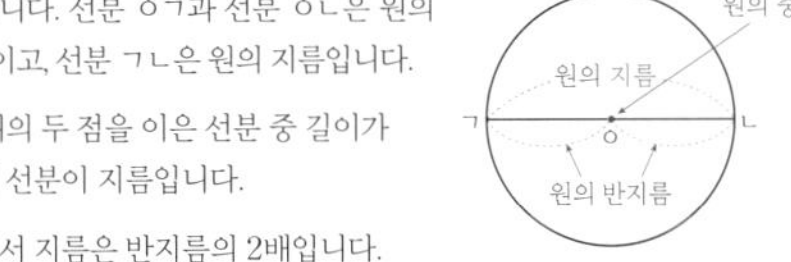

• 오른쪽 원을 보고 □ 안에 알맞은 수를 써넣으세요.

지름: 8 cm, 반지름: 4 cm

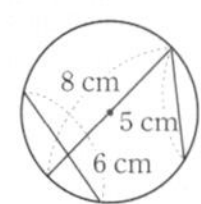

추론

확인하기 원의 지름을 3개 긋고, 알 수 있는 것을 이야기해 보세요.

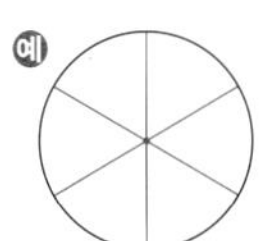

한 원에 지름을 몇 개나 그을 수 있을까요?

예 • 한 원에 그을 수 있는 지름은 무수히 많습니다.
• 한 원에서 지름은 반지름의 2배입니다.

생각 솔솔 동전을 본떠 만든 원을 이용하여 원의 중심을 찾는 방법을 이야기해 보세요.

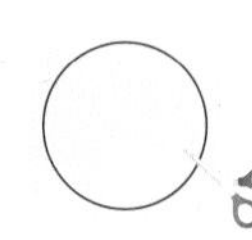

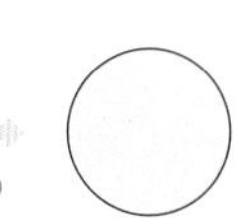

원 모양 종이가 완전히 포개어지도록 여러 번 접어 보세요.

예 원 모양 종이를 반으로 완전히 포개어지도록 여러 번 접었을 때, 접은 선이 만나는 한 점이 원의 중심입니다.

45

이런 문제가 서술형으로 나와요

더 큰 원의 기호를 쓰려고 합니다. 풀이 과정을 쓰고, 답을 구해 보세요.

㉠ 지름이 25 cm인 원
㉡ 반지름이 12 cm인 원

| 풀이 과정 |

❶ 두 원 ㉠과 ㉡의 지름 구하기
㉠은 지름이 25 cm인 원이고, ㉡은 지름이 $12\times2=24$ (cm)인 원입니다.

❷ 더 큰 원의 기호 쓰기
지름을 비교하면 25 cm > 24 cm이므로 지름이 더 긴 ㉠이 더 큰 원입니다.

답 ㉠

수학 교과 역량 

원의 지름을 알고 성질 이해하기
원의 지름을 여러 개 긋고 길이를 재어 비교해 보며 원의 지름의 성질과 반지름과 지름 사이의 관계를 발견해 나가는 과정을 통하여 추론 능력을 기를 수 있습니다.

개념 확인 문제

정답 및 풀이 212쪽

1 그림을 보고 물음에 답해 보세요.

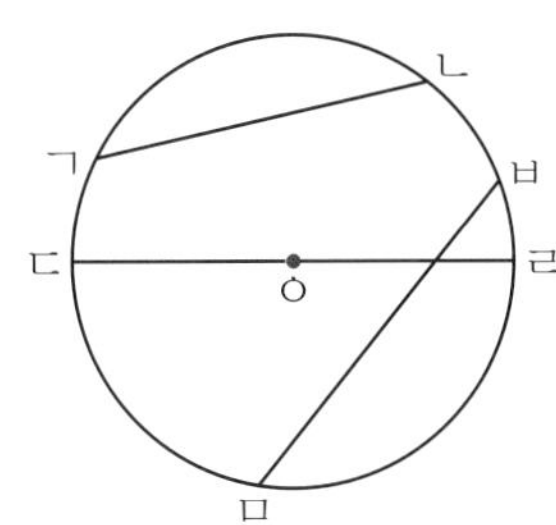

(1) 길이가 가장 긴 선분을 찾아 써 보세요.
( )

(2) 원의 지름을 나타내는 선분을 찾아 써 보세요.
( )

2 원의 지름을 2개 긋고, 재어 보세요.

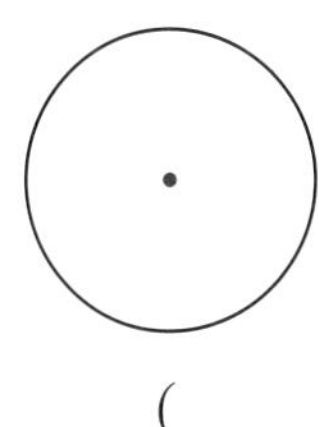

( )

3 오른쪽 원의 지름을 구하려고 합니다. □ 안에 알맞은 수를 써넣으세요.

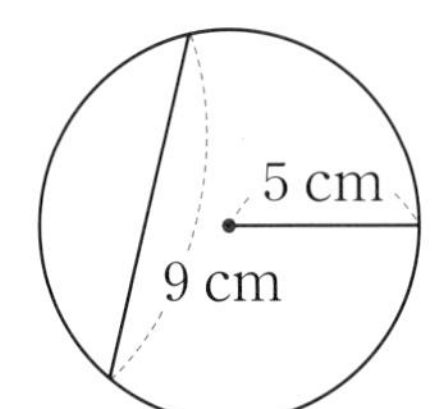

(원의 지름)=□×2=□ (cm)

3 | 컴퍼스를 이용하여 원 그리기

학습 목표

컴퍼스를 이용하여 원을 그릴 수 있습니다.

그림으로 개념 잡기

나는 컴퍼스야.
나를 이용해서 크기가 같은 원을 그리려면 원의 중심과 반지름의 길이를 알아야 해!

어휘	컴퍼스 / compasses	그리려는 원의 크기에 맞춰 두 다리를 벌리고 오므릴 수 있는 제도용 기구입니다.

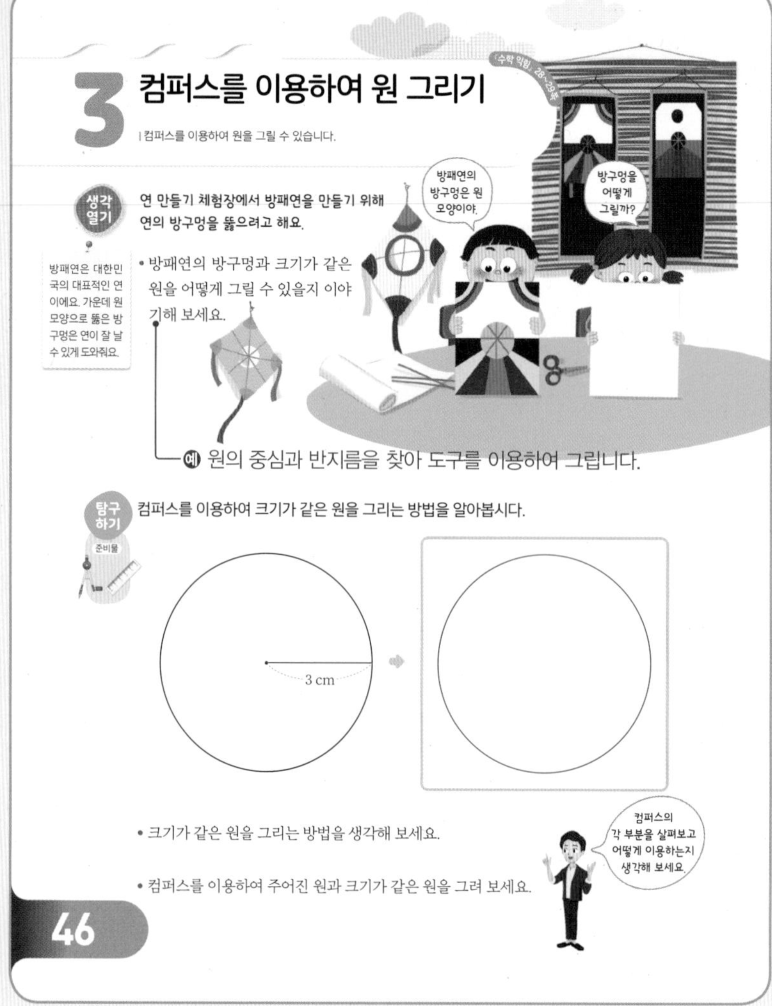

3 컴퍼스를 이용하여 원 그리기
| 컴퍼스를 이용하여 원을 그릴 수 있습니다.
생각 열기
연 만들기 체험장에서 방패연을 만들기 위해 연의 방구멍을 뚫으려고 해요.
방패연은 대한민국의 대표적인 연이에요. 가운데 원 모양으로 뚫은 방구멍은 연이 잘 날 수 있게 도와줘요.
• 방패연의 방구멍과 크기가 같은 원을 어떻게 그릴 수 있을지 이야기해 보세요.
방패연의 방구멍은 원 모양이야.
방구멍을 어떻게 그릴까?
예 원의 중심과 반지름을 찾아 도구를 이용하여 그립니다.
탐구하기
컴퍼스를 이용하여 크기가 같은 원을 그리는 방법을 알아봅시다.
준비물
3 cm
• 크기가 같은 원을 그리는 방법을 생각해 보세요.
• 컴퍼스를 이용하여 주어진 원과 크기가 같은 원을 그려 보세요.
컴퍼스의 각 부분을 살펴보고 어떻게 이용하는지 생각해 보세요.
46

교과서 개념 완성

생각 열기 방패연의 방구멍과 크기가 같은 원 그리는 방법 생각하기

방패연의 방구멍과 크기가 같은 원을 그릴 때 본떠서 그릴 수도 있지만 원의 중심을 찾고 반지름을 알면 도구를 이용하여 그릴 수 있습니다.

탐구하기 컴퍼스를 이용하여 크기가 같은 원 그리는 방법 탐구하기

- 컴퍼스를 이용하여 크기가 같은 원을 그리려면 원의 중심과 반지름을 알아야 합니다.
- 컴퍼스를 원의 반지름인 3 cm만큼 벌리고 원의 중심이 되는 점을 정하여 컴퍼스의 침을 꽂아 원을 그립니다.

학부모 코칭 Tip

컴퍼스를 이용하여 원을 그릴 때, 컴퍼스의 침과 연필심의 길이를 같게 맞추고 바로 세워서 침을 꽂은 쪽에 힘의 비중을 좀 더 주어 자연스럽게 돌리게 합니다. 이때 손등이 자신 쪽으로 향하게 하면 좀 더 편하게 원을 그릴 수 있습니다.

생각 솔솔 컴퍼스를 이용하여 지름이 6 cm인 원 그리기

지름이 6 cm인 원을 그리려면 컴퍼스를 원의 반지름만큼 벌려야 하므로 컴퍼스를 $6 \div 2 = 3$ (cm)만큼 벌립니다.

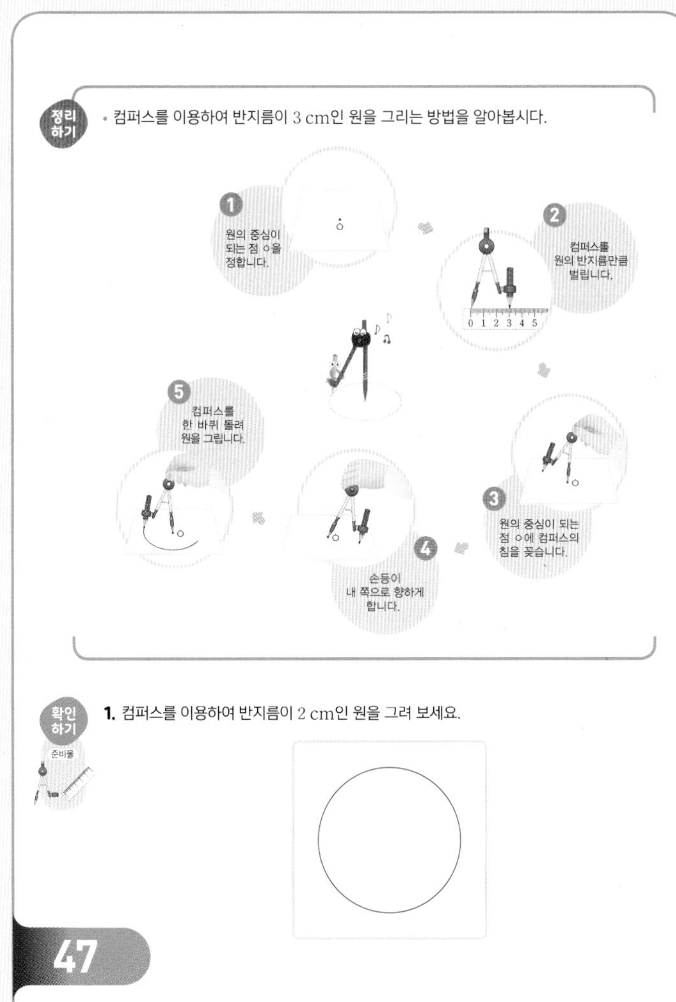

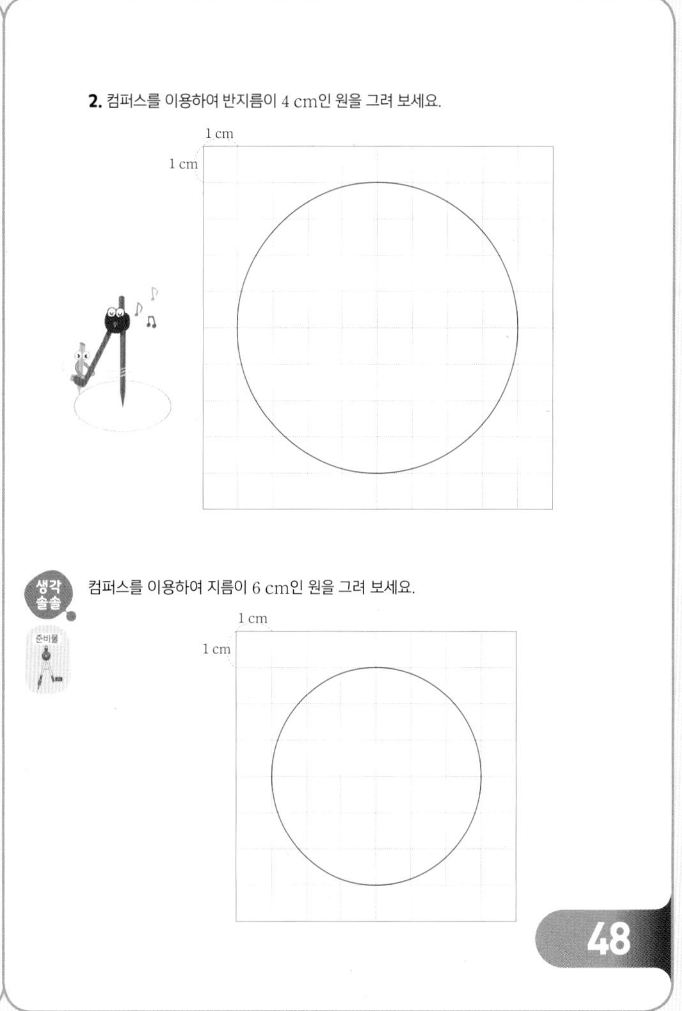

2. 컴퍼스를 이용하여 반지름이 4 cm인 원을 그려 보세요.
1 cm
1 cm
생각 솔솔
컴퍼스를 이용하여 지름이 6 cm인 원을 그려 보세요.
1 cm
1 cm
48

개념 확인 문제

정답 및 풀이 213쪽

1 원을 그리는 순서에 맞게 차례로 기호를 써 보세요.

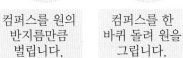

㉠ 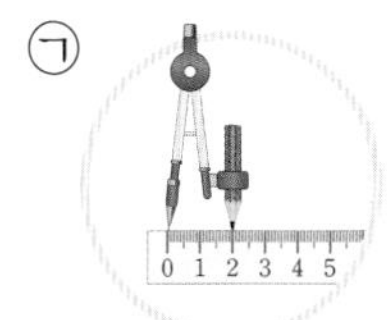
컴퍼스를 원의 반지름만큼 벌립니다.

㉡ 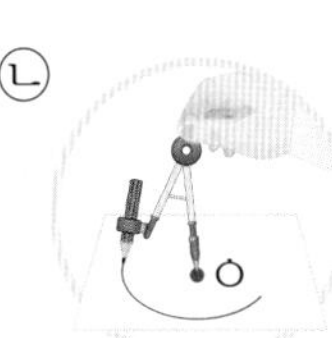
컴퍼스를 한 바퀴 돌려 원을 그립니다.

㉢ 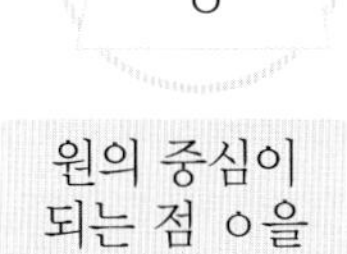
원의 중심이 되는 점 ㅇ을 정합니다.

( )

2 주어진 선분을 반지름으로 하는 원을 컴퍼스를 이용하여 그려 보세요.

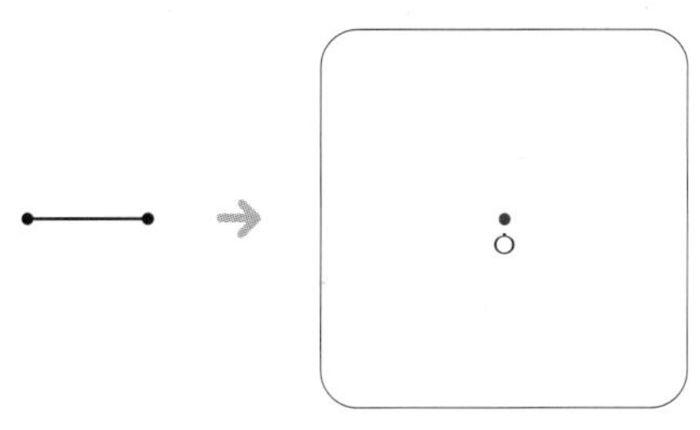

3 오른쪽 그림과 같이 컴퍼스를 벌려서 원을 그렸습니다. 그린 원의 반지름은 몇 cm일까요?

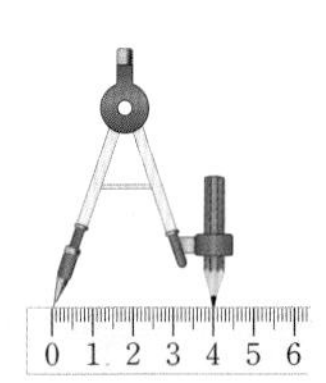

( )

4 | 원을 이용하여 여러 가지 모양 꾸미기

학습 목표

여러 가지 크기의 원을 그려서 다양한 모양을 꾸밀 수 있습니다.

그림으로 개념 잡기

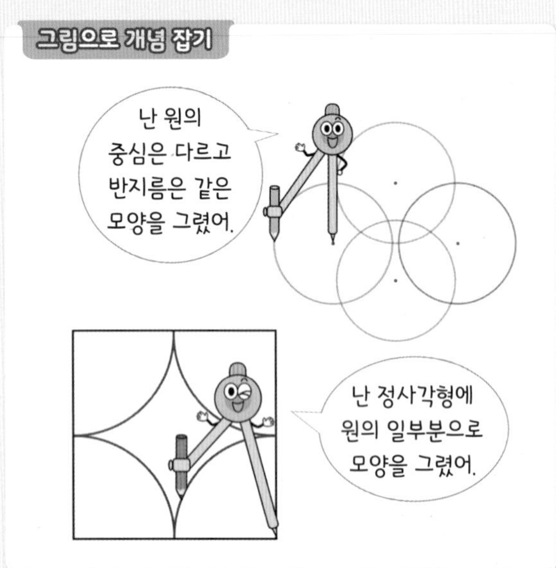

난 원의 중심은 다르고 반지름은 같은 모양을 그렸어.
난 정사각형에 원의 일부분으로 모양을 그렸어.

4 원을 이용하여 여러 가지 모양 꾸미기
여러 가지 크기의 원을 그려서 다양한 모양을 꾸밀 수 있습니다.
생각 열기 체험 마당에서 아이들이 팽이치기를 하고 있어요.
• 원을 이용하여 팽이 위에 그려진 모양을 그리려면 어떻게 해야 할까요?
탐구하기 컴퍼스를 이용하여 주어진 모양과 똑같이 그려 봅시다.
준비물
• 몇 개의 원을 그려야 할까요? 예 3개의 원을 그려야 합니다.
• 각 원의 중심을 찾고, 반지름을 각각 알아보세요.
예 반지름은 작은 원부터 모두 1칸, 2칸, 3칸입니다.
• 주어진 모양과 똑같이 그리고, 그린 방법을 이야기해 보세요.
예 원의 중심은 같고, 원의 반지름이 모두 1칸씩 커지게 원을 그렸습니다.
49

교과서 개념 완성

생각 열기 원을 이용하여 팽이 위에 그려진 모양을 그리는 방법 생각하기

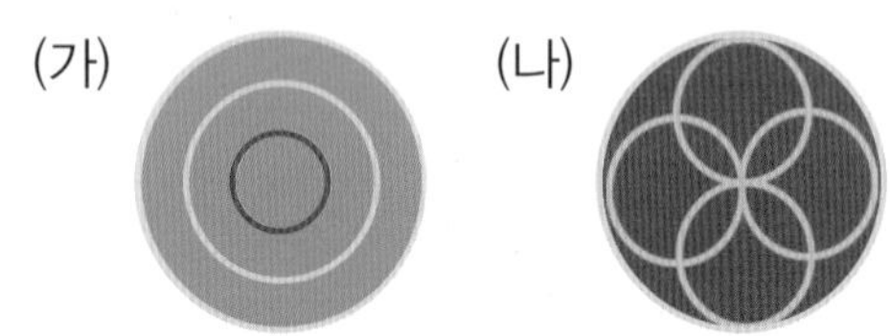

- (가) 위에 그려진 원과 똑같은 원을 그리려면 중심은 같고, 크기는 서로 다른 원 3개를 그려야 합니다.
- (나) 위에 그려진 원과 똑같은 원을 그리려면 중심이 다른 원 5개를 그려야 합니다. 이때 크기가 같은 작은 원 4개와 큰 원 1개를 그립니다.

확인하기 주어진 모양과 똑같이 그리고, 그린 방법 이야기하기

주어진 모양과 똑같이 그리기 위해서는 원의 중심을 찾는 것이 중요합니다. 따라서 먼저 각각의 원의 중심을 찾아 찍은 다음, 컴퍼스를 원의 반지름만큼 벌리고 원의 중심이 되는 점에 컴퍼스의 침을 꽂아 주어진 모양과 똑같이 그립니다.

생각 솔솔 규칙을 찾아 원 그리기

- 원의 반지름은 똑같고, 원의 중심이 오른쪽으로 2칸씩 옮겨 가는 규칙입니다.
- 원의 중심을 오른쪽으로 2칸씩 옮겨 가며 원을 2개 더 그립니다.

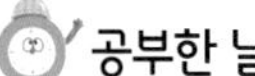

• 원을 이용하여 여러 가지 모양을 꾸미는 방법을 정리해 봅시다.

- 원이나 원의 일부분을 보고 원의 중심을 각각 찾습니다.
- 원의 반지름을 각각 알아봅니다.
- 원의 중심과 반지름을 이용하여 주어진 모양과 똑같이 그립니다.

1. 주어진 모양과 똑같이 그려 보고, 그린 방법을 이야기해 보세요.

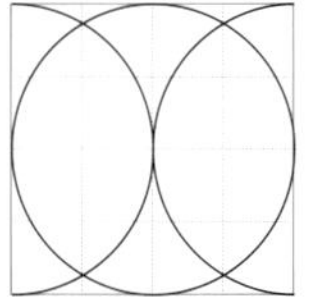
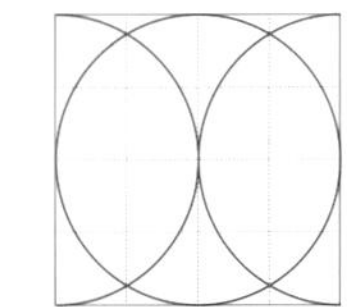

예 정사각형의 양쪽 변의 가운데 점을 원의 중심으로 하는 원의 일부분 2개와 정사각형의 가운데 점을 원의 중심으로 하는 원 1개를 그립니다. 이때 원의 반지름은 모두 2칸과 같습니다.

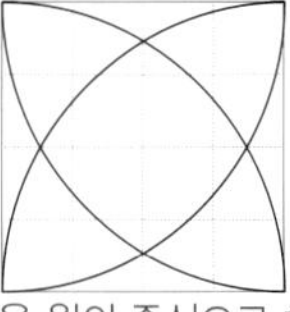
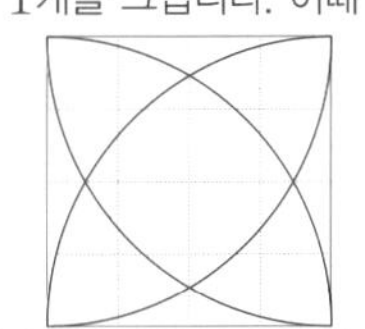

예 정사각형의 꼭짓점을 원의 중심으로 하는 원의 일부분을 4개 그립니다. 이때 원의 반지름은 모두 4칸과 같습니다.

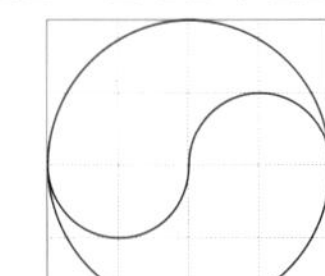
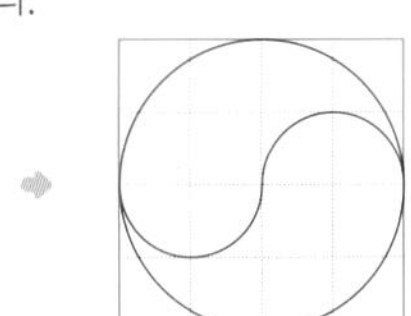

예 정사각형의 가운데 점을 원의 중심으로 하고 반지름이 모두 2칸인 원을 1개 그립니다. 그린 원 안에 반지름이 모두 1칸인 원의 일부분을 2개 그립니다.

50

2. 주어진 모양과 똑같이 그려 보고, 그린 방법을 이야기해 보세요.

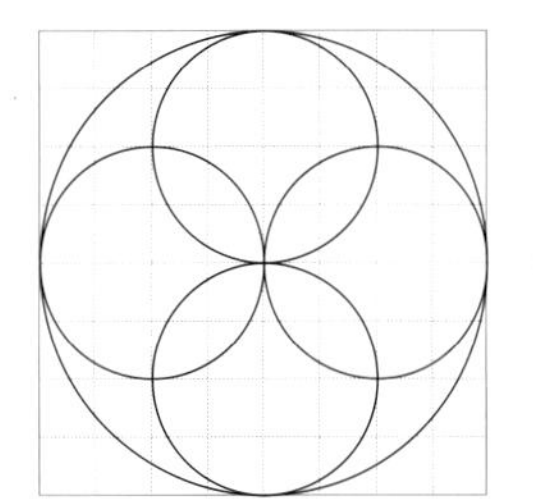
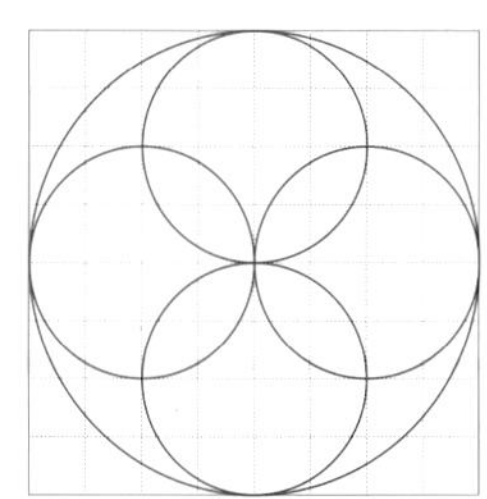

예 정사각형의 가운데 점을 원의 중심으로 하고 반지름이 모두 4칸인 원을 그립니다. 그린 원 안에 반지름이 모두 2칸이고 중심이 다른 원 4개를 그립니다.

규칙을 찾아 원을 2개 더 그려 보세요.

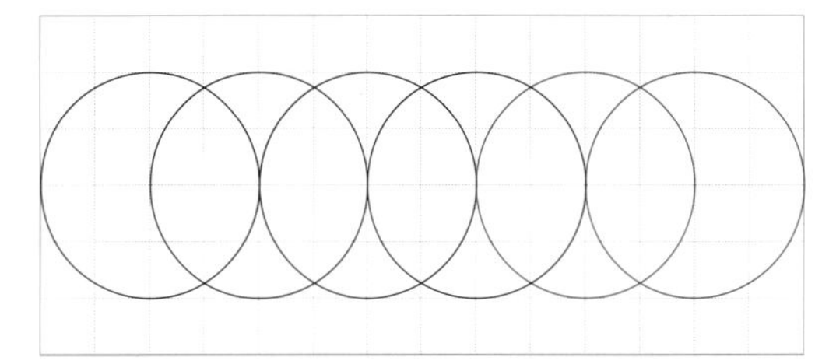

51

개념 확인 문제

정답 및 풀이 213쪽

1 주어진 모양과 똑같이 그려 보고, ☐ 안에 알맞은 수나 말을 써넣으세요.

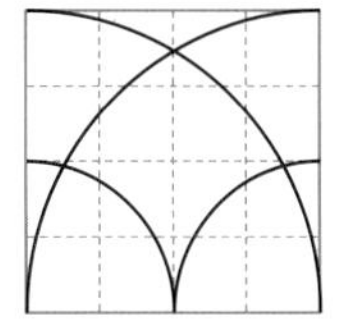

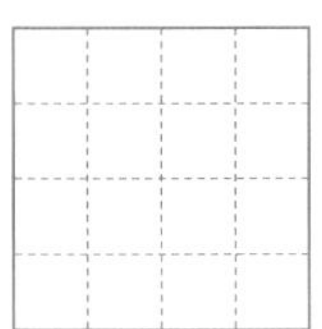

정사각형의 꼭짓점을 원의 ☐으로 하고 반지름이 각각 모눈 ☐칸과 ☐칸인 원의 일부분을 2개씩 그립니다.

2 규칙을 찾아 원을 1개 더 그려 보세요.

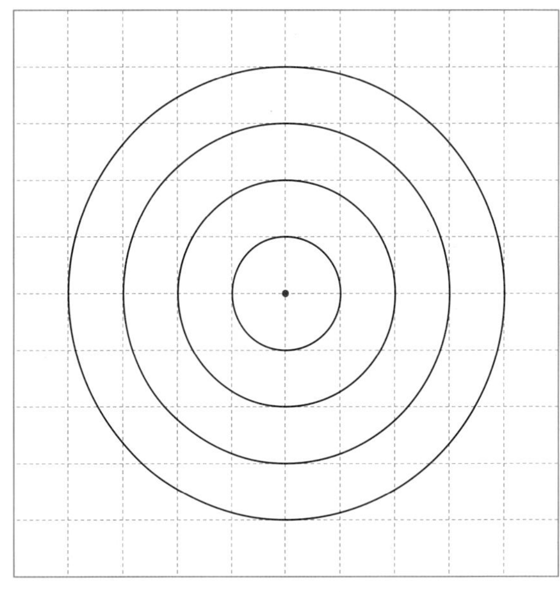

문제해결력 | 쑥쑥 누구의 팽이일까요

7 차시

학습 목표

논리적 추론 전략을 이용하여 원의 반지름과 지름 사이의 관계를 활용한 문제를 해결하고 어떻게 해결하였는지 설명할 수 있습니다.

문제 해결 전략 논리적 추론 전략

수학 교과 역량 문제 해결 추론 의사소통

누구의 팽이일까요

- 원의 반지름과 지름 사이의 관계를 활용한 문제를 논리적 추론 전략을 이용하여 해결하면서 문제 해결 능력과 추론 능력을 기를 수 있습니다.
- 자신이 문제를 해결한 방법을 친구들과 서로 이야기해 보는 과정을 통하여 의사소통 능력을 기를 수 있습니다.

문제 해결 Tip 이 문제를 해결하기 위해서는 원의 구성 요소인 원의 중심, 원의 지름, 원의 반지름을 이해해야 합니다.

누구의 팽이일까요

문제 해결 추론 의사소통

바름, 새롬, 다영, 건우의 팽이에는 다음과 같은 그림이 각각 그려져 있습니다. 새롬이의 팽이는 어느 것인지 찾아보세요.

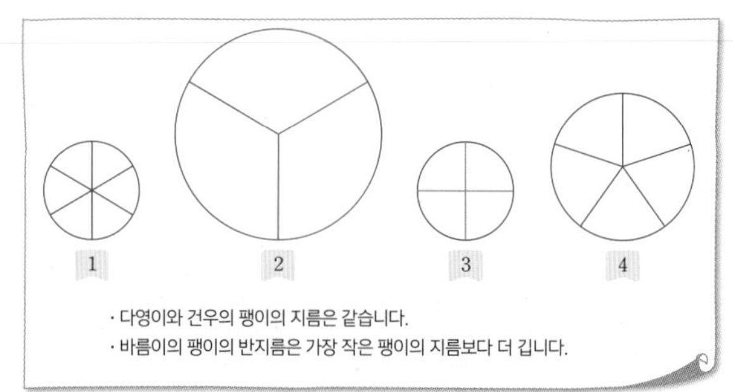

· 다영이와 건우의 팽이의 지름은 같습니다.
· 바름이의 팽이의 반지름은 가장 작은 팽이의 지름보다 더 깁니다.

문제 이해하기 • 구하려고 하는 것은 무엇인가요? 예 새롬이의 팽이를 찾으려고 합니다.

• 알고 있는 것은 무엇인가요?
예 • 4명의 팽이에는 각각의 그림이 그려져 있습니다.
• 다영이와 건우의 팽이의 지름은 같습니다.
• 바름이의 팽이의 반지름은 가장 작은 팽이의 지름보다 더 깁니다.

계획 세우기 • 어떤 방법으로 문제를 해결할 수 있을지 계획을 세워 보세요.

표를 만들어서 알아볼까?

그래, 표에 ○, ×표를 하면서 살펴보자.

52

교과서 개념 완성

문제 이해하기

» 구하려고 하는 것

새롬이의 팽이를 찾으려고 합니다.

» 알고 있는 것

- 4명의 팽이에는 각각의 그림이 그려져 있습니다.
- 다영이와 건우의 팽이의 지름은 같습니다.
- 바름이의 팽이의 반지름은 가장 작은 팽이의 지름보다 더 깁니다.

계획 세우기

- 표를 만들어 ○, ×표 하며 팽이의 주인을 찾습니다.

계획대로 풀기

- 다영이와 건우의 팽이의 지름은 같으므로 다영이와 건우의 팽이가 될 수 있는 것은 1번과 3번 팽이입니다.
- 바름이의 팽이의 반지름은 가장 작은 팽이의 지름보다 더 길므로 2번 팽이입니다.

➜ 새롬이의 팽이는 4번 팽이입니다.

되돌아보기

다영이와 건우의 팽이는 1, 3번이고, 바름이의 팽이는 2번이므로 남은 하나인 4번 팽이가 새롬이의 것이 맞습니다.

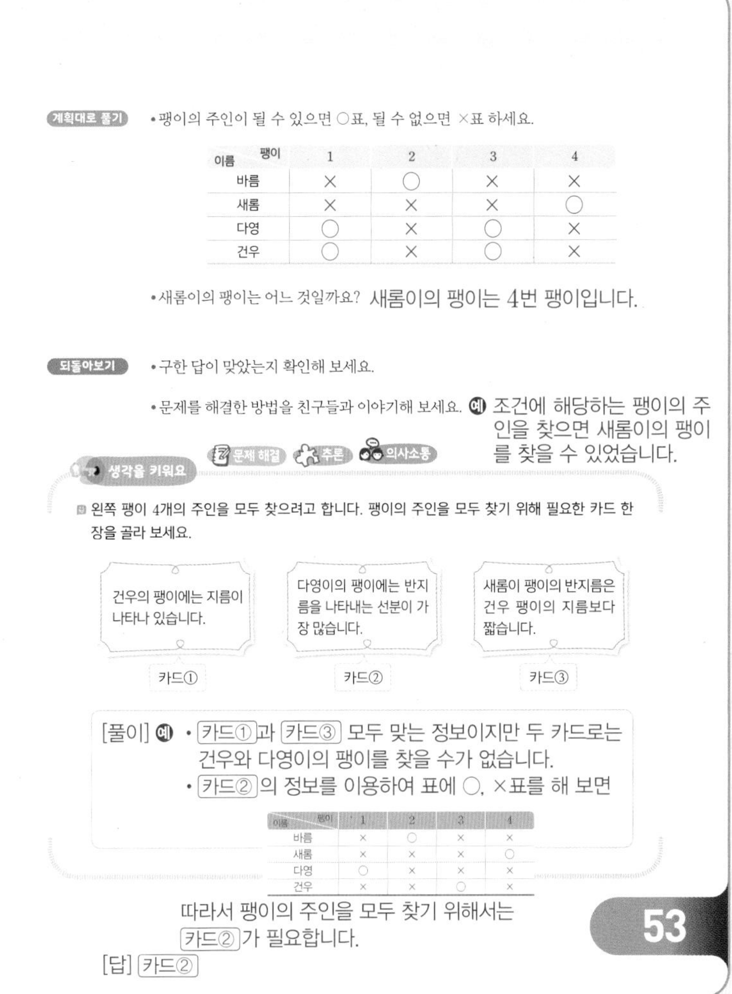

문제 이해하기

» 구하려고 하는 것

팽이 4개의 주인을 찾기 위해 필요한 카드를 고르려고 합니다.

» 알고 있는 것

- 바름이의 팽이는 2번, 새롬이의 팽이는 4번입니다.
- 다영이와 건우의 팽이는 1번 또는 3번입니다.
- 카드①, 카드②, 카드③ 중 한 장에 다영이와 건우의 팽이를 찾을 수 있는 정보가 있습니다.

계획 세우기

표에 ○, ×표를 하며 팽이의 주인을 찾습니다.

계획대로 풀기

- 카드① 에서 건우의 팽이는 1번 또는 3번이고, 카드③에서 새롬이의 팽이는 4번임을 알 수 있지만 다영이와 건우의 팽이는 찾을 수 없습니다.
- 카드②의 정보를 이용하면 1번과 3번 팽이 중에서 반지름을 나타내는 선분이 가장 많은 팽이는 1번이므로 다영이의 팽이가 1번임을 알 수 있습니다.

따라서 팽이의 주인을 모두 찾기 위해 필요한 카드는 카드②입니다.

문제 해결력 문제

정답 및 풀이 213쪽

1 민수가 그린 원을 찾아 기호를 써 보세요.

ㄱ 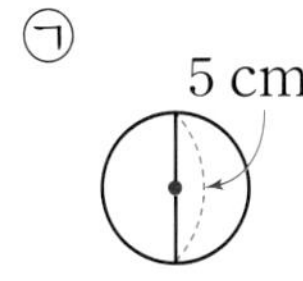

ㄴ 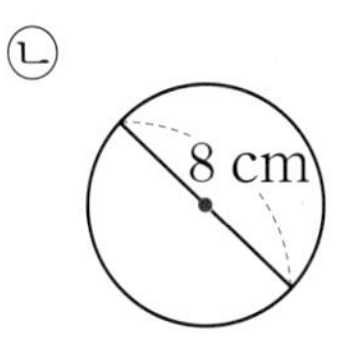

ㄷ 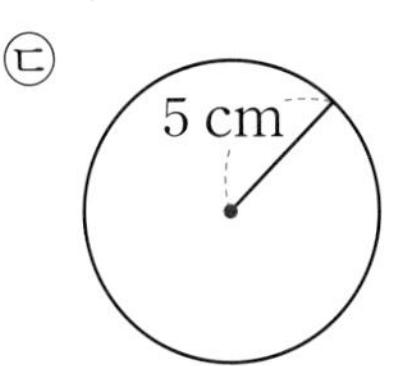

- 수진이는 지름이 10 cm인 원을 그렸습니다.
- 철민이가 그린 원은 민수가 그린 원보다 작습니다.

( )

2 태윤이가 그린 원을 찾아 기호를 써 보세요.

ㄱ 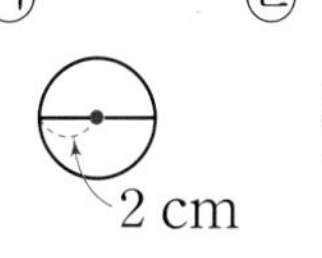

ㄴ 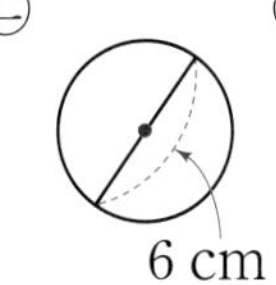

ㄷ 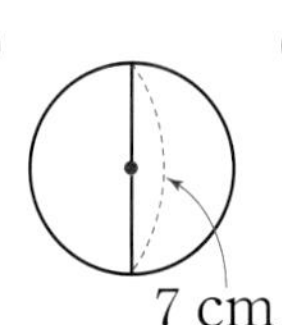

ㄹ 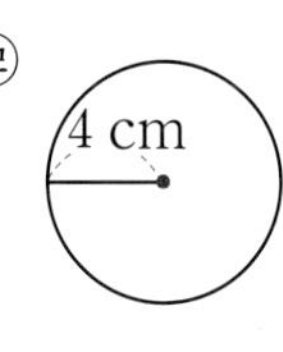

- 민호는 컴퍼스를 3 cm만큼 벌려서 원을 그렸습니다.
- 태윤이가 그린 원은 민호가 그린 원보다 큽니다.
- 은정이가 그린 원이 가장 작습니다.
- 지수가 그린 원은 태윤이가 그린 원보다 큽니다.

( )

8 차시 단원 마무리 | 척척

추론 · 의사소통

원의 중심과 반지름, 지름 알아보기

▶자습서 44~49쪽

원의 반지름과 지름을 쓸 때 기호의 순서를 바꾸어 써도 됩니다.

학부모 코칭 Tip

원의 지름은 원 위의 두 점을 이은 선분 중 원의 중심을 지나는 선분이라는 것을 알게 합니다.

1 원의 중심, 반지름, 지름을 각각 모두 찾아 써 보세요.

40, 44쪽

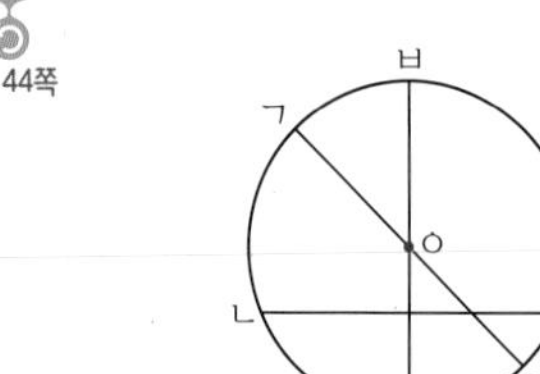

원의 중심	점 ㅇ
원의 반지름	선분 ㅇㄱ(또는 ㄱㅇ), 선분 ㅇㄷ(또는 ㄷㅇ), 선분 ㅇㄹ(또는 ㄹㅇ), 선분 ㅇㅂ(또는 ㅂㅇ)
원의 지름	선분 ㄱㄹ(또는 ㄹㄱ), 선분 ㄷㅂ(또는 ㅂㄷ)

풀이 • 원의 중심은 원의 한 가운데 점을 말합니다.
• 원의 반지름은 원의 중심과 원 위의 한 점을 이은 선분을 말합니다.
• 원의 지름은 원의 중심을 지나는 가장 긴 선분을 말합니다.

추론 · 정보 처리

컴퍼스를 이용하여 원을 그리고, 원의 지름과 반지름 구하기

▶자습서 50~51쪽

컴퍼스를 이용하여 반지름이 2 cm인 원을 그리는 방법

원의 중심이 되는 점을 정합니다.

→ 컴퍼스를 원의 반지름인 2 cm 만큼 벌립니다.

→ 원의 중심이 되는 점에 컴퍼스의 침을 꽂습니다.

→ 손등이 내 쪽으로 향하게 합니다.

→ 컴퍼스를 한 바퀴 돌려 원을 그립니다.

2 그림과 같이 컴퍼스를 벌려 그릴 수 있는 원의 반지름과 지름은 몇 cm인지 쓰고, 그 원을 그려 보세요.

46쪽

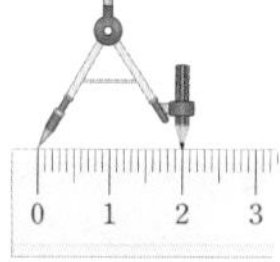

• 원의 반지름은 몇 cm일까요? 2 cm

• 원의 지름은 몇 cm일까요? 4 cm

풀이 컴퍼스를 벌린 길이가 반지름이므로 반지름은 2 cm이고, 지름은 $2 \times 2 = 4$ (cm)입니다.

문제 해결

원의 반지름과 지름 사이의 관계 알아보기

▶자습서 44~49쪽

학부모 코칭 Tip

원의 반지름과 지름 사이의 관계를 이해하고 있는지 확인하는 문제이므로 지름 또는 반지름을 비교하여 큰 원부터 차례로 정확히 적었는지 확인합니다.

3 큰 원부터 차례로 기호를 써 보세요.

40, 44쪽

㉠ 지름이 5 cm인 원 ㉡ 반지름이 3 cm인 원
㉢ 지름이 3 cm인 원 ㉣ 반지름이 2 cm인 원

(㉡, ㉠, ㉣, ㉢)

풀이 ㉡ 지름이 $3 \times 2 = 6$ (cm)인 원, ㉣ 지름이 $2 \times 2 = 4$ (cm)인 원입니다.
따라서 큰 원부터 차례로 기호를 쓰면 ㉡, ㉠, ㉣, ㉢입니다.

54

4 잘못 말한 친구를 찾아 바르게 고쳐 보세요.

40, 44쪽

지아: 지름은 원의 중심을 지나는 선분이야.
서우: 한 원에 그을 수 있는 지름은 1개야.
연호: 한 원에서 지름은 반지름의 2배야.

이름 서우

고치기 예 한 원에 그을 수 있는 지름은 여러 개야.

풀이 한 원에 그을 수 있는 지름은 1개가 아니라 무수히 많습니다.

정보 처리 · 태도 및 실천

원의 중심, 반지름, 지름을 알고 성질 이해하기

▶자습서 44~49쪽

학부모 코칭 Tip

원 위의 두 점을 이은 선분 중 원의 중심을 지나는 선분이 원의 지름이라는 것을 알게 하고, 한 원에 그을 수 있는 지름은 무수히 많다는 것을 알게 합니다.

생각을 넓혀요 추론 · 창의·융합 · 정보 처리

5 규칙에 따라 원을 그린 것입니다. 물음에 답해 보세요.

49쪽

준비물

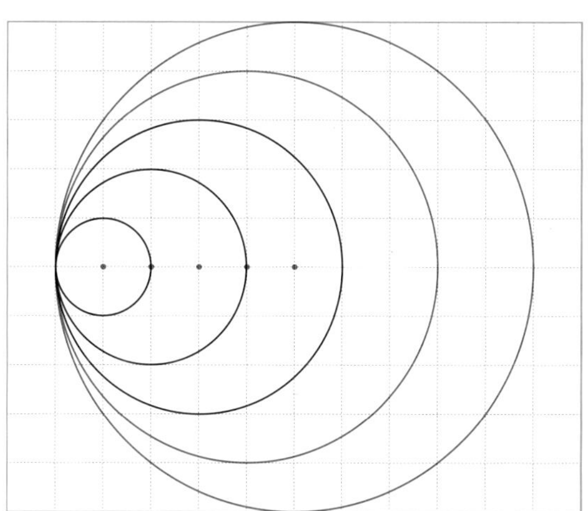

• 주어진 모양을 그리기 위해 컴퍼스의 침을 꽂은 자리를 모두 표시해 보세요.

풀이 세 개 원의 각각의 중심을 찾아 점을 찍습니다.

• 규칙에 따라 원을 2개 더 그려 보세요.

풀이 원의 중심이 오른쪽으로 한 칸씩 옮겨 가고, 원의 반지름이 1칸, 2칸, 3칸으로 한 칸씩 늘어나는 규칙입니다.

추론 · 창의·융합 · 정보 처리

원을 이용하여 여러 가지 모양 꾸미기

▶자습서 52~53쪽

학부모 코칭 Tip

원을 이용하여 다양한 모양을 꾸미는 활동입니다. 어떠한 규칙에 따라 원을 그린 것인지 설명해 보게 하고, 규칙에 따라 바르게 그렸는지 확인합니다.

55

• 그림 속으로 | 쏙쏙 • 이야기로 키우는 | 생각

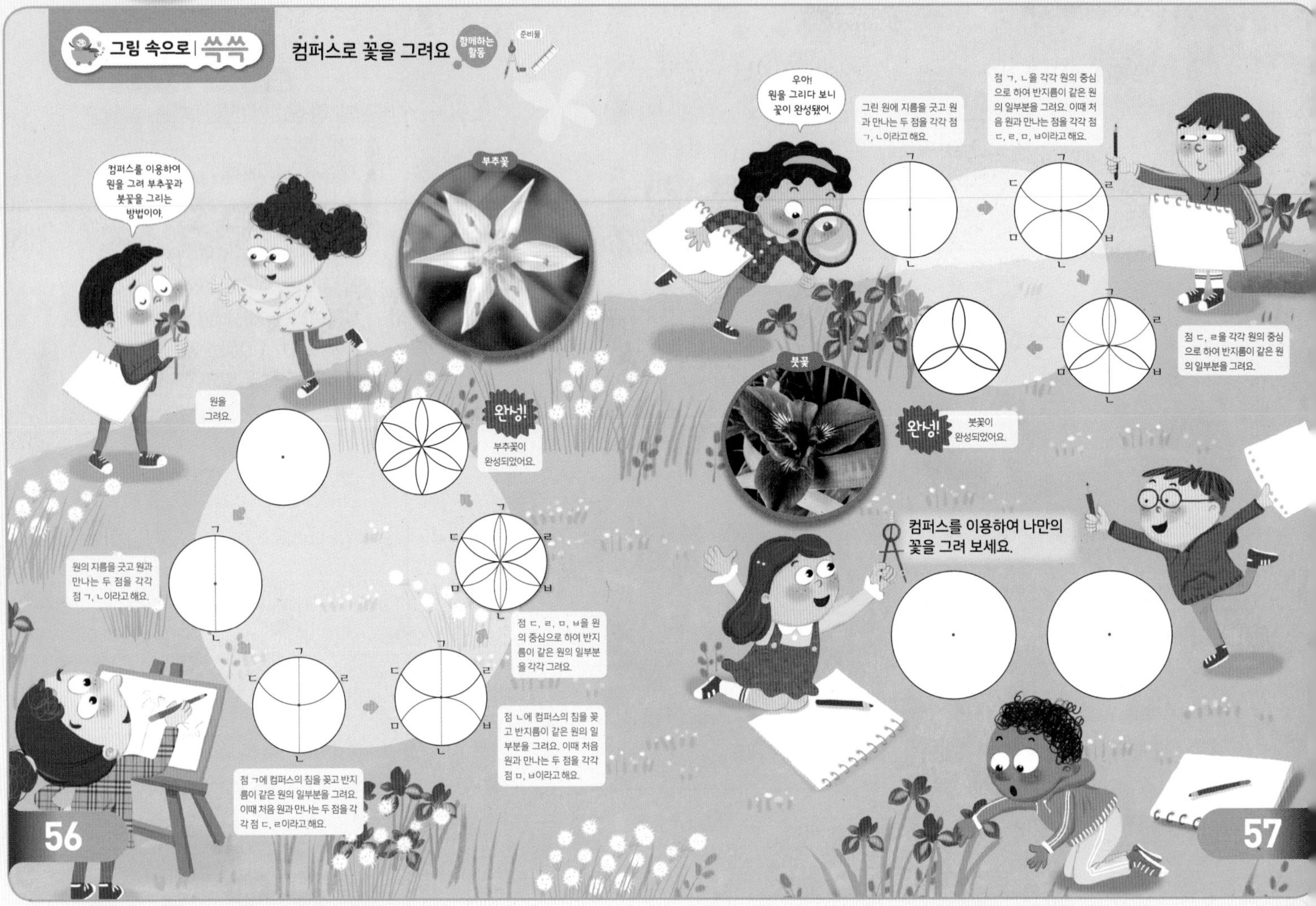

그림 속으로 | 쏙쏙 컴퍼스로 꽃을 그려요 함께하는 활동 준비물

컴퍼스를 이용하여 원을 그려 부추꽃과 붓꽃을 그리는 방법이야.

부추꽃

원을 그려요.

원의 지름을 긋고 원과 만나는 두 점을 각각 점 ㄱ, ㄴ이라고 해요.

점 ㄱ에 컴퍼스의 침을 꽂고 반지름이 같은 원의 일부분을 그려요. 이때 처음 원과 만나는 두 점을 각각 점 ㄷ, ㄹ이라고 해요.

점 ㄴ에 컴퍼스의 침을 꽂고 반지름이 같은 원의 일부분을 그려요. 이때 처음 원과 만나는 두 점을 각각 점 ㅁ, ㅂ이라고 해요.

점 ㄷ, ㄹ, ㅁ, ㅂ을 원의 중심으로 하여 반지름이 같은 원의 일부분을 각각 그려요.

완성! 부추꽃이 완성되었어요.

우아! 원을 그리다 보니 꽃이 완성됐어.

그린 원에 지름을 긋고 원과 만나는 두 점을 각각 점 ㄱ, ㄴ이라고 해요.

점 ㄱ, ㄴ을 각각 원의 중심으로 하여 반지름이 같은 원의 일부분을 그려요. 이때 처음 원과 만나는 점을 각각 점 ㄷ, ㄹ, ㅁ, ㅂ이라고 해요.

점 ㄷ, ㄹ을 각각 원의 중심으로 하여 반지름이 같은 원의 일부분을 그려요.

붓꽃

완성! 붓꽃이 완성되었어요.

컴퍼스를 이용하여 나만의 꽃을 그려 보세요.

56 57

교과서 개념 완성

그림 속으로 | 쏙쏙

1 컴퍼스를 이용하여 부추꽃을 그리는 방법

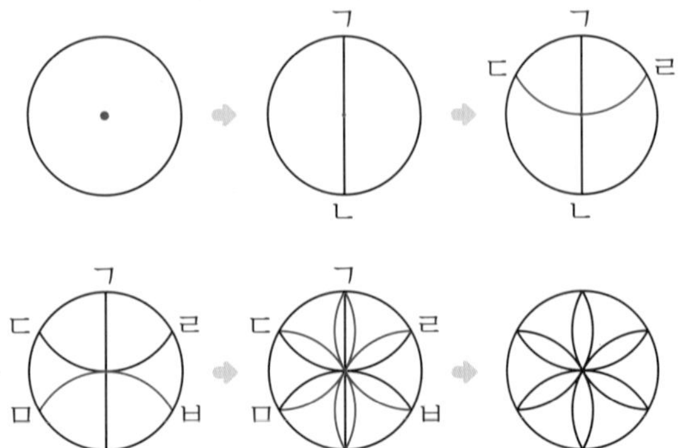

2 컴퍼스를 이용하여 붓꽃을 그리는 방법

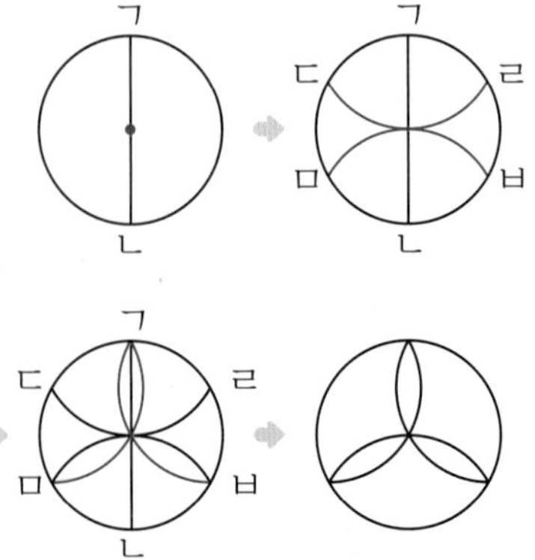

➜ 원을 이용하여 꽃을 그릴 때 컴퍼스를 벌린 정도 즉, 반지름을 바꿀 필요가 없었습니다. 그 이유는 크기가 같은 원의 일부를 이용하여 그렸기 때문입니다.

이야기로 키우는 생각
창의력 키우기
맨홀 뚜껑은 왜 원 모양이 많을까요
거리에서 오른쪽과 같은 원 모양의 맨홀 뚜껑을 본 적이 있을 겁니다.
맨홀은 '사람 구멍'이라는 뜻으로, 땅속에 묻은 수도관이나 하수관, 배선 등을 검사하거나 수리 또는 청소하기 위하여 사람이 드나들 수 있게 만든 구멍입니다.
맨홀 뚜껑은 사각형 모양도 있지만 대부분이 원 모양입니다.
원 모양이 많은 이유는 무엇일까요?
작업하는 사람들이 드나들기 편리하게 하기 위해서일 것 같아요. 뾰족한 부분이 있는 삼각형이나 사각형은 끝부분이 좁아서 드나들기에 불편해요.
안전을 위해서일 것 같아요. 자동차가 맨홀 위를 지나갈 때 맨홀 뚜껑이 들썩거릴 수 있는데, 만일 맨홀 뚜껑에 뾰족한 부분이 있다면 자동차 바퀴가 찢어질 수 있으니까요.
맨홀 뚜껑은 무거워서 옮기기 어려워요. 하지만 원 모양이라면 굴려서 쉽게 옮길 수 있어요.
삼각형이나 사각형처럼 뾰족한 부분이 있으면 쉽게 부서질 수 있으니 뾰족한 부분이 없는 원 모양이 좋을 것 같아요.
맨홀 뚜껑으로 원 모양이 많은 이유는
맨홀 뚜껑이 맨홀 속으로 빠지지 않게 하기 위해서입니다. 한 원에서 지름은 모두 같기 때문에 맨홀 뚜껑의 방향을 바꾸어 세워도 절대 빠지지 않습니다.
만일 맨홀 뚜껑이 아래로 떨어진다면 큰일이겠죠?
58
59

학부모 코칭 Tip

완성된 모양을 수채화용 색연필을 사용하여 예쁘게 색칠해 보게 합니다.

수학 교과 역량 창의·융합 정보 처리 태도 및 실천

자연 현상을 수학적 지식과 기능으로 표현하고 창의적으로 꾸며 보는 활동을 통하여 수학의 가치를 느껴 볼 수 있고, 컴퍼스를 이용하여 원을 그려 다양한 모양을 꾸미는 과정을 통하여 정보 처리 능력을 기를 수 있고 수학적인 아름다움을 느낄 수 있습니다.

이야기로 키우는 생각

동전이 원 모양인 이유

전 세계 150여 개 나라에서 사용되는 동전들을 살펴보면 둥근 모양 외에도 삼각형, 사각형, 육각형 등 다양한 형태가 존재합니다. 하지만 대부분의 동전은 동그란 형태를 가지고 있습니다. 동전에 각이 있을 경우, 떨어뜨리거나 부딪히게 되면 충격으로 인해 모서리가 쉽게 닳아서 모양이 변형될 수 있는 반면 동그란 모양의 경우 충격을 분산시킬 수 있기 때문입니다. 또 주로 적은 금액의 화폐로 사용되는 동전의 잦은 교체를 막아 화폐를 만드는 비용을 줄일 수 있습니다.

[출처] YTN 사이언스

개념 + 확인

교과서 개념과 확인 문제를 풀면서 단원을 마무리해 보아요.

개념

원의 중심과 반지름

- 누름 못과 띠 종이를 이용하여 원을 그리는 방법
  ① 띠 종이를 누름 못으로 고정하고, 다른 구멍에 연필을 꽂습니다.
  ② 연필을 돌려 원을 그립니다.

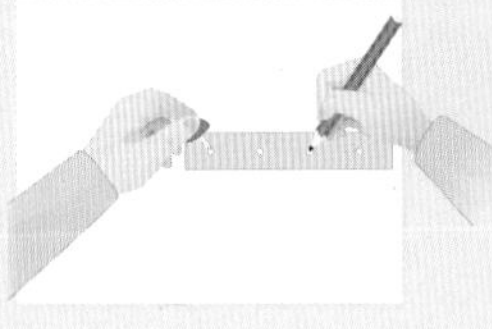

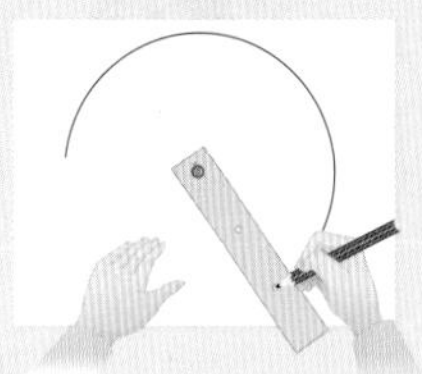

- 누름 못이 꽂힌 점에서 원 위의 한 점까지의 거리는 모두 같습니다.
- 원의 중심은 원을 그릴 때에 누름 못이 꽂혔던 점입니다.
- 원의 반지름은 원의 중심과 원 위의 한 점을 이은 선분입니다.
- 한 원에서 원의 반지름은 모두 같습니다.

원의 지름

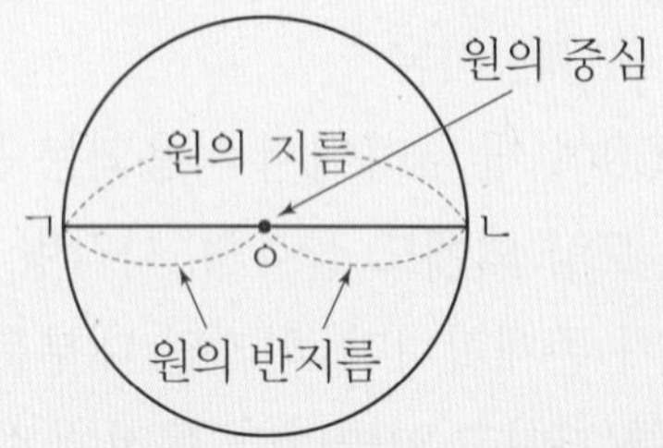

- 원의 지름은 원 위의 두 점을 이은 선분 중 원의 중심을 지나는 선분입니다.
- 지름은 한 원 위의 두 점을 이은 선분 중 길이가 가장 긴 선분입니다.
- 한 원에서 지름은 반지름의 2배입니다.

확인 문제

1 누름 못과 띠 종이를 이용하여 원을 그렸습니다. □ 안에 알맞은 말을 써넣으세요.

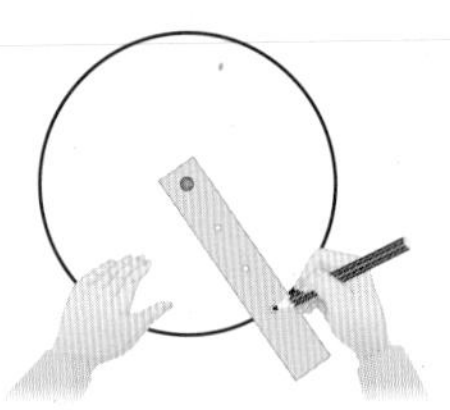

(1) 원을 그릴 때에 누름 못이 꽂혔던 점을 원의 □(이)라고 합니다.

(2) 누름 못이 꽂혔던 점에서 띠 종이의 연필을 넣은 구멍까지의 거리를 원의 □(이)라고 합니다.

2 원의 반지름과 지름을 각각 구해 보세요.

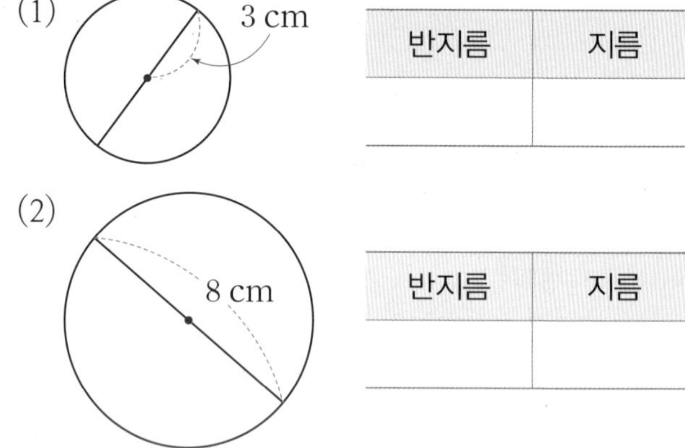

(1)

반지름	지름

(2)

반지름	지름

3 더 큰 원의 기호를 써 보세요.

㉠ 반지름이 8 cm인 원
㉡ 지름이 10 cm인 원

(　　　　　　　　　)

개념

컴퍼스를 이용하여 원 그리기

예 컴퍼스를 이용하여 반지름이 2 cm인 원을 그리는 방법

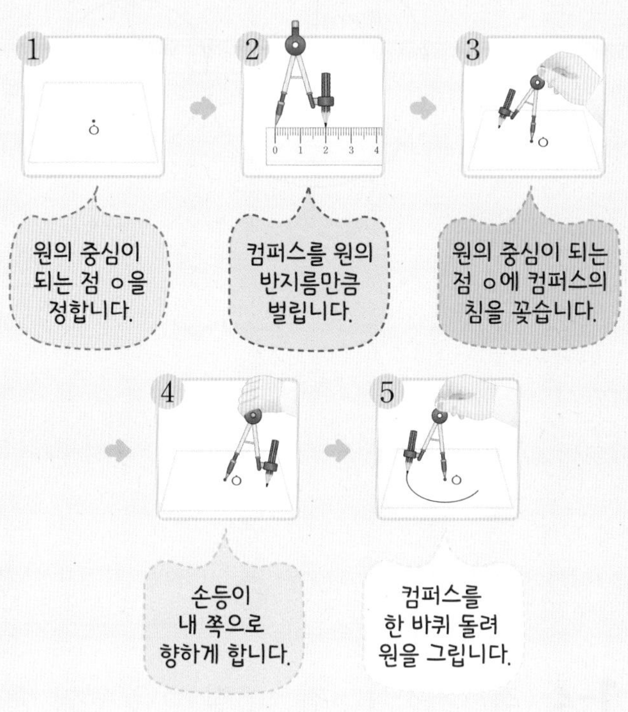

1
2
3
원의 중심이 되는 점 ㅇ을 정합니다.
컴퍼스를 원의 반지름만큼 벌립니다.
원의 중심이 되는 점 ㅇ에 컴퍼스의 침을 꽂습니다.
4
5
손등이 내 쪽으로 향하게 합니다.
컴퍼스를 한 바퀴 돌려 원을 그립니다.

원을 이용하여 여러 가지 모양 꾸미기

주어진 모양과 똑같이 그리기 위해서는 원의 중심을 먼저 찾아야 합니다. 따라서 각각 원의 중심을 찾아 찍은 다음, 컴퍼스를 원의 반지름만큼 벌리고 원의 중심이 되는 점에 컴퍼스의 침을 꽂아 주어진 모양과 똑같이 그립니다.

확인 문제

4 오른쪽과 같이 컴퍼스를 벌려 그린 원의 반지름은 몇 cm일까요?

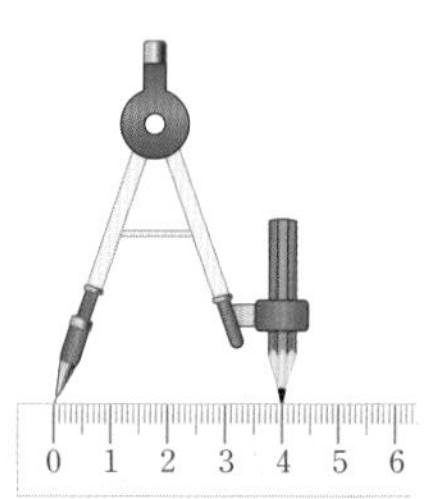

( )

5 점 ㅇ을 원의 중심으로 하는 반지름이 3 cm인 원을 그려 보세요.

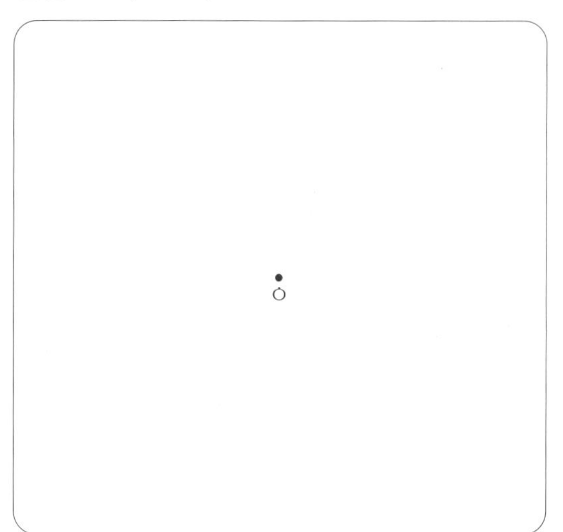

6 주어진 모양과 똑같은 모양을 그리기 위하여 컴퍼스의 침을 꽂아야 할 곳은 모두 몇 군데인가요?

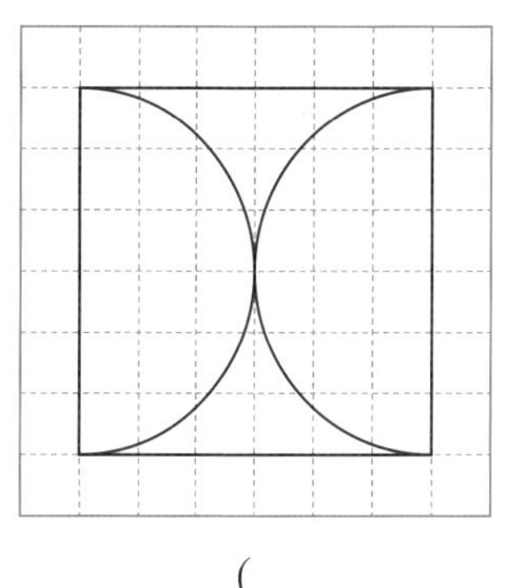

( )

단계별로 서술형 문제 해결하기

과정 중심 평가 내용: 원의 반지름과 지름 사이의 관계를 알고 이를 이용하여 선분의 길이를 구할 수 있는가?

1-1 점 ㄱ과 점 ㄴ은 원의 중심입니다. 선분 ㄱㄴ의 길이는 몇 cm인지 풀이 과정을 쓰고, 답을 구해 보세요. [8점]

3 cm
5 cm
ㄱ
ㄴ

풀이

❶ 작은 원의 반지름은 ☐ cm이고, 큰 원의 반지름은 ☐ cm입니다.

❷ 선분 ㄱㄴ의 길이는 두 원의 반지름의 길이의 합과 같습니다. 따라서 선분 ㄱㄴ의 길이는 ☐+☐=☐(cm)입니다.

답

1-2 

점 ㄴ과 점 ㄷ은 원의 중심입니다. 선분 ㄱㄷ의 길이는 몇 cm인지 풀이 과정을 쓰고, 답을 구해 보세요. [12점]

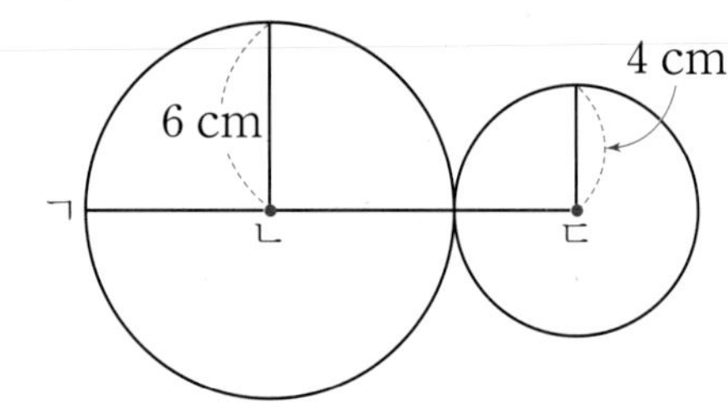

풀이

답

1-3 유사

점 ㄱ과 점 ㄴ은 원의 중심입니다. 작은 원의 반지름은 몇 cm인지 풀이 과정을 쓰고, 답을 구해 보세요. [15점]

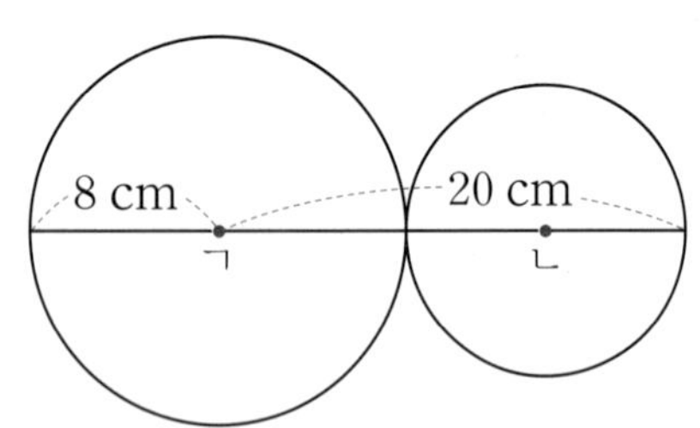

풀이

답

1-4 실전

점 ㄴ, 점 ㄷ, 점 ㄹ, 점 ㅁ은 원의 중심이고 똑같은 크기의 원을 그린 것입니다. 선분 ㄱㅂ의 길이는 몇 cm인지 풀이 과정을 쓰고, 답을 구해 보세요. [15점]

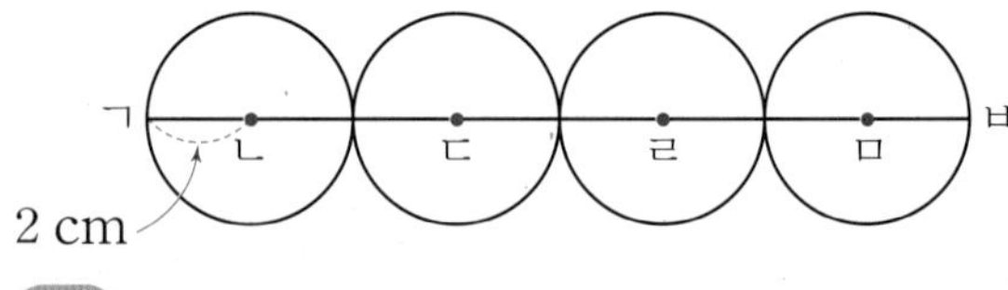

풀이

답

과정 중심 평가 내용 | 그림을 보고 규칙을 찾아 설명하고 규칙에 맞게 원을 그릴 수 있는가?

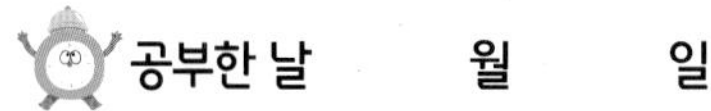

➜ 정답 및 풀이 214~215쪽

2-1 규칙에 따라 원을 그린 것입니다. 그림을 보고 물음에 답해 보세요. [25점]

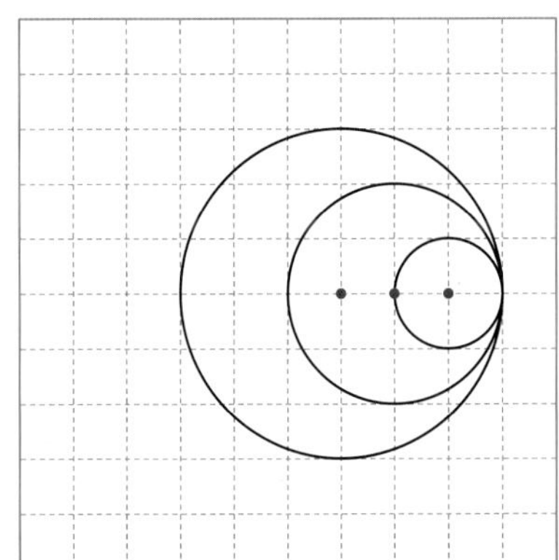

(1) 어떤 규칙에 따라 원을 그린 것인지 '원의 중심'을 넣어 설명해 보세요.

설명

(2) 어떤 규칙에 따라 원을 그린 것인지 '원의 반지름'을 넣어 설명해 보세요.

설명

(3) 규칙에 따라 원을 1개 더 그려 보세요.

2-2 쌍둥이 규칙에 따라 원을 그린 것입니다. 그림을 보고 물음에 답해 보세요. [25점]

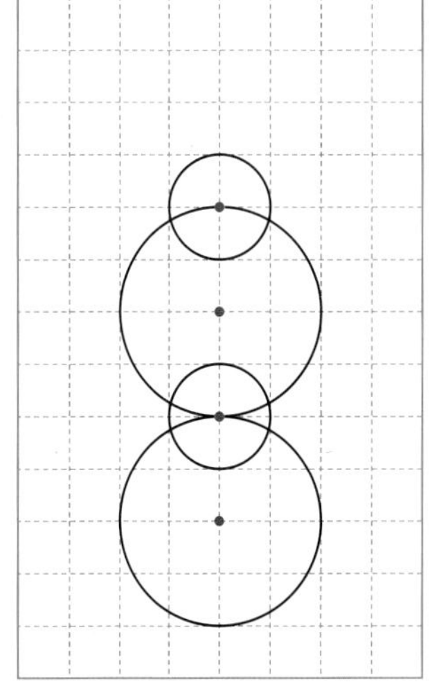

(1) 어떤 규칙에 따라 원을 그린 것인지 '원의 중심'을 넣어 설명해 보세요.

설명

(2) 어떤 규칙에 따라 원을 그린 것인지 '원의 반지름'을 넣어 설명해 보세요.

설명

(3) 규칙에 따라 원을 2개 더 그려 보세요.

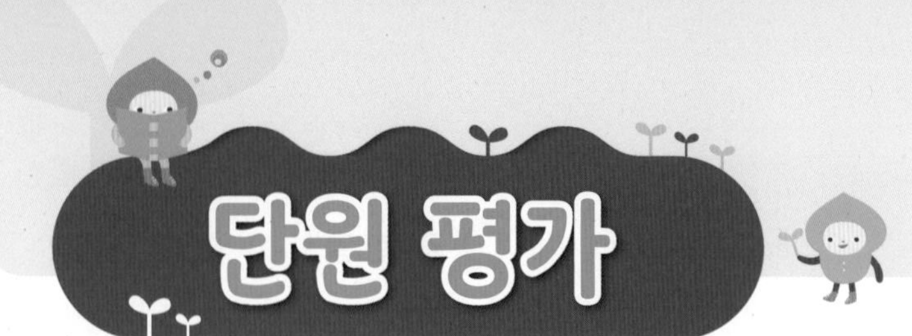

| 원의 중심과 반지름, 원의 지름 |

01 ☐ 안에 알맞은 말을 써넣으세요.

하

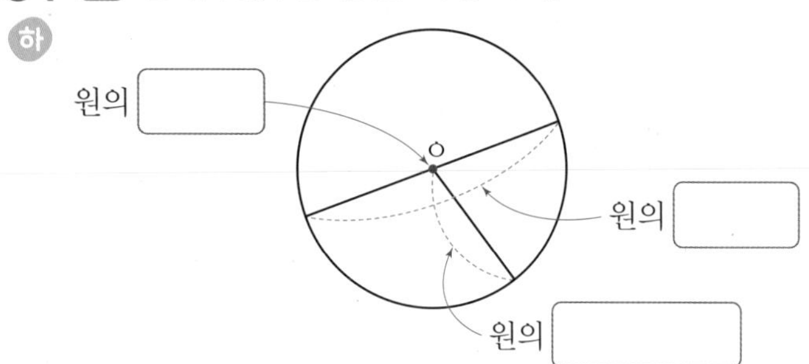

| 원의 중심과 반지름 |

02 원의 중심을 찾아 표시해 보세요.

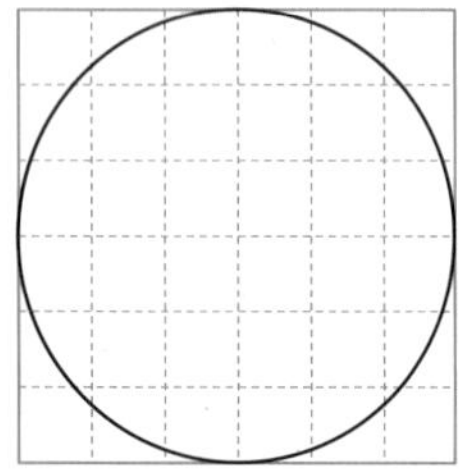

| 원의 중심과 반지름 |

03 ☐ 안에 알맞은 수를 써넣으세요.

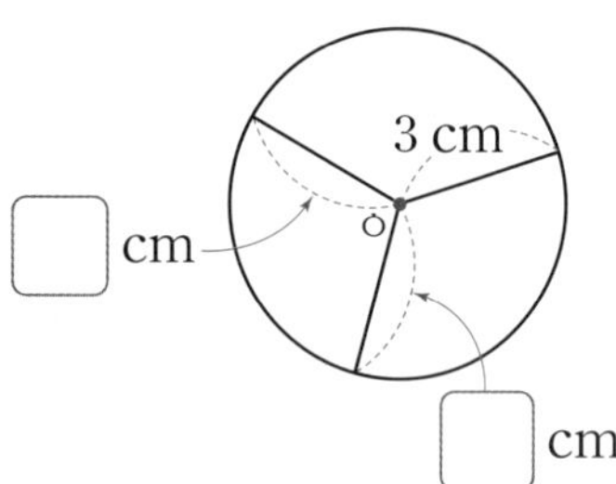

| 원의 지름 |

04 점 ㅇ이 원의 중심일 때, 원의 지름을 찾아 써 보세요.

하

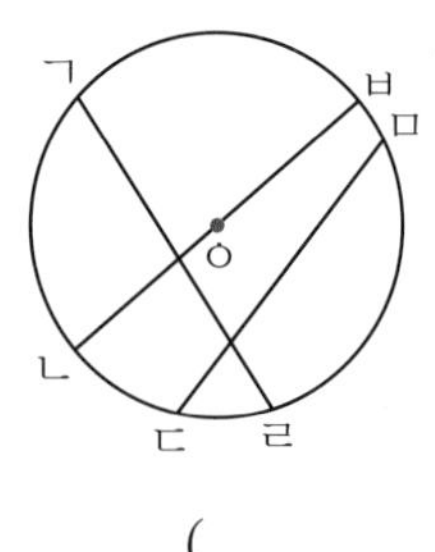

(　　　　　　　　　　　　)

| 원의 중심과 반지름, 원의 지름 |

05 원의 중심과 반지름에 대해 잘못 설명한 사람의 이름을 써 보세요.

중

> 은별: 한 원에서 원의 중심은 여러 개가 될 수 있어.
>
> 우주: 원의 지름이 되는 선분 2개를 그었을 때 만나는 점은 원의 중심이야.

(　　　　　　　　　　　　)

| 원의 지름 |

06 원의 지름은 몇 cm인가요?

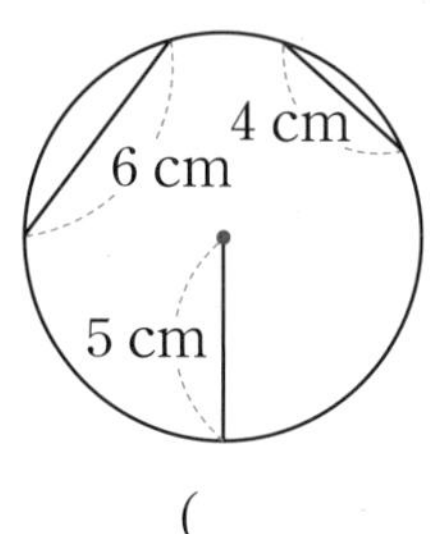

(　　　　　　　　　　　　)

| 원의 지름 |

07 두 원의 반지름의 차는 몇 cm일까요?

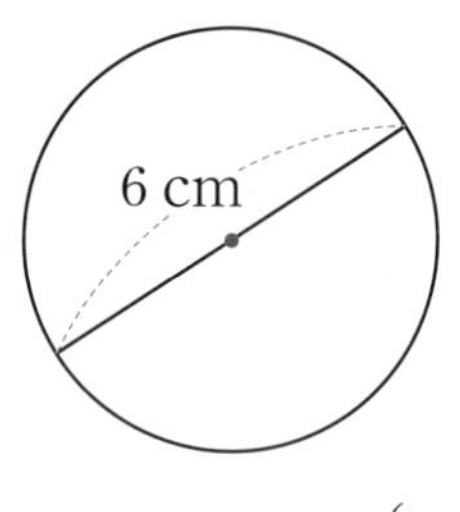

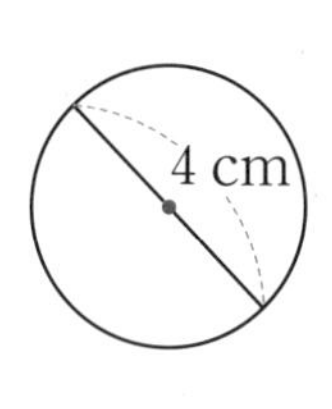

(　　　　　　　　　　　　)

| 컴퍼스를 이용하여 원 그리기 |

08 반지름이 3 cm인 원을 그리려고 합니다. 컴퍼스를 바르게 벌린 것을 찾아 기호를 써 보세요.

중

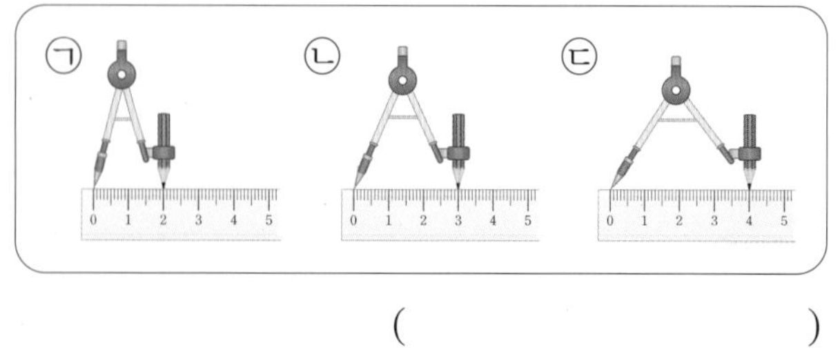

(　　　　　　　　　　　　)

➜ 정답 및 풀이 215~216쪽

| 컴퍼스를 이용하여 원 그리기 |

09 점 ㅇ을 원의 중심으로 하여 반지름이 2 cm인 원을 그려 보세요.
중

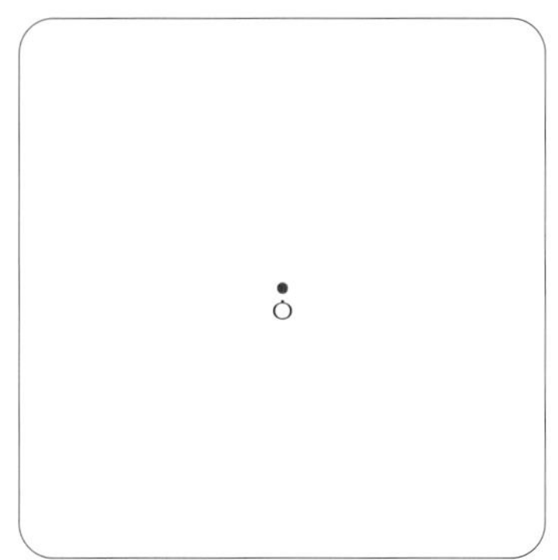

| 컴퍼스를 이용하여 원 그리기 |

10 컴퍼스를 이용하여 주어진 원과 크기가 같은 원을 그려 보세요.
중

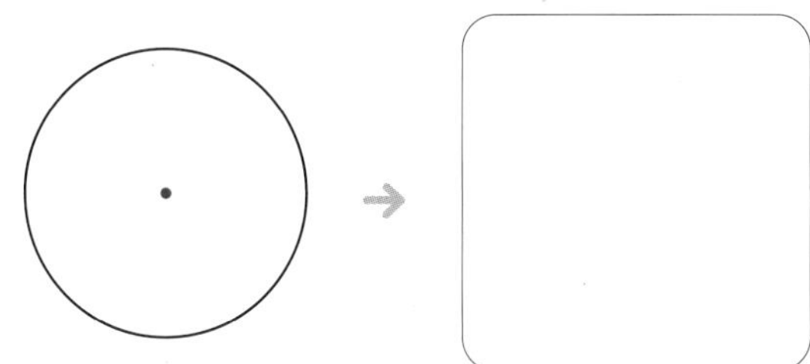

| 컴퍼스를 이용하여 원 그리기 |

11 컴퍼스를 이용하여 지름이 30 cm인 원을 그리려고 합니다. 컴퍼스의 침과 연필심 사이의 거리는 몇 cm로 해야 할까요?
중

( )

| 원을 이용하여 여러 가지 모양 꾸미기 |

12 주어진 모양과 똑같은 모양을 그리기 위하여 컴퍼스의 침을 꽂아야 할 곳에 모두 표시해 보세요.
중

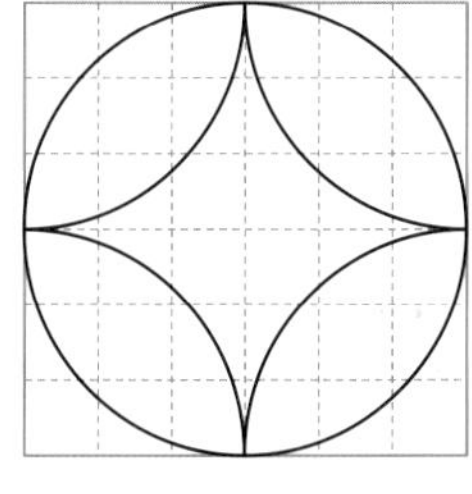

| 원을 이용하여 여러 가지 모양 꾸미기 |

13 주어진 모양과 똑같이 그려 보세요.
중

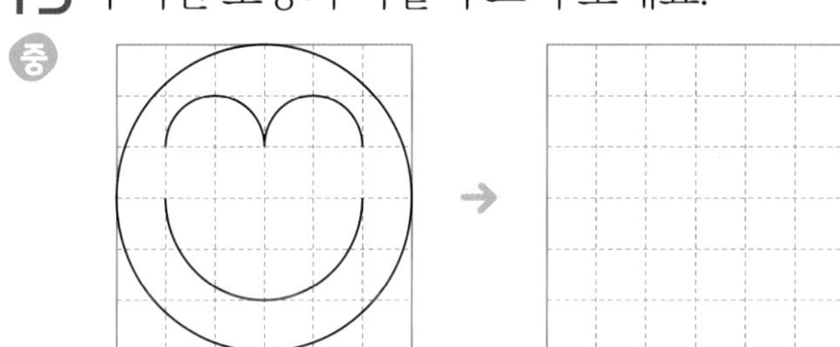

| 원의 지름 |

14 가장 작은 원을 찾아 기호를 써 보세요.
중

㉠ 지름이 20 cm인 원
㉡ 반지름이 9 cm인 원
㉢ 지름이 22 cm인 원

( )

| 원을 이용하여 여러 가지 모양 꾸미기 | 서술형

15 규칙에 따라 원을 그릴 때, 다음에 그려야 할 원의 반지름은 몇 cm인지 풀이 과정을 쓰고, 답을 구해 보세요.
중

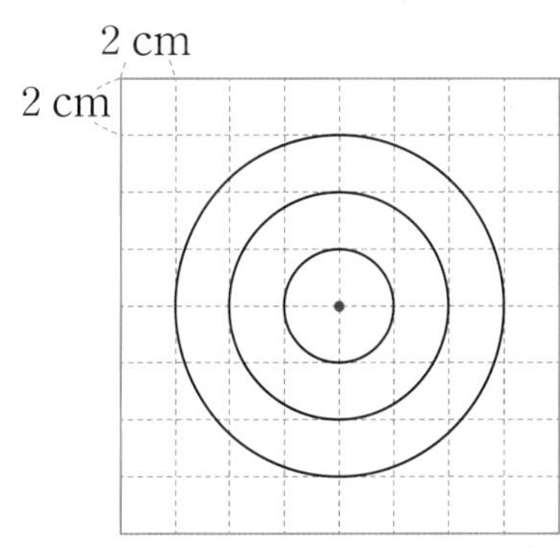

풀이

답

단원 평가

➜ 정답 및 풀이 215~216쪽

| 원을 이용하여 여러 가지 모양 꾸미기 |

16 규칙에 따라 원을 2개 더 그려 보세요.

중

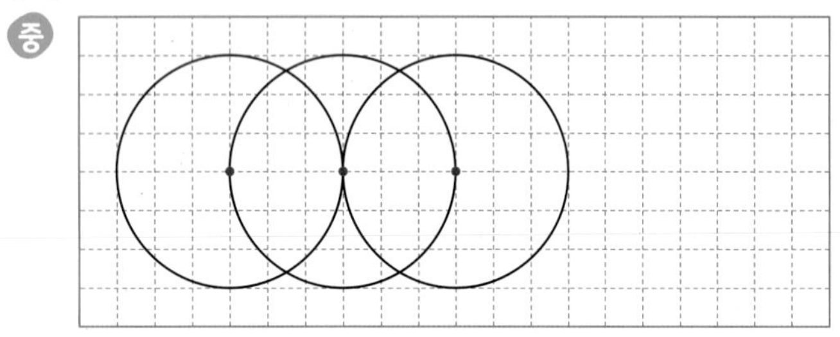

| 원의 중심과 반지름 | 서술형

17 삼각형 ㅇㄱㄴ의 세 변의 길이의 합은 50 cm입니다. 이 원의 반지름은 몇 cm인지 풀이 과정을 쓰고, 답을 구해 보세요.

중

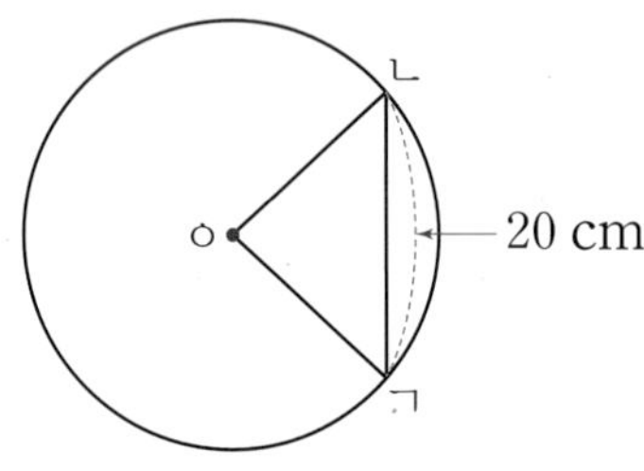

풀이

답

| 원의 지름 |

18 그림과 같이 직사각형 안에 반지름이 2 cm인 원 2개를 그렸습니다. 직사각형의 네 변의 길이의 합은 몇 cm일까요?

상

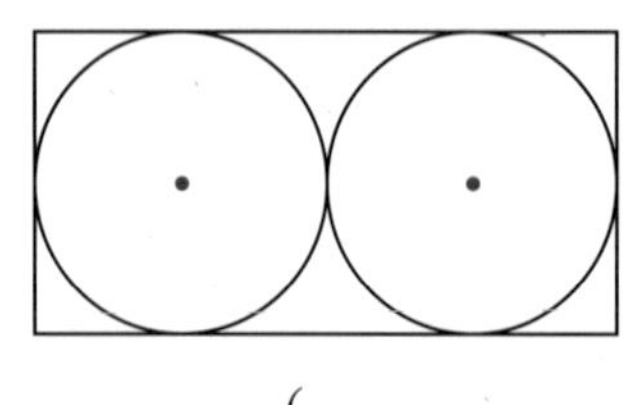

(　　　　　　　　　　)

| 컴퍼스를 이용하여 원 그리기 |

19 점 ㄱ, 점 ㄴ, 점 ㄷ이 각각 원의 중심이고 크기가 똑같은 3개의 원이 서로 맞닿을 수 있도록 그려 보세요.

상

ㄱ　　ㄴ

ㄷ

| 원의 지름 | 서술형

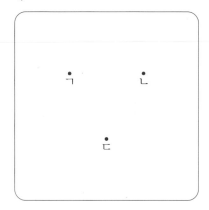

20 점 ㄱ, 점 ㄴ, 점 ㄷ이 원의 중심일 때, 선분 ㄱㄷ의 길이는 몇 cm인지 풀이 과정을 쓰고, 답을 구해 보세요.

상

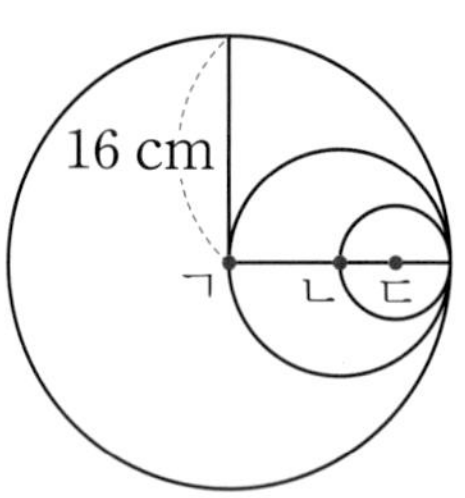

풀이

답

원에서 가장 긴 선분은 무엇일까요?

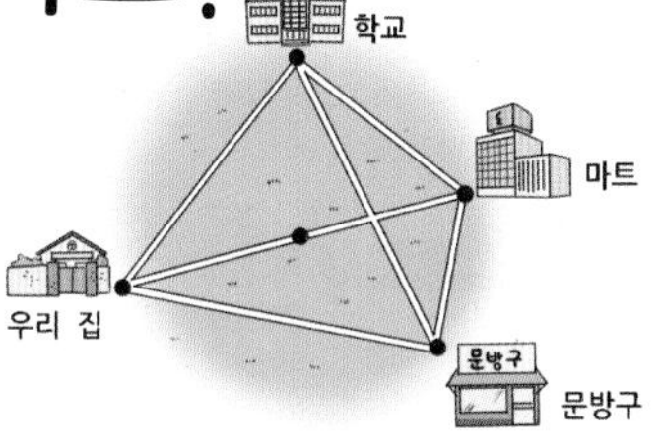

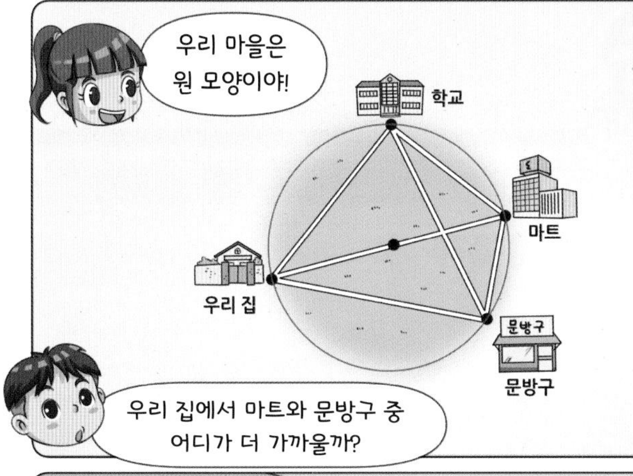

3 나눗셈

이전에 배운 내용	이번에 배울 내용	다음에 배울 내용
3-1 3. 나눗셈 • 나눗셈의 의미 • 곱셈과 나눗셈의 관계 • 나눗셈의 몫 구하기	• (몇십)÷(몇) • 나머지가 없는 (몇십몇)÷(몇) • 나머지가 있는 (몇십몇)÷(몇) • (세 자리 수) ÷(한 자리 수)	4-1 3. 곱셈과 나눗셈 • (세 자리 수)÷(몇십) • (두 자리 수) ÷(두 자리 수) • (세 자리 수) ÷(두 자리 수)

• 세계 음식 문화 축제 현장 속 각 나라별 체험장에서 다양한 음식을 준비하고 있습니다.

그림 속 상황

공부할 준비가 되었나요?

자/기/주/도/학/습

	학습 내용	계획 및 확인(공부한 날)	
예습	1차시 | 단원 도입 / 준비 팡팡	69~71쪽	월 일
진도	2차시 | 1 (몇십)÷(몇)	72~73쪽	월 일
	3차시 | 2 (몇십몇)÷(몇) (1)	74~75쪽	월 일
	4차시 | 3 (몇십몇)÷(몇) (2)	76~77쪽	월 일
	5차시 | 4 나머지가 있는 (몇십몇)÷(몇) (1)	78~79쪽	월 일
	6차시 | 5 나머지가 있는 (몇십몇)÷(몇) (2)	80~81쪽	월 일
	7차시 | 6 (세 자리 수)÷(한 자리 수) (1)	82~85쪽	월 일
	8차시 | 7 (세 자리 수)÷(한 자리 수) (2)	86~87쪽	월 일
	9차시 | 8 (세 자리 수)÷(한 자리 수) (3)	88~89쪽	월 일
	10차시 | 문제 해결력 쑥쑥	90~91쪽	월 일
	11차시 | 단원 마무리 척척	92~93쪽	월 일
	12~13차시 | 놀이 속으로 풍덩 이야기로 키우는 생각	94~95쪽	월 일
평가	개념+확인 / 서술형 문제 해결하기	96~99쪽	월 일
	단원 평가 / 재미있는 수학 이야기	100~103쪽	월 일

준비 팡팡

학습 목표

'무엇을 알고 있나요'와 '함께 생각해 볼까요'를 통하여 단원을 준비할 수 있습니다.

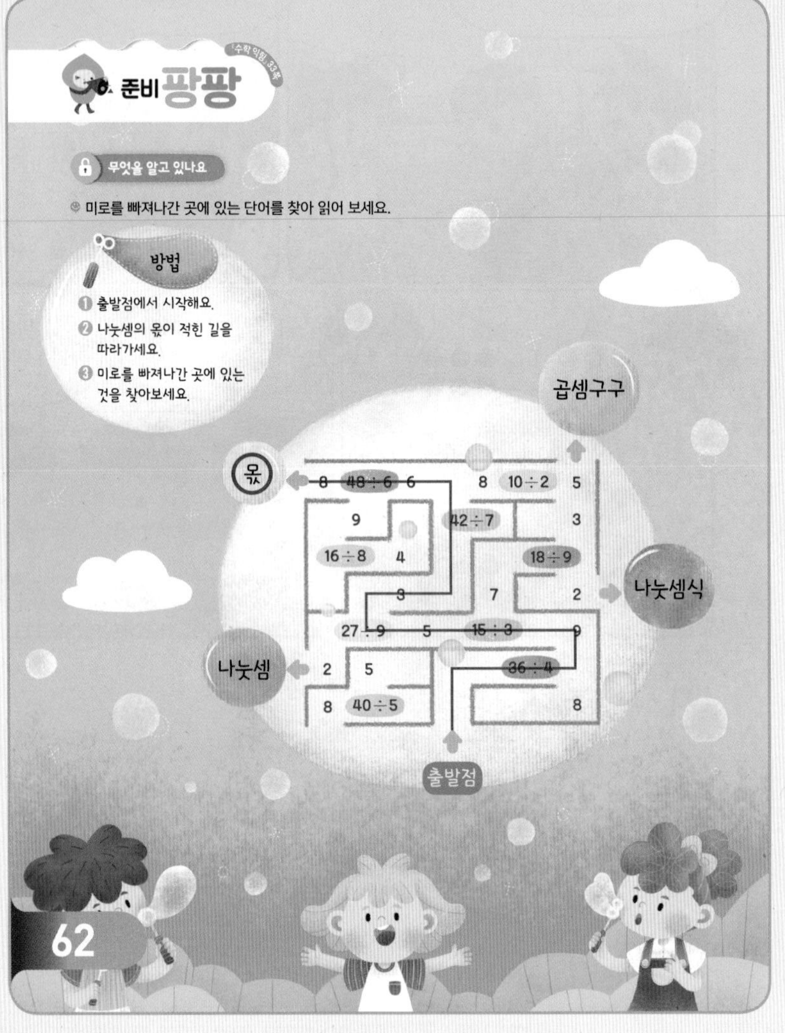

미로를 빠져나간 곳에 있는 단어 읽기

곱셈구구를 이용하여 나눗셈의 몫이 적힌 길을 찾아 미로를 빠져나갑니다.

- $36 \div 4 = 9$이므로 9와 8 중 9를 따라갑니다.
- $15 \div 3 = 5$이므로 5와 7 중 5를 따라갑니다.
- $27 \div 9 = 3$이므로 2와 3 중 3을 따라갑니다.
- $42 \div 7 = 6$이므로 6과 8 중 6을 따라갑니다.
- $48 \div 6 = 8$이므로 9와 8 중 8을 따라갑니다.

➜ 미로를 빠져나간 곳에 있는 단어는 '몫'입니다.

학부모 코칭 Tip

이 단원에서는 나눗셈 상황을 식으로 나타내고 몫이 두 자리 수와 세 자리 수인 나눗셈 계산을 하게 되는데, 이때 기본이 되는 곱셈구구 범위의 나눗셈 계산을 능숙하게 할 수 있도록 지도합니다.

교과서 개념 완성 | 배운 것을 다시 생각하기

똑같이 나누기

- 귤 15개를 5개씩 담으면 3번 덜어낼 수 있습니다.

➜ 뺄셈식으로 나타내기: $15-5-5-5=0$ (3번)

➜ 나눗셈식으로 나타내기: $15 \div 5 = 3$

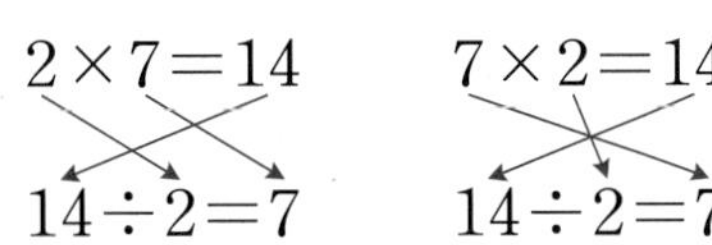

곱셈과 나눗셈의 관계

$2 \times 7 = 14$ → $14 \div 2 = 7$

$7 \times 2 = 14$ → $14 \div 2 = 7$

나눗셈의 몫을 곱셈식으로 구하기

- 사과 18개를 3개씩 봉지에 담으면 몇 개의 봉지가 되는지 구하기

$18 \div 3 = 6 \longleftrightarrow 3 \times 6 = 18$

➜ 사과 18개를 3개씩 봉지에 담으면 봉지는 6개가 됩니다.

나눗셈의 몫을 곱셈구구로 구하기

- 곱셈표를 이용하여 $35 \div 5$의 몫 구하기
  - 곱셈표에서 나누는 수 5를 찾습니다.
  - 5의 단 곱셈구구에서 나누어지는 수 35를 찾습니다.
  - 곱이 35가 되는 곱셈식에서 곱하는 수를 찾습니다.

$5 \times 7 = 35$ ➜ $35 \div 5 = ⑦$ → 몫

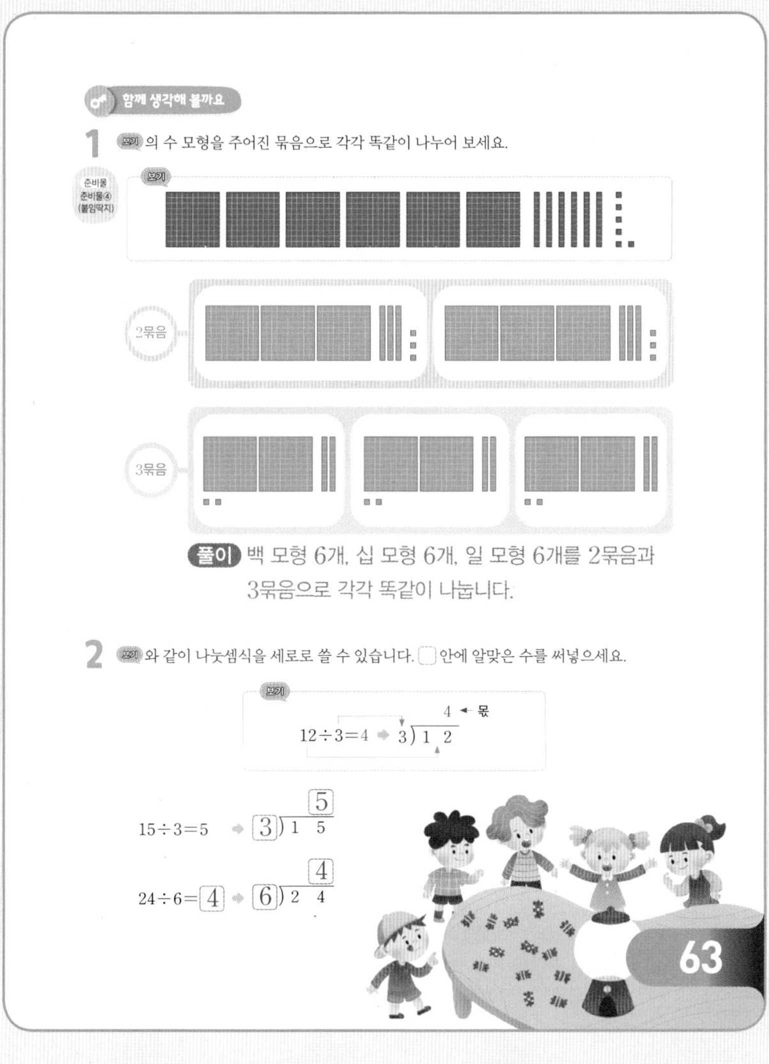

함께 생각해 볼까요
1 보기 의 수 모형을 주어진 묶음으로 각각 똑같이 나누어 보세요.
준비물 준비물④ (붙임딱지)
보기
2묶음
3묶음
풀이 백 모형 6개, 십 모형 6개, 일 모형 6개를 2묶음과 3묶음으로 각각 똑같이 나눕니다.
2 보기 와 같이 나눗셈식을 세로로 쓸 수 있습니다. □ 안에 알맞은 수를 써넣으세요.
보기
4 ← 몫
12÷3=4 → 3)12
15÷3=5 → 3)15 (5)
24÷6=4 → 6)24 (4)
63

수 모형을 묶음으로 똑같이 나누어 보기

- 수 모형을 2묶음으로 똑같이 나누면 한 묶음에 백 모형 3개, 십 모형 3개, 일 모형 3개입니다.
- 수 모형을 3묶음으로 똑같이 나누면 한 묶음에 백 모형 2개, 십 모형 2개, 일 모형 2개입니다.

나눗셈식을 세로로 쓰기

- $15 \div 3 = 5$ → $3\overline{)\,15}$, 5 ← 몫
- $24 \div 6 = 4$ → $6\overline{)\,24}$, 4 ← 몫

개념 확인 문제

정답 및 풀이 217쪽

| 3-1 3. 나눗셈 |

1 귤 21개를 한 봉지에 3개씩 담으려고 합니다. 몇 봉지가 필요할까요?

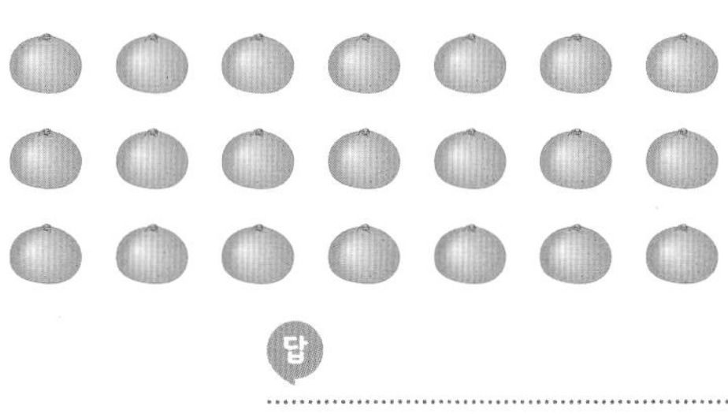

답 ....

답 ....

| 3-1 3. 나눗셈 |

2 그림을 보고 물음에 답해 보세요.

(1) 수박의 수를 곱셈식으로 나타내어 보세요.

$3 \times \square = \square$

(2) (1)의 곱셈식을 나눗셈식으로 나타내어 보세요.

$15 \div \square = \square$, $15 \div \square = \square$

2 차시 1 | (몇십)÷(몇)

학습 목표

내림이 없고 나머지가 없는 (몇십)÷(몇)의 계산 결과를 어림하고, 계산 원리를 이해하여 계산할 수 있습니다.

그림으로 개념 잡기

나누는 수가 같을 때 나누어지는 수가 10배가 되면 몫도 10배가 돼.

4 ÷ 2 = 2

↓10배 ↓10배

40 ÷ 2 = 20

참고

나눗셈식을 세로로 쓸 때 각 자리에 맞추어 몫을 써야 합니다.

$$\begin{array}{r} 2 \\ 2\overline{)\,40} \\ 40 \\ \hline 0 \end{array} \qquad \begin{array}{r} 20 \\ 2\overline{)\,40} \\ 40 \\ \hline 0 \end{array}$$

(×) (○)

1 (몇십)÷(몇)
내림이 없고 나머지가 없는 (몇십)÷(몇)의 계산 결과를 어림하고, 계산 원리를 이해하여 계산할 수 있습니다.
생각열기
중국 체험장에서는 춘절에 먹는 만두를 60개 준비하여 접시 3개에 똑같이 나누어 놓으려고 해요.
• 접시 한 개에 놓을 만두의 수를 구하는 식을 써 보세요. 예 60÷3
• 접시 한 개에 놓을 만두는 몇 개쯤일지 어림해 보세요. 예 20개쯤
춘절은 중국의 가장 큰 명절로, 음력 1월 1일이에요.

탐구하기 의사소통

준비물 수 모형

60÷3을 수 모형으로 어떻게 계산하는지 알아봅시다.

• 십 모형 6개를 3묶음으로 어떻게 나눌 수 있을지 생각해 보세요.

• 십 모형을 3묶음으로 똑같이 나누면 한 묶음에 십 모형이 몇 개씩일까요? 2개씩입니다.

풀이 십 모형 6개 → 6÷3=2

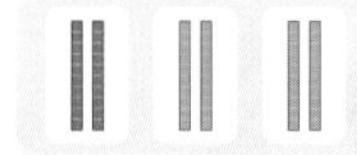

• 60을 3묶음으로 똑같이 나누면 한 묶음에 얼마씩일까요? 20입니다.

• 60÷3의 몫은 얼마인가요? 20입니다.

• 60÷3을 어떻게 계산하였는지 이야기해 보세요.

예 60÷3을 6÷3으로 계산하고 10배를 하였습니다.

64

교과서 개념 완성

탐구하기 60÷3의 계산 방법 탐구하기

• 60은 십 모형 6개이고, 십 모형 6개를 3묶음으로 똑같이 나누면 한 묶음에 십 모형이 2개씩입니다.

• 60을 3묶음으로 똑같이 나누면 한 묶음에 십 모형이 2개이므로 20입니다.

• 60÷3의 몫 구하기

➜ 60÷3= 20 → 몫

• 60÷3의 계산 방법 이야기 하기

➜ 십 모형 6개를 3묶음으로 똑같이 나누면 한 묶음에 십 모형이 2개이므로 20입니다.

학부모 코칭 Tip

십 모형 6개를 3개씩 묶어 2묶음으로 만든다고 생각하여 60÷3=2로 쓰게 될 수 있음에 주의하도록 합니다.

정리하기 60÷3을 계산하는 방법 정리하기

• 6÷3을 이용하여 60÷3을 계산하기

➜ 6÷3=2이므로 60÷3=20입니다.

$$\begin{array}{r} 2 \\ 3\overline{)\,6} \end{array} \rightarrow \begin{array}{r} 20 \\ 3\overline{)\,60} \end{array} \leftarrow 몫$$

생각 솔솔 (몇십)÷(몇)을 이용하여 문제 해결하기

50÷5=10이므로 분홍색 색종이 50장으로 무궁화를 10송이 만들 수 있습니다.

정리하기 • 60÷3을 계산하는 방법을 정리해 봅시다.

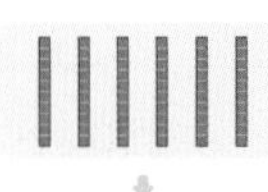

십 모형 6개를 3묶음으로 똑같이 나누면 한 묶음에 십 모형이 6÷3=2(개)입니다. 십 모형 2개는 20이므로 60÷3=20입니다.

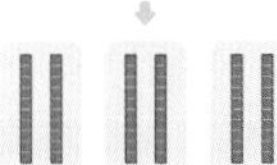

60÷3=20
6÷3=2

• 6÷3을 이용하여 60÷3을 계산해 보세요.

6÷3=2 → 60÷3=20

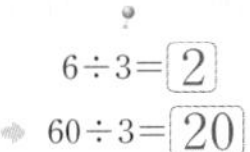

풀이 60÷3은 6÷3=2를 10배 한 값과 같습니다.

확인하기 계산해 보세요.

40÷2=20 90÷3=30 80÷4=20

풀이 4÷2=2 ⇨ 40÷2=20,
9÷3=3 ⇨ 90÷3=30,
8÷4=2 ⇨ 80÷4=20

생각솔솔 색종이를 접어 무궁화 한 송이를 만들려면 분홍색 색종이 5장이 필요합니다. 분홍색 색종이 50장으로는 무궁화를 몇 송이 만들 수 있을까요? 10송이

색종이를 접어 만든 무궁화구나.

응, 무궁화는 우리나라를 상징하는 꽃으로 '영원히 피고 또 피어서 지지 않는 꽃'이라는 뜻을 지니고 있어.

[출처] 행정안전부, 2020.

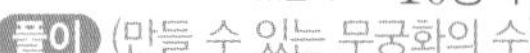

풀이 (만들 수 있는 무궁화의 수)
=(전체 색종이의 수)
÷(한 송이를 만드는 데 필요한 색종이의 수)
=50÷5=10(송이)

65

이런 문제가 서술형으로 나와요

연필 30자루를 3명이 똑같이 나누어 가지려고 합니다. 한 명이 연필을 몇 자루씩 가질 수 있을지 풀이 과정을 쓰고, 답을 구해 보세요.

| 풀이 과정 |

❶ 한 명이 가지게 되는 연필 수를 구하는 나눗셈식 세우기

전체 연필 수를 3묶음으로 나누어야 하므로 나눗셈식은 30÷3입니다.

❷ 한 명이 가질 수 있는 연필 수 구하기

3÷3=1이므로 30÷3=10입니다.

따라서 한 명이 연필을 10자루씩 가질 수 있습니다.

답 10자루

수학 교과 역량 의사소통

(몇십)÷(몇)을 이용한 문제 해결하기

(몇십)÷(몇)의 계산 방법을 설명해 보는 과정을 통하여 의사소통 능력을 기를 수 있습니다.

개념 확인 문제

정답 및 풀이 217쪽

1 □ 안에 알맞은 수를 써넣으세요.

(1)

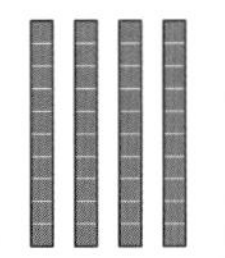

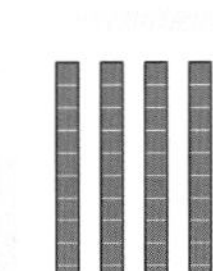

80÷2=□

(2)

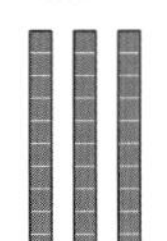

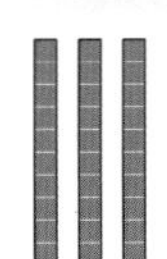

60÷2=□

2 계산해 보세요.

(1) 70÷7

(2) 40÷4

3 사과가 60개 있습니다. 3봉지에 똑같이 나누어 담으면 한 봉지에 몇 개씩 담을 수 있는지 구해 보세요.

(　　　　　　)

3 차시 2 (몇십몇)÷(몇) (1)

학습 목표

내림이 없고 나머지가 없는 (몇십몇)÷(몇)의 계산 결과를 어림하고, 계산 원리를 이해하여 계산할 수 있습니다.

그림으로 개념 잡기

십 모형 6개를 3곳으로 나누고,
일 모형 3개를 3곳으로 나누어.

$$\begin{array}{r} 21 \\ 3\overline{)63} \end{array}$$

참고

내림이 없는 (몇십몇)÷(몇)은 몇십몇을 몇십과 몇으로 가른 후 각각 몇으로 나눈 결과를 더한 것과 같습니다.

$63\div3$

$60\div3=20$, $3\div3=1$

➜ $63\div3=21$

2 (몇십몇)÷(몇)(1)

내림이 없고 나머지가 없는 (몇십몇)÷(몇)의 계산 결과를 어림하고, 계산 원리를 이해하여 계산할 수 있습니다.

생각열기 베트남 체험장에서는 반쫑 63개를 찜통 3개에 똑같이 나누어 찌려고 해요.

반쫑은 베트남 설날에 먹는 전통 음식이에요.

- 찜통 한 개에 찔 반쫑의 수를 구하는 식을 써 보세요. 예 $63\div3$
- 찜통 한 개에 찔 반쫑은 몇 개쯤일지 어림해 보세요. 예 20개쯤

탐구하기 $63\div3$을 수 모형으로 어떻게 계산하는지 알아봅시다.

준비물 수 모형

- 수 모형을 3묶음으로 어떻게 나눌 수 있을지 생각해 보세요.
  - 십 모형을 3묶음으로 똑같이 나누면 한 묶음에 십 모형이 몇 개씩일까요? 2개씩입니다.

  풀이 십 모형 6개는 한 묶음에 $6\div3=2$(개)씩입니다.
  - 일 모형을 3묶음으로 똑같이 나누면 한 묶음에 일 모형이 몇 개씩일까요? 1개씩입니다.

  풀이 일 모형 3개는 한 묶음에 $3\div3=1$(개)씩입니다.
  - 63을 3묶음으로 똑같이 나누면 한 묶음에 얼마씩일까요? 21입니다.
- $63\div3$의 몫은 얼마인가요? 21입니다.
- $63\div3$을 어떻게 계산하였는지 이야기해 보세요.

예 십 모형을 나눈 몫과 일 모형을 나눈 몫을 더하였습니다.

66

교과서 개념 완성

탐구하기 $63\div3$의 계산 방법 탐구하기

- 십 모형을 3묶음으로 똑같이 나누기
  ➜ 한 묶음에 십 모형이 2개씩입니다.
- 일 모형을 3묶음으로 똑같이 나누기
  ➜ 한 묶음에 일 모형이 1개씩입니다.
- 63을 3묶음으로 똑같이 나누기
  ➜ 십 모형이 2개, 일 모형이 1개이므로 한 묶음에 21씩입니다.
  ➜ $63\div3=21$ (21 ← 몫)

정리하기 $63\div3$을 계산하는 방법 정리하기

- $63\div3=21$ ➜ $\begin{array}{r} 21 \\ 3\overline{)63} \end{array}$ (3: 나누는 수, 21: 몫, 63: 나누어지는 수)

➜ $63\div3=21$에서 $21\times3=63$이므로 계산 결과가 맞음을 확인할 수 있습니다.

확인하기 내림이 없고 나머지가 없는 (몇십몇)÷(몇) 계산 익히기

$$\begin{array}{r} 34 \\ 2\overline{)68} \\ \underline{6} \\ 8 \\ \underline{8} \\ 0 \end{array} \qquad \begin{array}{r} 21 \\ 4\overline{)84} \\ \underline{8} \\ 4 \\ \underline{4} \\ 0 \end{array} \qquad \begin{array}{r} 11 \\ 7\overline{)77} \\ \underline{7} \\ 7 \\ \underline{7} \\ 0 \end{array}$$

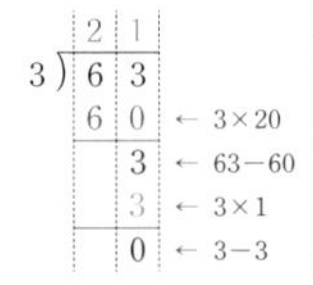

정리하기 • 63÷3을 계산하는 방법을 정리해 봅시다.

• 63÷3의 몫을 쓰고, 계산 결과가 맞는지 확인해 보세요.

63÷3=21 확인 21×3=63

확인하기 1. 계산해 보세요.

68÷2=34, 84÷4=21, 77÷7=11

2. 오른쪽 사각형은 네 변의 길이의 합이 48 cm인 정사각형입니다. 이 정사각형의 한 변의 길이는 몇 cm일까요?

식 48÷4=12

답 12 cm

풀이 (한 변의 길이)=(네 변의 길이의 합)÷4 =48÷4=12 (cm)

67

이런 문제가 서술형으로 나와요

파란색 구슬 30개와 빨간색 구슬 34개가 있습니다. 이 구슬을 2봉지에 똑같이 나누어 담으려면 한 봉지에 몇 개씩 담아야 하는지 풀이 과정을 쓰고, 답을 구해 보세요.

| 풀이 과정 |

❶ 전체 구슬 수 구하기

(전체 구슬 수)
=(파란색 구슬 수)+(빨간색 구슬 수)
=30+34=64(개)

❷ 구슬을 한 봉지에 몇 개씩 담아야 하는지 구하기

(한 봉지에 담아야 하는 구슬 수)
=(전체 구슬 수)÷(나누어 담을 봉지 수)
=64÷2=32(개)입니다.

답 32개

수학 교과 역량 

내림이 없고 나머지가 없는 (몇십몇)÷(몇) 계산을 이용한 문제 해결하기

정사각형과 나눗셈을 연결시켜 문제를 해결해 보는 과정을 통하여 창의・융합 능력을 기를 수 있습니다.

개념 확인 문제

정답 및 풀이 217쪽

1 44÷2의 몫을 쓰고, 계산 결과가 맞는지 확인해 보세요.

44÷2=☐ ☐×2=44

2 계산해 보세요.

(1) 2)26

(2) 3)69

3 몫이 더 큰 것에 ○표 하세요.

62÷2	46÷2
( )	( )

4 한 봉지에 7개씩 들어 있는 달걀이 6봉지 있습니다. 달걀을 한 명이 2개씩 먹으면 모두 몇 명이 먹을 수 있는지 구해 보세요.

(   )

4
차시

3 | (몇십몇)÷(몇) (2)

학습 목표

내림이 있고 나머지가 없는 (몇십몇)÷(몇)의 계산 결과를 어림하고, 계산 원리를 이해하여 계산할 수 있습니다.

그림으로 개념 잡기

십의 자리에서 계산하고 남은 수를 잊지 않아야 해.

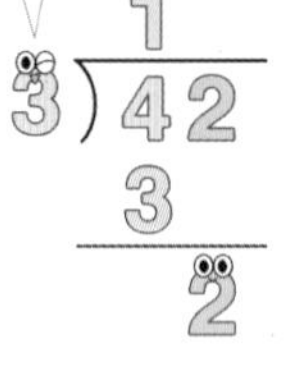

$$\begin{array}{r} 1 \\ 3\overline{)42} \\ 3 \\ \hline 2 \end{array} \qquad \begin{array}{r} 1 \\ 3\overline{)42} \\ 3 \\ \hline 12 \end{array}$$

(×)　　(○)

3 (몇십몇)÷(몇)(2)

내림이 있고 나머지가 없는 (몇십몇)÷(몇)의 계산 결과를 어림하고, 계산 원리를 이해하여 계산할 수 있습니다.

생각열기 러시아 체험장에서는 블리니 42개를 접시 3개에 똑같이 나누어 놓으려고 해요.

블리니는 사육제라는 러시아 명절에 먹는 둥근 모양의 부침개예요.

- 접시 한 개에 놓을 블리니의 수를 구하는 식을 써 보세요. 예 42÷3
- 접시 한 개에 놓을 블리니는 몇 개쯤일지 어림해 보세요. 예 10개쯤

풀이 4÷3=1···1이므로 십 모형 4개는 한 묶음에 1개씩이고, 1개가 남습니다.

탐구하기 42÷3을 수 모형으로 어떻게 계산하는지 알아봅시다.

준비물 수 모형

- 수 모형을 3묶음으로 어떻게 나눌 수 있을지 생각해 보세요.

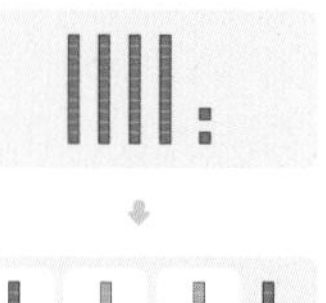

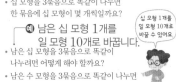

- 십 모형을 3묶음으로 똑같이 나누면 한 묶음에 십 모형이 몇 개씩일까요? 1개씩이고, 십 모형 1개가 남습니다.
- 남은 십 모형을 3묶음으로 똑같이 나누려면 어떻게 해야 할까요? 예 남은 십 모형 1개를 일 모형 10개로 바꿉니다.

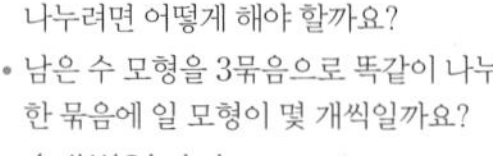
십 모형 1개를 일 모형 10개로 바꿀 수 있어요.

- 남은 수 모형을 3묶음으로 똑같이 나누면 한 묶음에 일 모형이 몇 개씩일까요? 4개씩입니다.

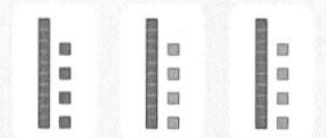

- 42를 3묶음으로 똑같이 나누면 한 묶음에 얼마씩일까요? 14입니다.
- 42÷3의 몫은 얼마인가요? 14입니다.
- 42÷3을 어떻게 계산하였는지 이야기해 보세요.
  예 십 모형을 3묶음으로 똑같이 나누고 남은 십 모형 1개를 일 모형으로 바꾸어 일 모형 12개를 3묶음으로 똑같이 나누었습니다.

68

교과서 개념 완성

탐구하기 42÷3의 계산 방법 탐구하기

- 십 모형 4개 중 3개를 세 묶음에 하나씩, 남은 십 모형 1개를 일 모형 10개로 바꾸어 일 모형 12개를 세 묶음에 4개씩 나누어 놓습니다. 한 묶음에 십 모형 1개, 일 모형 4개씩 있습니다.

→ 42÷3=14

정리하기 42÷3을 계산하는 방법 정리하기

42÷3=14

$$\begin{array}{r} \boxed{14} \leftarrow \text{몫} \\ 3\overline{)42} \end{array}$$

확인 42÷3=14에서 14×3=42이므로 계산 결과가 맞음을 확인할 수 있습니다.

학부모 코칭 Tip

일 모형을 먼저 나눌 경우 일 모형 2개를 3묶음으로 똑같이 나눌 수 없으므로 십 모형을 나누고 남은 것을 일 모형으로 바꾸어 나누어야 합니다. 이를 통하여 나눗셈의 몫을 높은 자리부터 구하는 이유에 대해 생각해 보고 이해하게 합니다.

확인하기 내림이 있고 나머지가 없는 (몇십몇)÷(몇) 계산 익히기

$$\begin{array}{r} 24 \\ 3\overline{)72} \\ 6 \\ \hline 12 \\ 12 \\ \hline 0 \end{array} \qquad \begin{array}{r} 16 \\ 5\overline{)80} \\ 5 \\ \hline 30 \\ 30 \\ \hline 0 \end{array} \qquad \begin{array}{r} 13 \\ 7\overline{)91} \\ 7 \\ \hline 21 \\ 21 \\ \hline 0 \end{array}$$

• 42÷3을 계산하는 방법을 정리해 봅시다.

• 42÷3의 몫을 쓰고, 계산 결과가 맞는지 확인해 보세요.

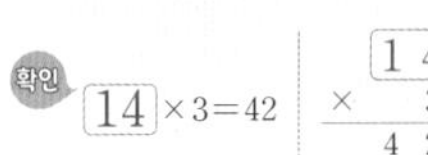

42÷3=14

확인 14×3=42

풀이 (몫)×(나누는 수)=(나누어지는 수)입니다.

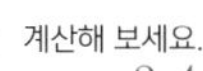

계산해 보세요.

91÷7=13

소윤이가 96÷4를 계산하고 있습니다. 잘못된 계산을 바르게 계산하는 방법을 이야기해 보세요.

예 몫의 십의 자리 수 1을 2로 바꾸어 계산합니다.

풀이 십의 자리 계산에서 빼고 남는 수가 5입니다. 이 수는 나누는 수인 4보다 크므로 더 나눌 수 있습니다.

69

이런 문제가 서술형으로 나와요

달리기 선수가 7초 동안 84 m를 달렸다면 1초에 몇 m를 달린 셈인지 풀이 과정을 쓰고, 답을 구해 보세요.

| 풀이 과정 |

❶ 1초에 달린 거리를 구하는 식 세우기

(1초에 달린 거리)
=(달린 거리)÷(달린 시간)
=84÷7

❷ 1초에 몇 m를 달린 셈인지 구하기

84÷7=12이므로 1초에 12 m를 달린 셈입니다.

답 12 m

• 수학 교과 역량 

잘못된 부분 찾아 설명하기

계산 방법을 바르게 이해하고 설명해 보는 과정을 통하여 의사소통 능력을 기를 수 있습니다.

개념 확인 문제

정답 및 풀이 217~218쪽

1 □ 안에 알맞은 수를 써넣으세요.

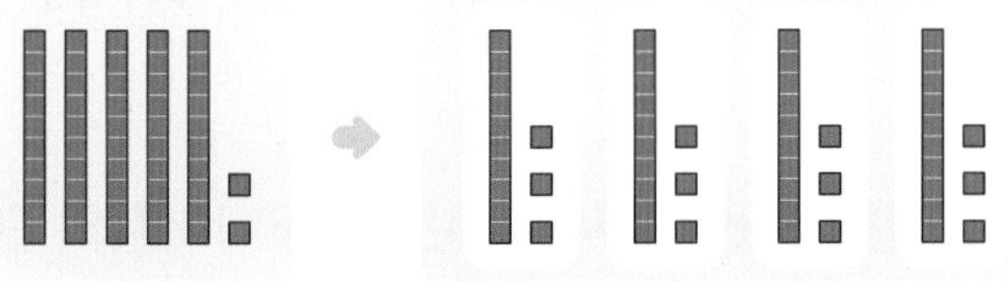

$52 \div 4 = \square$

2 계산해 보세요.

(1) $74 \div 2$　　(2) $57 \div 3$

3 빈 곳에 큰 수를 작은 수로 나눈 몫을 써넣으세요.

5	65

4 책 96권을 책꽂이 한 칸에 8권씩 꽂으려고 합니다. 책꽂이는 몇 칸 필요한지 구해 보세요.

(　　　　　)

4 | 나머지가 있는 (몇십몇)÷(몇) (1)

학습 목표

나머지가 있는 (몇십몇)÷(몇)의 계산 원리를 이해하고 몫과 나머지를 구할 수 있습니다.

그림으로 개념 잡기

$$\begin{array}{r} 3 \\ 5{\overline{\smash{\big)}\,17}} \\ 15 \\ \hline 2 \end{array}$$

나머지는 나누는 수보다 항상 작아요.

참고 17÷5와 같이 나눗셈이 항상 나누어떨어지는 것은 아니라는 것을 이해하게 합니다.

어휘

나머지 / remainder	나눗셈에서 나누어지는 수를 나누는 수로 나누었을 때 나누어떨어지지 않고 남는 수입니다.

4 나머지가 있는 (몇십몇)÷(몇)(1)
3개씩 담자!
도시락 한 개에 새우를 3마리씩 담아 볼까?

생각 열기 일본 체험장에서는 오세치 요리를 하고 있어요. 새우 15마리와 검은콩 17개를 각각 도시락에 나누어 담으려고 해요.

- 새우를 3마리씩 나누어 담을 수 있는 도시락의 수를 구하는 식을 써 보세요. 예 15÷3
- 검은콩을 3개씩 나누어 담을 수 있는 도시락의 수를 구하는 식을 써 보세요. 예 17÷3

오세치 요리는 국물이 없고 오래 두고 먹을 수 있는 음식을 찬합(도시락)에 담은 일본 설날 음식이에요.

탐구하기 15÷3과 17÷3을 수 모형으로 비교해 봅시다. (준비물 수 모형)

15÷3	17÷3
• 3개씩 묶어 보세요. 남는 것이 있나요? 없습니다.	• 3개씩 묶어 보세요. 남는 것이 있나요? 있습니다.
• 3개씩 묶으면 모두 몇 묶음인가요? 5묶음입니다.	• 3개씩 묶으면 모두 몇 묶음인가요? 5묶음입니다.
• 15÷3의 몫은 얼마인가요? 5입니다.	• 17÷3의 몫은 얼마인가요? 5입니다.

- 15÷3과 17÷3은 무엇이 다른지 이야기해 보세요.
  예 15÷3은 남는 것이 없고, 17÷3은 남는 것이 있습니다.
- 15÷3과 17÷3을 어떻게 계산하였는지 이야기해 보세요.
  예 15÷3은 15를 3씩 5번 묶었습니다.
  17÷3은 17을 3씩 5번 묶고 2개가 남았습니다.

70

교과서 개념 완성

탐구하기 15÷3과 17÷3의 계산 비교하기

- 일 모형 15개와 17개를 각각 3개씩 묶고 남는 것 확인하기
  - ➜ 일 모형 15개를 3개씩 묶으면 5묶음이 되고, 남는 것이 없습니다.
  - ➜ 일 모형 17개를 3개씩 묶으면 5묶음이 되고, 2개가 남습니다.

정리하기 몫과 나머지의 의미 알기

(몫)×(나누는 수)에 나머지를 더하면 나누어지는 수가 되는지 확인합니다.

확인하기 나머지가 있는 (몇십몇)÷(몇) 계산 익히기

$$\begin{array}{r} 7 \\ 6{\overline{\smash{\big)}\,46}} \\ 42 \\ \hline 4 \end{array}$$

7 ← 몫, 4 ← 나머지

확인 $7\times6=42$, $42+4=46$

생각 솔솔 나눗셈에서 나누는 수와 나머지의 관계

- $15\div3=5\cdots0$ / $18\div3=6\cdots0$
- $16\div3=5\cdots1$ / $19\div3=6\cdots1$
- $17\div3=5\cdots2$ / $20\div3=6\cdots2$

➜ 나머지는 항상 나누는 수보다 작아야 하므로 3으로 나누었을 때 나머지가 될 수 있는 0, 1, 2입니다.

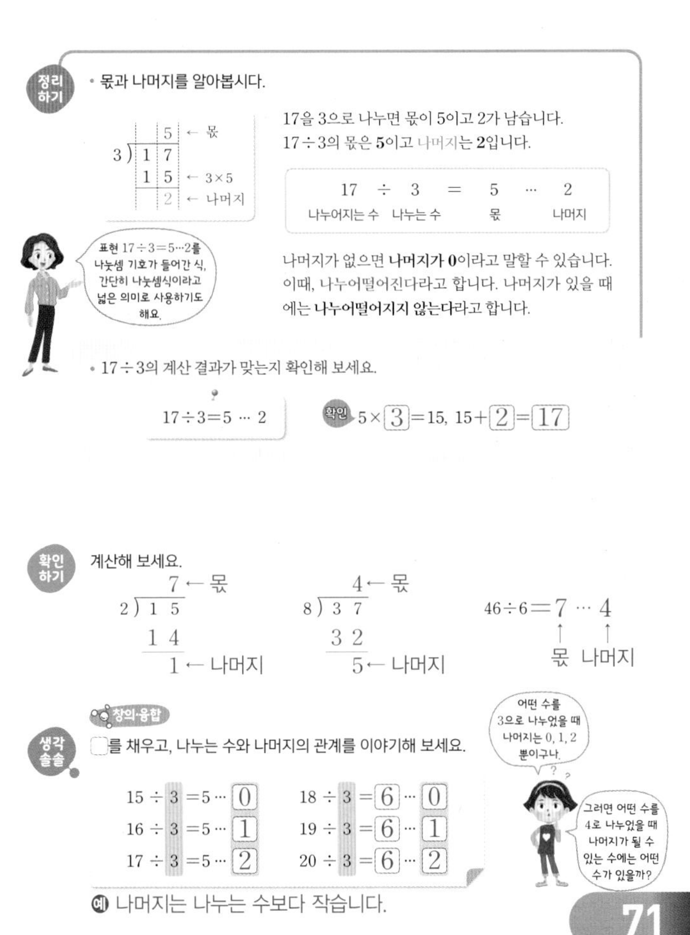

정리하기
• 몫과 나머지를 알아봅시다.
17을 3으로 나누면 몫이 5이고 2가 남습니다.
17÷3의 몫은 5이고 나머지는 2입니다.
17 ÷ 3 = 5 ⋯ 2
나누어지는 수 나누는 수 몫 나머지
표현 17÷3=5⋯2를 나눗셈 기호가 들어간 식, 간단히 나눗셈식이라고 넓은 의미로 사용하기도 해요.
나머지가 없으면 나머지가 0이라고 말할 수 있습니다. 이때, 나누어떨어진다라고 합니다. 나머지가 있을 때에는 나누어떨어지지 않는다라고 합니다.
• 17÷3의 계산 결과가 맞는지 확인해 보세요.
17÷3=5 ⋯ 2
확인 5×3=15, 15+2=17
확인하기
계산해 보세요.
7 ← 몫
1 ← 나머지
4 ← 몫
5 ← 나머지
46÷6=7 ⋯ 4
몫 나머지
창의·융합
생각 솜솜
□를 채우고, 나누는 수와 나머지의 관계를 이야기해 보세요.
15÷3=5⋯0
16÷3=5⋯1
17÷3=5⋯2
18÷3=6⋯0
19÷3=6⋯1
20÷3=6⋯2
어떤 수를 3으로 나누었을 때 나머지는 0, 1, 2 뿐이구나.
그러면 어떤 수를 4로 나누었을 때 나머지가 될 수 있는 수에는 어떤 수가 있을까?
예 나머지는 나누는 수보다 작습니다.
71

이런 문제가 서술형으로 나와요

연필 47자루를 한 사람에게 5자루씩 나누어 주려고 합니다. 몇 명에게 나누어 줄 수 있고, 몇 자루가 남는지 풀이 과정을 쓰고, 답을 구해 보세요.

| 풀이 과정 |

❶ 나누어 줄 수 있는 사람 수와 남는 연필 수를 구하는 식 세우기

(전체 연필 수)÷(한 명당 나누어 주는 연필 수)
$=47\div5$

❷ 나누어 줄 수 있는 사람 수와 남는 연필 수 구하기

$47\div5=9\cdots2$이므로 9명에게 나누어 줄 수 있고, 2자루가 남습니다.

답 9명, 2자루

수학 교과 역량 

나눗셈에서 나누는 수와 나머지의 관계

나누는 수와 나머지의 관계를 탐구해 보는 활동을 통하여 창의·융합 능력을 기를 수 있습니다.

개념 확인 문제

정답 및 풀이 218쪽

1 보기와 같이 나눗셈의 몫을 구할 때 필요한 곱셈식을 찾아 ○표 하세요.

보기

$16\div5$

$5\times2=10$ ( )

$5\times3=15$ (○)

$5\times4=20$ ( )

$34\div6$

$6\times4=24$ ( )

$6\times5=30$ ( )

$6\times6=36$ ( )

2 계산해 보세요.

(1) $5\overline{)38}$

(2) $9\overline{)56}$

3 52÷6의 몫과 나머지를 쓰고, 계산 결과가 맞는지 확인해 보세요.

$52\div6=\square\cdots\square$

확인 $\square\times6=48,\ 48+\square=\square$

4 나머지가 더 큰 쪽에 ○표 하세요.

$46\div7$ ( )

$77\div9$ ( )

5 | 나머지가 있는 (몇십몇) ÷ (몇) (2)

학습 목표

내림이 있고 나머지가 있는 (몇십몇) ÷ (몇)의 계산 결과를 어림하고, 계산 원리를 이해하여 계산할 수 있습니다.

그림으로 개념 잡기

> 십의 자리 수를 먼저 나누고,
> 더 이상 안 나누어지면
> 일의 자리 수를 내려서 계산해.

```
      1 5
   3 ) 4 6
       3 0  → 3×10
4-3 ←  1 6
       1 5  → 3×5
         1
```

곱셈식을 이용하여 몫의 십의 자리를 곱셈구구로 간단하게 찾을 수 있습니다.

```
    2 □
2 ) 5 7
```

$2 \times 20 = 40$
$2 \times 30 = 60$ ← (57)

5 나머지가 있는 (몇십몇) ÷ (몇)(2)

내림이 있고 나머지가 있는 (몇십몇) ÷ (몇)의 계산 결과를 어림하고, 계산 원리를 이해하여 계산할 수 있습니다.

생각열기 대한민국 체험장에서는 떡국에 넣을 가래떡 46줄을 3명이 똑같이 나누어 썰려고 해요.

- 한 명이 썰 가래떡의 수를 구하는 식을 써 보세요. 예 $46 \div 3$
- 한 명이 썰 가래떡은 몇 줄쯤일지 어림해 보세요. 예 15줄쯤

풀이 $4 \div 3 = 1 \cdots 1$이므로 십 모형 4개는 한 묶음에 1개씩이고, 십 모형 1개가 남습니다.

탐구하기 (준비물 수 모형) 46 ÷ 3을 수 모형으로 어떻게 계산하는지 알아봅시다.

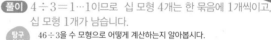

- 수 모형을 3묶음으로 어떻게 나눌 수 있을지 생각해 보세요.
  - 십 모형을 3묶음으로 똑같이 나누면 한 묶음에 십 모형이 몇 개씩일까요? 1개씩이고, 십 모형 1개가 남습니다.
  - 남은 십 모형을 3묶음으로 똑같이 나누려면 어떻게 해야 할까요? 예 남은 십 모형 1개를 일 모형 10개로 바꿉니다.
  - 남은 수 모형을 3묶음으로 똑같이 나누면 한 묶음에 일 모형이 몇 개씩일까요? 5개씩입니다.
  - 46을 3묶음으로 똑같이 나누면 한 묶음에 얼마씩이고, 몇 개가 남을까요? 한 묶음에 15이고, 일 모형 1개가 남습니다.
- 46 ÷ 3의 몫과 나머지는 각각 얼마인가요? 몫은 15이고, 나머지는 1입니다.
- 46 ÷ 3을 어떻게 계산하였는지 이야기해 보세요. 예 십 모형 1개, 일 모형 6개는 일 모형 16개이므로 $16 \div 3 = 5 \cdots 1$로 한 묶음에 5개씩이고, 일 모형 1개가 남습니다.

72

교과서 개념 완성

탐구하기 46 ÷ 3의 계산 방법 탐구하기

- 46을 3묶음으로 똑같이 나누기
  - ➜ 한 묶음에 십 모형이 1개, 일 모형이 5개이므로 한 묶음은 15이고, 일 모형 1개가 남습니다.
- 46 ÷ 3의 몫과 나머지 구하기
  - ➜ 몫은 15이고, 나머지는 1입니다.
- 46 ÷ 3의 계산 방법 이야기 하기
  - ➜ 십 모형을 3묶음으로 똑같이 나누고 남은 십 모형 1개를 일 모형으로 바꾸었습니다.
  - ➜ 남은 일 모형을 3묶음으로 똑같이 나누고 십 모형을 나눈 몫과 일 모형을 나눈 몫을 더하였습니다.

정리하기 46 ÷ 3을 계산하는 방법 정리하기

- 나눗셈식의 몫과 나머지 알기

  $46 \div 3 = 15 \cdots 1$ ➜ 몫: 15, 나머지: 1

  확인 $15 \times 3 = 45$, $45 + 1 = 46$이므로 계산 결과가 맞음을 확인할 수 있습니다.

확인하기 내림이 있고 나머지가 있는 (몇십몇) ÷ (몇) 계산 익히기

```
     1 2
 6 ) 7 4
     6
     1 4
     1 2
       2
```

➜ $74 \div 6 = 12 \cdots 2$

확인 $12 \times 6 = 72$, $72 + 2 = 74$

정리하기
• 46÷3을 계산하는 방법을 정리해 봅시다.

$$\begin{array}{r} 15 \\ 3\overline{)46} \\ 30 \\ \hline 16 \\ 15 \\ \hline 1 \end{array} \quad \begin{array}{l} \\ \\ \leftarrow 3\times10 \\ \leftarrow 46-30 \\ \leftarrow 3\times5 \\ \leftarrow 16-15 \end{array} \qquad \begin{array}{r} 1 \\ 3\overline{)46} \\ 3 \\ \hline 1 \end{array} \Rightarrow \begin{array}{r} 15 \\ 3\overline{)46} \\ 3 \\ \hline 16 \\ 15 \\ \hline 1 \end{array}$$

• 46÷3의 몫과 나머지를 쓰고, 계산 결과가 맞는지 확인해 보세요.

확인하기 계산해 보세요.

$$\begin{array}{r} 13 \\ 5\overline{)69} \\ 5 \\ \hline 19 \\ 15 \\ \hline 4 \end{array} \qquad \begin{array}{r} 28 \\ 2\overline{)57} \\ 4 \\ \hline 17 \\ 16 \\ \hline 1 \end{array} \qquad 74\div6=12 \cdots 2$$

추론 의사소통
생각솔솔 지민이는 49÷3을 오른쪽과 같이 계산하였습니다. 바르게 계산하였나요? 계산이 바르지 않다면 그 이유를 이야기해 보세요.

바르지 않습니다.

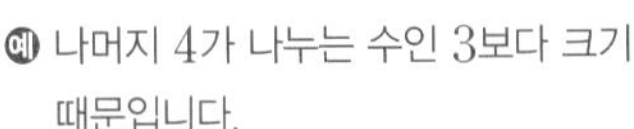

예 나머지 4가 나누는 수인 3보다 크기 때문입니다.

풀이 나머지는 나누는 수보다 항상 작아야 합니다.

73

이런 문제가 서술형으로 나와요

계산이 잘못된 곳을 찾아 바르게 고치고, 이유를 설명해 보세요.

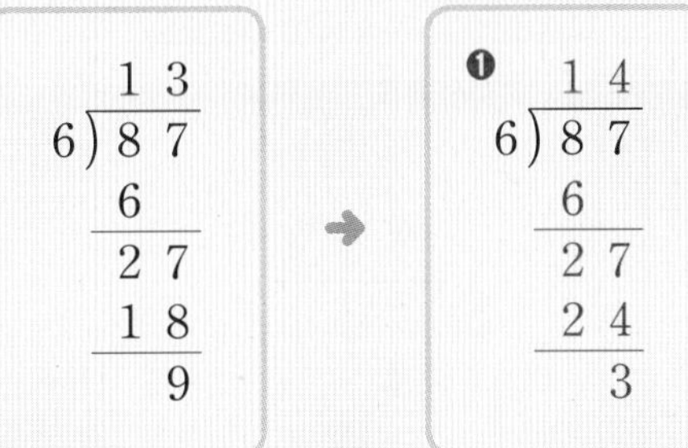

| 이유 |

❷ 나머지는 나누는 수보다 작아야 하므로 잘못 계산하였습니다.

• 수학 교과 역량

잘못된 부분을 찾아 설명하기

잘못 계산한 곳을 찾아 바르게 계산하는 방법을 알고 설명해 보는 과정을 통하여 추론과 의사소통 능력을 기를 수 있습니다.

개념 확인 문제

정답 및 풀이 218쪽

1 계산해 보세요.

(1) $4\overline{)63}$ (2) $3\overline{)74}$

2 나눗셈의 몫과 나머지를 구하고, 계산 결과가 맞는지 확인해 보세요.

83÷5=☐ … ☐

확인 ☐×5=80, 80+☐=☐

3 몫이 더 큰 것의 기호를 써 보세요.

㉠ 53÷3 ㉡ 49÷4

( )

4 지훈이가 만든 쿠키 75개를 한 봉지에 6개씩 담으려고 합니다. 쿠키는 모두 몇 봉지가 되고, 몇 개가 남는지 차례로 써 보세요.

( ), ( )

6 | (세 자리 수)÷(한 자리 수) (1)

학습 목표

몫이 세 자리 수인 (세 자리 수)÷(한 자리 수)의 계산 결과를 어림하고, 계산 원리를 이해하여 계산할 수 있습니다.

그림으로 개념 잡기

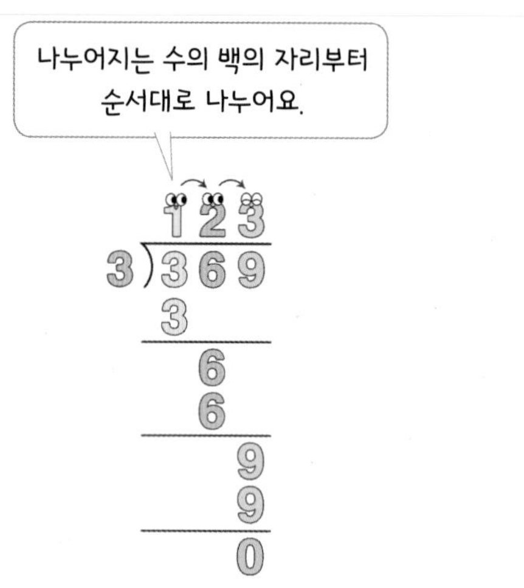

나누어지는 수의 백의 자리부터 순서대로 나누어요.

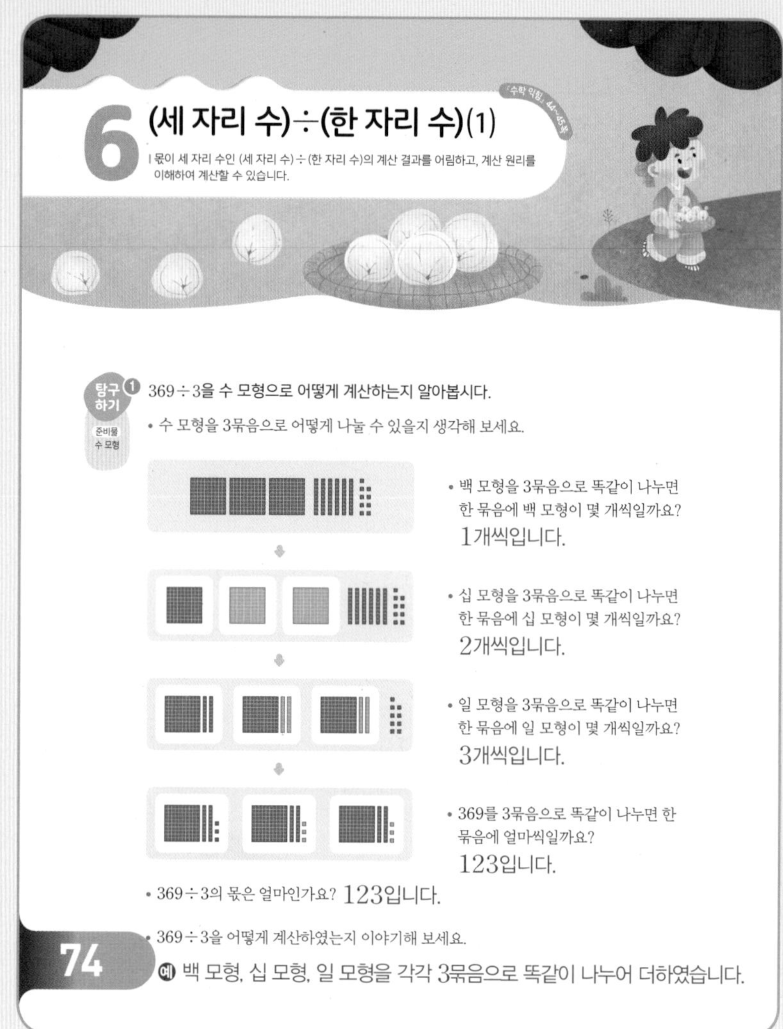

참고 수 모형을 이용하여 똑같이 나눌 때 백 모형, 십 모형, 일 모형을 나누는 것이 백의 자리, 십의 자리, 일의 자리의 계산임을 이해하게 합니다.

교과서 개념 완성

탐구하기 1 369÷3의 계산 방법 탐구하기

- 백 모형, 십 모형, 일 모형을 3묶음으로 똑같이 나누기
  - ➜ 한 묶음에 백 모형이 1개씩입니다.
  - ➜ 한 묶음에 십 모형이 2개씩입니다.
  - ➜ 한 묶음에 일 모형이 3개씩입니다.
  - ➜ 한 묶음은 123입니다.
- 369÷3의 몫 구하기
  - ➜ 369÷3=[123] ← 몫

학부모 코칭 Tip

(세 자리 수)÷(한 자리 수)의 계산도 (두 자리 수)÷(한 자리 수)의 계산 원리와 같다는 것을 이해하게 합니다.

탐구하기 2 437÷3의 계산 방법 탐구하기

- 백 모형, 십 모형, 일 모형을 3묶음으로 똑같이 나누기
  - ➜ 백 모형 4개를 3묶음으로 똑같이 나누면 한 묶음에 백 모형이 1개씩이고, 1개가 남습니다.
  - ➜ 남은 백 모형 1개를 십 모형 10개로 바꾸고 십 모형 13개를 3묶음으로 똑같이 나누면 한 묶음에 십 모형이 4개씩이고, 1개가 남습니다.
  - ➜ 남은 십 모형 1개를 일 모형 10개로 바꾸고 일 모형 17개를 3묶음으로 똑같이 나누면 한 묶음에 일 모형이 5개씩이고, 2개가 남습니다.
- 437÷3의 몫과 나머지 구하기
  - ➜ 437÷3=145 ⋯ 2 (몫: 145, 나머지: 2)

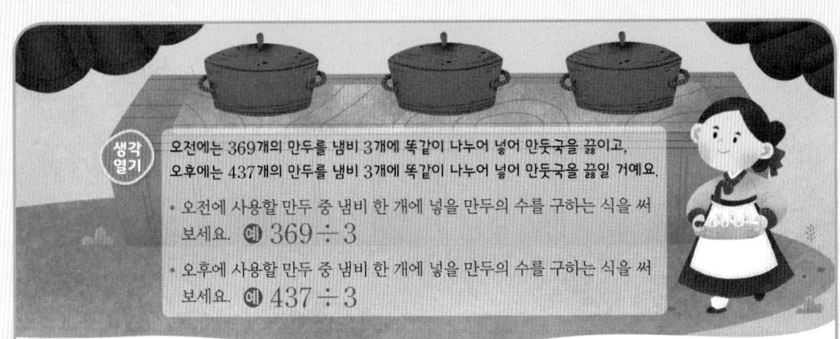

생각 열기 오전에는 369개의 만두를 냄비 3개에 똑같이 나누어 넣어 만둣국을 끓이고, 오후에는 437개의 만두를 냄비 3개에 똑같이 나누어 넣어 만둣국을 끓일 거예요.

- 오전에 사용할 만두 중 냄비 한 개에 넣을 만두의 수를 구하는 식을 써 보세요. 예 $369 \div 3$
- 오후에 사용할 만두 중 냄비 한 개에 넣을 만두의 수를 구하는 식을 써 보세요. 예 $437 \div 3$

의사소통

탐구하기 2 $437 \div 3$을 수 모형으로 어떻게 계산하는지 알아봅시다.

준비물 수 모형

- 수 모형을 3묶음으로 어떻게 나눌 수 있을지 생각해 보세요.

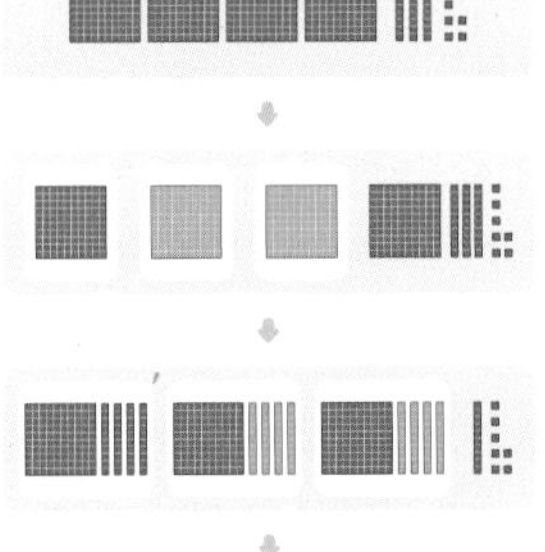

- 백 모형을 3묶음으로 똑같이 나누면 한 묶음에 백 모형이 몇 개씩일까요?
  1개씩이고, 백 모형 1개가 남습니다.
- 남은 백 모형과 십 모형을 3묶음으로 똑같이 나누면 한 묶음에 십 모형이 몇 개씩일까요?
  4개씩이고, 십 모형 1개가 남습니다.
- 남은 십 모형과 일 모형을 3묶음으로 똑같이 나누면 한 묶음에 일 모형이 몇 개씩일까요?
  5개씩이고, 일 모형 2개가 남습니다.

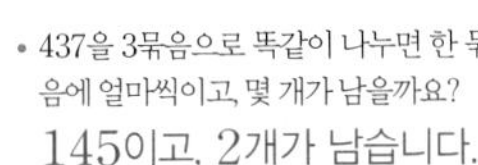

- 437을 3묶음으로 똑같이 나누면 한 묶음에 얼마씩이고, 몇 개가 남을까요?
  145이고, 2개가 남습니다.
- $437 \div 3$의 몫과 나머지는 각각 얼마인가요?
  몫은 145이고, 나머지는 2입니다.
- $437 \div 3$을 어떻게 계산하였는지 이야기해 보세요.

예 백 모형, 십 모형, 일 모형을 각각 3묶음으로 똑같이 나누어 더하였습니다. 나누고 남은 백 모형은 십 모형으로, 나누고 남은 십 모형은 일 모형으로 바꾸어 나누었습니다.

75

이런 문제가 서술형으로 나와요

잘못 계산한 곳을 찾아 바르게 계산하고, 이유를 써 보세요.

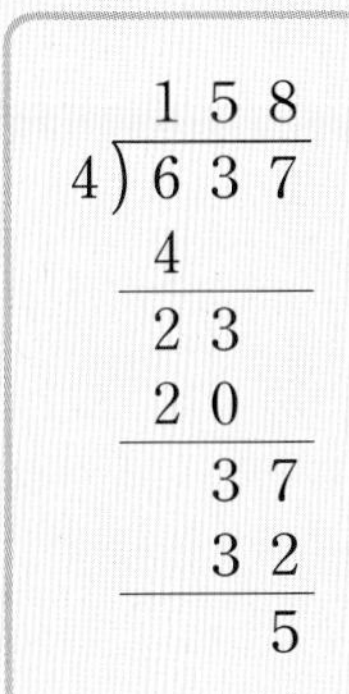

→

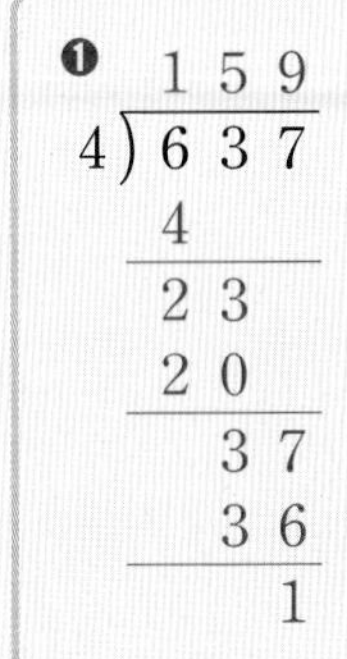

| 이유 |

❷ 나머지는 나누는 수보다 작아야 하므로 일의 자리의 계산에서 몫의 일의 자리에 9를 써야 합니다.

수학 교과 역량 의사소통

(세 자리 수)÷(한 자리 수)의 계산 방법 알아보기

나눗셈을 계산하는 방법을 설명해 보는 과정을 통하여 의사소통 능력을 기를 수 있습니다.

개념 확인 문제

정답 및 풀이 219쪽

1 계산해 보세요.

(1) $4\overline{)5\ 6\ 0}$　　(2) $5\overline{)5\ 7\ 7}$

2 빈 곳에 알맞은 수를 써넣으세요.

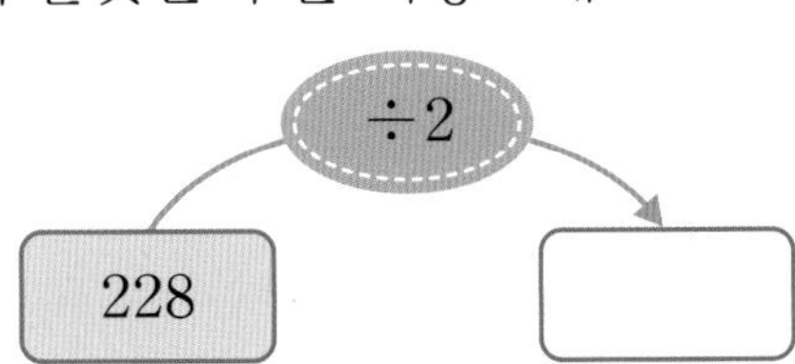

3 몫의 크기를 비교하여 ○ 안에 >, =, <를 알맞게 써넣으세요.

$994 \div 7$ ○ $519 \div 3$

4 사탕 695개를 4상자에 똑같이 나누어 담았습니다. 사탕을 담은 상자는 몇 상자가 되고, 남는 사탕은 몇 개인지 차례로 써 보세요.

(　　　　　), (　　　　　)

그림으로 개념 잡기

4를 3으로 나눌 수 있으므로
몫은 세 자리 수가 되요.

$$3\overline{)437}$$

참고
3의 100배가 300이므로 437에는 3이 100번 들어갈 수 있습니다.
437÷3의 몫은 100과 200 사이인 것을 어림할 수 있도록 합니다.

정리하기

• 369÷3을 계산하는 방법을 정리해 봅시다.

3×100, 369−300, 3×20, 69−60, 3×3, 9−9

• 437÷3을 계산하는 방법을 정리해 봅시다.

3×100, 437−300, 3×40, 137−120, 3×5, 17−15

• 369÷3의 몫을 쓰고, 계산 결과가 맞는지 확인해 보세요.

369÷3=123 확인 123×3=369

• 437÷3의 몫과 나머지를 쓰고, 계산 결과가 맞는지 확인해 보세요.

437÷3=145…2 확인 145×3=435, 435+2=437

76

교과서 개념 완성

정리하기 369÷3, 437÷3을 계산하는 방법 정리하기

437÷3의 몫과 나머지를 확인하는 곱셈식을 각 자리의 곱이 나타나도록 세로로 써 보면 나눗셈 과정에서 백의 자리, 십의 자리, 일의 자리에서 구한 몫을 확인할 수 있습니다.

437÷3: 몫 145, 3 ← 3×100, 13, 12 ← 3×40, 17, 15 ← 3×5, 나머지 2

145×3: 15 ← 3×5, 12 ← 3×40, 3 ← 3×100, 435

435+2=437

확인하기 몫이 세 자리 수인 (세 자리 수)÷(한 자리 수) 계산 익히기

844÷4: 몫 211 (8, 4, 4, 4, 4, 0)

736÷5: 몫 147 (5, 23, 20, 36, 35, 1)

825÷6: 몫 137 (6, 22, 18, 45, 42, 3)

학부모 코칭 Tip

나눗셈을 세로로 계산할 때 각 자리에 맞추어 수를 바르게 쓸 수 있도록 지도합니다.

태도 및 실천

1. 계산해 보세요.

$3\overline{)696}$ = 232	$2\overline{)426}$ = 213	$4\overline{)653}$ = 163
6 / 9 / 9 / 6 / 6 / 0	4 / 2 / 2 / 6 / 6 / 0	4 / 25 / 24 / 13 / 12 / 1

$844 \div 4 = 211$　$736 \div 5 = 147 \cdots 1$　$825 \div 6 = 137 \cdots 3$

2. 바름이네 집에서 학교까지의 거리는 몇 m일까요?

바름아,
너희 집에서
학교까지의 거리는
얼마나 돼?
새롬

우리 집에서
학교까지의
왕복 거리가
824 m야.
바름

식 $824 \div 2 = 412$　답 412 m

풀이 바름이네 집에서 학교까지의 거리는 왕복 거리의 반이므로 왕복 거리를 2로 나누어야 합니다.
⇨ (바름이네 집에서 학교까지의 거리) $= 824 \div 2 = 412$ (m)

3. 사탕 573개를 한 봉지에 5개씩 나누어 담으려고 합니다. 사탕을 몇 봉지에 담을 수 있고, 몇 개가 남을까요?

➡ 사탕을 [114] 봉지에 담을 수 있고, [3] 개가 남습니다.

풀이 $573 \div 5 = 114 \cdots 3$이므로 사탕을 114봉지에 담을 수 있고, 3개가 남습니다.

77

이런 문제가 서술형으로 나와요

붙임딱지 380장을 한 명에게 3장씩 나누어 주려고 합니다. 붙임딱지를 몇 명까지 나누어 줄 수 있고, 몇 장이 남는지 풀이 과정을 쓰고, 답을 구해 보세요.

| 풀이 과정 |

❶ 붙임딱지 380장을 나누어 주는 사람 수와 남는 붙임딱지 수를 구하는 식 세우기

(전체 붙임딱지 수)
÷(한 명에게 나누어 주는 붙임딱지 수)
$= 380 \div 3$

❷ 붙임딱지를 나누어 줄 사람 수와 남는 수 구하기

$380 \div 3 = 126 \cdots 2$

붙임딱지를 126명까지 나누어 줄 수 있고, 2장이 남습니다.

답 126명, 2장

수학 교과 역량 태도 및 실천

몫이 세 자리 수인 (세 자리 수)÷(한 자리 수) 문제 해결하기

실생활에서 나눗셈이 활용되는 상황 속 문제를 해결해 보며 수학의 유용성을 느끼고 수학에 대한 흥미를 가질 수 있습니다.

개념 확인 문제

정답 및 풀이 219쪽

1 몫이 300보다 큰 나눗셈에 ○표 하세요.

$432 \div 3$　　$651 \div 2$

(　　)　　(　　)

2 계산을 하고 몫과 나머지를 구해 보세요.

$467 \div 4$

몫 (　　), 나머지 (　　)

3 $628 \div 5$의 몫과 나머지를 쓰고, 계산 결과가 맞는지 확인해 보세요.

$628 \div 5 = \square \cdots \square$

확인 $\square \times 5 = 625$, $625 + \square = \square$

4 몫이 더 큰 것의 기호를 써 보세요.

㉠ $375 \div 2$　㉡ $809 \div 5$

(　　)

7 (세 자리 수)÷(한 자리 수) (2)

학습 목표

몫이 두 자리 수인 (세 자리 수)÷(한 자리 수)의 계산 결과를 어림하고, 계산 원리를 이해하여 계산할 수 있습니다.

그림으로 개념 잡기

백의 자리 수를 나눌 수 없으면 십의 자리까지의 수를 하나로 보고 나누어 봐.

$$\begin{array}{r} 74 \\ 3\overline{)224} \\ \underline{21} \\ 14 \\ \underline{12} \\ 2 \end{array}$$

참고 (세 자리 수)÷(한 자리 수)의 몫이 100보다 큰지, 작은지를 생각하는 것은 몫이 세 자리 수인지, 두 자리 수인지를 판단하기 위한 것입니다. 따라서 나눗셈의 몫의 자리 수를 어림을 통하여 먼저 알아보게 합니다.

7 (세 자리 수)÷(한 자리 수)(2)
몫이 두 자리 수인 (세 자리 수)÷(한 자리 수)의 계산 결과를 어림하고, 계산 원리를 이해하여 계산할 수 있습니다.
송
편

탐구하기 224÷3을 수 모형으로 어떻게 계산하는지 알아봅시다.

준비물 수 모형

• 수 모형을 3묶음으로 어떻게 나눌 수 있을지 생각해 보세요.

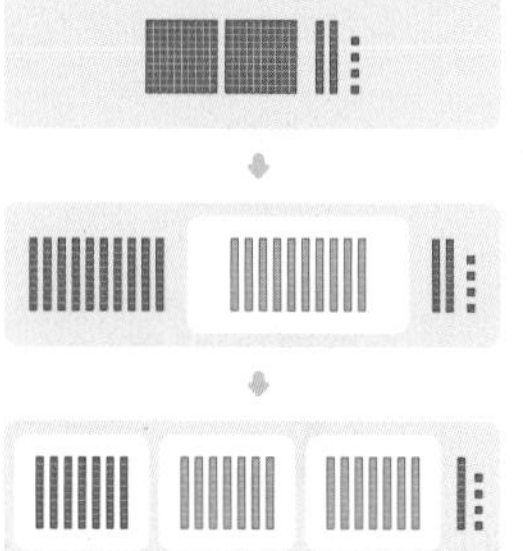

• 백 모형을 3묶음으로 똑같이 나눌 수 있나요? 나눌 수 없으면 어떻게 해야 할까요? 나눌 수 없습니다. 예 백 모형 2개를 십 모형 20개로 바꿉니다.

• 십 모형을 3묶음으로 똑같이 나누면 한 묶음에 십 모형이 몇 개씩일까요? 7개씩이고, 십 모형 1개가 남습니다.

• 남은 십 모형을 3묶음으로 똑같이 나누려면 어떻게 해야 할까요? 예 남은 십 모형 1개를 일 모형 10개로 바꿉니다.

• 남은 수 모형을 3묶음으로 똑같이 나누면 한 묶음에 일 모형이 몇 개씩일까요? 4개씩이고, 일 모형 2개가 남습니다.

• 224를 3묶음으로 똑같이 나누면 한 묶음에 얼마씩이고, 몇 개가 남을까요? 74이고, 일 모형 2개가 남습니다.

• 224÷3의 몫과 나머지는 각각 얼마인가요? 몫은 74이고, 나머지는 2입니다.

• 224÷3을 어떻게 계산하였는지 이야기해 보세요.
예 백 모형을 3묶음으로 똑같이 나눌 수 없으므로 십 모형으로 바꾸어서 나누었습니다.

78

교과서 개념 완성

탐구하기 정리하기 224÷3을 계산하는 방법 정리하기

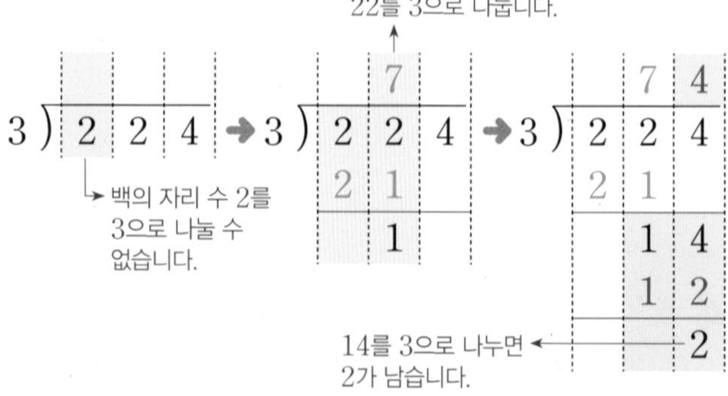

22를 3으로 나눕니다.
백의 자리 수 2를 3으로 나눌 수 없습니다.
14를 3으로 나누면 2가 남습니다.

• 224÷3=74···2 ➔ 74×3=222, 222+2=224 이므로 계산 결과가 맞음을 확인할 수 있습니다.

확인하기 몫이 두 자리 수인 (세 자리 수)÷(한 자리 수) 계산 익히기

$$\begin{array}{r} 79 \\ 8\overline{)632} \\ \underline{56} \\ 72 \\ \underline{72} \\ 0 \end{array} \qquad \begin{array}{r} 97 \\ 6\overline{)586} \\ \underline{54} \\ 46 \\ \underline{42} \\ 4 \end{array} \qquad \begin{array}{r} 42 \\ 7\overline{)300} \\ \underline{28} \\ 20 \\ \underline{14} \\ 6 \end{array}$$

참고 3)253 (□☑☑ ← 몫이 두 자리 수) 3)461 (☑☑☑ ← 몫이 세 자리 수)

(세 자리 수)÷(한 자리 수)의 몫을 어림해 보고 몫이 세 자리 수인지, 두 자리 수인지 예상할 수 있습니다.

만들기

생각 열기 송편 만들기 체험장에서 만든 송편 224개를 다영, 연우, 민하가 사람들에게 나누어 주려고 해요.

• 한 명이 나누어 줄 송편의 수를 구하는 식을 써 보세요. 예 224÷3

• 한 명이 나누어 줄 송편은 몇 개쯤일지 어림해 보세요. 예 70개쯤

정리 하기 • 224÷3을 계산하는 방법을 정리해 봅시다.

$3\overline{)224}$: 74 / 210 ← 3×70 / 14 ← 224−210 / 12 ← 3×4 / 2 ← 14−12

• 224÷3의 몫과 나머지를 쓰고, 계산 결과가 맞는지 확인해 보세요.

224÷3=74⋯2 확인 74×3=222, 222+2=224

79

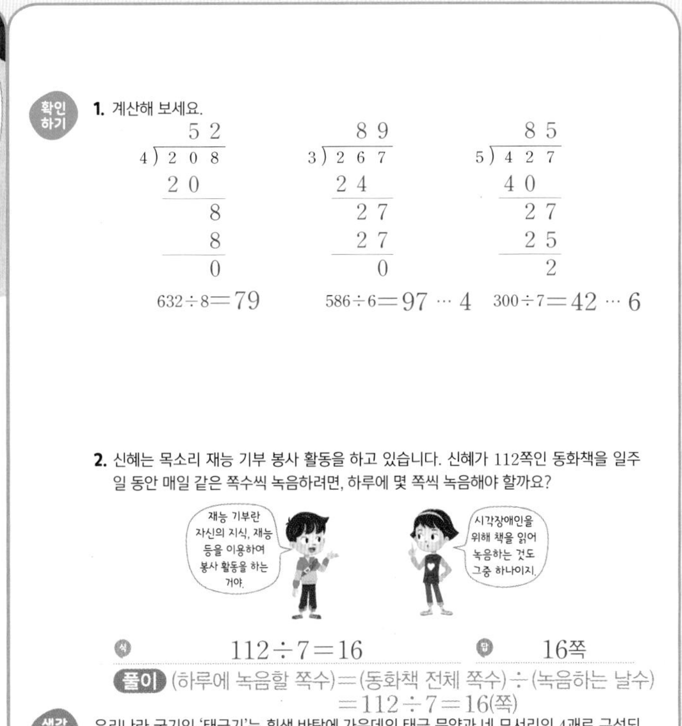
확인 하기 1. 계산해 보세요.

$4\overline{)208}$ = 52 (20, 8, 8, 0) 632÷8=79

$3\overline{)267}$ = 89 (24, 27, 27, 0) 586÷6=97 ⋯ 4

$5\overline{)427}$ = 85 (40, 27, 25, 2) 300÷7=42 ⋯ 6

2. 신혜는 목소리 재능 기부 봉사 활동을 하고 있습니다. 신혜가 112쪽인 동화책을 일주일 동안 매일 같은 쪽수씩 녹음하려면, 하루에 몇 쪽씩 녹음해야 할까요?

식 112÷7=16 답 16쪽

풀이 (하루에 녹음할 쪽수)=(동화책 전체 쪽수)÷(녹음하는 날수) =112÷7=16(쪽)

생각 솔솔 우리나라 국기인 '태극기'는 흰색 바탕에 가운데의 태극 문양과 네 모서리의 4괘로 구성되어 있습니다. 태극 문양의 지름은 태극기의 짧은 변의 길이의 반과 같습니다. 다음 태극기의 태극 문양의 지름은 몇 cm일까요? 60 cm

1 m 20 cm

1 m 80 cm [출처]

풀이 1 m=100 cm이므로 1 m 20 cm=120 cm입니다.
(태극 문양의 지름)=(태극기의 짧은 변)÷2
=120÷2=60 (cm)

80

개념 확인 문제

정답 및 풀이 219쪽

1 계산해 보세요.

(1) $5\overline{)433}$ (2) $7\overline{)121}$

2 몫이 두 자리 수인 나눗셈식에 ○표 하세요.

127÷8 ( ) 249÷2 ( )

3 계산이 잘못된 곳을 찾아 바르게 계산해 보세요.

$4\overline{)359}$ = 89 (32, 39, 36, 3) → $4\overline{)359}$

4 182쪽짜리 동화책을 일주일 동안 읽으면 하루에 몇 쪽씩 읽게 되는지 구해 보세요.

( )

9 차시 8 (세 자리 수)÷(한 자리 수) (3)

학습 목표

몫의 십의 자리가 0인 (세 자리 수)÷(한 자리 수)의 계산 결과를 어림하고, 계산 원리를 이해하여 계산할 수 있습니다.

그림으로 개념 잡기

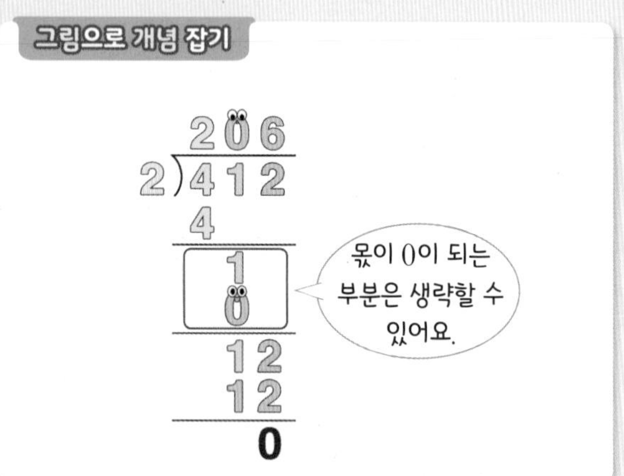

참고 백 모형, 십 모형, 일 모형을 나눈 값이 각각의 몫의 백의 자리, 십의 자리, 일의 자리 수라는 것을 이해하게 합니다.

8 (세 자리 수)÷(한 자리 수)(3)
몫의 십의 자리가 0인 (세 자리 수)÷(한 자리 수)의 계산 결과를 어림하고, 계산 원리를 이해하여 계산할 수 있습니다.
생각 열기
미국 체험장에서는 핼러윈 옷차림을 한 사람들이 사탕 412개를 2개씩 봉지에 담아 나누어 주고 있어요.
• 사탕을 담은 봉지의 수를 구하는 식을 써 보세요.
• 사탕을 담은 봉지는 몇백 봉지쯤일지 어림해 보세요.
핼러윈 데이에 아이들은 특이한 옷을 입고 이웃집을 돌아다니며 초콜릿, 사탕 등을 받아요.

탐구하기 412÷2를 수 모형으로 어떻게 계산하는지 알아봅시다.

준비물 수 모형

• 수 모형을 2묶음으로 어떻게 나눌 수 있을지 생각해 보세요. 예 십 모형 1개를 일 모형 10개로 바꿉니다.

• 백 모형을 2묶음으로 똑같이 나누면 한 묶음에 백 모형이 몇 개씩일까요? 2개씩입니다.

• 십 모형을 2묶음으로 똑같이 나누려면 어떻게 해야 할까요?

• 남은 수 모형을 2묶음으로 똑같이 나누면 한 묶음에 일 모형이 몇 개씩일까요? 6개씩입니다.

• 412를 2묶음으로 똑같이 나누면 한 묶음에 얼마씩일까요? 206입니다.

• 412÷2의 몫은 얼마인가요? 206입니다.

• 412÷2를 어떻게 계산하였는지 이야기해 보세요.

예 • 백 모형부터 2묶음으로 똑같이 나눕니다.
• 십 모형을 나눌 수가 없으므로 일 모형으로 바꾸어서 나눕니다.
• 백 모형, 일 모형을 2묶음으로 똑같이 나누어 더하였습니다.

81

교과서 개념 완성

탐구하기 정리하기 412÷2를 계산하는 방법 정리하기

$$\begin{array}{r} 2 \\ 2\overline{)412} \\ 4 \\ \hline 1 \end{array} \rightarrow \begin{array}{r} 20 \\ 2\overline{)412} \\ 4 \\ \hline 1 \end{array} \rightarrow \begin{array}{r} 20 \\ 2\overline{)412} \\ 4 \\ \hline 12 \end{array} \rightarrow \begin{array}{r} 206 \\ 2\overline{)412} \\ 4 \\ \hline 12 \\ 12 \\ \hline 0 \end{array}$$

학부모 코칭 Tip

몫의 십의 자리가 0인 계산은 백의 자리의 계산 다음, 나누어지는 수의 십의 자리 수를 나누는 수로 나눌 수 없는 경우임을 알게 합니다.

확인하기 생각 솔솔 몫과 나머지를 이용하여 어떤 수 구하기

· 어떤 수를 □라고 하고 나눗셈식 세우기

➔ □÷4=207 … 3

➔ □는 207×4를 계산한 값에 나머지인 3을 더합니다.

➔ 207×4=828, 828+3=831, □=831

학부모 코칭 Tip

몫의 십의 자리가 0인 (세 자리 수)÷(한 자리 수)에서는 백의 자리, 일의 자리에서만 나눗셈을 하기 때문에 몫도 백의 자리와 일의 자리에만 쓴다고 생각할 수 있습니다. 십의 자리 계산의 결과는 무엇인지 살펴봄으로써 십의 자리 계산에서의 계산 결과가 0이라는 것을 생각할 수 있도록 지도합니다.

정리하기

• 412÷2를 계산하는 방법을 정리해 봅시다.

	2	0	6	
2)	4	1	2	
	4	0	0	← 2×200
		1	2	← 412−400
		1	2	← 2×6
			0	← 12−12

2)412 → 2)412 → 2)412 (몫 2, 20, 206)

• 412÷2의 몫을 쓰고, 계산 결과가 맞는지 확인해 보세요.

412÷2=206 확인 206×2=412

확인하기

태도 및 실천

1. □ 안에 알맞은 수를 써넣으세요.

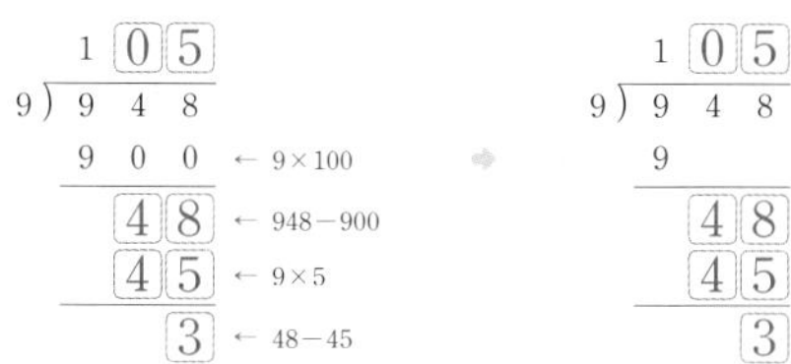

	1	0	5	
9)	9	4	8	
	9	0	0	← 9×100
		4	8	← 948−900
		4	5	← 9×5
			3	← 48−45

948÷9=105 ··· 3 확인 105×9=945, 945+3=948

2. 계산해 보세요.

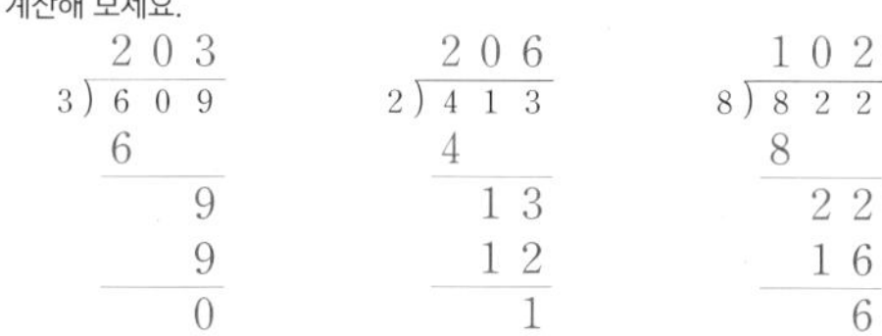

3)609 = 203 (6, 9, 9, 0)
2)413 = 206 (4, 13, 12, 1)
8)822 = 102 (8, 22, 16, 6)

204÷2=102 544÷5=108 ··· 4 917÷3=305 ··· 2

풀이 2)204 = 102 (2, 4, 4, 0) 5)544 = 108 (5, 44, 40, 4) 3)917 = 305 (9, 17, 15, 2)

3. 배 624개를 한 상자에 6개씩 담으려고 합니다. 배를 모두 몇 상자에 담을 수 있을까요?

식 624÷6=104 답 104상자

풀이 (배를 담을 수 있는 상자의 수)
=(전체 배의 수)÷(한 상자에 담는 배의 수)
=624÷6=104(상자)

생각 솔솔 유민이와 지우의 대화를 읽고 어떤 수를 구해 보세요. 831

어떤 수를
4로 나누었더니 몫이
207이고, 나머지가
3이었어.
어떤 수는
얼마일까?
유민
지우

풀이 어떤 수를 □라고 하면 □÷4=207···3입니다. 207×4=828, 828+3=831이므로 어떤 수는 831입니다.

개념 확인 문제

정답 및 풀이 220쪽

1 □ 안에 알맞은 수를 써넣으세요.

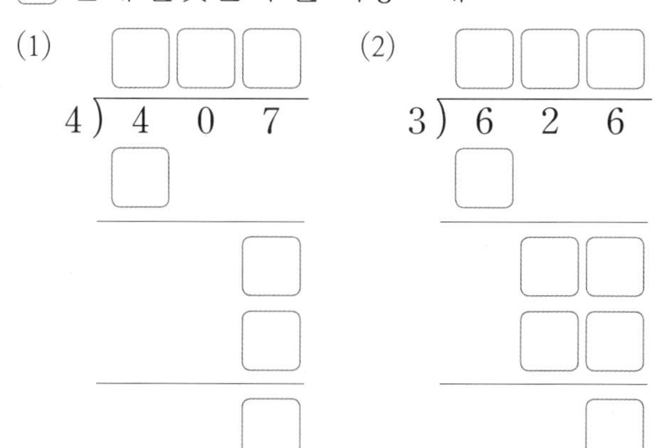

(1) 4)407 (2) 3)626

2 몫이 더 큰 것의 기호를 써 보세요.

㉠ 925÷3 ㉡ 614÷2

( )

3 사과 650개를 한 봉지에 6개씩 넣어 포장했습니다. 포장하고 남는 사과는 몇 개인지 구해 보세요.

( )

10 차시 문제해결력 | 쑥쑥 은우 삼촌의 나이를 알 수 있을까요

학습 목표

표 만들기 전략을 이용하여 나눗셈식의 몫과 나머지와 관련된 문제를 해결하고 어떻게 해결하였는지 설명할 수 있습니다.

문제 해결 전략 표를 만들어 문제 해결하기

수학 교과 역량 문제 해결 정보 처리

은우 삼촌의 나이 구하기

- 나눗셈에서 나머지와 관련된 문제를 표 만들기 전략을 이용하여 해결하고 문제 해결 과정을 설명하고 비교하면서 문제 해결 능력을 기를 수 있습니다.
- 문제 해결 과정에서 얻어지는 정보를 표를 이용하여 정리함으로써 정보 처리 능력을 기를 수 있습니다.

문제 해결 Tip 50보다 작은 수 중에서 8의 단 곱셈구구에 1씩 더한 수를 먼저 알아본 후 그중에서 7로 나누면 나누어떨어지는 수를 찾습니다.

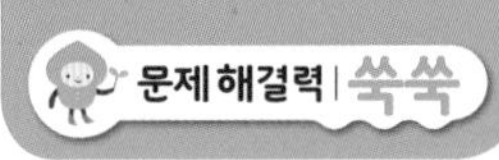

은우 삼촌의 나이를 알 수 있을까요

문제 해결 정보 처리

올해 은우 삼촌의 나이는 50살보다 적습니다. 대화를 읽고 올해 은우 삼촌의 나이를 구해 보세요.

문제 이해하기 • 구하려고 하는 것은 무엇인가요? 예 올해 은우 삼촌의 나이

• 알고 있는 것은 무엇인가요?

예 • 올해 은우 삼촌의 나이는 50살보다 적습니다.
• 은우 삼촌의 올해 나이를 8로 나누면 나머지가 1이고, 내년 나이를 7로 나누면 나누어떨어집니다.

계획 세우기 • 어떤 방법으로 문제를 해결할 수 있을지 계획을 세워 보세요.

84

교과서 개념 완성

문제 이해하기

≫ 구하려고 하는 것

삼촌의 올해 나이입니다.

≫ 알고 있는 것

- 삼촌의 올해 나이는 50살보다 적습니다.
- 삼촌의 올해 나이를 8로 나누면 나머지가 1이고, 내년 나이를 7로 나누면 나누어떨어집니다.

계획 세우기

1부터 49까지의 수를 8로 나누었을 때 나머지가 1인 수들을 표를 만들어 정리하면서 확인해 봅니다.

계획대로 풀기

- 8로 나누었을 때 나머지가 1인 수를 작은 수부터 6개 써 보기
  ➜ 8로 나누었을 때 나머지가 1인 수에 8을 계속 더하여 찾습니다. → 9, 17, 25, 33, 41, 49
- 은우 삼촌의 올해 나이와 내년 나이를 예상하여 표를 완성합니다.

삼촌의 올해 나이(살)	9	17	25	33	41	49
삼촌의 내년 나이(살)	10	18	26	34	42	50
삼촌의 내년 나이를 7로 나누었을 때의 나머지	3	4	5	6	0	1

- 삼촌의 올해 나이는 41살입니다.

계획대로 풀기 • 8로 나누었을 때 나머지가 1인 수를 작은 수부터 6개 써 보세요.

9, 17, 25, 33, 41, 49

풀이 8의 단 곱셈구구의 곱보다 1 큰 수를 작은 수부터 찾아 씁니다.

• 은우 삼촌의 올해 나이와 내년 나이를 예상하여 표를 완성해 보세요.

삼촌의 올해 나이(살)	9	17	25	33	41	49
삼촌의 내년 나이(살)	10	18	26	34	42	50
삼촌의 내년 나이를 7로 나누었을 때의 나머지	3	4	5	6	0	1

• 올해 은우 삼촌은 몇 살일까요? 41살

풀이 표에서 삼촌의 내년 나이를 7로 나누었을 때 나머지가 0인 경우를 찾으면 삼촌의 올해 나이는 41살입니다.

되돌아보기 • 구한 답이 맞았는지 확인해 보세요.

• 문제를 해결한 방법을 친구들과 이야기해 보세요.

생각을 키워요

어떤 사람의 올해 나이는 100살보다 적습니다. 이 사람의 올해 나이를 8로 나누었더니 나머지가 1이었고, 내년 나이를 7로 나누었더니 나머지가 1이었습니다. 이 사람의 올해 나이를 구해 보세요.

[풀이] 예 8로 나누었을 때 나머지가 1이 되는 나이를 이용하여 표를 만들어 보면

올해 나이(살)	9	17	25	33	41	49	57	65	73	81	89	97
내년 나이(살)	10	18	26	34	42	50	58	66	74	82	90	98
내년 나이를 7로 나누었을 때의 나머지	3	4	5	6	0	1	2	3	4	5	6	0

어떤 사람의 내년 나이를 7로 나누었을 때 나머지가 1인 경우는 50살일 때이므로 올해 나이는 49살입니다. [답] 49살

85

생각을 키워요

문제 해결 추론

문제 이해하기

구하려고 하는 것

어떤 사람의 올해 나이입니다.

알고 있는 것

- 어떤 사람의 올해 나이는 100살보다 적습니다.
- 어떤 사람의 올해 나이를 8로 나누면 나머지가 1이고, 내년 나이를 7로 나누면 나머지가 1입니다.

계획 세우기

8로 나누었을 때 나머지가 1인 수를 표로 만들어 확인해 봅니다.

계획대로 풀기

8로 나누었을 때 나머지가 1이 되는 나이

올해 나이(살)	9	17	25	33	41	49	57	65	73	81	89	97
내년 나이(살)	10	18	26	34	42	50	58	66	74	82	90	98
내년 나이를 7로 나누었을 때의 나머지	3	4	5	6	0	1	2	3	4	5	6	0

어떤 사람의 내년 나이를 7로 나누었을 때 나머지가 1인 경우는 50살일 때이므로 올해 나이는 49살입니다.

되돌아보기

풀이 과정과 답을 점검해 봅니다.

문제 해결력 문제

정답 및 풀이 220쪽

1 다음 조건을 만족하는 이모의 나이를 구해 보세요.

조건

이모의 올해 나이는 50살보다 적습니다. 이모의 올해 나이를 9로 나누었더니 나머지가 3이었고, 내년 나이를 8로 나누었더니 나누어떨어졌습니다.

(1) 9로 나누었을 때 나누어떨어지는 수를 가장 작은 수부터 5개 써 보세요.

( )

(2) 9로 나누었을 때 나머지가 3인 수를 가장 작은 수부터 5개 써 보세요.

( )

(3) 이모의 올해 나이와 내년 나이를 예상하여 표를 완성해 보세요.

올해 나이(살)	12	21			
내년 나이(살)					
내년 나이를 8로 나누었을 때의 나머지					

(4) 이모의 올해 나이를 구해 보세요.

( )

단원 마무리 | 척척

추론
나눗셈의 몫과 나머지 찾기
▶자습서 72~73쪽, 78~79쪽

학부모 코칭 Tip
나눗셈에서 몫과 나머지를 알고 바르게 찾았는지 확인합니다.

1 나눗셈식을 보고 몫과 나머지를 각각 찾아 써 보세요.
64, 70쪽

$$\begin{array}{r} 30 \\ 3\overline{)90} \\ \underline{90} \\ 0 \end{array}$$

몫 30
나머지 0

$$\begin{array}{r} 4 \\ 8\overline{)39} \\ \underline{32} \\ 7 \end{array}$$

몫 4
나머지 7

추론
나눗셈의 계산 원리 이해하기
▶자습서 74~75쪽, 86~87쪽

학부모 코칭 Tip
나눗셈의 계산 원리를 이해하고 계산할 수 있는지 확인합니다.

2 □ 안에 알맞은 수를 써넣으세요.
68, 78쪽

$$\begin{array}{r} 1\boxed{8} \\ 3\overline{)54} \\ \underline{\boxed{3}} \\ \boxed{2}4 \\ \underline{\boxed{2}\boxed{4}} \\ 0 \end{array}$$

$$\begin{array}{r} \boxed{9}\boxed{3} \\ 7\overline{)653} \\ \underline{\boxed{6}\boxed{3}} \\ \boxed{2}\boxed{3} \\ \underline{\boxed{2}\boxed{1}} \\ \boxed{2} \end{array}$$

추론
나눗셈 계산하기
▶자습서 74~77, 80~89쪽
몫을 각 자리에 맞게 바르게 계산했는지 확인하도록 합니다.

학부모 코칭 Tip
(두 자리 수)÷(한 자리 수), (세 자리 수)÷(한 자리 수)의 계산 원리를 이해하고 계산할 수 있는지 확인합니다.

3 계산해 보세요.
64~83쪽

$$\begin{array}{r} 15 \\ 4\overline{)60} \\ \underline{4} \\ 20 \\ \underline{20} \\ 0 \end{array}$$

$$\begin{array}{r} 23 \\ 3\overline{)69} \\ \underline{6} \\ 9 \\ \underline{9} \\ 0 \end{array}$$

$$\begin{array}{r} 14 \\ 5\overline{)71} \\ \underline{5} \\ 21 \\ \underline{20} \\ 1 \end{array}$$

$$\begin{array}{r} 41 \\ 9\overline{)375} \\ \underline{36} \\ 15 \\ \underline{9} \\ 6 \end{array}$$

$$\begin{array}{r} 280 \\ 2\overline{)561} \\ \underline{4} \\ 16 \\ \underline{16} \\ 1 \end{array}$$

$$\begin{array}{r} 204 \\ 4\overline{)819} \\ \underline{8} \\ 19 \\ \underline{16} \\ 3 \end{array}$$

86

4 공책 484권을 4상자에 똑같이 나누어 담으려고 합니다. 상자 한 개에 몇 권씩 담아야 하는지 구하고, 확인해 보세요.

74쪽

식 $484 \div 4 = 121$

답 121권

확인 예 $121 \times 4 = 484$이므로 바르게 계산하였습니다.

풀이 (상자 한 개에 담을 공책의 수)=(전체 공책의 수)÷(상자의 수)
$= 484 \div 4 = 121$(권)

추론 의사소통

나눗셈의 몫을 구하고 문제 해결하기

▶자습서 82~85쪽

곱셈을 이용하여 나눗셈식의 몫을 확인할 수 있는지 살펴봅니다.

학부모 코칭 Tip

나눗셈의 상황과 관련된 문제를 이해하고 해결할 수 있는지 확인합니다.

5 사탕 610개를 상자 한 개에 6개씩 나누어 담으려고 합니다. 사탕을 모두 담으려면 상자 몇 개가 필요할까요?

81쪽

(102개)

풀이 $610 \div 6 = 101 \cdots 4$
사탕을 모두 담으려면 남는 사탕 4개도 상자에 담아야 하므로 필요한 상자는 모두 $101 + 1 = 102$(개)입니다.

추론 정보 처리

나눗셈의 몫을 구하고 문제 해결하기

▶자습서 88~89쪽

남는 사탕 4개도 담아야 한다는 것을 알고 몫보다 1 큰 수를 답으로 구하였는지 확인합니다.

학부모 코칭 Tip

나눗셈 상황과 관련된 문제를 이해하고 계산할 수 있는지 확인합니다.

생각을 넓혀요 문제 해결 정보 처리

6 3장의 숫자 카드 [7], [8], [9]를 한 번씩 모두 사용하여 나눗셈 □□÷□를 만들려고 합니다. 나머지가 가장 크게 되는 나눗셈식을 만들어 보세요.

68~73쪽

풀이 $78 \div 9 = 8 \cdots 6$, $87 \div 9 = 9 \cdots 6$, $79 \div 8 = 9 \cdots 7$, $97 \div 8 = 12 \cdots 1$,
$89 \div 7 = 12 \cdots 5$, $98 \div 7 = 14$
나머지가 가장 큰 나눗셈식은 $79 \div 8 = 9 \cdots 7$입니다.

87

문제 해결 정보 처리

나눗셈의 문제 해결하기

▶자습서 76~81쪽

(두 자리 수)÷(한 자리 수)의 나눗셈식을 만들고 계산하여 나머지를 비교합니다.

학부모 코칭 Tip

나눗셈의 몫과 나머지에 관한 문제를 해결할 수 있는지 확인합니다.

• 놀이 속으로 | 풍덩 • 이야기로 키우는 | 생각

함께하는 활동

놀이로 나눗셈의 몫과 나머지를 알아보아요

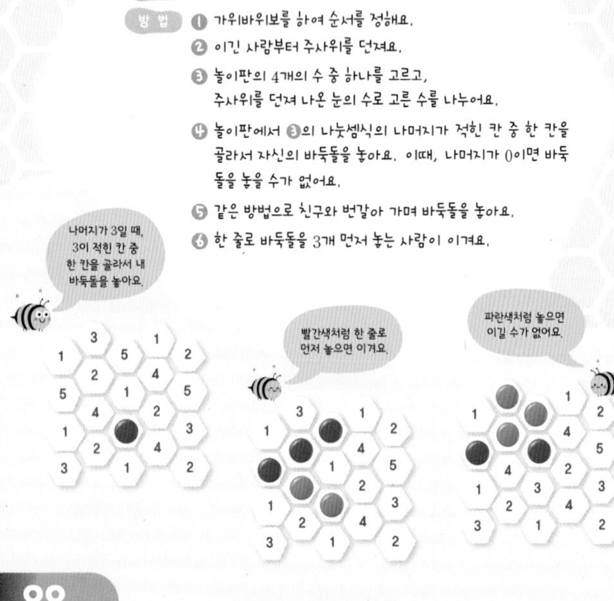

준비물 주사위, 흰색 바둑돌, 검은색 바둑돌
인 원 2명
방 법 ❶ 가위바위보를 하여 순서를 정해요.
❷ 이긴 사람부터 주사위를 던져요.
❸ 놀이판의 4개의 수 중 하나를 고르고, 주사위를 던져 나온 눈의 수로 고른 수를 나누어요.
❹ 놀이판에서 ❸의 나눗셈식의 나머지가 적힌 칸 중 한 칸을 골라서 자신의 바둑돌을 놓아요. 이때, 나머지가 0이면 바둑돌을 놓을 수가 없어요.
❺ 같은 방법으로 친구와 번갈아 가며 바둑돌을 놓아요.
❻ 한 줄로 바둑돌을 3개 먼저 놓는 사람이 이겨요.
나머지가 3일 때, 3이 적힌 칸 중 한 칸을 골라서 내 바둑돌을 놓아요.
빨간색처럼 한 줄로 먼저 놓으면 이겨요.
파란색처럼 놓으면 이길 수가 없어요.

놀이판

57 322 418 95

3 1 1 5 2 2 4 5 1 5 4 2 1 3 3 2 4 3 1 2

88 89

교과서 개념 완성

1 나눗셈의 몫과 나머지 구하기

주사위의 눈의 수 1, 2, 3, 4, 5, 6으로 57, 322, 418, 95를 각각 나누었을 때의 나머지의 수만큼 바둑돌을 놓습니다.

57	1	57÷1=57
	2	57÷2=28…1
	3	57÷3=19
	4	57÷4=14…1
	5	57÷5=11…2
	6	57÷6=9…3
322	1	322÷1=322
	2	322÷2=161
	3	322÷3=107…1
	4	322÷4=80…2
	5	322÷5=64…2
	6	322÷6=53…4
418	1	418÷1=418
	2	418÷2=209
	3	418÷3=139…1
	4	418÷4=104…2
	5	418÷5=83…3
	6	418÷6=69…4
95	1	95÷1=95
	2	95÷2=47…1
	3	95÷3=31…2
	4	95÷4=23…3
	5	95∶5=19
	6	95÷6=15…5

사랑을 나누어요 - 세상을 밝히는 따뜻한 사람들

창의력 키우기

따뜻한 연탄을 나누어요

기름이나 가스 연료의 보편화로 연탄을 사용하는 사람이 많이 줄어들었어요.
하지만 추운 겨울에 연탄을 사용하는 이웃들이 아직 우리 주변에는 많이 있어요. 그 이웃들에게 연탄은 매우 소중한 것이에요.

서울특별시 ○○구에 위치하고 있는 ○○초등학교 학생 20명은 '사랑의 연탄 나눔 운동'을 통하여 연탄이 필요한 분을 직접 찾아가서 연탄과 따뜻한 마음도 함께 전달해 드렸습니다. '사랑의 연탄 나눔 운동'에 참여한 학생들은 추운 날씨에도 열심히 연탄을 전달하였습니다. 학생들은 800장의 연탄을 4가구에 똑같이 나누어 한 가구에 각각 200장씩 전달해 드렸습니다.

사랑의 김치를 나누어요

우리 주변의 어려운 이웃들을 위해 정성을 다하여 김치를 만들고 있어요.

전라남도 ○○시에 있는 ○○초등학교 사랑 봉사단 학생들은 '사랑의 4포기 김장 행사'에 참여하였습니다. 학생들은 어려운 이웃을 위한 마음으로 추위도 잊은 채 열심히 김치를 만들었습니다. 다른 사람을 배려하고 나누는 마음과 이웃들에 대한 따뜻한 사랑이 빨간 김치보다 더 빨갛게 타올랐습니다. 이날 만든 100포기의 김치는 4포기씩 25가구에 전달되었습니다.

추운 겨울을 지내는 데 이 김치가 작은 도움이 되었으면 좋겠어요.

이야기로 키우는 생각

1365 자원 봉사 포털

전국의 자원 봉사 정보를 한곳에 모아 다양한 자원 봉사 정보 검색은 물론 신청부터 실적 확인까지 원스톱으로 제공하고 있습니다. 1365 자원 봉사 포털에 가입하면 전국 단위 자원 봉사 정보 및 조회, 신청이 가능하며, 연계 기관의 연계를 통한 실적 확인 및 확인서를 직접 발급받을 수 있습니다.

[출처] 행정안전부 1365 자원 봉사 포털

사랑의 연탄 나눔 운동

에너지 복지 사업을 통해 나눔 운동을 펼치는 비영리 단체입니다. 자원 봉사자들이 각 세대를 방문하여 연탄을 창고까지 전달합니다.

연탄을 사용하는 이웃들과 직접 접촉하고 상호 교감함으로써 감정적, 정서적 지원 효과도 볼 수 있습니다. 단순히 연탄만 나르는 봉사가 아니라 연탄 나눔을 통해 서로의 정을 주고받는 계기를 마련합니다.

[출처] (사) 따뜻한 한반도 사랑의 연탄 나눔 운동

밥상 공동체 연탄 은행

1998년 설립되어 지금까지 정부나 지자체의 예산 지원 없이 순수 민간 운동으로 국내, 북한 및 해외에서 전문 복지 사업을 진행하고 있는 사회복지법인입니다. 어려운 이웃들에게 밥과 연탄을 나누는 사랑의 연탄 봉사 외에도 아동 봉사와 사무 봉사, 재능 봉사 등을 함께 운영하고 있습니다.

[출처] 밥상 공동체 연탄 은행

개념+확인

교과서 개념과 확인 문제를 풀면서 단원을 마무리해 보아요.

개념

(몇십)÷(몇)

$80 \div 4 = 20$

$8 \div 4 = 2$

나누는 수가 같을 때 나누어지는 수가 10배가 되면 몫도 10배가 됩니다.

(몇십몇)÷(몇) (1), (2)

· 32÷2의 계산

$$\begin{array}{r|l} & 16 \\ 2 & 32 \\ & 20 \leftarrow 2\times10 \\ & 12 \leftarrow 32-20 \\ & 12 \leftarrow 2\times6 \\ & 0 \leftarrow 12-12 \end{array}$$

$32 \div 2 = 16$ → 확인 $16 \times 2 = 32$

나머지가 있는 (몇십몇)÷(몇) (1)

· 17÷5의 계산

· $17 \div 5 = 3 \cdots 2$ →

$$\begin{array}{r|l} & 3 \leftarrow \text{몫} \\ 5 & 17 \leftarrow \text{나누어지는 수} \\ & 15 \\ & 2 \leftarrow \text{나머지} \end{array}$$

17÷5의 몫은 3이고 나머지는 2입니다. 나머지가 0이면 나누어떨어진다라고 합니다. 나머지가 있을 때에는 나누어떨어지지 않는다라고 합니다.

$17 \div 5 = 3 \cdots 2$

확인 $3 \times 5 = 15$, $15 + 2 = 17$

확인 문제

1 □ 안에 알맞은 수를 써넣으세요.

$6 \div 2 =$ □ → $60 \div 2 =$ □

2 계산해 보세요.

(1) $7\overline{)77}$　　(2) $5\overline{)85}$

3 몫의 크기를 비교하여 ○ 안에 >, =, <를 알맞게 써넣으세요.

84÷3 ○ 56÷4

4 어떤 수를 9로 나누었을 때 나머지가 될 수 있는 수에 모두 ○표 하세요.

4　6　9　11　5

개념

➔ 나머지가 있는 (몇십몇)÷(몇) (2)

· 83÷3의 계산

	2	7
3)	8	3
	6	0	← 3×20
	2	3	← 83−60
	2	1	← 3×7
		2	← 23−21

83÷3=27 ··· 2

➔ (세 자리 수)÷(한 자리 수) (1)

· 531÷2의 계산

	2	6	5	
2)	5	3	1	
	4	0	0	← 2×200
	1	3	1	← 531−400
	1	2	0	← 2×60
		1	1	← 131−120
		1	0	← 2×5
			1	← 11−10

531÷2=265 ··· 1

➔ (세 자리 수)÷(한 자리 수) (2), (3)

· 268÷3의 계산

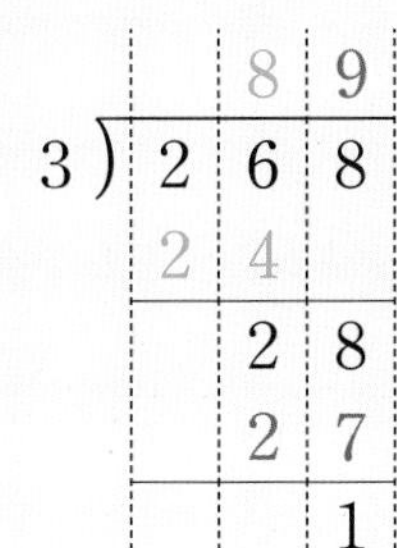

268÷3=89 ··· 1

· 417÷2의 계산

	2	0	8
2)	4	1	7
	4		
		1	7
		1	6
			1

417÷2=208 ··· 1

확인 문제

5 계산해 보세요.

(1) 2) 5 1

(2) 6) 7 7 4

6 잘못 계산한 부분을 찾아 바르게 계산해 보세요.

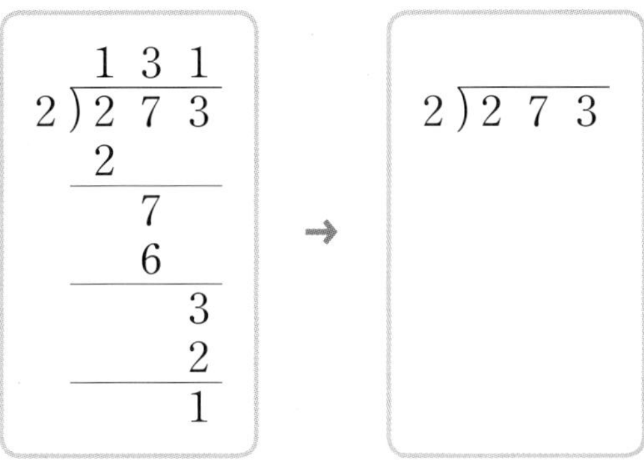

7 843÷8의 몫과 나머지를 쓰고, 계산 결과가 맞는지 확인해 보세요.

843÷8=☐ ··· ☐

확인 ☐×8=840,

840+☐=☐

8 팔찌를 한 개 만드는 데 구슬 8개가 필요합니다. 구슬 359개로 만들 수 있는 팔찌는 몇 개이고, 남는 구슬은 몇 개인지 구해 보세요.

( ), ( )

단계별로

서술형 문제 해결하기

과정 중심 평가 내용: 나눗셈을 활용한 문제를 해결할 수 있는가?

1-1 사과 53개를 6봉지에 똑같이 나누어 담으면 남는 사과는 몇 개인지 풀이 과정을 쓰고, 답을 구해 보세요. [8점]

풀이

❶ 봉지에 담을 수 있는 사과 수를 구하는 나눗셈식은 $53 \div 6 = \square \cdots \square$입니다.

❷ 사과 53개를 6봉지에 담으면 □봉지에 담고, 남는 사과는 □개입니다.

답

1-2 쌍둥이

리본 208 m를 5조각으로 똑같이 나누려고 합니다. 나누고 남는 리본은 몇 m인지 풀이 과정을 쓰고, 답을 구해 보세요. [12점]

풀이

답

1-3 유사

구슬 125개를 남는 것 없이 4봉지에 똑같이 나누어 담으려면 구슬은 적어도 몇 개가 더 있어야 하는지 풀이 과정을 쓰고, 답을 구해 보세요. [15점]

풀이

답

1-4 실전

유정이는 하루에 22쪽씩 6일 동안 모두 읽은 동화책을 다시 읽으려고 합니다. 하루에 8쪽씩 매일 읽으면 모두 읽는데 적어도 며칠이 걸리는지 풀이 과정을 쓰고, 답을 구해 보세요. [15점]

풀이

답

과정 중심 평가 내용 어떤 수를 구할 수 있는가?

공부한 날 월 일

정답 및 풀이 221쪽

2-1 어떤 수에 6을 곱해야 할 것을 잘못하여 6으로 나누었더니 몫이 14, 나머지가 3이 되었습니다. 어떤 수는 얼마인지 풀이 과정을 쓰고, 답을 구해 보세요. [8점]

풀이

❶ 어떤 수를 ■라고 하면 잘못 계산한 식은 ■÷6=☐ ··· ☐입니다.

❷ ■는 ☐×6=☐, ☐+☐=☐이므로 어떤 수는 ☐입니다.

답

2-2 쌍둥이

어떤 수에 5를 곱해야 할 것을 잘못하여 5로 나누었더니 몫이 31, 나머지가 1이었습니다. 어떤 수는 얼마인지 풀이 과정을 쓰고, 답을 구해 보세요. [12점]

풀이

답

2-3 유사

어떤 수를 7로 나누어야 할 것을 잘못하여 곱했더니 91이 되었습니다. 바르게 계산한 몫과 나머지는 얼마인지 풀이 과정을 쓰고, 답을 구해 보세요. [15점]

풀이

답  , 나머지

2-4 실전

♥ 안에 들어갈 수 있는 가장 큰 자연수는 무엇인지 풀이 과정을 쓰고, 답을 구해 보세요. [15점]

♥÷4=11 ··· ★

풀이

답

단원 평가

| (몇십)÷(몇) |

01 수 모형을 보고 ☐ 안에 알맞은 수를 써넣으세요.

하

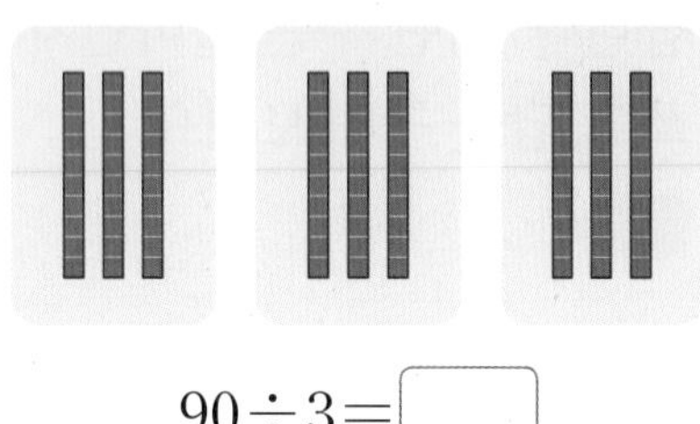

$90 \div 3 = \square$

| (몇십몇)÷(몇) (1) |

02 계산해 보세요.

하

4) 4 8

| (몇십몇)÷(몇) (2) |

03 빈칸에 큰 수를 작은 수로 나눈 몫을 써넣으세요.

하

7	91

| (세 자리 수)÷(한 자리 수) (1) |

04 몫과 나머지를 구하여 계산 결과가 맞는지 확인해 보세요.

하

$275 \div 2 = \square \cdots \square$

확인 $\square \times 2 = \square$,

$\square + \square = 275$

| (몇십)÷(몇) |

05 ☐ 안에 알맞은 수를 써넣으세요.

중

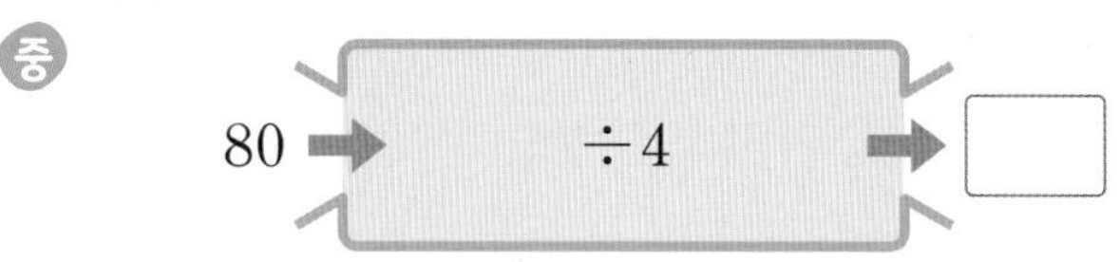

| (몇십몇)÷(몇) (1) |

06 몫이 가장 큰 것에 ○표 하세요.

중

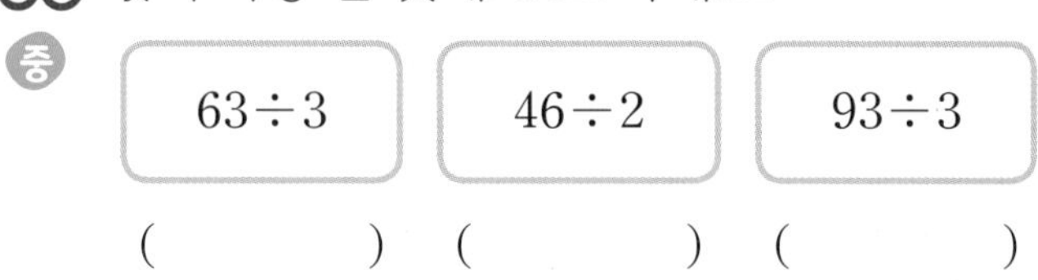

( ) ( ) ( )

| (몇십몇)÷(몇) (2) |

07 두 식의 계산 결과는 같습니다. ☐ 안에 알맞은 수를 써넣으세요.

중

$50 \div 2$ $\quad$ $5 \times \square$

| 나머지가 있는 (몇십몇)÷(몇) (1) |

08 잘못 계산한 곳을 찾아 바르게 계산해 보세요.

중

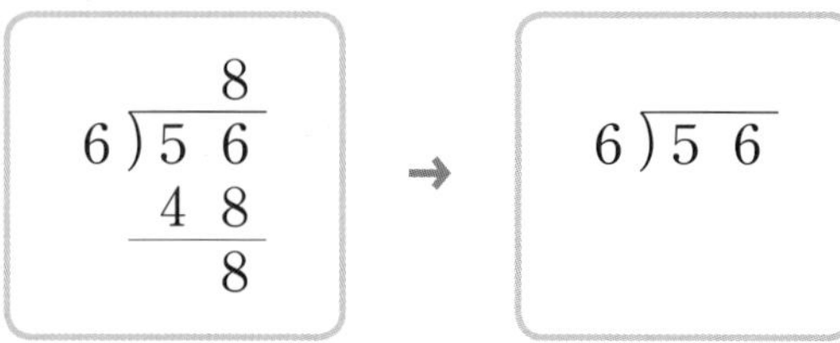

➜ 정답 및 풀이 222쪽

| 나머지가 있는 (몇십몇)÷(몇) (1) |

09 어떤 수를 8로 나누었을 때 나머지가 될 수 있는 수 중 가장 큰 수를 구해 보세요.

중

( )

| 나머지가 있는 (몇십몇)÷(몇) (2) |

10 탁구공 85개를 한 상자에 6개씩 나누어 담으려고 합니다. 탁구공을 몇 상자에 담을 수 있고, 몇 개가 남는지 차례로 써 보세요.

중

( ), ( )

| 나머지가 있는 (몇십몇)÷(몇) (2) |

11 정훈이가 만든 쿠키 62개를 한 봉지에 5개씩 담으려고 합니다. 필요한 봉지는 적어도 몇 개인지 구해 보세요.

중

( )

| (세 자리 수)÷(한 자리 수) (1) |

12 나머지가 더 큰 것의 기호를 써 보세요.

중

㉠ $506 \div 5$ ㉡ $454 \div 4$

( )

| (세 자리 수)÷(한 자리 수) (1) |

13 어떤 수를 3으로 나누었더니 몫이 121이고 나머지가 2였습니다. 어떤 수를 구해 보세요.

중

( )

| (세 자리 수)÷(한 자리 수) (2) | 서술형

14 수 카드를 한 번씩만 사용하여 가장 작은 세 자리 수를 만들고 남는 수로 나눈 몫과 나머지를 구하려고 합니다. 풀이 과정을 쓰고, 답을 구해 보세요.

중

3 6 8 4

풀이

답 몫 , 나머지

단원 평가

➜ 정답 및 풀이 222쪽

| (세 자리 수)÷(한 자리 수) (2) |

15 빨간색 공 63개와 파란색 공 52개를 색깔에 상관없이 7모둠에 최대한 똑같이 나누어 주려고 합니다. 한 모둠에 몇 개씩 나누어 줄 수 있고, 몇 개가 남는지 구해 보세요.
중

( ), ( )

| (세 자리 수)÷(한 자리 수) (3) |

16 같은 기호는 같은 수를 나타냅니다. ♥에 알맞은 수를 구해 보세요.
중

612÷6=■
■÷2=♥

( )

| (세 자리 수)÷(한 자리 수) (2) | 서술형

17 진영이는 하루에 17쪽씩 9일 동안 읽은 책을 다시 읽으려고 합니다. 하루에 5쪽씩 매일 읽으면 모두 읽는데 적어도 며칠이 걸리는지 풀이 과정을 쓰고, 답을 구해 보세요.
중

답

| (몇십몇)÷(몇) (2) |

18 지현이는 오른쪽과 같은 삼각형을 만들었습니다. 같은 길이의 끈을 모두 사용하여 네 변의 길이가 모두 같은 사각형을 만든다면 한 변의 길이는 몇 cm가 되는지 구해 보세요.
상

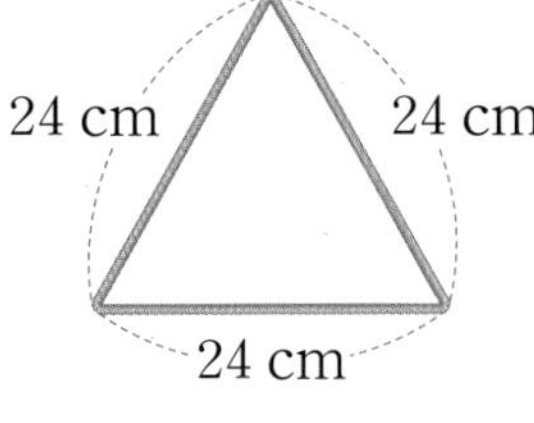

( )

| 나머지가 있는 (몇십몇)÷(몇) (2) |

19 40보다 크고 80보다 작은 수 중에서 7로 나누면 나누어떨어지고, 5로 나누면 나머지가 1인 수를 구해 보세요.
상

( )

| (세 자리 수)÷(한 자리 수) (2) | 서술형

20 어떤 수에 5를 곱해야 할 것을 잘못하여 5로 나누었더니 몫이 14이고 나머지가 4였습니다. 바르게 계산한 값은 얼마인지 풀이 과정을 쓰고, 답을 구해 보세요.
상

풀이

답

날짜 계산에도 나눗셈을 이용할 수 있어요.

4 들이와 무게

이전에 배운 내용	이번에 배울 내용	다음에 배울 내용
1-1 4. 비교하기 • 그릇에 담을 수 있는 양(들이) 비교하기 • 무게 비교하기	• 들이 단위 1 L, 1 mL • 들이를 단명수와 복명수로 나타내기 • 들이의 어림과 측정 • 들이의 덧셈과 뺄셈 • 무게 단위 1 kg, 1 g, 1 t • 무게를 단명수와 복명수로 나타내기 • 무게의 어림과 측정 • 무게의 덧셈과 뺄셈	6-1 6. 직육면체의 부피와 겉넓이 • 직육면체의 부피 • 부피의 단위 cm^3, m^3

• 쓰지 않는 물건을 이용하여 새로운 물건을 만들려고 합니다.
• 준비한 물병에 담을 수 있는 물의 양, 화분에 심을 모종의 무게 등을 비교해 보려고 하고 있습니다.

그림 속 상황

공부할 준비가 되었나요?

자/기/주/도/학/습

	학습 내용	계획 및 확인(공부한 날)	
예습	1차시 | 단원 도입 / 준비 팡팡	104~107쪽	월 일
진도	2차시 | 1 들이 비교하기	108~109쪽	월 일
	3차시 | 2 들이의 단위	110~111쪽	월 일
	4차시 | 3 들이를 어림하고 재어 보기	112~113쪽	월 일
	5차시 | 4 들이의 덧셈과 뺄셈	114~115쪽	월 일
	6차시 | 5 무게 비교하기	116~117쪽	월 일
	7~8차시 | 6 무게의 단위	118~121쪽	월 일
	9차시 | 7 무게를 어림하고 재어 보기	122~123쪽	월 일
	10차시 | 8 무게의 덧셈과 뺄셈	124~125쪽	월 일
	11차시 | 문제 해결력 쑥쑥	126~127쪽	월 일
	12차시 | 단원 마무리 척척	128~129쪽	월 일
	13차시 | 요리 속으로 냠냠 이야기로 키우는 생각	130~131쪽	월 일
평가	개념+확인 / 서술형 문제 해결하기	132~135쪽	월 일
	단원 평가 / 재미있는 수학 이야기	136~139쪽	월 일

1 차시 준비 팡팡

학습 목표

'무엇을 알고 있나요'와 '함께 생각해 볼까요'를 통하여 단원을 준비할 수 있습니다.

담을 수 있는 양 비교하기

그릇의 모양과 크기가 클수록 담을 수 있는 양이 많습니다.

- 물을 가장 많이 담을 수 있는 컵은 가장 큰 노란색 컵입니다.
- 물을 가장 적게 담을 수 있는 컵은 가장 작은 파란색 컵입니다.

무게 비교하기

시소로 무게를 비교할 때에는 아래로 내려가는 쪽이 더 무겁습니다.

- 허수아비가 양철 나무꾼보다 더 가볍습니다.
- 양철 나무꾼이 사자보다 더 가볍습니다.

참고
- 세 물건의 들이 비교
  → '가장 많다', '가장 적다'
- 세 물건의 무게 비교
  → '가장 무겁다', '가장 가볍다'

풀이 물을 담을 수 있는 컵의 모양과 크기가 클수록 물을 많이 담을 수 있으므로 물을 많이 담을 수 있는 컵부터 차례로 쓰면 노란색 컵, 빨간색 컵, 파란색 컵입니다.

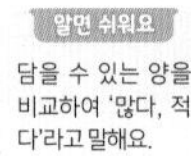

1 빨간색, 파란색, 노란색 컵 중 물을 많이 담을 수 있는 컵부터 차례로 써 보세요.

알면 쉬워요: 담을 수 있는 양을 비교하여 '많다, 적다'라고 말해요.

(노란색 컵), (빨간색 컵), (파란색 컵)

2 양철 나무꾼, 허수아비, 사자 중 무게가 가벼운 것부터 차례로 써 보세요.

알면 쉬워요: 무게를 비교하여 '무겁다, 가볍다'라고 말해요.

(허수아비), (양철 나무꾼), (사자)

94

풀이 허수아비가 양철 나무꾼보다 더 가볍고, 양철 나무꾼이 사자보다 더 가볍기 때문에 가벼운 것부터 차례로 쓰면 허수아비, 양철 나무꾼, 사자입니다.

교과서 개념 완성 | 배운 것을 다시 생각하기

무게 비교하기

- 두 가지 물건의 무게 비교하기
  손으로 들어보았을 때 힘이 더 많이 드는 쪽이 더 무겁습니다.

축구공

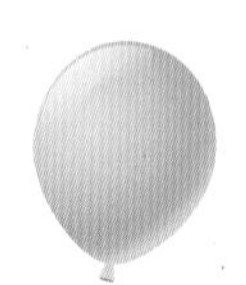

풍선

- 축구공은 풍선보다 더 무겁습니다.
- 풍선은 축구공보다 더 가볍습니다.

더 많이 담을 수 있는 것 비교하기

- 두 그릇에 담을 수 있는 양 비교하기
  눈으로 확인하거나 직접 물을 담아 비교합니다.

물병

종이컵

- 물병은 종이컵보다 담을 수 있는 양이 더 많습니다.
- 종이컵은 물병보다 담을 수 있는 양이 더 적습니다.

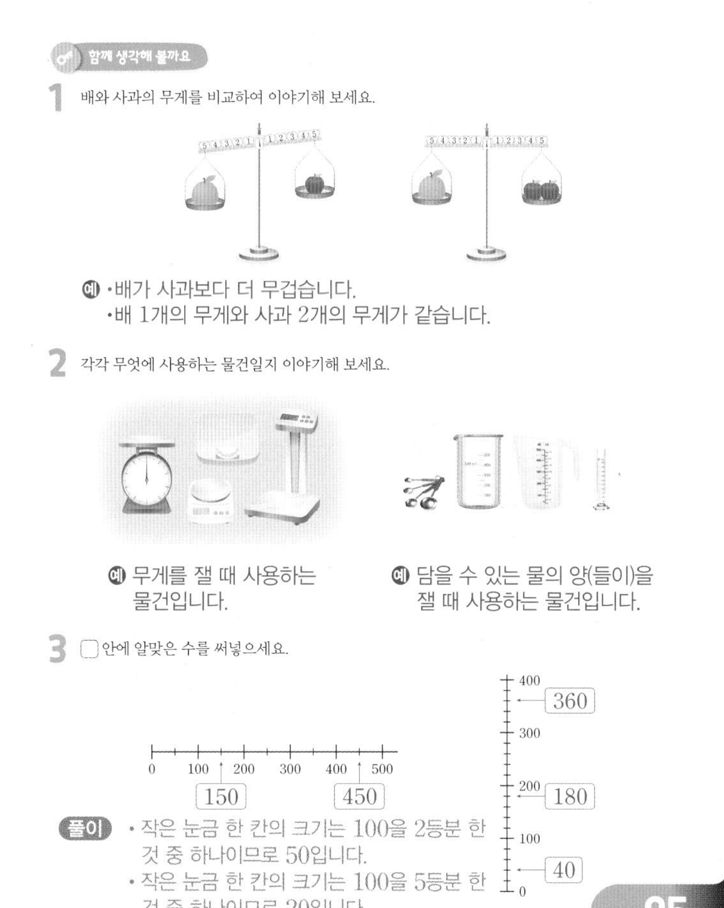

함께 생각해 볼까요
1 배와 사과의 무게를 비교하여 이야기해 보세요.
예 •배가 사과보다 더 무겁습니다.
•배 1개의 무게와 사과 2개의 무게가 같습니다.
2 각각 무엇에 사용하는 물건일지 이야기해 보세요.
예 무게를 잴 때 사용하는 물건입니다.
예 담을 수 있는 물의 양(들이)을 잴 때 사용하는 물건입니다.
3 □안에 알맞은 수를 써넣으세요.
150
450
360
180
40
풀이 •작은 눈금 한 칸의 크기는 100을 2등분 한 것 중 하나이므로 50입니다.
•작은 눈금 한 칸의 크기는 100을 5등분 한 것 중 하나이므로 20입니다.
95

배와 사과의 무게 비교하기

- 배가 아래쪽으로 내려갔으므로 배가 사과보다 더 무겁습니다.
- 배 1개와 사과 2개가 나란히 놓여 있으므로 배 1개와 사과 2개의 무게가 같습니다.

들이와 무게에 사용하는 물건 살펴보기

- 저울, 체중계 등은 무게를 잴 때 사용하는 물건입니다.
- 계량스푼, 비커, 실린더 등은 담을 수 있는 물의 양(들이)을 잴 때 사용하는 물건입니다.

눈금 읽어 보기

- 0부터 100까지 작은 눈금 2칸으로 똑같이 나누어져 있으므로 작은 눈금 한 칸의 크기는 50입니다.
- 0부터 100까지 작은 눈금 5칸으로 똑같이 나누어져 있으므로 작은 눈금 한 칸의 크기는 20입니다.

개념 확인 문제

정답 및 풀이 223쪽

| 1-1 4. 비교하기 |

1 그림을 보고 알맞은 말을 써넣으세요.

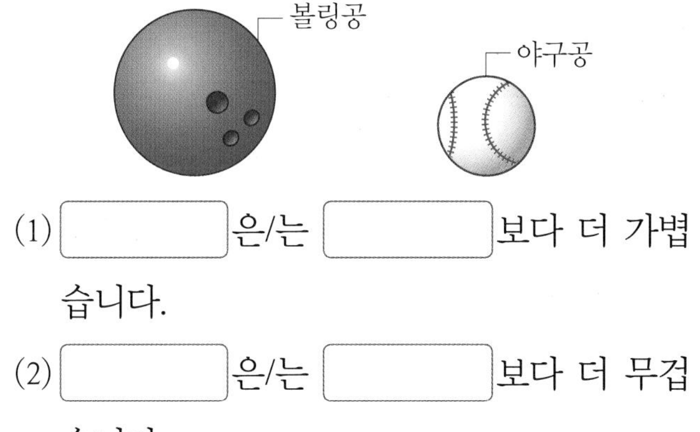

(1) □ 은/는 □ 보다 더 가볍습니다.

(2) □ 은/는 □ 보다 더 무겁습니다.

| 1-1 4. 비교하기 |

2 왼쪽보다 물이 더 많이 담겨 있는 것에 ○표 하세요.

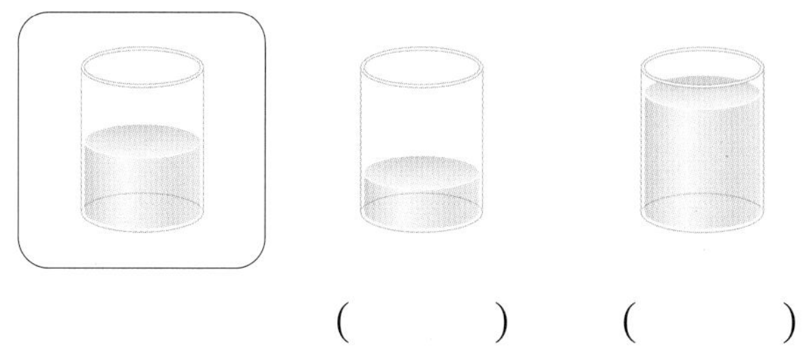

(　　) (　　)

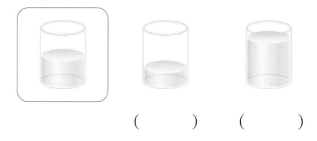

1 | 들이 비교하기

학습 목표

들이의 직접 비교와 간접 비교를 통하여 표준 단위의 필요성을 이해할 수 있습니다.

그림으로 개념 잡기

모양과 크기가 같은 컵을 사용하면
서로 다른 우리 둘의 들이를 비교할 수 있어.

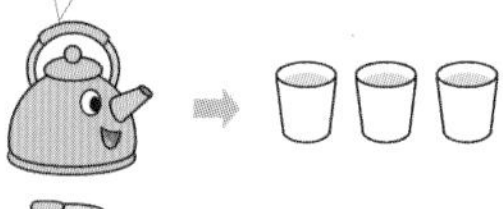

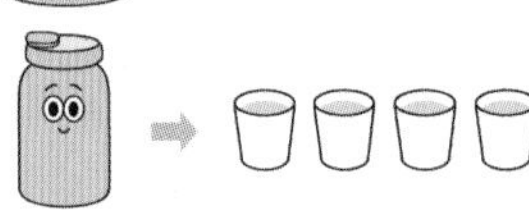

참고 그릇의 외형만으로 들이를 정확하게 비교할 수 없으므로 물과 같이 채우는 물질이 필요하다는 것을 이해하게 합니다.

어휘		
	들이	주전자나 물병 같은 그릇 안쪽의 공간의 크기를 말합니다.

1 들이 비교하기

| 들이의 직접 비교와 간접 비교를 통하여 표준 단위의 필요성을 이해합니다.

어느 물병에 물을 얼마만큼 더 많이 담을 수 있을까?
모양과 크기가 같으면 쉽게 비교할 수 있을 텐데—
용기에 가장 많이 담을 수 있는 양을 들이라고 해요.

생각열기 주변에서 물을 담을 수 있는 물건을 찾아서 가져왔어요.

- 어느 물병에 물을 더 많이 담을 수 있을까요?
- 물병에 담을 수 있는 물의 양을 어떻게 비교할 수 있을까요?

예 비교할 수 없습니다.; 물을 옮겨 담은 두 컵의 모양과 크기가 달라서 어느 물병에 물을 얼마만큼 더 많이 담을 수 있는지 정확히 비교할 수 없습니다.

의사소통 탐구하기 들이를 비교하는 방법을 알아봅시다.

준비물 요구르트병, 종이컵 등

두 물병에 담긴 물을 크기가 같은 큰 그릇에 각각 옮겨 담아 들이를 비교해 볼 수도 있어요.

활동 1 물병 가 와 나 에 물을 가득 채워 서로 다른 컵을 사용하여 물병의 들이 비교하기

- 어느 물병에 물을 얼마만큼 더 많이 담을 수 있는지 비교할 수 있나요? 왜 그렇게 생각하나요?

활동 2 물병 가 와 나 에 물을 가득 채워 모양과 크기가 같은 컵을 사용하여 물병의 들이 비교하기

- 어느 물병에 물을 얼마만큼 더 많이 담을 수 있는지 비교할 수 있나요? 왜 그렇게 생각하나요?

예 물병 ㉯에 종이컵 1개만큼 물을 더 많이 담을 수 있습니다.; 물병 ㉮는 종이컵 3개, 물병 ㉯는 종이컵 4개만큼 물을 담을 수 있습니다. 따라서 물병 ㉯가 물병 ㉮보다 종이컵 1개만큼 물을 더 담을 수 있습니다.

96

교과서 개념 완성

탐구하기 **들이 비교하는 방법 탐구하기**

활동 1 물을 가득 채운 두 컵의 모양과 크기가 달라서 물병 ㉮와 ㉯의 들이를 정확히 비교할 수 없습니다.

활동 2 물을 가득 채운 컵의 모양과 크기가 같으므로 컵의 수가 많을수록 들이가 더 많음을 알 수 있습니다.

정리하기 **들이 비교하는 방법 알아보기**

(방법 1) 두 그릇 중 한 그릇에 물을 가득 채운 다음, 다른 그릇에 옮겨 담아 들이 비교하기

(방법 2) 크기가 같은 큰 그릇에 각각 옮겨 담아 들이 비교하기

(방법 3) 크기가 같은 작은 컵에 옮겨 담아 들이 비교하기

확인하기 **여러 가지 단위로 들이 비교하기**

- 임의 단위를 사용하였을 때 편리한 점
  종이컵이나 물컵 등 임의 단위를 사용하여 들이를 수량화하여 나타내면 들이를 비교하기가 편리합니다.
- 임의 단위를 사용하였을 때 불편한 점
  종이컵이나 물컵 등 사용하는 물건(단위)에 따라 들이의 측정값이 달라지므로 들이의 정확한 차이를 알기 어렵습니다.

공부한 날 월 일

예 (방법1) 물병 ㉮와 ㉯에 모두 물을 가득 채운 뒤 크기가 같은 수조 2개에 물을 각각 부어 수조에 담긴 물의 양을 비교합니다.
(방법2) 물병 ㉮와 ㉯에 모두 물을 가득 채운 뒤 크기가 같은 종이컵에 옮겨 담아 종이컵 몇 개에 채울 수 있는지 비교합니다.

• 들이를 비교하는 방법을 이야기해 보세요.

들이를 비교할 때
서로 다른 컵을 사용할 때와
같은 컵을 사용할 때
무엇이 다를까?
종이컵처럼
들이를 비교하는
단위에는 어떤 것들이
있을까?

정리하기
• 여러 가지 단위로 들이를 비교하는 방법을 알아봅시다.
• 들이를 비교하려면 같은 단위를 사용해야 합니다.
• 같은 단위로 들이를 비교할 때 단위가 많이 사용된 것이 들이가 더 많습니다.

확인하기
준비물 요구르트병, 종이컵 등

1. 우유갑과 주스병에 물을 가득 채워 모양과 크기가 같은 컵에 각각 모두 옮겨 담았습니다. □ 안에 알맞게 써넣으세요.

➡ 우유갑 이/가 주스병 보다 컵 1 개만큼 물을 더 많이 담을 수 있습니다.

풀이 우유갑이 주스병보다 컵 $4-3=1$(개)만큼 물을 더 많이 담을 수 있습니다.

2. 주변에 있는 물건의 들이를 여러 가지 단위를 사용하여 비교해 보세요.

단위 \ 물건	주전자	물병	우유갑
예 종이컵	10개	5개	3개
예 물컵	4개	2개	1개
예 요구르트병	20개	10개	6개

97

이런 문제가 서술형으로 나와요

물병과 우유갑에 물을 가득 담아 모양과 크기가 같은 컵에 옮겨 담았습니다. 물병과 우유갑 중 어느 것에 물이 컵 몇 개만큼 더 들어가는지 풀이 과정을 쓰고, 답을 구해 보세요.

물병 → (컵 5개)

우유갑 → (컵 2개)

| 풀이 과정 |

❶ 물병과 우유갑의 물을 담은 컵의 수 세어 보기

물병에 담긴 물은 컵 5개에 담고, 우유갑에 담긴 물은 컵 2개에 담았습니다.

❷ 물병과 우유갑의 물을 담은 컵의 수 비교하기

물병이 우유갑보다 컵 $5-2=3$(개)만큼 더 물을 담을 수 있습니다.

답 물병, 3개

수학 교과 역량 

여러 가지 단위로 들이 비교하기

들이를 비교하는 방법과 결과를 이용하여 이야기해 보는 과정을 통하여 의사소통 능력을 기를 수 있습니다.

개념 확인 문제

정답 및 풀이 223쪽

1 음료수 캔과 물통에 물을 가득 채운 후 모양과 크기가 같은 그릇에 각각 옮겨 담았습니다. 들이가 더 많은 것은 어느 것인가요?

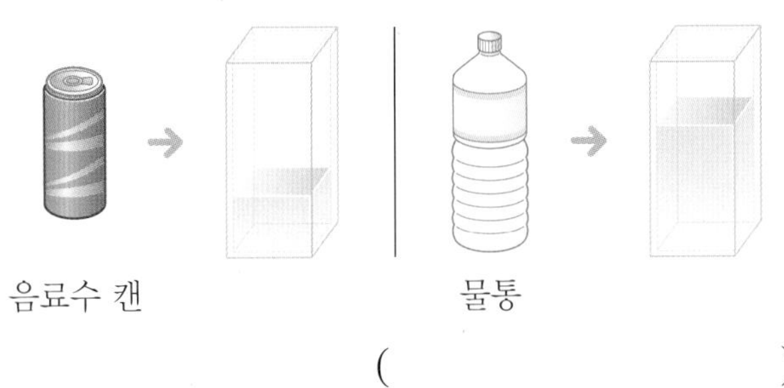

음료수 캔　　물통

(　　　　　　)

2 주전자와 물병에 물을 가득 채운 후 모양과 크기가 같은 컵에 옮겨 담았습니다. □ 안에 알맞은 말이나 수를 써넣으세요.

□ 이/가 □ 보다 컵 □ 개만큼 물이 더 들어갑니다.

2 | 들이의 단위

학습 목표

L와 mL 단위를 알고, 1 L와 1 mL의 관계를 이해하여 들이를 나타낼 수 있습니다.

그림으로 개념 잡기

1000 mL=1 L 임을 알고 있어야 해.

■ L = ■000 mL
→ ■ L ▲●★ mL
= ■▲●★ mL

어휘		
	단위 / measure / 單 (홑 단) 位 (자리 위)	길이, 무게, 수효, 시간 따위의 수량을 수치로 나타낼 때 기초가 되는 것을 말합니다.

참고 1 L=1000 mL를 이용하여 상황에 맞게 단명수를 복명수로, 복명수를 단명수로 나타내어 편리하게 사용할 수 있습니다.

2 들이의 단위
L와 mL 단위를 알고, 1 L와 1 mL의 관계를 이해하여 들이를 나타낼 수 있습니다.
수학 익힘 54~55쪽
생각열기
서우네 모둠 친구들은 우유갑으로 화분을 만들려고 해요.
• 우유갑에 적혀 있는 L와 mL는 무엇을 나타낼까요?
예 들이를 나타
것 같습니다.
우유갑에 적혀 있는 저것은 뭘까?
1 L
200 mL

추론 의사소통

탐구하기 1 L와 1 mL가 어느 정도의 들이인지 알아봅시다.

준비물 1 L 우유갑, 한 변이 10 cm인 그릇(리터큐브), 1000 mL 비커

• 1 L 우유갑에 물을 가득 채워 그릇과 비커에 각각 옮겨 담아 보세요.

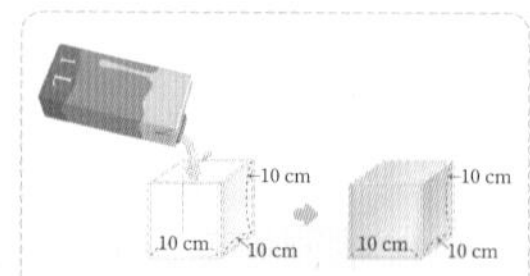

한 변이 10 cm인 그릇에 물을 옮겨 담습니다.

눈금이 그려진 비커에 물을 옮겨 담습니다.

• 1 L가 어느 정도의 들이인지 그릇과 비커를 이용하여 이야기해 보세요.
예 한 변이 10 cm인 그릇에 가득 채울 수 있는 양입니다.
예 1000 mL 비커에 가득 채울 수 있는 양입니다.
• 1 L는 몇 mL와 같다고 할 수 있을까요?
예 1 L는 1000 mL와 같다고 할 수 있습니다.
• 1 mL가 어느 정도의 들이인지 이야기해 보세요.
예 한 변이 1 cm인 그릇에 담을 수 있는 양입니다.

98

교과서 개념 완성

탐구하기 들이의 단위 1 L와 1 mL 탐구하기

- 물 1 L는 한 변이 10 cm인 그릇에 가득 채울 수 있는 양(들이)입니다.
- 물 1 L는 1000 mL 비커에 가득 채울 수 있는 양(들이)입니다.

정리하기 들이의 단위 1 L와 1 mL 알아보기

- 들이의 단위: 리터, 밀리리터

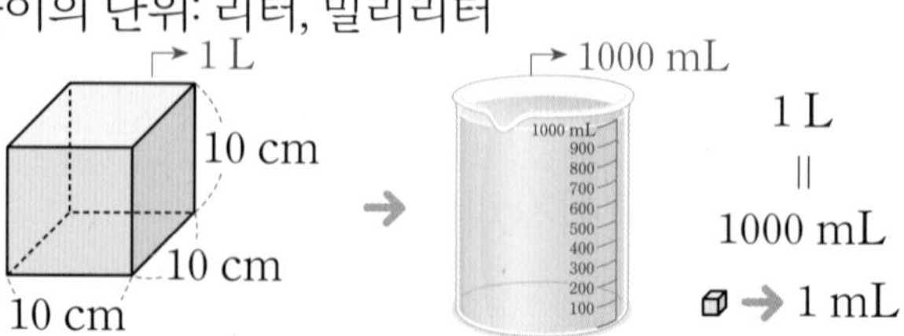

확인하기 들이를 나타내고 단위 사이의 관계 알기

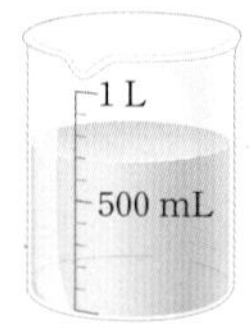

→ 1 L를 10칸으로 똑같이 나눈 한 칸은 100 mL이므로 그릇에 들어 있는 물의 들이는 700 mL입니다.

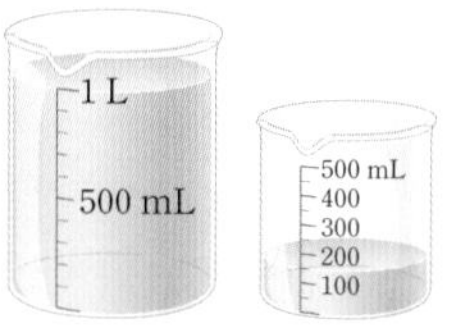

→ 1 L보다 150 mL 더 많은 들이이므로 1 L 150 mL입니다.

2700 mL → 1000 mL, 1000 mL, 700 mL
1000 mL → 1 L, 1000 mL → 1 L, 1 L + 1 L → 2 L
700 mL → 700 mL

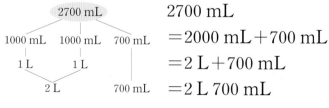

2700 mL
=2000 mL+700 mL
=2 L+700 mL
=2 L 700 mL

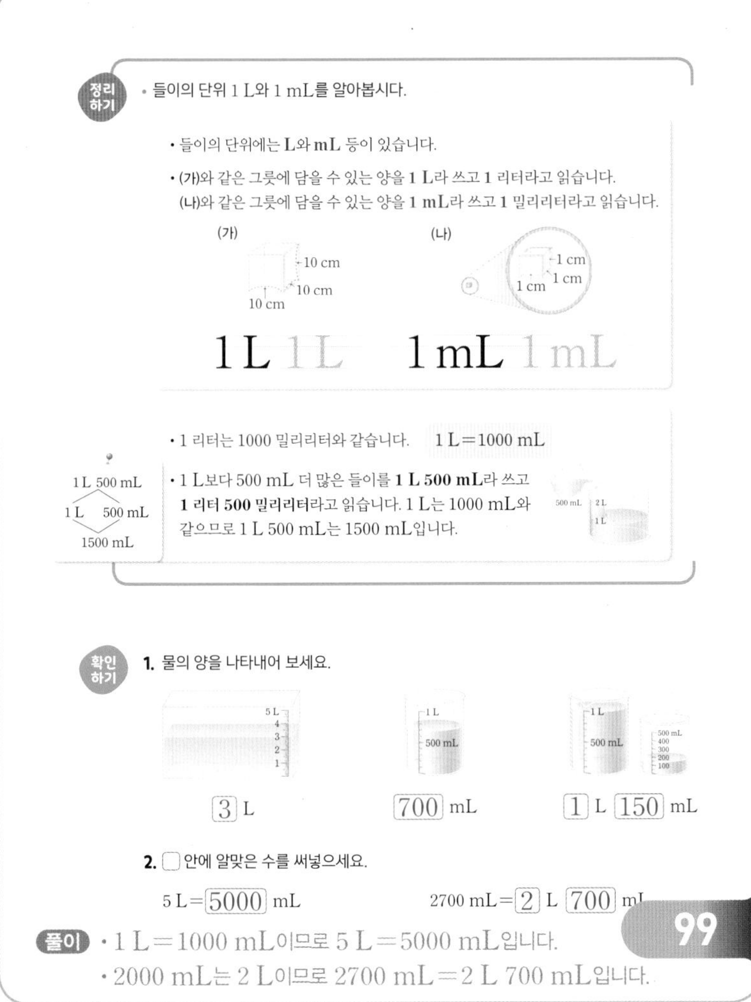

이런 문제가 서술형으로 나와요

들이가 ㉮ 수조는 3200 mL, ㉯ 수조는 3 L 80 mL입니다. 들이가 더 많은 수조는 어느 것인지 풀이 과정을 쓰고, 답을 구해 보세요.

| 풀이 과정 |

❶ ㉯ 수조의 들이를 mL 단위로 나타내기

㉯ 수조의 들이는 mL 단위로 나타내면
3 L 80 mL=3000 mL+80 mL
=3080 mL입니다.

❷ 들이가 더 많은 수조 구하기

3200 mL＞3080 mL이므로 들이가 더 많은 수조는 ㉮ 수조입니다.

답 ㉮ 수조

수학 교과 역량  

들이의 단위 사이의 관계 알아보기

1 L가 어느 정도의 들이인지 이해하고
1 L=1000 mL라는 것을 추론하고 설명해 보는 과정을 통하여 추론과 의사소통 능력을 기를 수 있습니다.

개념 확인 문제

정답 및 풀이 223쪽

1 주어진 들이를 읽어 보세요.

8 L 300 mL

(   )

2 물의 양이 몇 mL인지 눈금을 읽어 보세요.

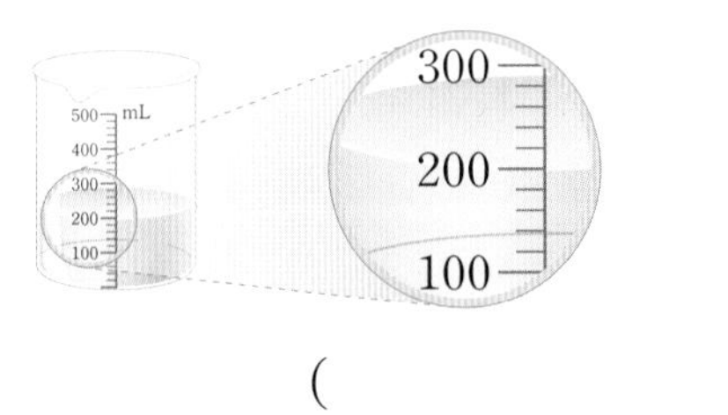

(   )

3 □ 안에 알맞은 수를 써넣으세요.

(1) 4170 mL=□ L □ mL

(2) 5 L 60 mL=□ mL

4 들이를 비교하여 ○ 안에 ＞, =, ＜를 알맞게 써넣으세요.

(1) 4000 mL ○ 4 L

(2) 2300 mL ○ 1 L 900 mL

3 | 들이를 어림하고 재어 보기

학습 목표

들이를 어림하고 재어 보는 활동을 통하여 들이의 양감을 기를 수 있습니다.

그림으로 개념 잡기

모양과 크기가 같은 컵을 사용하면 들이를 비교할 수 있어요.

100 mL

약 300 mL

어휘	어림하다 estimate	대강 짐작으로 헤아리는 것을 말합니다.

참고 들이를 어림하는 방법에는 단위화하기, 참조물과 비교하기 등이 있습니다. 학생들이 다양한 어림 전략을 사용하여 타당한 이유로 어림할 수 있도록 합니다.

3 들이를 어림하고 재어 보기

| 들이를 어림하고 재어 보는 활동을 통하여 들이의 양감을 기를 수 있습니다.

물병에 물을 몇 mL 정도 담을 수 있을까?

생각열기 우유갑 화분에 물을 줄 때 사용할 물병도 만들어 볼 거예요.

• 물병에는 얼마만큼의 물을 담을 수 있을까요?

탐구하기 들이를 어림하고 재어 봅시다.

준비물 들이를 잴 수 있는 도구

• 여러 가지 방법으로 물병의 들이를 어림해 보세요.

1 L 주스병과 크기가 비슷하니까 물병의 들이는 약 1 L일 것 같아.

500 mL 우유갑으로 물을 2번 정도 옮겨 담을 수 있을 것 같으니까 물병의 들이는 약 1000 mL야.

참조물과 비교하여 어림하기

단위화하여 어림하기

• 여러 가지 물건의 들이를 어림하고 재어 보세요.

물건	어림한 들이	직접 잰 들이
예 주전자	약 2 L	1 L 500 mL
예 물병	약 1 L	900 mL
예 샴푸 통	약 800 mL	750 mL

• 들이를 어림한 방법을 이야기해 보세요.

예 물병 200 mL가 5번 정도 들어갈 것 같아서 약 1 L라고 어림하였습니다.

• 들이를 잰 방법을 이야기해 보세요.

예 컵에 물을 가득 채워 비커에 옮겨 담아 들이를 쟀습니다.

100

교과서 개념 완성

탐구하기 들이를 어림하는 방법 탐구하기

• 들이를 어림하는 방법

예 주전자: 1 L 우유갑에 물을 가득 채워 2번 정도 옮겨 담을 수 있을 것 같아서 약 2 L라고 어림하였습니다.

예 샴푸 통: 1 L보다 조금 적으므로 약 800 mL라고 어림하였습니다.

• 들이를 잰 방법

예 주전자에 물을 가득 채워 눈금이 있는 도구에 옮겨 담아 들이를 쟀습니다.

확인하기 들이를 어림하고 알맞은 단위 고르기

1. 들이에 알맞은 물건을 예상하고 확인하기

각각의 들이에 알맞은 물건을 예상하고 직접 재어 확인합니다.

2. L와 mL 중에서 알맞은 단위 고르기

• 종이컵에는 80 mL 요구르트병에 물을 가득 채워 2번 정도 옮겨 담을 수 있으므로 약 180 mL입니다.

• 물통에는 1 L의 물을 10번 넘게 옮겨 담을 수 있으므로 약 20 L입니다.

• 분무기는 들이가 1 L인 물병보다 더 작으므로 약 700 mL입니다.

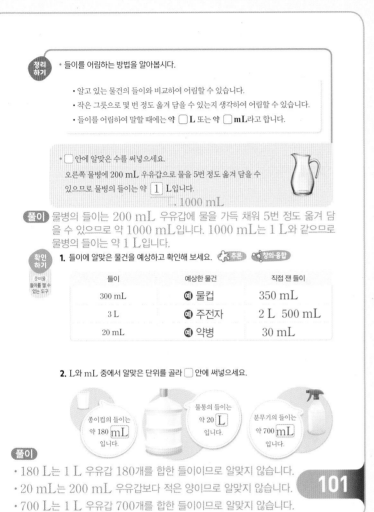

• 들이를 어림하는 방법을 알아봅시다.

• 알고 있는 물건의 들이와 비교하여 어림할 수 있습니다.
• 작은 그릇으로 몇 번 정도 옮겨 담을 수 있는지 생각하여 어림할 수 있습니다.
• 들이를 어림하여 말할 때에는 약 □L 또는 약 □mL라고 합니다.

• □ 안에 알맞은 수를 써넣으세요.
오른쪽 물병에 200 mL 우유갑으로 물을 5번 정도 옮겨 담을 수 있으므로 물병의 들이는 약 [1] L입니다.

L, 1000 mL

풀이 물병의 들이는 200 mL 우유갑에 물을 가득 채워 5번 정도 옮겨 담을 수 있으므로 약 1000 mL입니다. 1000 mL는 1 L와 같으므로 물병의 들이는 약 1 L입니다.

1. 들이에 알맞은 물건을 예상하고 확인해 보세요. 추론 창의·융합

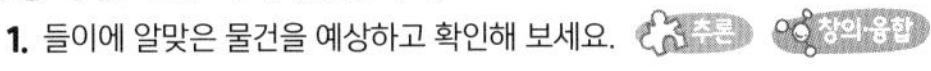

들이	예상한 물건	직접 잰 들이
300 mL	예 물컵	350 mL
3 L	예 주전자	2 L 500 mL
20 mL	예 약병	30 mL

2. L와 mL 중에서 알맞은 단위를 골라 □ 안에 써넣으세요.

종이컵의 들이는 약 180 [mL] 입니다.
물통의 들이는 약 20 [L] 입니다.
분무기의 들이는 약 700 [mL] 입니다.

풀이
• 180 L는 1 L 우유갑 180개를 합한 들이이므로 알맞지 않습니다.
• 20 mL는 200 mL 우유갑보다 적은 양이므로 알맞지 않습니다.
• 700 L는 1 L 우유갑 700개를 합한 들이이므로 알맞지 않습니다.

101

이런 문제가 서술형으로 나와요

잘못 말한 친구를 찾아 쓰고, 바르게 고쳐 보세요.

서진: 들이가 500 mL인 손 소독제를 샀어.
재은: 들이가 300 mL인 욕조에 물을 가득 담았어.

❶ 잘못 말한 친구 찾기
재은이가 잘못 말했습니다.

❷ 바르게 고치기
욕조는 1 L 보다 많으므로 '들이가 300 L인 욕조에 물을 가득 담았어.'라고 고쳐야 합니다.

• 수학 교과 역량  

들이를 어림하고 알맞은 단위 고르기

실생활에서 관찰과 추측으로 들이를 어림해 보고 알맞은 단위를 고르는 활동을 통하여 수학적 추론과 창의·융합 능력을 기를 수 있습니다.

개념 확인 문제

정답 및 풀이 223쪽

1 우유팩의 들이를 어림하여 재어 보려고 합니다. 더 편리한 단위에 ○표 하세요.

(　　) (　　)

2 들이에 알맞은 단위에 ○표 하세요.
주사기의 들이는 약 10 (mL , L)입니다.

3 냄비에 가득 담긴 물을 1 L 들이 비커에 담았더니 다음과 같이 반씩 담겼습니다. 냄비의 들이는 약 몇 L인지 구해 보세요.

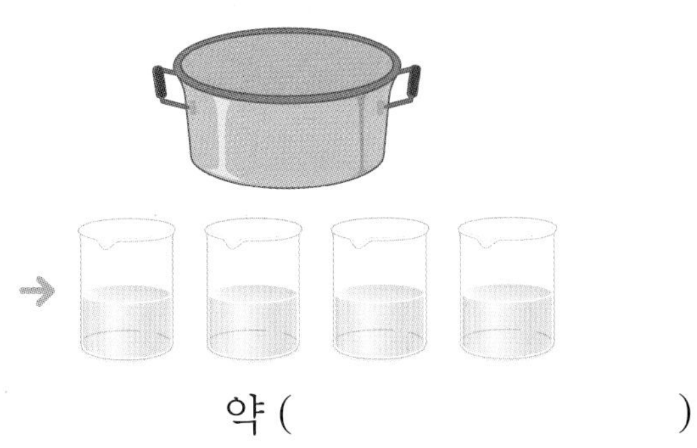

약 (　　　　　)

4 | 들이의 덧셈과 뺄셈

학습 목표

들이의 덧셈과 뺄셈을 계산하는 방법을 알고, 실생활에서 들이의 덧셈과 뺄셈 문제를 해결해 보게 합니다.

그림으로 개념 잡기

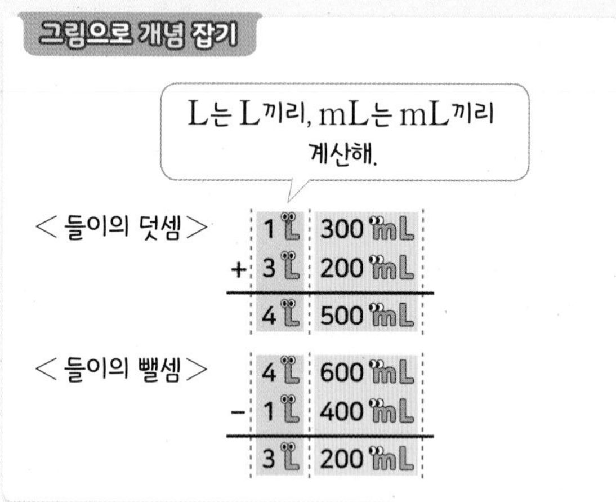

L는 L끼리, mL는 mL끼리 계산해.
< 들이의 덧셈 >
1 L 300 mL
+ 3 L 200 mL
4 L 500 mL
< 들이의 뺄셈 >
4 L 600 mL
− 1 L 400 mL
3 L 200 mL

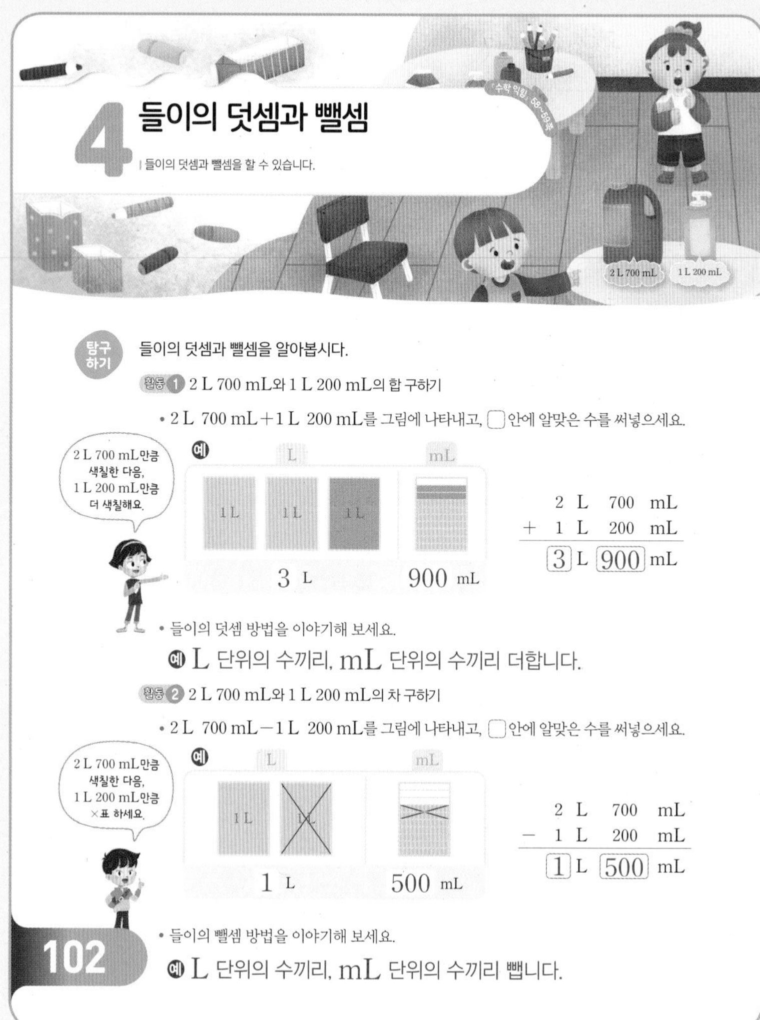

참고 그림을 이용하여 들이의 덧셈과 뺄셈 계산 방법과 자연수의 덧셈과 뺄셈 계산 방법의 비슷한 점을 생각해 보게 합니다.

교과서 개념 완성

탐구하기 들이의 덧셈과 뺄셈 방법 탐구하기

활동 1 2 L 700 mL와 1 L 200 mL의 합 구하기

2 L와 1 L, 700 mL와 200 mL를 더합니다.

활동 2 2 L 700 mL와 1 L 200 mL의 차 구하기

2 L에서 1 L를 빼고 700 mL에서 200 mL를 뺍니다.

정리하기 들이의 덧셈과 뺄셈 방법 정리하기

	2 L	700 mL
+	1 L	200 mL
	3 L	900 mL

들이의 덧셈은 L 단위의 수끼리, mL 단위의 수끼리 더합니다.

	2 L	700 mL
−	1 L	200 mL
	1 L	500 mL

들이의 뺄셈은 L 단위의 수끼리, mL 단위의 수끼리 뺍니다.

확인하기 실생활에서 들이의 덧셈과 뺄셈 계산하기

	1	
	1 L	500 mL
+	1 L	800 mL
	3 L	300 mL

mL끼리의 합이 1000 mL이거나 1000 mL를 넘으면 1 L로 받아올림합니다.

학부모 코칭 Tip

들이의 계산을 할 때는 같은 단위의 수끼리 계산한다는 것을 인식하는 것이 중요합니다. 따라서 4 L 1000 mL를 5 L로 바꾸어 나타내는 것을 강요하지 않도록 합니다.

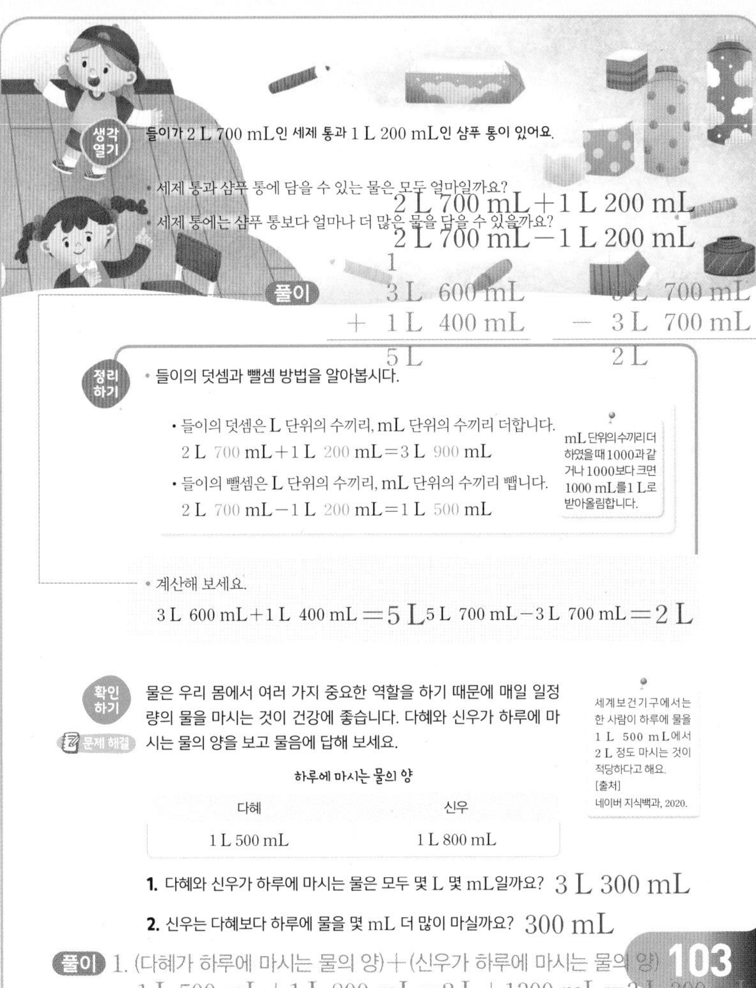

생각 열기 들이가 2 L 700 mL인 세제 통과 1 L 200 mL인 샴푸 통이 있어요.

• 세제 통과 샴푸 통에 담을 수 있는 물은 모두 얼마일까요? 2 L 700 mL+1 L 200 mL

• 세제 통에는 샴푸 통보다 얼마나 더 많은 물을 담을 수 있을까요? 2 L 700 mL−1 L 200 mL

풀이

	1			
	3 L	600 mL	5 L	700 mL
+	1 L	400 mL	− 3 L	700 mL
	5 L		2 L	

정리하기 • 들이의 덧셈과 뺄셈 방법을 알아봅시다.

• 들이의 덧셈은 L 단위의 수끼리, mL 단위의 수끼리 더합니다.
2 L 700 mL+1 L 200 mL=3 L 900 mL

• 들이의 뺄셈은 L 단위의 수끼리, mL 단위의 수끼리 뺍니다.
2 L 700 mL−1 L 200 mL=1 L 500 mL

mL 단위의 수끼리 더하였을 때 1000과 같거나 1000보다 크면 1000 mL를 1 L로 받아올림합니다.

• 계산해 보세요.

3 L 600 mL+1 L 400 mL = 5 L 5 L 700 mL−3 L 700 mL = 2 L

확인하기 (문제 해결) 물은 우리 몸에서 여러 가지 중요한 역할을 하기 때문에 매일 일정량의 물을 마시는 것이 건강에 좋습니다. 다혜와 신우가 하루에 마시는 물의 양을 보고 물음에 답해 보세요.

세계보건기구에서는 한 사람이 하루에 물을 1 L 500 mL에서 2 L 정도 마시는 것이 적당하다고 해요. [출처] 네이버 지식백과, 2020.

하루에 마시는 물의 양

다혜	신우
1 L 500 mL	1 L 800 mL

1. 다혜와 신우가 하루에 마시는 물은 모두 몇 L 몇 mL일까요? 3 L 300 mL

2. 신우는 다혜보다 하루에 물을 몇 mL 더 많이 마실까요? 300 mL

풀이 1. (다혜가 하루에 마시는 물의 양)+(신우가 하루에 마시는 물의 양)
=1 L 500 mL+1 L 800 mL=2 L+1300 mL=3 L 300 mL
2. (신우가 하루에 마시는 물의 양)−(다혜가 하루에 마시는 물의 양)
=1 L 800 mL−1 L 500 mL=300 mL

103

이런 문제가 서술형으로 나와요

지훈이는 물통에 들어 있던 물 중 1 L 400 mL를 사용하였습니다. 물통에 남은 물이 2 L 300 mL일 때, 처음 물통에 들어 있던 물은 몇 L 몇 mL인지 풀이 과정을 쓰고, 답을 구해 보세요.

| 풀이 과정 |

❶ 처음 물통에 들어 있던 물의 양을 구하는 식 세우기

(처음 물통에 들어 있던 물의 양)
=(사용한 물의 양)+(남아 있는 물의 양)
=1 L 400 mL+2 L 300 mL

❷ 처음 물통에 들어 있던 물의 양 구하기

처음 물통에 들어 있던 물의 양은
1 L 400 mL+2 L 300 m=3 L 700 mL
입니다.

답 3 L 700 mL

수학 교과 역량 문제 해결

실생활에서 들이의 덧셈과 뺄셈 계산하기

실생활에서 들이의 덧셈과 뺄셈 상황을 이해하고, 문제를 해결하였는지, 답을 바르게 구하였는지 검토하는 과정을 통하여 문제 해결 능력을 기를 수 있습니다.

개념 확인 문제

정답 및 풀이 224쪽

1 들이의 합을 구해 보세요.

	5	L	400	mL
+	2	L	200	mL
	☐	L	☐	mL

2 들이의 차를 구해 보세요.

	8	L	700	mL
−	3	L	300	mL
	☐	L	☐	mL

3 두 들이의 합은 몇 L 몇 mL인가요?

5 L 600 mL 2 L 700 mL

(   )

4 주스가 1 L 800 mL 있습니다. 재은이가 주스를 600 mL 마셨다면 남은 주스는 몇 L 몇 mL인지 구해 보세요.

(   )

5 | 무게 비교하기

학습 목표

무게의 직접 비교와 간접 비교를 통하여 표준 단위의 필요성을 이해하게 합니다.

그림으로 개념 잡기

바둑돌과 지우개로 비교하는 단위가 다르면 서로 다른 두 무게를 비교할 수 없어.

바둑돌 지우개

5 무게 비교하기

| 무게의 직접 비교와 간접 비교를 통하여 표준 단위의 필요성을 이해합니다.

생각열기 우유갑 화분에 심을 방울토마토 모종과 배추 모종이에요.

어느 것이 더 무거울까?

• 두 모종 중 어느 것이 더 무거울까요?
예 방울토마토 모종이 더 무거울 것 같습니다.

• 두 모종 중 어느 것이 얼마만큼 더 무거운지 어떻게 비교할 수 있을까요?
예 양손으로 들어 보고 직접 비교합니다.

탐구하기 무게를 비교하는 방법을 알아봅시다.

준비물 양팔저울, 공깃돌, 바둑돌 등

활동 1 양팔저울과 서로 다른 단위를 사용하여 모종의 무게 비교하기

방울토마토 모종 공깃돌 10개 배추 모종 바둑돌 11개

양팔저울은 한쪽 접시에 물체를 올려놓고, 다른 쪽 접시에 추나 분동을 올려놓아 수평을 잡아 무게를 재어요.

• 어느 모종이 얼마만큼 더 무거운지 비교할 수 있나요? 왜 그렇게 생각하나요?
예 비교할 수 없습니다.; 무게를 재는 단위가 달라서 어느 모종이 얼마만큼 더 무거운지 정확히 비교할 수 없습니다.

활동 2 양팔저울과 같은 단위를 사용하여 모종의 무게 비교하기

방울토마토 모종 공깃돌 10개 배추 모종 공깃돌 9개

• 어느 모종이 얼마만큼 더 무거운지 비교할 수 있나요? 왜 그렇게 생각하나요?
예 방울토마토 모종이 공깃돌 1개만큼 더 무겁습니다.; 방울토마토 모종은 공깃돌 10개, 배추 모종은 공깃돌 9개의 무게와 같습니다. 따라서 방울토마토 모종이 배추 모종보다 공깃돌 1개만큼 더 무겁습니다.

104

참고 단위를 이용하여 무게를 잴 때 자연수로 나타내기 어려운 경우에는 '약 ☐'로 나타내어 보게 하고 정확하게 비교하기 위해서 표준 단위가 필요하다는 것을 이해하게 합니다.

교과서 개념 완성

탐구하기 무게 비교하는 방법 탐구하기

활동 1 두 모종의 무게를 서로 다른 단위를 사용하여 비교하기

두 모종을 각각 공깃돌과 돌로 무게를 재어 두 모종의 무게를 정확히 비교할 수 없습니다.

활동 2 두 모종의 무게를 같은 단위(공깃돌)를 사용하여 비교하기

두 모종의 무게를 재는 단위인 공깃돌의 수를 세어 비교하면 어느 모종이 얼마만큼 더 무거운지 알 수 있습니다.

정리하기 무게 비교하는 방법 알아보기

(방법 1) 양손에 들어서 무게 비교하기

(방법 2) 양팔저울을 사용하여 무게 비교하기

(방법 3) 여러 가지 단위를 사용하여 무게 비교하기

확인하기 여러 가지 단위로 무게 비교하기

임의 단위를 사용하였을 때 편리한 점과 불편한 점

- 클립이나 바둑돌 등 임의 단위를 사용하여 무게를 수량화하여 나타내면 무게를 비교하기가 편리합니다.
- 클립이나 바둑돌 등 사용하는 물건(단위)에 따라 무게의 측정값이 달라지므로 무게의 차이를 정확하게 알기 어렵습니다.

공부한 날 월 일

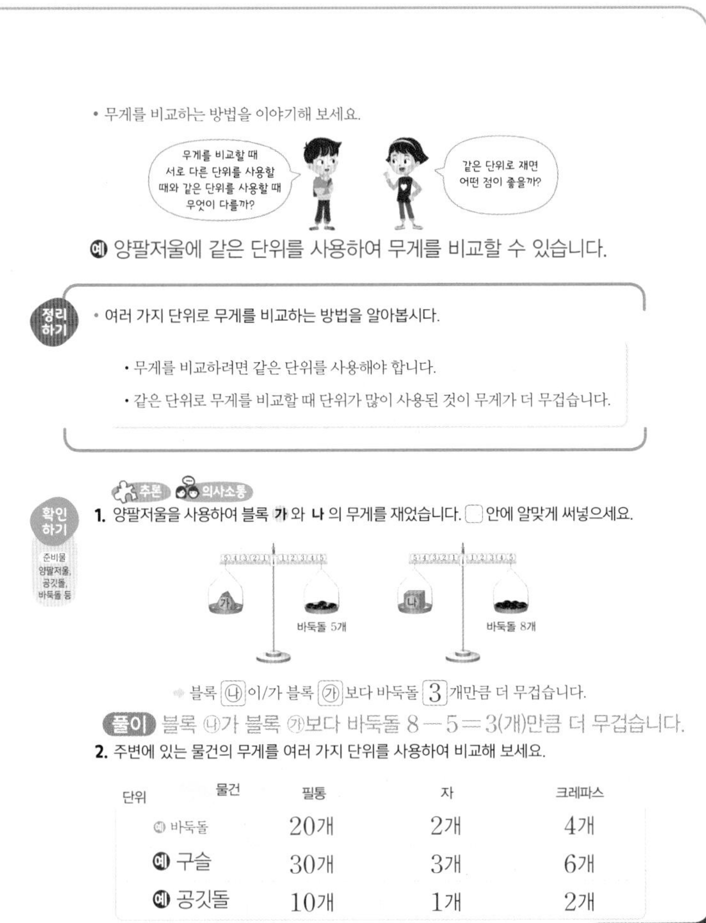

이런 문제가 서술형으로 나와요

공깃돌 1개와 지우개 1개의 무게를 비교하여 설명해 보세요.

| 설명 |

❶ 공깃돌 1개와 지우개 1개의 무게 비교하기

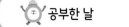

공깃돌 8개와 지우개 2개의 무게가 같으므로 공깃돌 1개의 무게는 지우개 1개의 무게보다 더 가볍습니다.

수학 교과 역량 추론 의사소통

여러 가지 단위로 무게 비교하기

상황에 맞게 무게를 비교하는 방법을 적절히 선택하고 비교해 보는 활동을 통하여 추론 능력을 기르고, 무게를 비교하는 방법과 결과를 이용하여 이야기해 보는 과정을 통하여 의사소통 능력을 기를 수 있습니다.

개념 확인 문제

정답 및 풀이 224쪽

1 풀과 자의 무게를 비교하려고 합니다. 알맞은 말에 ○표 하세요.

풀이 자보다 바둑돌 2개만큼 더 (무겁습니다 , 가볍습니다).

2 동전을 사용하여 주사위와 지우개의 무게를 비교하려고 합니다. □ 안에 알맞게 써넣으세요.

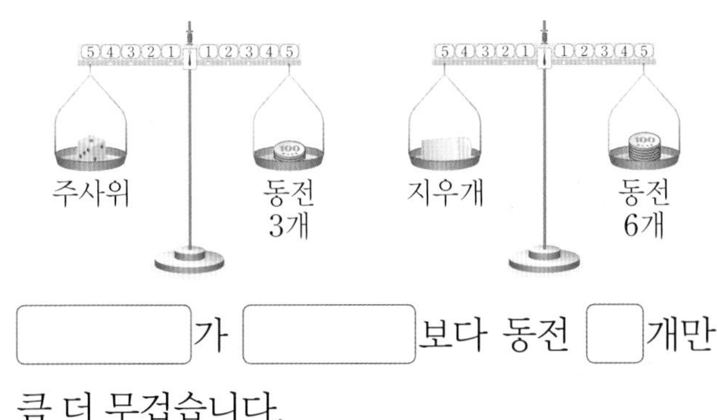

□가 □보다 동전 □개만큼 더 무겁습니다.

6 | 무게의 단위

학습 목표

kg과 g, t 단위를 알고, 1 kg과 1 g, 1 kg과 1 t의 관계를 이해하여 무게를 단명수와 복명수로 나타낼 수 있습니다.

그림으로 개념 잡기

가벼운 물건은
kg보다 g 단위를
사용해.
0kg

6 무게의 단위
1 kg과 g, t 단위를 알고, 1 kg과 1 g, 1 kg과 1 t의 관계를 이해하여 무게를 나타낼 수 있습니다.
봉지에 적혀 있는 저것은 뭘까?
생각 열기
모종을 심을 때 필요한 비료도 준비하였어요.
• 봉지에 적혀 있는 kg과 g은 무엇을 나타낼까요?
예 무게를 나타내는 것 같습니다.
2 kg
500 g
추론 의사소통
탐구하기 1 1 kg과 1 g이 어느 정도의 무게인지 알아봅시다.
준비물 저울
• 비료를 올린 저울의 눈금을 각각 읽고, 무게를 써 보세요.
500 g
1 kg
• 1 kg이 되도록 저울에 물건을 올려 보고, 1 kg이 어느 정도의 무게인지 이야기해 보세요.
저울에 900 g과 1100 g은 있는데 1000 g은 어디에 있을까?
• 1 kg은 몇 g과 같을까요?
예 1 kg은 1000 g과 같습니다.
• 1 g이 어느 정도의 무게인지 이야기해 보세요.
106

참고 주변에서 볼 수 있는 다양한 물건에 적혀 있는 무게의 단위를 살펴보는 활동을 통하여 무게의 단위에는 kg, g 등이 있음을 알게 합니다.

교과서 개념 완성

탐구하기 1 무게의 단위 1 kg과 1 g 탐구하기

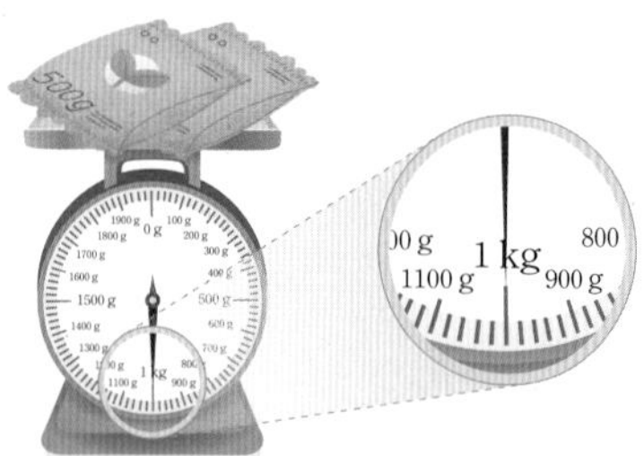

• 비료를 kg 단위로 재면 1 kg이고 g 단위로 재면 900 g과 1100 g의 가운데이므로 1000 g입니다.

1 kg=1000 g

확인하기 물건의 무게 나타내고 단위 사이의 관계 알기

• 100 g을 10칸으로 똑같이 나눈 한 칸은 10 g이므로 선물 상자의 무게는 750 g입니다.
• 1 kg을 10칸으로 똑같의 나눈 한 칸은 100 g이므로 무가 들어 있는 바구니의 무게는 1 kg 600 g입니다.

참고
• g 단위로 표시된 저울은 가벼운 물건의 무게를 재거나 보다 정확한 무게를 알고 싶을 때 사용합니다.
• kg 단위로 표시된 저울은 무거운 무게를 재거나 대략적인 무게를 알고 싶을 때 사용합니다.

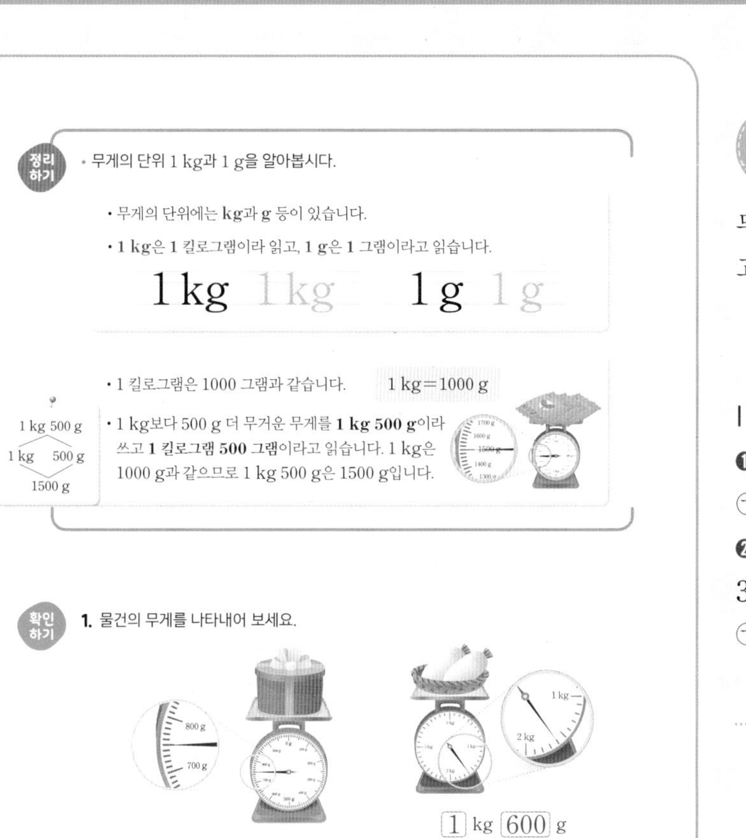

정리하기
• 무게의 단위 1 kg과 1 g을 알아봅시다.
• 무게의 단위에는 kg과 g 등이 있습니다.
• 1 kg은 1 킬로그램이라 읽고, 1 g은 1 그램이라고 읽습니다.
1 kg 1 kg 1 g 1 g
• 1 킬로그램은 1000 그램과 같습니다. 1 kg=1000 g
• 1 kg보다 500 g 더 무거운 무게를 1 kg 500 g이라 쓰고 1 킬로그램 500 그램이라고 읽습니다. 1 kg은 1000 g과 같으므로 1 kg 500 g은 1500 g입니다.
1 kg 500 g
1 kg 500 g
1500 g
확인하기 1. 물건의 무게를 나타내어 보세요.
750 g
1 kg 600 g
2. 안에 알맞은 수를 써넣으세요.
3 kg 400 g=3400 g 5160 g=5 kg 160 g
풀이 • 3 kg=3000 g이므로
3 kg 400 g=3000 g+400 g=3400 g입니다.
• 5000 g=5 kg이므로 5160 g=5000 g+160 g=5 kg 160 g입니다.
107

이런 문제가 서술형으로 나와요

무게가 더 무거운 것의 기호를 찾아 풀이 과정을 쓰고, 답을 구해 보세요.

㉠ 3 kg 500 g ㉡ 3070 g

| 풀이 과정 |

❶ ㉠을 g 단위로 나타내기

㉠ 3 kg 500 g=3000 g+500 g=3500 g

❷ 무게가 더 무거운 것 구하기

3500 g>3070 g이므로 무게가 더 무거운 것은 ㉠입니다.

수학 교과 역량   

물건의 무게 나타내고 단위 사이의 관계 알아보기

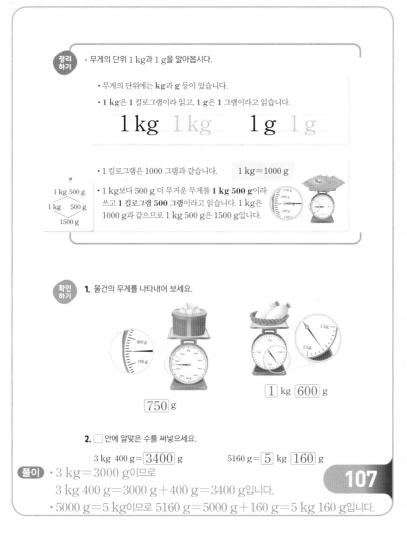

1 kg이 어느 정도의 무게인지 알고 1 g을 추론하고 어느 정도의 무게인지 설명해 보는 과정을 통하여 추론과 의사소통 능력을 기를 수 있습니다.

개념 확인 문제

정답 및 풀이 224쪽

1 물건의 무게를 나타내어 보세요.

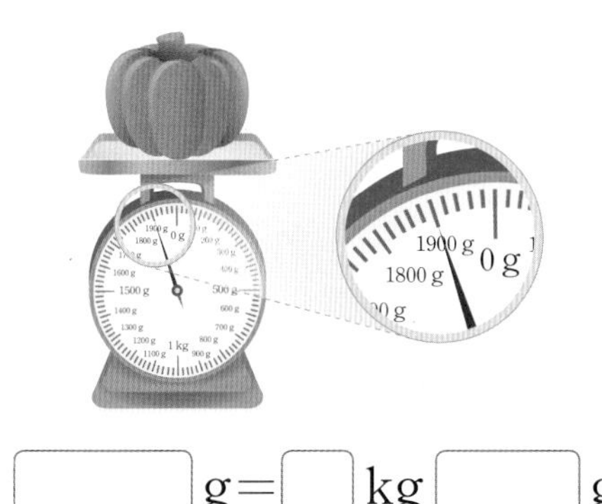

☐ g=☐ kg ☐ g

2 ☐ 안에 알맞은 수를 써넣으세요.

(1) 4700 g=☐ kg ☐ g

(2) 3 kg 560 g=☐ g

3 무게를 비교하여 ○ 안에 >, =, <를 알맞게 써넣으세요.

(1) 5400 g ○ 5 kg 40 g

(2) 8 kg 200 g ○ 9100 g

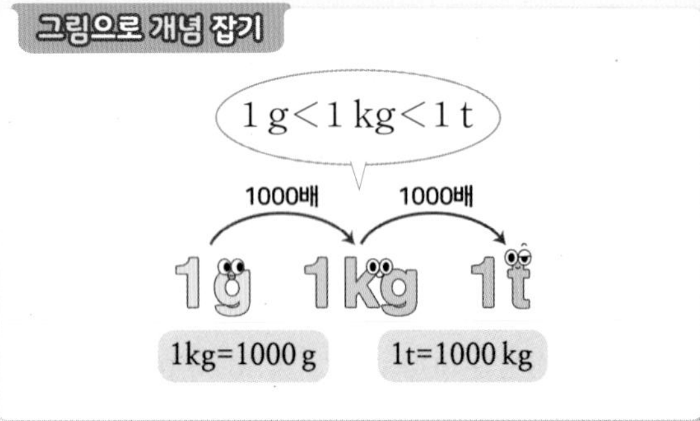

참고 10 kg, 100 kg, 1000 kg으로 점점 무게가 늘어남에 따라 kg보다 큰 단위인 t의 필요성을 인식하고 kg과 t의 관계를 탐구하도록 합니다.

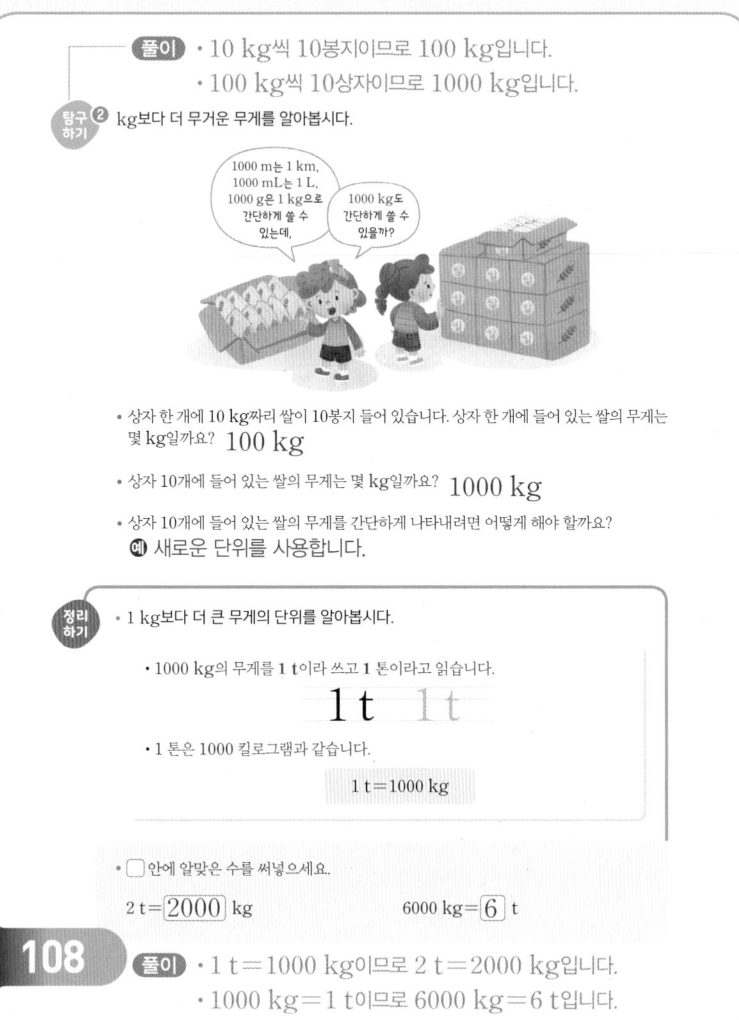

풀이 • 10 kg씩 10봉지이므로 100 kg입니다.
• 100 kg씩 10상자이므로 1000 kg입니다.
탐구하기 ② kg보다 더 무거운 무게를 알아봅시다.
1000 m는 1 km, 1000 mL는 1 L, 1000 g은 1 kg으로 간단하게 쓸 수 있는데,
1000 kg도 간단하게 쓸 수 있을까?
• 상자 한 개에 10 kg짜리 쌀이 10봉지 들어 있습니다. 상자 한 개에 들어 있는 쌀의 무게는 몇 kg일까요? 100 kg
• 상자 10개에 들어 있는 쌀의 무게는 몇 kg일까요? 1000 kg
• 상자 10개에 들어 있는 쌀의 무게를 간단하게 나타내려면 어떻게 해야 할까요?
예 새로운 단위를 사용합니다.
정리하기 • 1 kg보다 더 큰 무게의 단위를 알아봅시다.
• 1000 kg의 무게를 1 t이라 쓰고 1 톤이라고 읽습니다.
1 t 1 t
• 1 톤은 1000 킬로그램과 같습니다.
1 t=1000 kg
• □ 안에 알맞은 수를 써넣으세요.
2 t=2000 kg
6000 kg=6 t
108
풀이 • 1 t=1000 kg이므로 2 t=2000 kg입니다.
• 1000 kg=1 t이므로 6000 kg=6 t입니다.

교과서 개념 완성

탐구하기 2 kg보다 더 무거운 무게의 단위 탐구하기

- 1000 kg을 간단하게 나타내기 위해 kg보다 더 큰 무게를 나타내는 새로운 단위가 필요합니다.
- 1000일 때 새로운 단위를 사용하여 1이 되게 만들었습니다.

길이	무게	들이
1000 m=1 km	1000 g=1 kg	1000 mL=1 L

학부모 코칭 Tip

무게를 비교할 때는 단위를 동일하게 맞추어 수의 크기를 비교해야 합니다. t이 kg보다, kg이 g보다 항상 더 무겁다고 생각하지 않도록 합니다.

확인하기 1 kg과 1 t의 관계 이해하기

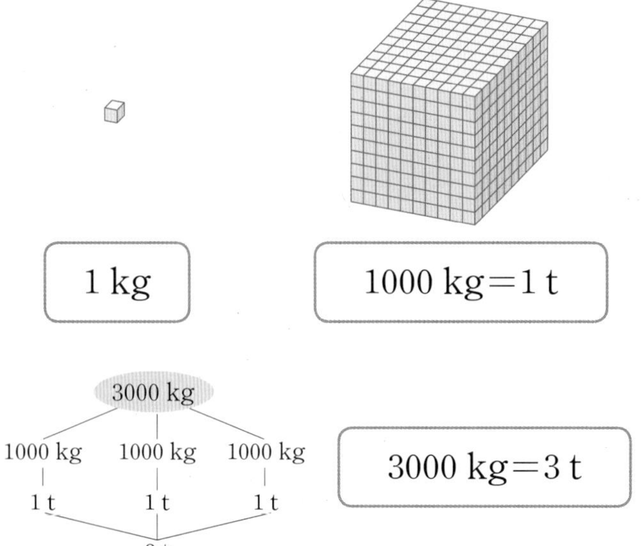

 공부한 날 월 일

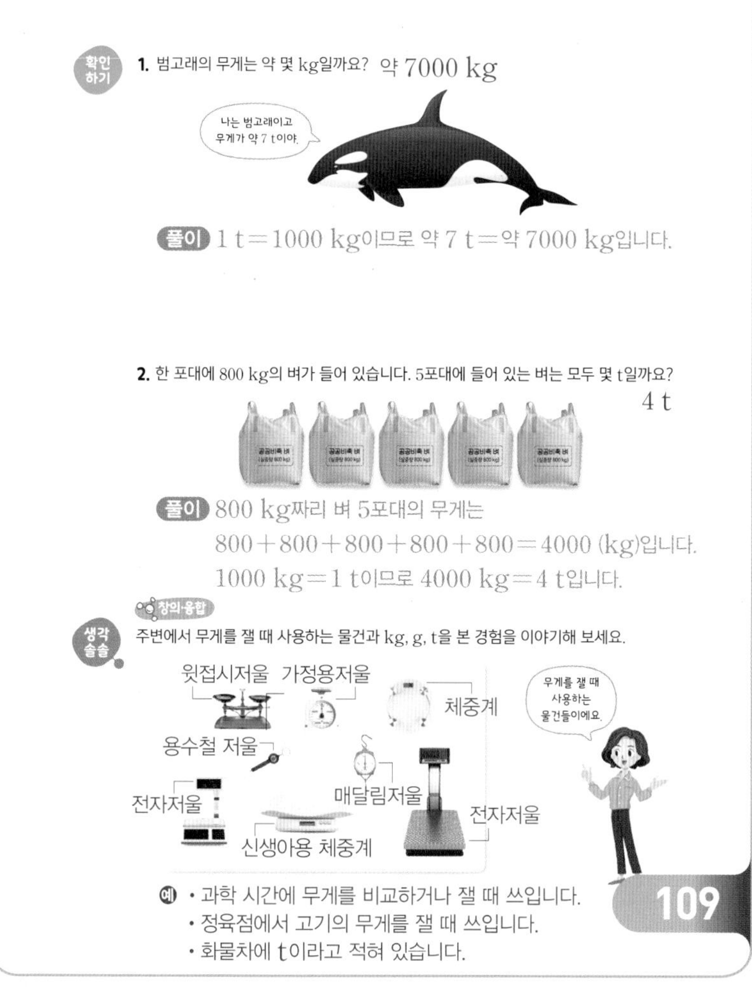

확인하기 1. 범고래의 무게는 약 몇 kg일까요? 약 7000 kg

풀이 1 t=1000 kg이므로 약 7 t=약 7000 kg입니다.

2. 한 포대에 800 kg의 벼가 들어 있습니다. 5포대에 들어 있는 벼는 모두 몇 t일까요? 4 t

풀이 800 kg짜리 벼 5포대의 무게는
800+800+800+800+800=4000 (kg)입니다.
1000 kg=1 t이므로 4000 kg=4 t입니다.

창의·융합

생각솜솜 주변에서 무게를 잴 때 사용하는 물건과 kg, g, t을 본 경험을 이야기해 보세요.

예 • 과학 시간에 무게를 비교하거나 잴 때 쓰입니다.
• 정육점에서 고기의 무게를 잴 때 쓰입니다.
• 화물차에 t이라고 적혀 있습니다.

109

이런 문제가 서술형으로 나와요

무게의 단위를 잘못 사용한 사람을 찾아 쓰고, 바르게 고쳐 보세요.

• 서진: 농구공의 무게는 600 g이야.
• 진우: 자동차의 무게는 2 kg 정도야.

❶ 무게의 단위를 잘못 사용한 사람 찾기

자동차의 무게는 1000 kg이 넘으므로 무게의 단위를 잘못 사용한 사람은 진우입니다.

❷ 바르게 고치기

'자동차의 무게는 2 t 정도야.'로 고쳐야 합니다.

수학 교과 역량 창의·융합

생활 속에서 kg, g, t을 본 경험 이야기하기

주변에서 무게를 잴 때 사용하는 저울을 탐색하고 무게를 재는 다양한 방법들을 생각해 보는 활동을 통하여 독창적이고 창의적인 생각을 기를 수 있습니다.

개념 확인 문제

정답 및 풀이 225쪽

1 주어진 무게를 읽어 보세요.

3 t

( )

2 □ 안에 알맞은 수를 써넣으세요.

(1) 4000 kg=□t

(2) 8 t=□kg

3 더 무거운 것의 기호를 써 보세요.

㉠ 6 t　　㉡ 6200 kg

( )

4 트럭의 무게는 약 5 t입니다. 트럭의 무게는 약 몇 kg인지 구해 보세요.

약 ( )

7 | 무게를 어림하고 재어 보기

학습 목표

무게를 어림하고 재어 보는 활동을 통하여 무게의 양감을 기를 수 있습니다.

그림으로 개념 잡기

무게를 어림할 때는 1 kg짜리 물건 또는 100 g짜리 추와 비교해 봐.

1 kg

100 g

7 무게를 어림하고 재어 보기
무게를 어림하고 재어 보는 활동을 통하여 무게의 양감을 기를 수 있습니다.
오종 한 상자의 무게는 몇 g이나 될까?
생각 열기
방울토마토 모종이 상자에 들어 있어요.
• 방울토마토 모종 한 상자의 무게는 얼마쯤 될까요?
탐구하기
무게를 어림하고 재어 봅시다.
준비물 저울
• 여러 가지 방법으로 방울토마토 모종 한 상자의 무게를 어림해 보세요.
500 g짜리 비료 한 봉지와 비슷하니까 방울토마토 오종 한 상자의 무게는 약 500 g일 것 같아.
방울토마토 모종 한 상자의 무게는 약 100 g인 바나나 5개의 무게와 비슷하니까 약 500 g일 거야.
참조물과 비교하여 어림하기
단위화하여 어림하기
• 여러 가지 물건의 무게를 어림하고 재어 보세요.

물건	어림한 무게	직접 잰 무게
예 국어사전	약 500 g	450 g
예 사과	약 200 g	170 g
예 화분	약 3 kg	2 kg 300 g

• 무게를 어림한 방법을 이야기해 보세요.
예 사과: 약 100 g인 바나나 2개와 비슷할 것 같아서 약 200 g이라고 어림하였습니다.
• 무게를 잰 방법을 이야기해 보세요.
예 전자저울 또는 눈금이 있는 저울을 사용하여 무게를 재었습니다.
110

참고 주변에서 볼 수 있는 여러 가지 물건의 무게를 참조물과 비교하기, 단위화하기의 방법으로 어림해 보게 합니다.

교과서 개념 완성

탐구하기 무게를 어림하는 방법 탐구하기

- 무게를 어림하는 방법
  - 예 국어사전: 한 개의 무게가 200 g 정도인 사과 2개보다 조금 더 무거울 것 같아서 약 500 g으로 어림하였습니다.
  - 예 화분: 1 kg인 물건이 3개 정도 있는 것과 비슷할 것 같아서 약 3 kg으로 어림하였습니다.
  - ➜ 1 kg인 물건을 이용하거나 무게를 알고 있는 주변의 물건을 이용하여 어림합니다.

정리하기 무게를 어림하는 방법 정리하기

'약 ☐ kg' 또는 '약 ☐ g'이라고 표현하였습니다.

확인하기 무게를 어림하고 알맞은 단위 고르기

kg, g, t 중에서 알맞은 단위 고르기

- 농구공은 1 kg보다 가벼우므로 약 650 g입니다.
- 동전 한 개의 무게가 약 2 g이고, 2 t은 트럭에 실을 수 있는 정도의 무게이므로 책가방의 무게로 2 g과 2 t은 적절하지 않습니다. 따라서 책가방의 무게는 약 2 kg입니다.
- 3학년 학생 한 명의 몸무게가 약 30 kg이므로 코끼리의 무게로 6 kg과 6 g은 적절하지 않습니다. 따라서 코끼리의 무게는 약 6 t입니다.

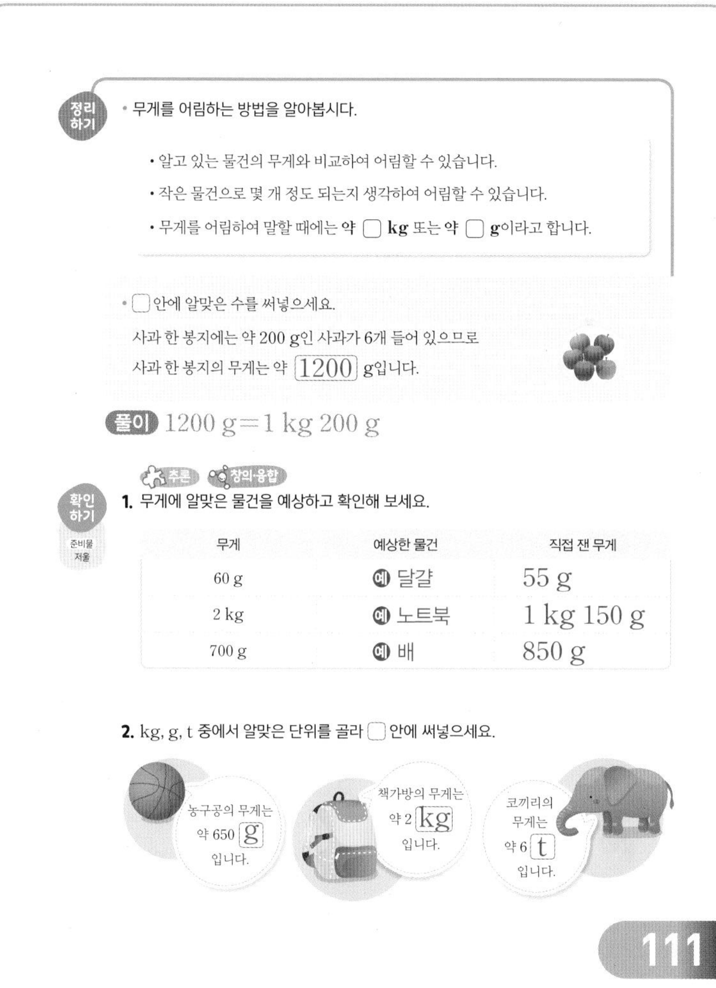

정리하기 • 무게를 어림하는 방법을 알아봅시다.

• 알고 있는 물건의 무게와 비교하여 어림할 수 있습니다.
• 작은 물건으로 몇 개 정도 되는지 생각하여 어림할 수 있습니다.
• 무게를 어림하여 말할 때에는 약 ☐ kg 또는 약 ☐ g이라고 합니다.

• ☐ 안에 알맞은 수를 써넣으세요.
사과 한 봉지에는 약 200 g인 사과가 6개 들어 있으므로
사과 한 봉지의 무게는 약 [1200] g입니다.

풀이 1200 g=1 kg 200 g

추론 창의·융합

확인하기 1. 무게에 알맞은 물건을 예상하고 확인해 보세요.

무게	예상한 물건	직접 잰 무게
60 g	예 달걀	55 g
2 kg	예 노트북	1 kg 150 g
700 g	예 배	850 g

2. kg, g, t 중에서 알맞은 단위를 골라 ☐ 안에 써넣으세요.

농구공의 무게는 약 650 [g] 입니다.
책가방의 무게는 약 2 [kg] 입니다.
코끼리의 무게는 약 6 [t] 입니다.

111

이런 문제가 서술형으로 나와요

잘못 말한 친구를 찾아 쓰고, 바르게 고쳐 보세요.

• 수민: 내 신발의 무게는 약 250 g이야.
• 예나: 역사책 한 권의 무게는 약 420 kg 이야.

❶ 잘못 말한 친구 찾기
예나가 잘못 말했습니다.

❷ 바르게 고치기
책 한 권의 무게는 1 kg보다 가벼우므로
'역사책 한 권의 무게는 약 420 g이야.'라고 고쳐야 합니다.

수학 교과 역량 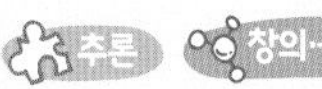

무게를 어림하고 알맞은 단위 고르기

실생활에서 관찰과 추측으로 무게를 어림해 보고 알맞은 단위를 고르는 활동을 통하여 수학적 추론과 창의·융합 능력을 기를 수 있습니다.

개념 확인 문제

정답 및 풀이 225쪽

1 토마토와 의자의 무게를 각각 재어 보려고 합니다. 더 편리한 단위에 ○표 하세요.

(1)

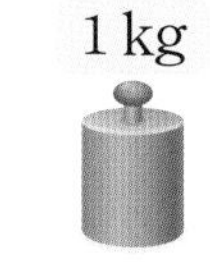

1 kg ( )   100 g ( )

(2)

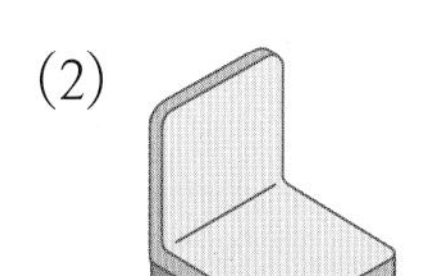

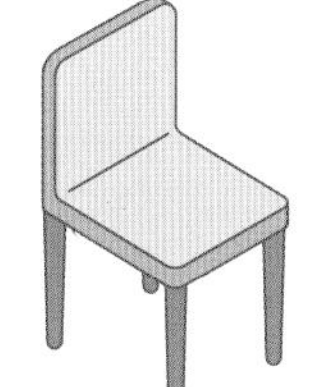

1 kg ( )   100 g ( )

2 각각의 무게에서 알맞은 단위를 보기에서 골라 ☐ 안에 써넣으세요.

보기: kg   g   t

(1) 축구공의 무게는 약 420 ☐ 입니다.

(2) 범고래의 무게는 약 8 ☐ 입니다.

3 1 t보다 무게가 무거운 것에 ○표 하세요.

유조선 1대	책상 1개	야구공 1개
( )	( )	( )

8 | 무게의 덧셈과 뺄셈

학습 목표

무게의 덧셈과 뺄셈을 계산하는 방법을 알고, 실생활에서 무게의 덧셈과 뺄셈 문제를 해결해 보게 합니다.

그림으로 개념 잡기

kg은 kg끼리, g은 g끼리 계산해.

< 무게의 덧셈 >

$$\begin{array}{rrr} & 2\text{ kg} & 300\text{ g} \\ + & 1\text{ kg} & 400\text{ g} \\ \hline & 3\text{ kg} & 700\text{ g} \end{array}$$

< 무게의 뺄셈 >

$$\begin{array}{rrr} & 4\text{ kg} & 600\text{ g} \\ - & 2\text{ kg} & 500\text{ g} \\ \hline & 2\text{ kg} & 100\text{ g} \end{array}$$

참고 그림을 이용하여 무게의 덧셈과 뺄셈 계산 방법과 자연수의 덧셈과 뺄셈 계산 방법의 비슷한 점을 생각해 보게 합니다.

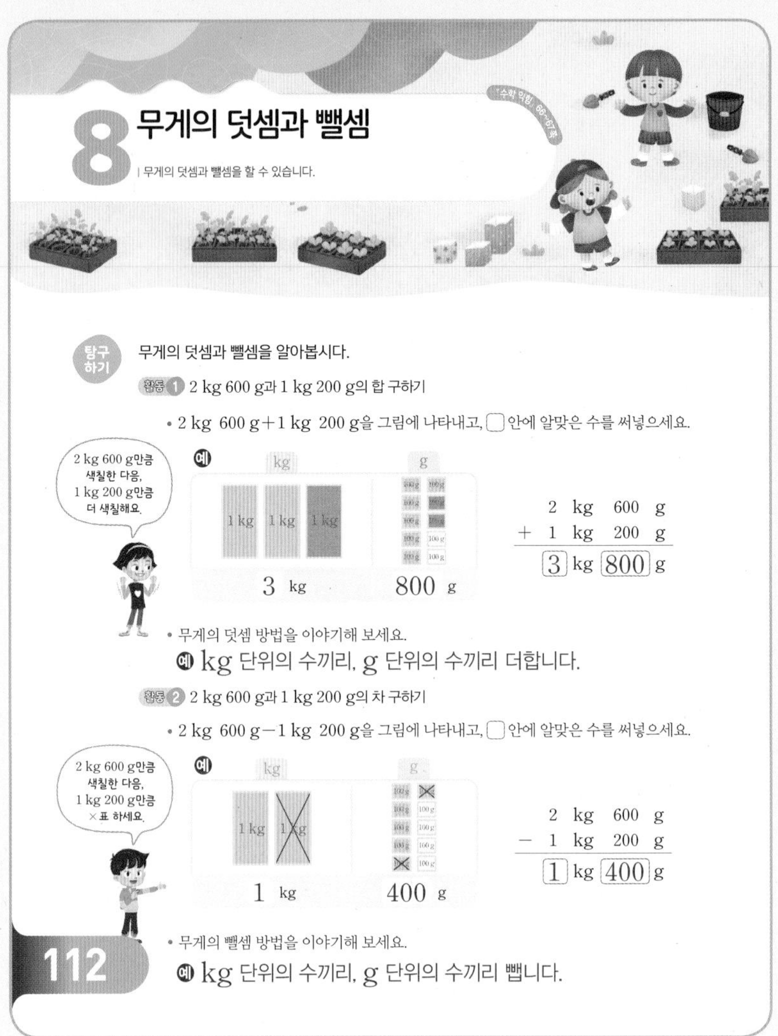
8 무게의 덧셈과 뺄셈

| 무게의 덧셈과 뺄셈을 할 수 있습니다.

탐구하기 무게의 덧셈과 뺄셈을 알아봅시다.

활동 1 2 kg 600 g과 1 kg 200 g의 합 구하기

• 2 kg 600 g+1 kg 200 g을 그림에 나타내고, □ 안에 알맞은 수를 써넣으세요.

2 kg 600 g만큼 색칠한 다음, 1 kg 200 g만큼 더 색칠해요.

예 kg: 1 kg 1 kg 1 kg → 3 kg, g → 800 g

$$\begin{array}{rrr} & 2\text{ kg} & 600\text{ g} \\ + & 1\text{ kg} & 200\text{ g} \\ \hline & \boxed{3}\text{ kg} & \boxed{800}\text{ g} \end{array}$$

• 무게의 덧셈 방법을 이야기해 보세요.

예 kg 단위의 수끼리, g 단위의 수끼리 더합니다.

활동 2 2 kg 600 g과 1 kg 200 g의 차 구하기

• 2 kg 600 g−1 kg 200 g을 그림에 나타내고, □ 안에 알맞은 수를 써넣으세요.

2 kg 600 g만큼 색칠한 다음, 1 kg 200 g만큼 ×표 하세요.

예 kg: 1 kg 1 kg → 1 kg, g → 400 g

$$\begin{array}{rrr} & 2\text{ kg} & 600\text{ g} \\ - & 1\text{ kg} & 200\text{ g} \\ \hline & \boxed{1}\text{ kg} & \boxed{400}\text{ g} \end{array}$$

• 무게의 뺄셈 방법을 이야기해 보세요.

예 kg 단위의 수끼리, g 단위의 수끼리 뺍니다.

112

교과서 개념 완성

탐구하기 무게의 덧셈과 뺄셈 방법 탐구하기

활동 1 2 kg 600 g과 1 kg 200 g의 합 구하기

• 2 kg과 1 kg을, 600 g과 200 g을 더합니다.

활동 2 2 kg 600 g과 200 g의 차 구하기

• 2 kg에서 1 kg을 빼고, 600 g에서 200 g을 뺍니다.

정리하기 무게의 덧셈과 뺄셈 방법 정리하기

$$\begin{array}{rrr} & 2\text{ kg} & 600\text{ g} \\ + & 1\text{ kg} & 200\text{ g} \\ \hline & 3\text{ kg} & 800\text{ g} \end{array}$$

무게의 덧셈은 kg 단위의 수끼리, g 단위의 수끼리 더합니다.

$$\begin{array}{rrr} & 2\text{ kg} & 600\text{ g} \\ - & 1\text{ kg} & 200\text{ g} \\ \hline & 1\text{ kg} & 400\text{ g} \end{array}$$

무게의 뺄셈은 kg 단위의 수끼리, g 단위의 수끼리 뺍니다.

확인하기 실생활에서 무게의 덧셈과 뺄셈 계산하기

$$\begin{array}{rrr} & \overset{1}{3}\text{ kg} & 600\text{ g} \\ + & 1\text{ kg} & 400\text{ g} \\ \hline & 5\text{ kg} & \end{array}$$

g끼리의 합이 1000 g이거나 1000 g을 넘으면 1 kg으로 받아올림합니다.

학부모 코칭 Tip

무게의 계산을 할 때는 같은 단위의 수끼리 계산한다는 것을 인식하는 것이 중요합니다. 따라서 4 kg 1000 g을 5 kg으로 바꾸어 나타내는 것을 강요하지 않도록 합니다.

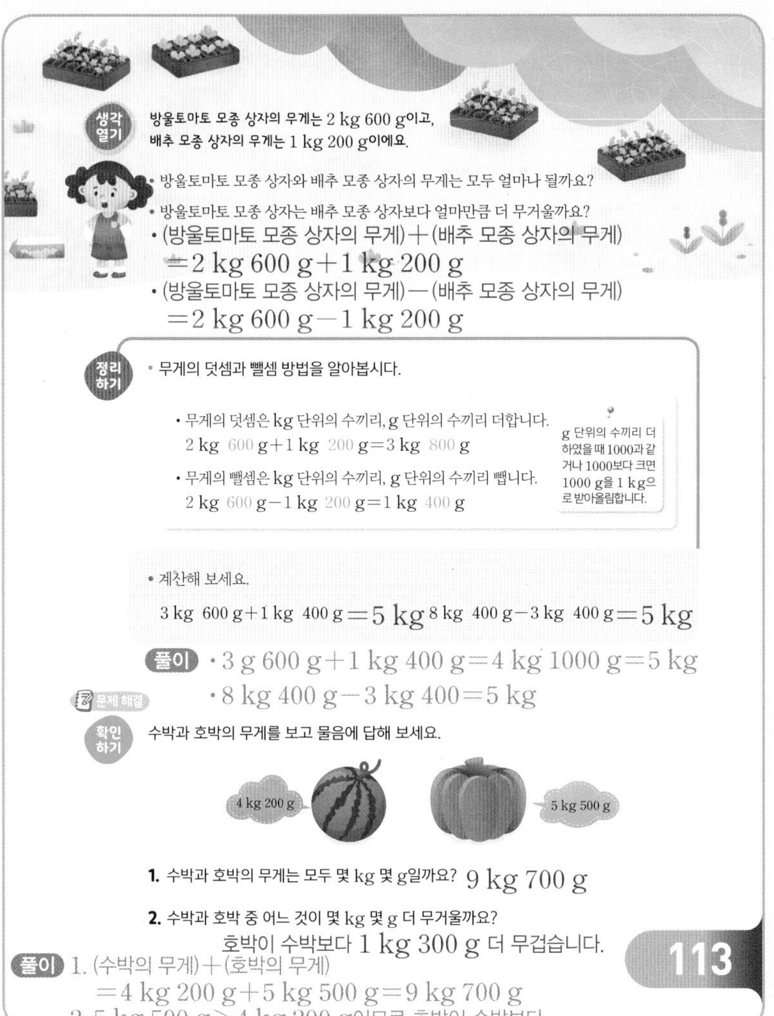

생각열기
방울토마토 모종 상자의 무게는 2 kg 600 g이고, 배추 모종 상자의 무게는 1 kg 200 g이에요.
• 방울토마토 모종 상자와 배추 모종 상자의 무게는 모두 얼마나 될까요?
• 방울토마토 모종 상자는 배추 모종 상자보다 얼마만큼 더 무거울까요?
• (방울토마토 모종 상자의 무게)+(배추 모종 상자의 무게) =2 kg 600 g+1 kg 200 g
• (방울토마토 모종 상자의 무게)−(배추 모종 상자의 무게) =2 kg 600 g−1 kg 200 g
정리하기
• 무게의 덧셈과 뺄셈 방법을 알아봅시다.
• 무게의 덧셈은 kg 단위의 수끼리, g 단위의 수끼리 더합니다.
2 kg 600 g+1 kg 200 g=3 kg 800 g
• 무게의 뺄셈은 kg 단위의 수끼리, g 단위의 수끼리 뺍니다.
2 kg 600 g−1 kg 200 g=1 kg 400 g
g 단위의 수끼리 더하였을 때 1000과 같거나 1000보다 크면 1000 g을 1 kg으로 받아올림합니다.
• 계산해 보세요.
3 kg 600 g+1 kg 400 g=5 kg
8 kg 400 g−3 kg 400 g=5 kg
풀이 • 3 g 600 g+1 kg 400 g=4 kg 1000 g=5 kg
• 8 kg 400 g−3 kg 400=5 kg
문제 해결
확인하기
수박과 호박의 무게를 보고 물음에 답해 보세요.
4 kg 200 g
5 kg 500 g
1. 수박과 호박의 무게는 모두 몇 kg 몇 g일까요? 9 kg 700 g
2. 수박과 호박 중 어느 것이 몇 kg 몇 g 더 무거울까요?
호박이 수박보다 1 kg 300 g 더 무겁습니다.
113
풀이 1. (수박의 무게)+(호박의 무게)
=4 kg 200 g+5 kg 500 g=9 kg 700 g
2. 5 kg 500 g>4 kg 200 g이므로 호박이 수박보다
5 kg 500 g−4 kg 200 g=1 kg 300 g 더 무겁습니다.

이런 문제가 서술형으로 나와요

밤을 지훈이는 2 kg 500 g, 선아는 1 kg 300 g 주웠습니다. 밤을 누가 얼마나 더 많이 주웠는지 풀이 과정을 쓰고, 답을 구해 보세요.

| 풀이 과정 |

❶ 밤을 누가 더 많이 주웠는지 구하기

2 kg 500 g>1 kg 300 g이므로 밤을 더 많이 주운 사람은 지훈이입니다.

❷ 밤을 누가 얼마나 더 많이 주웠는지 구하기

지훈이가 밤을

2 kg 500 g−1 kg 300 g=1 kg 200 g

더 많이 주웠습니다.

답 지훈, 1 kg 200 g

수학 교과 역량 

실생활에서 무게의 덧셈과 뺄셈 계산하기

실생활에서 무게의 덧셈과 뺄셈 상황을 이해하고, 계획한 방법에 따라 문제를 해결하였는지, 답을 바르게 구하였는지 검토하는 과정을 통하여 문제 해결 능력을 기를 수 있습니다.

개념 확인 문제

정답 및 풀이 225쪽

1 무게의 합을 구해 보세요.

	2 kg	500 g
+	1 kg	300 g
	□ kg	□ g

2 무게의 차를 구해 보세요.

	5 kg	700 g
−	3 kg	200 g
	□ kg	□ g

3 두 무게의 차는 몇 kg 몇 g인가요?

4700 g　　1 kg 300 g

(　　　　　　　)

4 지후의 구슬 주머니의 무게는 1 kg 450 g입니다. 동생의 구슬 주머니는 지후보다 500 g 더 무거울 때 동생의 구슬 주머니의 무게는 몇 kg 몇 g인지 구해 보세요.

(　　　　　　　)

11 차시 문제 해결력 | 쑥쑥

5L 들이 그릇에 4L의 물을 담아 보세요.

학습 목표

거꾸로 풀기 전략을 이용하여 들이의 덧셈, 뺄셈과 관련된 문제를 해결하고 어떻게 해결하였는지 설명할 수 있게 합니다.

문제 해결 전략 거꾸로 풀기 전략을 이용하여 문제 해결하기

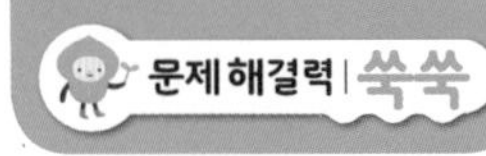

5 L들이 그릇에 4 L의 물을 담아 보세요

그림과 같이 5 L와 3 L들이 그릇이 각각 한 개씩 있습니다. 규칙에 따라 두 그릇을 사용하여 5 L들이 그릇에 4 L의 물을 담을 수 있는 방법을 설명해 보세요.

규칙
- 들이가 서로 다른 두 종류의 그릇을 각각 한 개씩만 사용합니다.
- 눈금이 없는 그릇을 사용합니다.
- 그릇에 물을 여러 번 담고 버릴 수 있습니다.

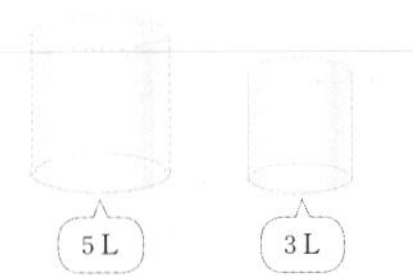

문제 이해하기 • 구하려고 하는 것은 무엇인가요? 예 5 L들이 그릇에 4 L의 물을 담으려고 합니다.

• 알고 있는 것은 무엇인가요?
예 • 5 L들이 그릇과 3 L들이 그릇을 각각 한 개씩만 사용합니다.
• 눈금이 없는 그릇을 사용합니다.
• 그릇에 물을 여러 번 담고 버릴 수 있습니다.

계획 세우기 • 어떤 방법으로 문제를 해결할 수 있을지 계획을 세워 보세요.

5 L들이 그릇에 물을 가득 채워 1 L를 버리면 4 L가 남아.
1 L를 버리려면 3 L들이 그릇에 2 L의 물이 들어 있으면 돼.

114

수학 교과 역량 문제 해결 추론

5 L 들이 그릇에 4 L 물 담기

- 문제의 조건을 확인하고 문제 해결에 적절한 전략을 선택하는 과정에서 문제 해결 능력을 기를 수 있습니다.
- 주어진 조건에 따라 문제를 해결하기 위해 어떠한 과정을 거쳐야 하는지 추론하고 반성함으로써 추론 능력을 기를 수 있습니다.

문제 해결 Tip 물을 채우고 덜어 내는 과정에서 물의 들이의 합과 차를 이용합니다.

교과서 개념 완성

문제 이해하기

» 구하려고 하는 것

5 L들이 그릇에 4 L의 물을 담으려고 합니다.

» 알고 있는 것

- 눈금이 없는 5 L들이 그릇과 3 L들이 그릇을 각각 한 개씩만 사용합니다.
- 그릇에 물을 여러 번 담고 버릴 수 있습니다.

계획 세우기

5 L들이 그릇에 4 L의 물을 담으려면 1 L의 물을 버리는 방법을 생각해야 합니다.

계획대로 풀기

다른 방법 찾기

① 3 L들이 그릇에 물을 가득 채워 5 L들이 그릇에 옮겨 담습니다.
② 3 L들이 그릇에 다시 물을 가득 채워 5 L들이 그릇이 가득 찰 때까지 옮겨 담으면 3 L들이 그릇에 1 L의 물이 남습니다.
③ 5 L들이 그릇을 비우고 3 L들이 그릇에 담겨 있는 물 1 L를 5 L들이 그릇에 옮겨 담습니다.
④ 3 L들이 그릇을 가득 채워 5 L들이 그릇에 옮겨 담으면 5 L들이 그릇에 4 L의 물을 담을 수 있습니다.

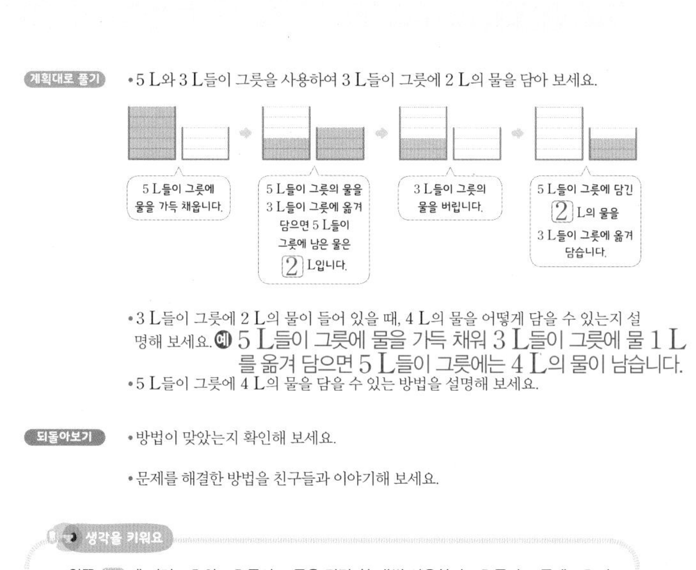

생각을 키워요

문제 이해하기

›› 구하려고 하는 것

7 L들이 그릇에 5 L의 물을 담으려고 합니다.

›› 알고 있는 것

- 7 L들이 그릇과 3 L들이 그릇을 각각 한 개씩만 사용합니다.
- 눈금이 없는 그릇을 사용합니다.
- 그릇에 물을 여러 번 담고 버릴 수 있습니다.

계획 세우기

- 7 L들이 그릇에 5 L의 물을 담으려면 2 L의 물을 버리는 방법을 생각해야 합니다.
- 3 L들이 그릇에 1 L의 물을 담으면 2 L의 물을 버릴 수 있습니다.
- 7 L들이 그릇과 3 L들이 그릇을 이용하여 1 L의 물을 담으면 문제를 해결할 수 있습니다.

되돌아보기

7 L들이 그릇에 5 L의 물이 담겨 있으므로 문제를 바르게 해결하였습니다.

문제 해결력 문제

정답 및 풀이 225~226쪽

1 눈금이 없는 3 L와 5 L들이 그릇을 각각 한 개씩 사용하여 3 L들이 그릇에 1 L의 물을 담을 수 있는 방법을 설명해 보세요. (단, 그릇에 물을 여러 번 담고 버릴 수 있습니다.)

(방법)

2 눈금이 없는 3 L와 7 L들이 그릇을 각각 한 개씩 사용하여 3 L들이 그릇에 2 L의 물을 담을 수 있는 방법을 설명해 보세요. (단, 그릇에 물을 여러 번 담고 버릴 수 있습니다.)

(방법)

12 차시 단원 마무리 | 척척

4. 들이와 무게

의사소통

들이와 무게 나타내기

▶자습서 110~111쪽, 118~121쪽

- 수조의 작은 눈금은 1 L=1000 mL가 10등분 되어 있습니다.
- 저울의 작은 눈금을 100 g이 10등분 되어 있습니다.

학부모 코칭 Tip

측정 도구로 들이와 무게를 잰 결과를 정확히 나타낼 수 있는지 확인합니다.

1 물의 양과 물건의 무게를 각각 나타내어 보세요.

98, 106쪽

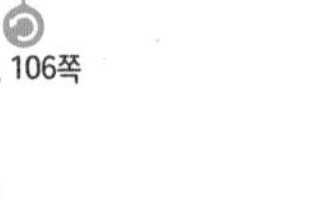
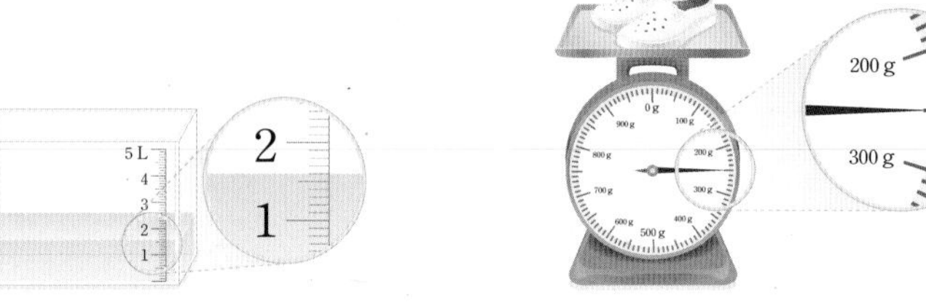

[1] L [600] mL [250] g

풀이 • 수조의 숫자 눈금 1과 2 사이가 10칸으로 똑같이 나누어져 있으므로 작은 눈금 1칸은 100 mL입니다. 수조에 들어 있는 물의 양은 1 L보다 6칸 더 많으므로 1 L 600 mL입니다.
• 저울의 숫자 눈금 200과 300 사이가 10칸으로 똑같이 나누어져 있으므로 작은 눈금 1칸은 10 g입니다. 실내화의 무게는 200 g보다 5칸 더 무거 운 무게이므로 250 g입니다.

추론 의사소통

1 L와 1 mL, 1 kg과 1 g, 1 kg과 1 t의 관계 이해하기

▶자습서 110~111쪽, 118~121쪽

학부모 코칭 Tip

- 1 L=1000 mL를 이해하고 들이를 단명수와 복명수로 나타낼 수 있는지 확인합니다.
- 1 kg=1000 g, 1 t=1000 kg을 이해하고 무게를 단명수와 복명수로 나타낼 수 있는지 확인합니다.

2 □ 안에 알맞은 수를 써넣으세요.

98, 106쪽

2 L 100 mL=[2100] mL　　1800 mL=[1] L [800] mL

4 kg 300 g=[4300] g　　3050 g=[3] kg [50] g

5 t=[5000] kg　　9000 kg=[9] t

풀이 • 2 L 100 mL=2000 mL+100 mL=2100 mL
• 1800 mL=1000 mL+800 mL=1 L 800 mL
• 4 kg 300 g=4000 g+300 g=4300 g
• 3050 g=3000 g+50 g=3 kg 50 g
• 1 t=1000 kg → 5 t=5000 kg
• 1000 kg=1 t → 9000 kg=9 t

추론

무게의 덧셈하기

▶자습서 124~125쪽

저울이 나타내는 눈금은 지후가 책가방을 메고 저울에 올라간 무게와 같습니다.

학부모 코칭 Tip

생활 속에서 무게의 덧셈 상황을 알고 계산할 수 있는지 확인합니다.

3 지후의 몸무게는 34 kg 900 g입니다. 지후가 2 kg 350 g인 책가방을 메고 저울에 올라갔을 때, 저울이 나타내는 눈금은 몇 kg 몇 g일까요?

112쪽

(37 kg 250 g)

풀이 (저울이 나타내는 눈금)=(지후의 몸무게)+(책가방의 무게)
=34 kg 900 g+2 kg 350 g
=36 kg 1250 g
=37 kg 250 g

116

4 단위가 잘못된 부분을 모두 찾아 바르게 고쳐 보세요.

100, 110쪽

무 한 개의 무게는
약 800 t이야.
양동이에
2 mL의 물을
받았어.
호박
한 개의 무게는
약 7 kg이야.
텃밭에 1 L의
물을 줄 거야.

고치기 예 무 한 개의 무게는 약 800 g이야.

예 양동이에 2 L의 물을 받았어.

풀이 • 무의 무게는 g을 사용하는 것이 알맞습니다.
• 양동이에 담은 물의 양은 L를 사용하는 것이 알맞습니다.

창의·융합 의사소통

상황과 대상에 따라 적절한 단위 사용하여 표현하기

▶자습서 112~113쪽, 122~123쪽

학부모 코칭 Tip

생활 속에서 들이와 무게에 대한 적절한 단위를 선택하여 표현할 수 있으며, 틀린 부분을 바르게 고칠 수 있는지 확인합니다.

생각을 넓혀요 문제 해결 추론 정보 처리

5 서연이와 친구들이 4 L 500 mL의 주스를 사려고 합니다. 다음과 같이 주스를 샀다면 몇 mL를 더 사야 하는지 이야기해 보세요. 2400 mL

102쪽

풀이 (사려고 하는 주스의 양)=4 L 500 mL
(산 주스의 양)=500 mL+500 mL+300 mL+800 mL
=2100 mL=2 L 100 mL
⇨ (더 사야 하는 주스의 양)=4 L 500 mL−2 L 100 mL
=2 L 400 mL=2400 mL

문제 해결 추론 정보 처리

들이의 덧셈과 뺄셈 활용

▶자습서 114~115쪽

사야 하는 주스의 양을 먼저 구하고 더 사야 하는 주스의 양을 구합니다.
이때 답을 mL 단위로 나타내어야 함에 주의합니다.

학부모 코칭 Tip

주어진 문제에서 정보를 파악하여 들이의 덧셈과 뺄셈을 할 수 있는지 확인합니다.

117

• 요리 속으로 | 냥냥 • 이야기로 키우는 | 생각

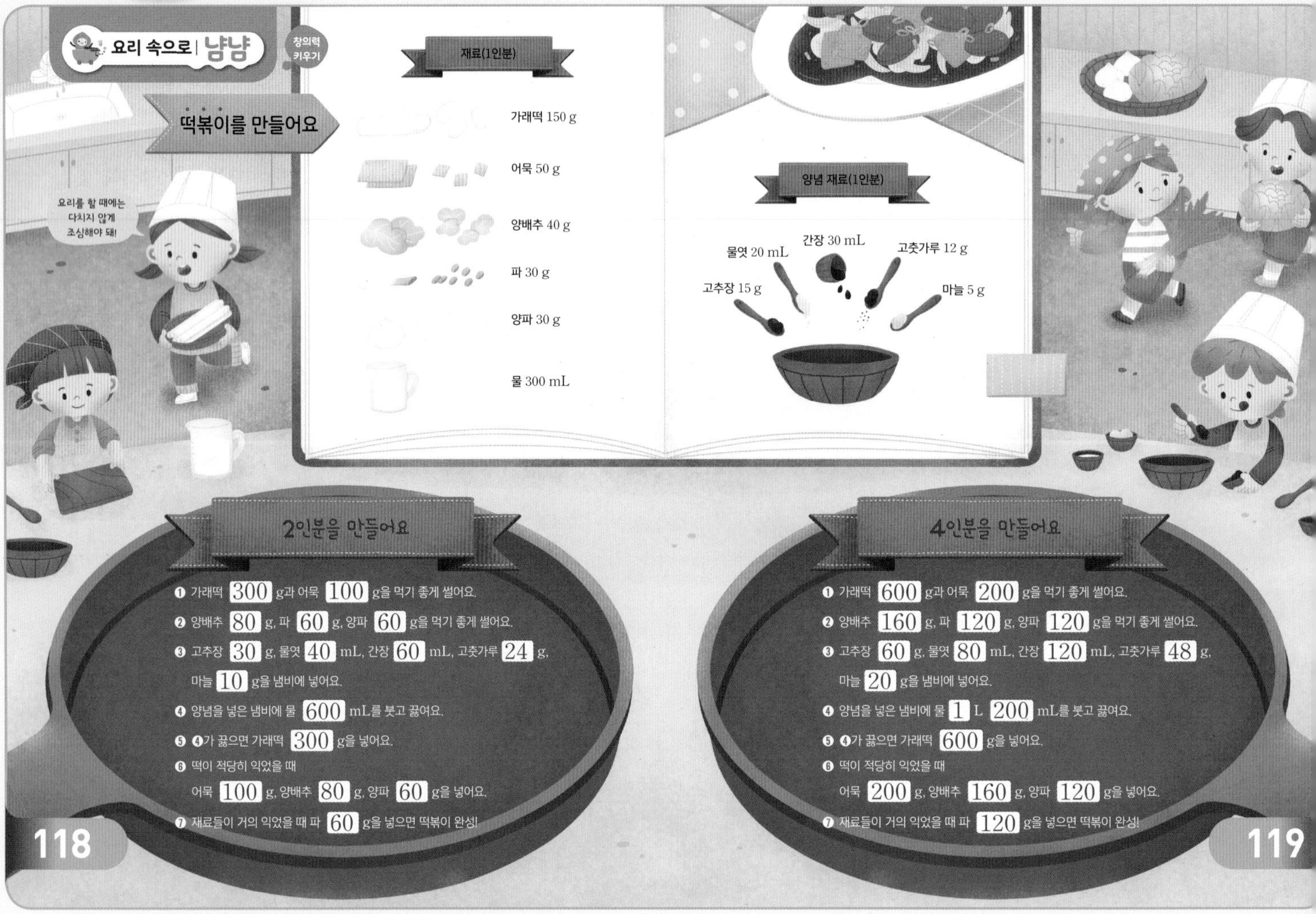

요리 속으로 | 냥냥 창의력 키우기

떡볶이를 만들어요

요리를 할 때에는 다치지 않게 조심해야 돼!

재료(1인분)

가래떡 150 g
어묵 50 g
양배추 40 g
파 30 g
양파 30 g
물 300 mL

양념 재료(1인분)

물엿 20 mL
간장 30 mL
고춧가루 12 g
고추장 15 g
마늘 5 g

2인분을 만들어요

❶ 가래떡 300 g과 어묵 100 g을 먹기 좋게 썰어요.
❷ 양배추 80 g, 파 60 g, 양파 60 g을 먹기 좋게 썰어요.
❸ 고추장 30 g, 물엿 40 mL, 간장 60 mL, 고춧가루 24 g, 마늘 10 g을 냄비에 넣어요.
❹ 양념을 넣은 냄비에 물 600 mL를 붓고 끓여요.
❺ ❹가 끓으면 가래떡 300 g을 넣어요.
❻ 떡이 적당히 익었을 때 어묵 100 g, 양배추 80 g, 양파 60 g을 넣어요.
❼ 재료들이 거의 익었을 때 파 60 g을 넣으면 떡볶이 완성!

4인분을 만들어요

❶ 가래떡 600 g과 어묵 200 g을 먹기 좋게 썰어요.
❷ 양배추 160 g, 파 120 g, 양파 120 g을 먹기 좋게 썰어요.
❸ 고추장 60 g, 물엿 80 mL, 간장 120 mL, 고춧가루 48 g, 마늘 20 g을 냄비에 넣어요.
❹ 양념을 넣은 냄비에 물 1 L 200 mL를 붓고 끓여요.
❺ ❹가 끓으면 가래떡 600 g을 넣어요.
❻ 떡이 적당히 익었을 때 어묵 200 g, 양배추 160 g, 양파 120 g을 넣어요.
❼ 재료들이 거의 익었을 때 파 120 g을 넣으면 떡볶이 완성!

118 119

교과서 개념 완성

1 떡볶이 2인분을 만드는 데 필요한 재료의 양 구하기

가래떡	150+150=300 (g)
어묵	50+50=100 (g)
양배추	40+40=80 (g)
파, 양파	30+30=60 (g)
고추장	15+15=30 (g)
물엿	20+20=40 (mL)
간장	30+30=60 (mL)
고춧가루	12+12=24 (g)
마늘	5+5=10 (g)
물	300+300=600 (mL)

2 떡볶이 4인분을 만드는 데 필요한 재료의 양 구하기

떡볶이 2인분에 필요한 재료의 양을 2번 더하면 됩니다.

가래떡	300+300=600 (g)
어묵	100+100=200 (g)
양배추	80+80=160 (g)
파	60+60=120 (g)
양파	60+60=120 (g)
고추장	30+30=60 (g)
물엿	40+40=80 (mL)
간장	60+60=120 (mL)
고춧가루	24+24=48 (g)
마늘	10+10=20 (g)
물	600+600=1200 (mL) =1 L 200 mL

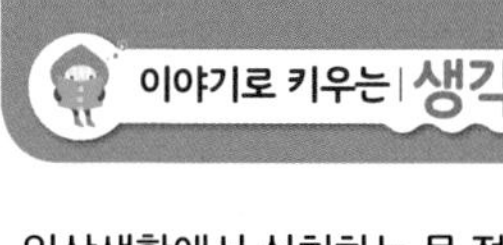

일상생활에서 실천하는 물 절약 창의력 키우기

물은 우리가 살아가는 데 있어 꼭 필요한 것으로 많은 곳에 사용되고 있습니다. 이렇게 중요한 물이 미래에는 부족하게 되어 세계 인구 중 절반이 물 부족을 겪게 될 것이라고 합니다.

'물 절약하기'는 우리가 반드시 실천해야 하는 일이 되었습니다.

설거지할 때 물을 절약하는 방법

그릇에 남은 음식물이나 기름기를 휴지로 닦은 후, 설거지를 하면 사용하는 물의 양을 줄일 수 있습니다.

설거지통에 물을 받아 설거지를 하게 되면 물을 많이 아낄 수 있습니다. 물을 틀어 놓고 설거지를 하면 약 20 L를 사용하지만 물을 받아서 설거지를 하면 약 6 L의 물로 할 수 있다고 합니다.

물이 나오는 수도꼭지의 물줄기를 넓게 해서 설거지를 합니다. 이렇게 하면 같은 양의 물로 더 넓은 부분을 씻을 수 있어 물을 절약할 수 있습니다.

120

일상생활에서 물을 절약할 수 있는 방법을 생각해 보고 실천해 볼까요?

[출처] 한국수자원공사, K-water 공식 블로그 '맛있는 수다(水多)'

121

이야기로 키우는 생각

물과 사람

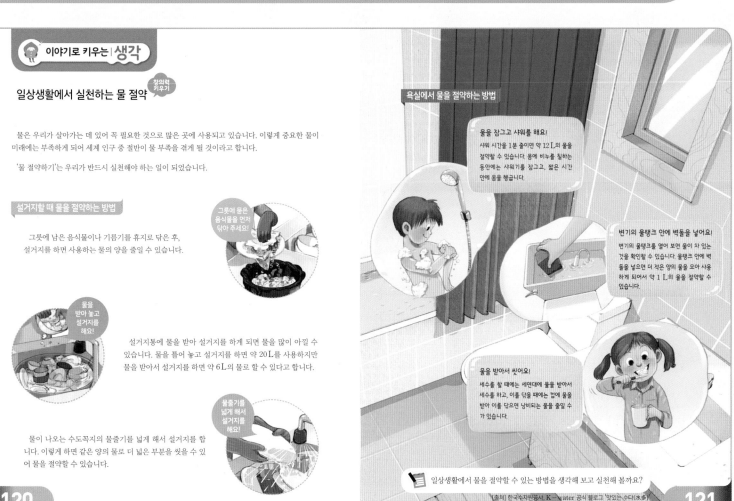

사람의 몸에 있는 물의 양은 사람에 따라, 또 몸의 어느 부분인가에 따라 차이가 있지만 전체적으로 체중의 70%를 차지합니다. 사람의 몸에서는 하루 평균 2 L 400 mL의 물이 땀이나 배설물을 통하여 빠져나가며, 숨을 쉴 때에도 습기를 머금은 공기를 통하여 공기 중으로 물이 빠져나갑니다.

텔레비전이나 신문 등의 건강 정보를 다루는 매체에서 물을 자주 마시라고 하는 이유도 바로 이 때문입니다.

인간은 산소 없이는 단 몇 분밖에 살지 못하며, 물 없이는 보통 일주일 정도밖에 살지 못합니다.

체내 수분이 1~3 %가 부족하면 심한 갈증을 느끼며, 5 %가 부족하면 혼수상태에 빠지고, 12 %가 부족하면 사망에 이릅니다.

몸속에 물이 부족하면 우리 몸의 신진대사가 원활히 이루어지지 않습니다. 체내 독소를 제때 배출하지 못하면 자가 중독을 일으키기도 합니다. 이 외에도 만성 탈수 현상은 뇌의 용적을 줄여서 치매로 이어질 수도 있고, 혈액을 농축시켜 노화의 원인이 되기도 합니다.

[출처] 환경부, 물 사랑 누리집

개념 + 확인

교과서 개념과 확인 문제를 풀면서 단원을 마무리해 보아요.

개념

들이 비교하기

- 들이를 비교하려면 같은 단위를 사용해야 합니다.
- 같은 단위로 들이를 비교할 때 단위가 많이 사용된 것이 들이가 더 많습니다.

들이의 단위

- 들이의 단위에는 리터와 밀리리터 등이 있습니다.
- 1 리터는 1 L, 1 밀리리터는 1 mL라고 씁니다.

1 L = 1000 mL

- 1 L보다 500 mL 더 많은 들이
  1 L 500 mL라 쓰고 1 리터 500 밀리리터라고 읽습니다.

1 L 500 mL = 1500 mL

들이를 어림하고 재어 보기

들이를 어림하여 말할 때는 약 □ L 또는 약 □ mL라고 합니다.

들이의 덧셈과 뺄셈

L 단위의 수끼리, mL 단위의 수끼리 계산합니다.

	L	mL
	6 L	700 mL
+	2 L	200 mL
	8 L	900 mL

	L	mL
	6 L	800 mL
−	2 L	700 mL
	4 L	100 mL

확인 문제

1 ㉮와 ㉯에 물을 가득 채워 모양과 크기가 같은 그릇에 각각 모두 옮겨 담았습니다. ㉮와 ㉯ 중에서 들이가 더 적은 것은 어느 것인지 기호를 써 보세요.

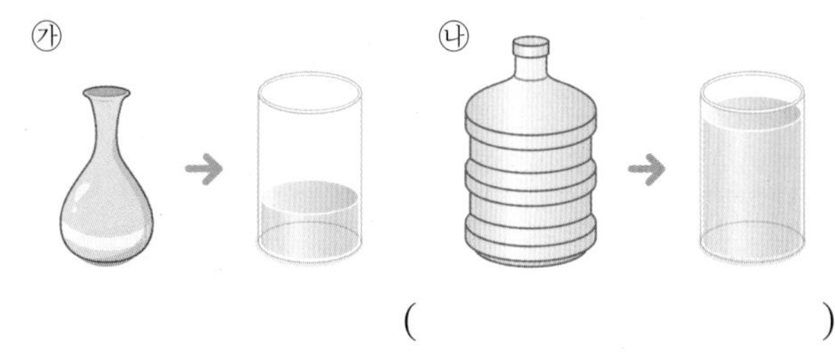

(　　　　　　)

2 □ 안에 알맞은 수를 써넣으세요.

(1) 4 L = □ mL

(2) 2350 mL = □ L □ mL

3 각각의 들이에 알맞은 단위를 보기 에서 골라 □ 안에 써넣으세요.

보기: mL　　L

(1) 냄비의 들이는 약 10 □입니다.

(2) 요구르트 병은 약 60 □입니다.

4 계산해 보세요.

(1) 1 L 200 mL + 2 L 400 mL

(2) 3 L 700 mL − 1 L 350 mL

개념

무게 비교하기

- 무게를 비교하려면 같은 단위를 사용해야 합니다.
- 같은 단위로 무게를 비교할 때 단위가 많이 사용된 것이 무게가 더 무겁습니다.

무게의 단위

- 무게의 단위에는 킬로그램과 그램, 톤 등이 있습니다.
- 1 킬로그램은 1 kg, 1 그램은 1 g, 1톤은 1 t이라고 씁니다.

1 kg=1000 g	1 t=1000 kg

- 1 kg보다 600 g 더 많은 들이 1 kg 600 g이라 쓰고 1 킬로그램 600 그램이라고 읽습니다.

1 kg 600 g=1600 g

무게를 어림하고 재어 보기

무게를 어림하여 말할 때는 약 □kg 또는 약 □g이라고 합니다.

무게의 덧셈과 뺄셈

kg 단위의 수끼리, g 단위의 수끼리 계산합니다.

	kg	g
	5 kg	300 g
+	2 kg	600 g
	7 kg	900 g

	kg	g
	5 kg	700 g
−	2 kg	600 g
	3 kg	100 g

확인 문제

5 필통과 수첩 중 어느 것이 얼마만큼 더 무거운지 비교해 보세요.

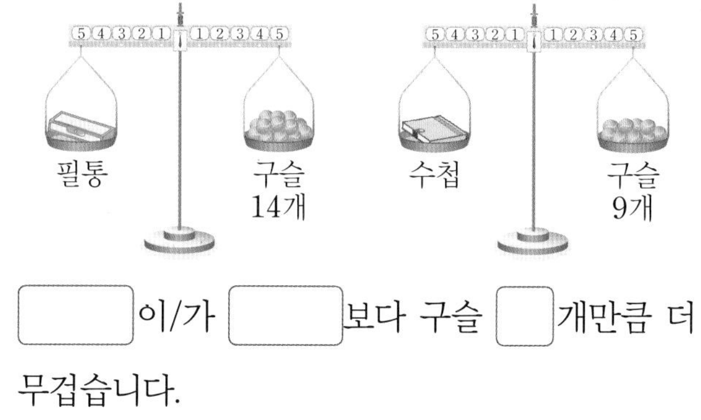

□이/가 □보다 구슬 □개만큼 더 무겁습니다.

6 □ 안에 알맞은 수를 써넣으세요.

(1) 3 kg 500 g=□g

(2) 7000 kg=□t

7 무게를 비교하여 ○ 안에 >, =, <를 알맞게 써넣으세요.

5010 g ○ 5 kg 600 g

8 두 무게의 합은 몇 kg 몇 g인지 구해 보세요.

3 kg 400 g 5 kg 150 g

( )

단계별로

서술형 문제 해결하기

과정 중심 평가 내용: 들이의 합과 차를 구할 수 있는가?

1-1 지훈이 어머니께서 식용유를 지난달에 2 L 300 mL, 이번 달에는 지난달보다 500 mL 더 사용했습니다. 지난달과 이번 달에 사용한 식용유는 모두 몇 L 몇 mL인지 풀이 과정을 쓰고, 답을 구해 보세요. [8점]

풀이

❶ 이번 달에 사용한 식용유의 양은
2 L 300 mL+500 mL
=☐L☐mL입니다.

❷ 지난달과 이번 달에 사용한 식용유는 모두
2 L 300 mL+2 L 800 mL
=☐L☐mL입니다.

답 ....

1-2 쌍둥이 석현이는 약수터에서 물을 1 L 400 mL 담고, 도현이는 석현이보다 500 mL 더 담았습니다. 석현이와 도현이가 담은 물은 모두 몇 L 몇 mL인지 풀이 과정을 쓰고, 답을 구해 보세요. [12점]

풀이

답 ....

1-3 유사 들이가 4 L 500 mL인 빈 수조에 1분에 1 L씩 나오는 수도로 2분 동안 물을 받았습니다. 수조를 가득 채우려면 물을 몇 L 몇 mL 더 받아야 하는지 풀이 과정을 쓰고, 답을 구해 보세요. [15점]

풀이

답 ....

1-4 실전 진아네 가족과 수빈이네 가족이 이틀 동안 마신 우유의 양입니다. 어느 가족이 몇 L 몇 mL 더 많이 마셨는지 풀이 과정을 쓰고, 답을 구해 보세요. [15점]

	어제	오늘
진아네	1 L 200 mL	800 mL
수빈이네	900 mL	1 L 150 mL

풀이

답 ....

공부한 날 월 일

➜ 정답 및 풀이 226~227쪽

2-1 가장 무거운 무게와 가장 가벼운 무게의 합은 몇 kg 몇 g인지 풀이 과정을 쓰고, 답을 구해 보세요. [8점]

· 5 kg 300 g · 2 kg 700 g · 2400 g

풀이 ❶ 2400 g=☐kg☐g입니다.

가장 무거운 무게는 ☐kg☐g이고, 가장 가벼운 무게는 ☐kg☐g입니다.

❷ ❶에서 구한 두 무게의 합은

☐kg☐g

+☐kg☐g

=☐kg☐g입니다.

답

2-2 쌍둥이

가장 무거운 무게와 가장 가벼운 무게의 차는 몇 kg 몇 g인지 풀이 과정을 쓰고, 답을 구해 보세요. [12점]

· 1 kg 900 g · 2060 g · 3 kg 200 g

풀이

답

2-3 유사

지수가 가방을 메고 몸무게를 재면 34 kg이고, 가방을 메지 않고 재면 32 kg 750 g입니다. 이 가방에 600 g의 책을 넣으면 가방의 무게는 몇 kg 몇 g이 되는지 풀이 과정을 쓰고, 답을 구해 보세요. [15점]

풀이

답

2-4 실전

사과 1개의 무게는 400 g이고, 귤 1개의 무게는 150 g입니다. 배 1개의 무게는 몇 g인지 풀이 과정을 쓰고, 답을 구해 보세요. (단, 사과 2개의 무게는 같습니다.) [15점]

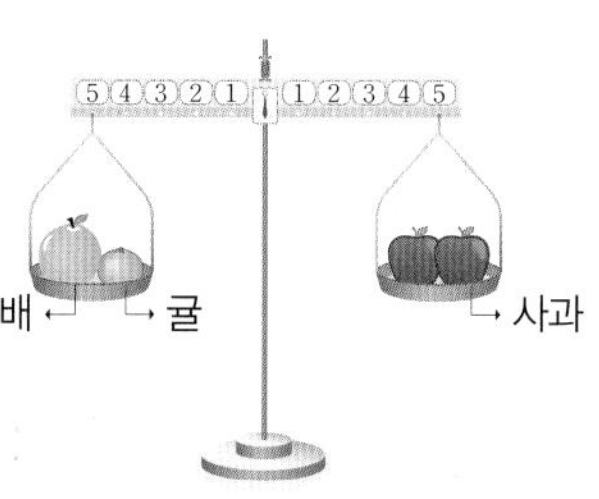

풀이

답

단원 평가

| 들이의 비교 |

01 물통에 물을 가득 채운 후 수조에 옮겨 담았더니 물이 흘러넘쳤습니다. 물통과 수조 중에서 들이가 더 많은 것은 어느 것인가요?

하

(　　　　　　　　　　)

| 무게의 비교 |

02 배와 토마토의 무게를 비교한 것입니다. 배와 토마토 중 더 무거운 것은 어느 것인가요?

하

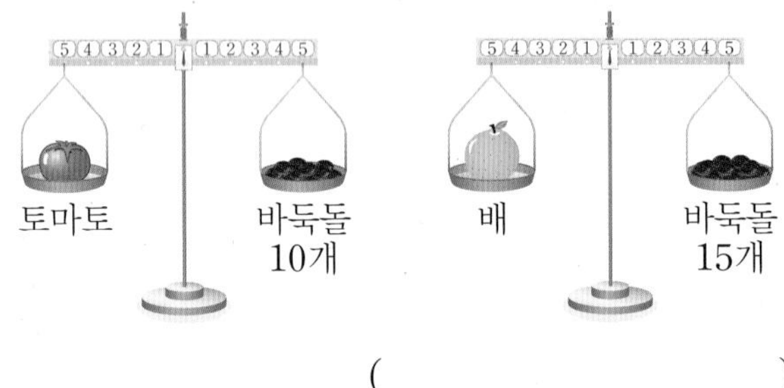

(　　　　　　　　　　)

| 들이의 단위 |

03 들이를 읽어 보세요.

하

2 L 500 mL

(　　　　　　　　　　)

| 무게의 단위 |

04 책가방의 무게는 얼마인지 눈금을 읽어 보세요.

하

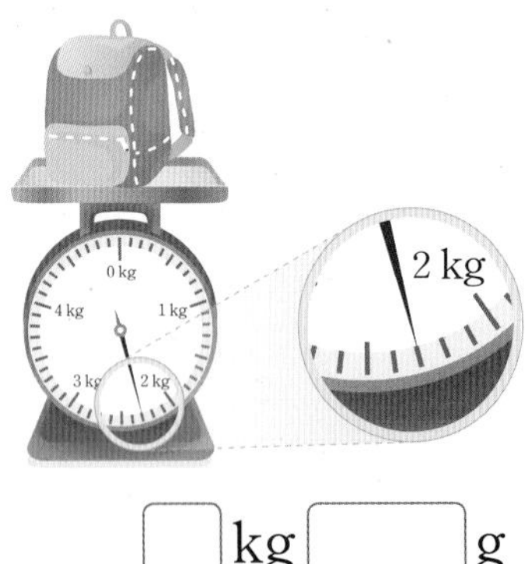

☐ kg ☐ g

| 들이의 단위 |

05 ☐ 안에 알맞은 수를 써넣으세요.

중

(1) 4700 mL = ☐ L ☐ mL

(2) 5 L 30 mL = ☐ mL

| 들이의 단위 |

06 들이를 비교하여 ◯ 안에 >, =, <를 알맞게 써넣으세요.

중

(1) 1 L 850 mL ◯ 1850 mL

(2) 3 L 70 mL ◯ 3720 mL

| 들이를 어림하고 재어 보기 |

07 냄비의 들이를 어림하여 재어 보려고 합니다. 더 편리한 단위에 ○표 하세요.

중

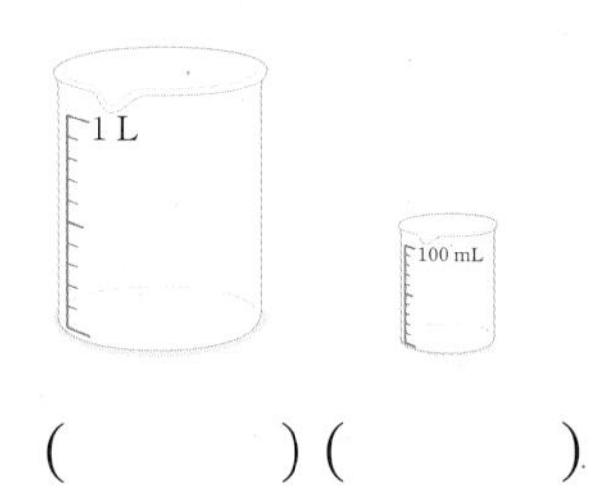

(　　　　) (　　　　)

| 들이를 어림하고 재어 보기 |

08 주전자에 물을 가득 채워 컵에 모두 옮겨 담았습니다. 컵 한 개의 들이가 500 mL일 때 주전자의 들이는 약 몇 L인지 어림해 보세요.

중

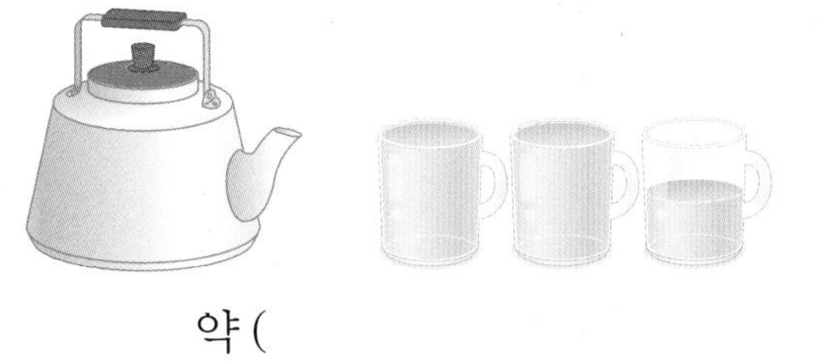

약 (　　　　　　　　　　)

➜ 정답 및 풀이 227~228쪽

| 들이의 덧셈과 뺄셈 |

09 들이의 합과 차를 구해 보세요.

중

2 L 600 mL	5 L 400 mL

합 ( )

차 ( )

| 들이의 덧셈과 뺄셈 |

10 경호는 통에 들어 있던 우유 중 1 L 400 mL를 마셨습니다. 통에 남은 우유가 800 mL일 때, 처음 통에 들어 있던 우유는 몇 L 몇 mL인지 구해 보세요.

중

( )

| 무게의 단위 |

11 관계있는 것끼리 선으로 이어 보세요.

중

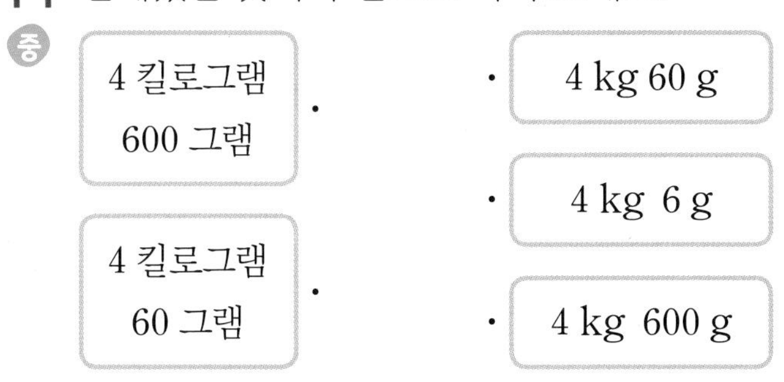

| 무게의 단위 |

12 무게가 가장 무거운 것을 찾아 기호를 써 보세요.

중

㉠ 1 kg 300 g ㉡ 13 kg ㉢ 1030 g

( )

| 무게를 어림하고 재어 보기 |

13 각각의 무게에 알맞은 단위를 보기에서 골라 □ 안에 써넣으세요.

중

보기

kg g t

(1) 골프공의 무게는 약 10 □입니다.

(2) 코끼리의 무게는 약 5 □입니다.

| 무게를 어림하고 재어 보기 | 서술형

14 잘못 말한 친구를 찾고, 바르게 고쳐 보세요.

중

수현: 내 가방의 무게는 약 2 kg이야.

진우: 달걀 한 개의 무게는 약 6 t이야.

➜ 정답 및 풀이 227~228쪽

| 무게의 덧셈과 뺄셈 |

15 계산해 보세요.

중 (1) 1 kg 400 g+2 kg 300 g

(2) 4 kg 700 g−2 kg 650 g

| 무게의 덧셈과 뺄셈 | 서술형

16 서진이는 하루 동안 2 L의 물을 마시려고 합니다. 서진이가 오늘 오전에 800 mL를 마셨다면 오늘 오후에 마셔야 하는 물의 양은 몇 L 몇 mL인지 풀이 과정을 쓰고, 답을 구해 보세요.

중

풀이

답

| 무게의 덧셈과 뺄셈 |

17 가장 무거운 무게와 가장 가벼운 무게의 차는 몇 kg 몇 g인지 구해 보세요.

중

㉠ 2 kg 400 g
㉡ 6 kg 700 g
㉢ 3020 g

(　　　　　　　　)

| 들이의 덧셈과 뺄셈 |

18 오렌지 주스가 2 L 500 mL 있습니다. 오렌지 주스를 진우가 600 mL, 준호가 700 mL 마셨습니다. 두 사람이 마시고 남은 오렌지 주스는 몇 L 몇 mL인지 구해 보세요.

상

(　　　　　　　　)

| 무게를 어림하고 재어 보기 |

19 서영, 규빈, 민지가 3 kg의 소금을 각각 다음과 같이 어림하였습니다. 3 kg에 가장 가깝게 어림한 친구는 누구인가요?

상

서영	규빈	민지
3 kg 500 g	2 kg 900 g	3030 g

(　　　　　　　　)

| 무게의 덧셈과 뺄셈 | 서술형

20 도현이의 몸무게는 33 kg 200 g이고, 형의 몸무게는 도현이보다 3 kg 400 g 더 무겁습니다. 도현이와 형의 몸무게의 합은 몇 kg 몇 g인지 풀이 과정을 쓰고, 답을 구해 보세요.

상

풀이

답

재미있는 수학 이야기

옛날의 들이와 무게

되

'한 되'는 뭐지?
콩 한 되
5000원

옛날부터 우리나라는 농사를 지어 생활했기 때문에 여러 가지 들이의 단위가 있는데 '되'는 그중 하나야.

곡식 등의 가루나 술 같은 액체의 부피를 잴 때 홉, 되, 말, 섬 등의 들이 단위를 사용했어.
홉
되
말

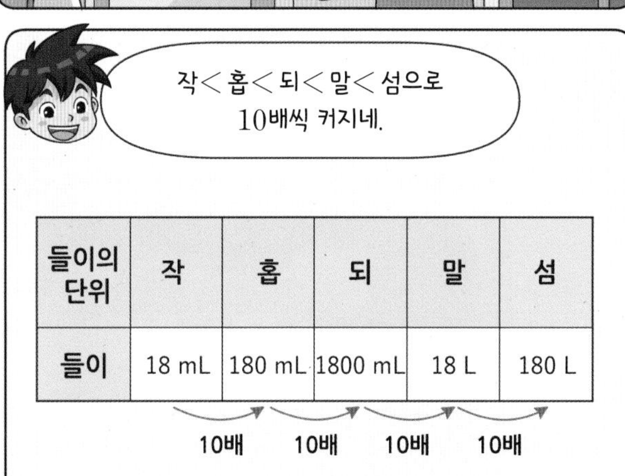

작＜홉＜되＜말＜섬으로 10배씩 커지네.
10배
10배
10배
10배

들이의 단위	작	홉	되	말	섬
들이	18 mL	180 mL	1800 mL	18 L	180 L

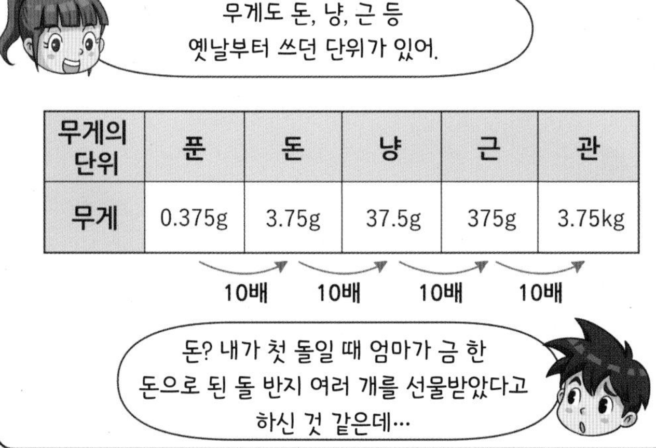

무게도 돈, 냥, 근 등 옛날부터 쓰던 단위가 있어.
10배
10배
10배
10배
돈? 내가 첫 돌일 때 엄마가 금 한 돈으로 된 돌 반지 여러 개를 선물받았다고 하신 것 같은데…

무게의 단위	푼	돈	냥	근	관
무게	0.375g	3.75g	37.5g	375g	3.75kg

맞아. 금의 무게를 잴 때 '돈'을 사용해.
닭
그럼, 난 금을 찾으러 가야겠어. 이제 사고 싶은 거 다 살거야!
엥?
후다닥

5 분수

이전에 배운 내용	이번에 배울 내용	다음에 배울 내용
3-1 6. 분수와 소수 • 분수 개념 이해하기 • 전체와 분수의 관계를 분수로 나타내기 • 분모가 같은 진분수의 크기 비교하기 • 단위분수의 크기 비교하기	• 부분의 양을 전체의 양과 비교하여 분수로 나타내기 • 전체의 분수만큼은 얼마인지 알아보기 • 진분수, 가분수, 대분수 이해하기 • 대분수를 가분수로, 가분수를 대분수로 나타내기 • 분모가 같은 여러 가지 분수의 크기 비교하기	4-2 1. 분수의 덧셈과 뺄셈 • 분모가 같은 분수의 덧셈 • 분모가 같은 분수의 뺄셈

• 초록 장터까지 가는 상황과 초록 장터에서 벌어지는 다양한 상황을 나타내고 있습니다.
• 가지고 온 호두파이를 어떻게 나누어 가져야 하는지 궁금해하고 있습니다.

그림 속 상황

공부할 준비가 되었나요?

자/기/주/도/학/습

	학습 내용	계획 및 확인(공부한 날)	
예습	1차시 | 단원 도입 / 준비 팡팡	142~143쪽	월 일
진도	2차시 | 1 분수로 나타내기(1)	144~145쪽	월 일
	3차시 | 2 분수로 나타내기(2)	146~147쪽	월 일
	4차시 | 3 전체의 분수만큼 알아보기(1)	148~149쪽	월 일
	5차시 | 4 전체의 분수만큼 알아보기(2)	150~151쪽	월 일
	6차시 | 5 여러 가지 분수(1)	152~153쪽	월 일
	7~8차시 | 6 여러 가지 분수(2)	154~157쪽	월 일
	9차시 | 7 분모가 같은 분수의 크기 비교	158~159쪽	월 일
	10차시 | 문제 해결력 쑥쑥	160~161쪽	월 일
	11차시 | 단원 마무리 척척	162~163쪽	월 일
	12차시 | 시간 속으로 째깍 이야기로 키우는 생각	164~165쪽	월 일
평가	개념+확인 / 서술형 문제 해결하기	166~169쪽	월 일
	단원 평가 / 재미있는 수학 이야기	170~173쪽	월 일

1 차시 준비 팡팡

학습 목표

'무엇을 알고 있나요'와 '함께 생각해 볼까요'를 통하여 단원을 준비할 수 있습니다.

전체에 대한 부분을 분수로 나타내기

- 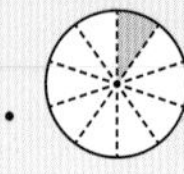 ➔ 전체를 똑같이 10으로 나눈 것 중의 1이므로 $\frac{1}{10}$입니다.
- 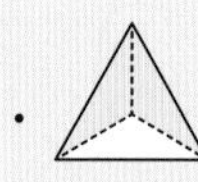 ➔ 전체를 똑같이 3으로 나눈 것 중의 2이므로 $\frac{2}{3}$입니다.
- 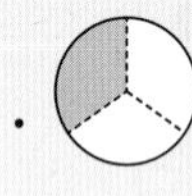 ➔ 전체를 똑같이 3으로 나눈 것 중의 1이므로 $\frac{1}{3}$입니다.
- 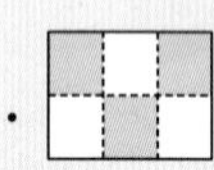 ➔ 전체를 똑같이 6으로 나눈 것 중의 3이므로 $\frac{3}{6}$입니다.

분수의 크기 비교하기

- 분모가 같은 분수이므로 분자의 크기를 비교하면 $3>2$ ➔ $\frac{3}{4}>\frac{2}{4}$입니다.
- 단위분수는 분모가 작을수록 큰 수이므로 $\frac{1}{5}<\frac{1}{2}$입니다.

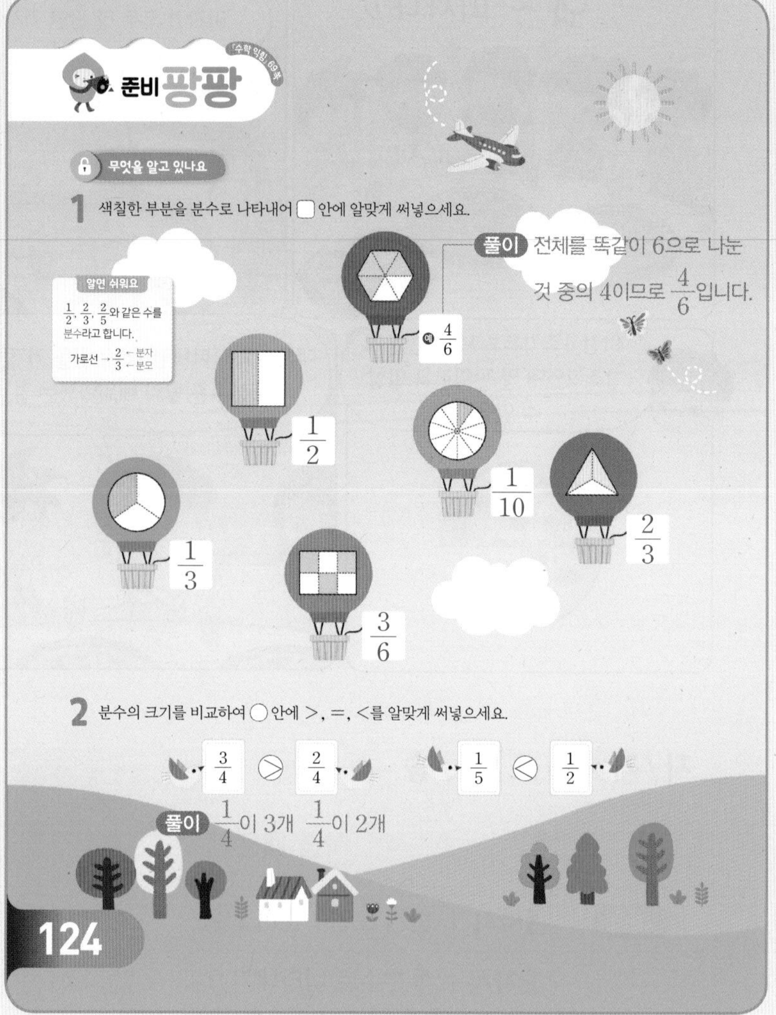

준비 팡팡
무엇을 알고 있나요
1 색칠한 부분을 분수로 나타내어 □ 안에 알맞게 써넣으세요.
풀이 전체를 똑같이 6으로 나눈 것 중의 4이므로 4/6입니다.
4/6
1/2
1/10
2/3
1/3
3/6
2 분수의 크기를 비교하여 ○ 안에 >, =, <를 알맞게 써넣으세요.
3/4 > 2/4
1/5 < 1/2
풀이 1/4이 3개 1/4이 2개
124

교과서 개념 완성 | 배운 것을 다시 생각하기

분수를 쓰고 읽기

전체를 똑같이 4로 나눈 것 중의 3

➔ 쓰기 $\frac{3}{4}$ (3 ← 분자, 4 ← 분모)
➔ 읽기 4분의 3

$\frac{3}{4}$, $\frac{1}{3}$, $\frac{2}{5}$와 같은 수를 분수라고 합니다.

전체에 대한 부분의 크기를 분수로 나타내기

➔ 이탈리아 국기에서 초록색 부분은 전체의 $\frac{1}{3}$입니다.
└ 전체를 똑같이 3으로 나눈 것 중의 1

분모가 같은 분수의 크기 비교하기

예 $\frac{5}{6}$와 $\frac{4}{6}$의 크기 비교하기

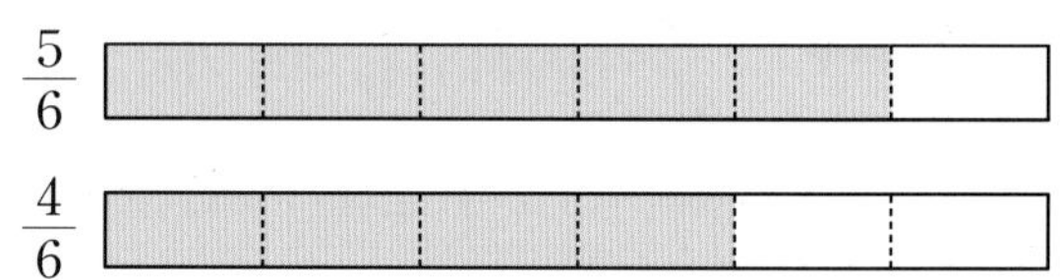

$\frac{5}{6}$는 $\frac{1}{6}$이 5개, $\frac{4}{6}$는 $\frac{1}{6}$이 4개입니다.

색칠한 부분을 비교하면 $\frac{5}{6}$가 $\frac{4}{6}$보다 더 큽니다.

$5>4$

$$\frac{5}{6}>\frac{4}{6}$$

분모가 같은 경우에는 분자가 크면 더 큽니다.

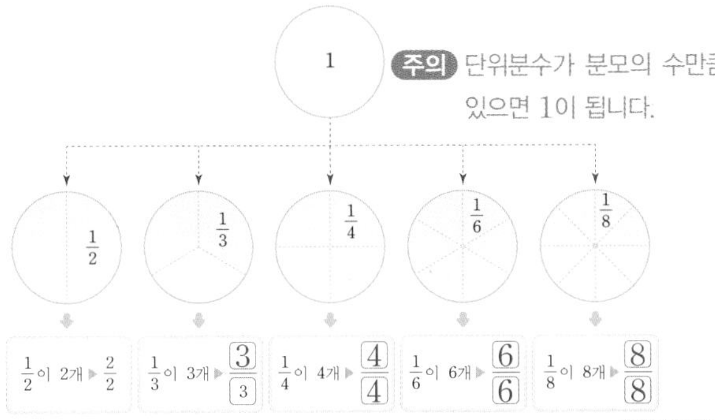

똑같이 묶음으로 묶기

- 물고기, 소라, 불가사리를 각각 똑같이 4묶음으로 묶어 봅니다.
- 똑같이 4묶음으로 묶었을 때 1묶음에는 각각 몇 마리씩인가요?
  - ➜ 물고기는 1묶음에 2마리씩입니다.
  - ➜ 소라는 1묶음에 4마리씩입니다.
  - ➜ 불가사리는 1묶음에 1마리씩입니다.

학부모 코칭 Tip

4개씩 한 묶음으로 묶는 상황이 아닌 전체를 똑같이 4묶음이 되도록 묶어야 한다는 것을 이해하게 합니다.

1을 단위분수로 나타내기

➜ $\frac{1}{3}$이 3개이므로 $\frac{3}{3}$입니다.

➜ $\frac{1}{4}$이 4개이므로 $\frac{4}{4}$입니다.

➜ $\frac{1}{6}$이 6개이므로 $\frac{6}{6}$입니다.

➜ $\frac{1}{8}$이 8개이므로 $\frac{8}{8}$입니다.

개념 확인 문제

정답 및 풀이 229쪽

| 3-1 6. 분수와 소수 |

1 색칠한 부분을 분수로 나타내세요.

(1) (2)

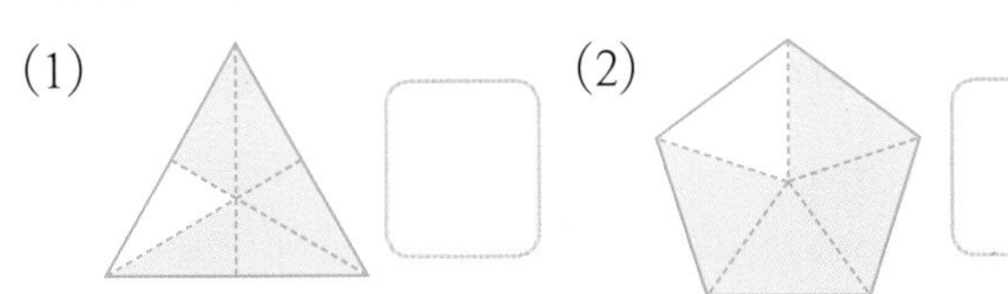

| 3-1 6. 분수와 소수 |

2 미현이가 애플파이를 똑같이 6조각으로 나누어 전체의 $\frac{1}{2}$만큼 먹었습니다. 미현이는 애플파이를 몇 조각 먹었을까요?

( )

| 3-1 6. 분수와 소수 |

3 두 분수의 크기를 비교하여 ◯ 안에 >, =, <를 알맞게 써넣으세요.

(1) $\frac{2}{6}$ ◯ $\frac{5}{6}$ (2) $\frac{5}{8}$ ◯ $\frac{3}{8}$

| 3-1 6. 분수와 소수 |

4 수직선을 보고 $\frac{1}{6}$과 $\frac{1}{4}$ 중에서 어느 분수가 더 큰지 ◯ 안에 >, <를 알맞게 써넣으세요.

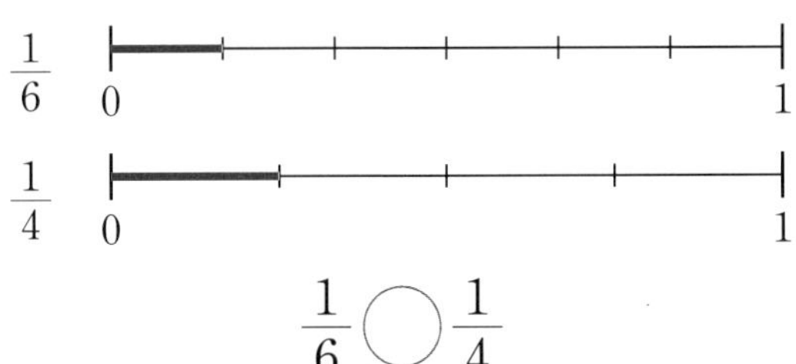

$\frac{1}{6}$ ◯ $\frac{1}{4}$

1 | 분수로 나타내기(1)

학습 목표

전체를 묶음으로 똑같이 나누는 개념을 이해하고, 부분의 양을 전체의 양과 비교하여 분수로 나타낼 수 있습니다.

그림으로 개념 잡기

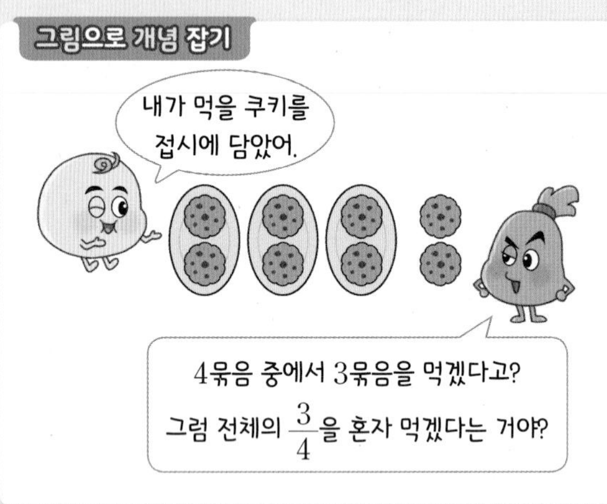

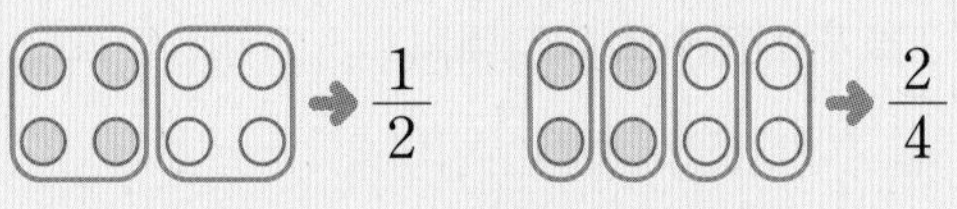

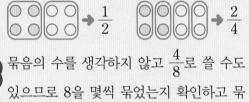

참고 묶음의 수를 생각하지 않고 $\frac{4}{8}$로 쓸 수도 있으므로 8을 몇씩 묶었는지 확인하고 묶는 방법에 따라 분수가 달라질 수 있음에 주의합니다.

교과서 개념 완성

탐구하기 정리하기 전체를 똑같이 나누고, 색칠한 부분은 전체의 얼마인지 탐구하기

- 전체 6개를 똑같이 2묶음으로 나누고 1묶음인 3개를 색칠합니다.
  ➜ 색칠한 부분은 전체를 똑같이 2묶음으로 나눈 것 중의 1묶음입니다.

- 전체 6개를 똑같이 3묶음으로 나누고 2묶음인 4개를 색칠합니다.
  ➜ 색칠한 부분은 전체를 똑같이 3묶음으로 나눈 것 중의 2묶음입니다.

확인하기 색칠한 부분을 분수로 나타내기

- 전체를 똑같이 5묶음으로 나눈 것 중의 1묶음이므로 $\frac{1}{5}$입니다.
- 전체를 똑같이 4묶음으로 나눈 것 중의 3묶음이므로 $\frac{3}{4}$입니다.
- 전체를 똑같이 5묶음으로 나눈 것 중의 1묶음이므로 $\frac{1}{5}$입니다.
- 전체를 똑같이 4묶음으로 나눈 것 중의 3묶음이므로 $\frac{3}{4}$입니다.

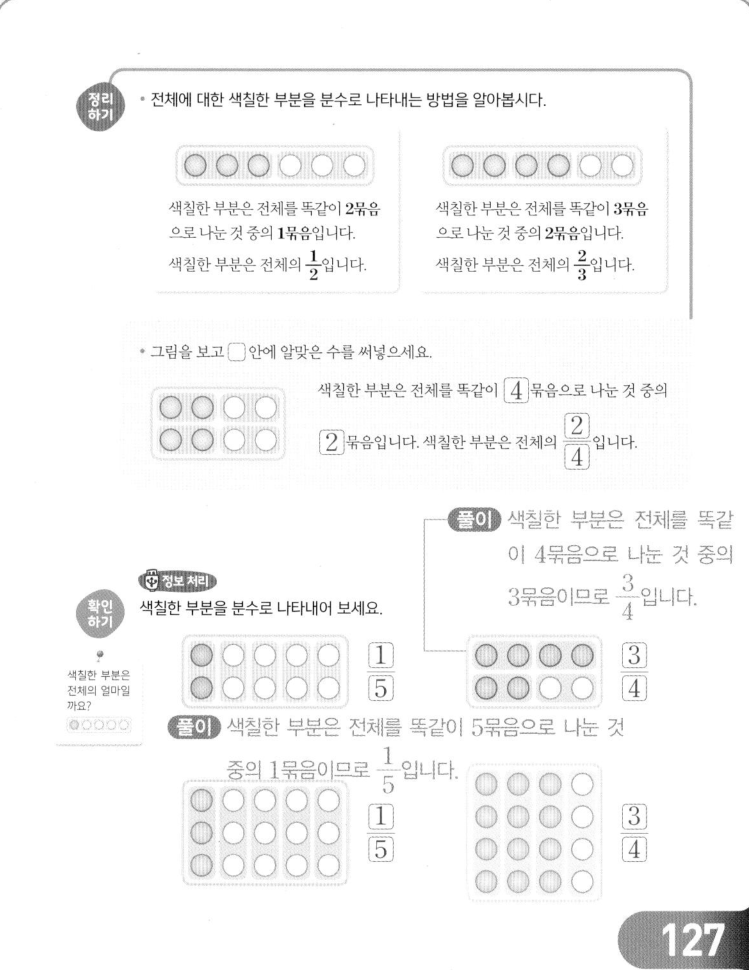

이런 문제가 서술형으로 나와요

색칠한 별은 전체의 몇 분의 몇인지 풀이 과정을 쓰고, 답을 구해 보세요.

| 풀이 과정 |

❶ 색칠한 부분은 5묶음 중에서 몇 묶음인지 구하기

색칠한 부분은 5묶음 중에서 3묶음입니다.

❷ 색칠한 부분은 전체의 몇 분의 몇인지 구하기

5묶음 중에서 3묶음은 $\frac{3}{5}$입니다.

답 $\frac{3}{5}$

수학 교과 역량 정보 처리

색칠한 부분을 분수로 나타내기

그림에서 전체의 묶음 수와 색칠한 부분의 묶음 수를 파악하고 분수로 나타내어 보는 과정을 통하여 정보 처리 능력을 기를 수 있습니다.

개념 확인 문제

정답 및 풀이 229쪽

1 6개를 똑같이 나누고 □ 안에 알맞은 수를 써넣으세요.

(1) 전체 6개를 똑같이 3묶음으로 나누어 ○를 그려 보세요.

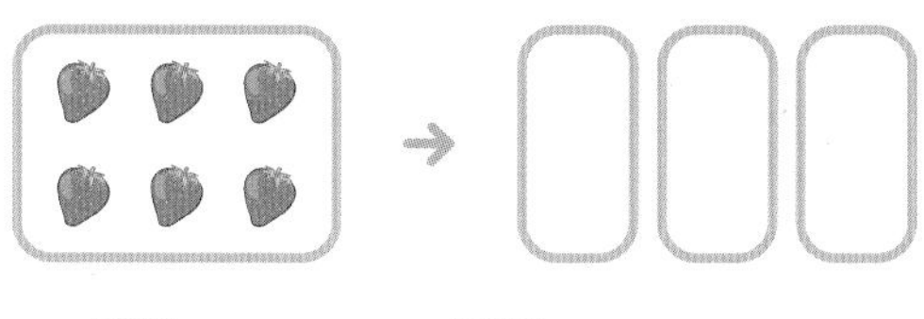

(2) 부분 [그림] 은 전체의 $\frac{□}{□}$ 입니다.

2 색칠한 부분을 분수로 나타내어 보세요.

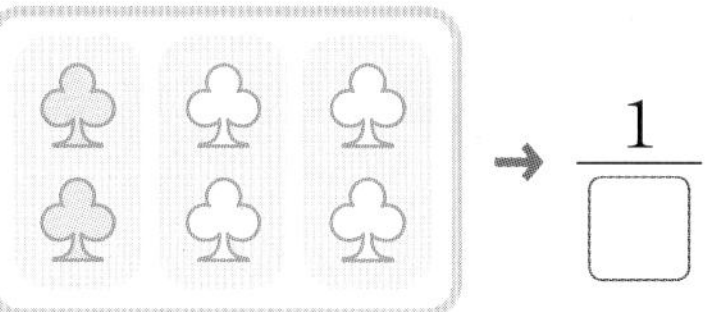

→ $\frac{1}{□}$

3 색칠한 하트는 전체의 몇 분의 몇인지 구해 보세요.

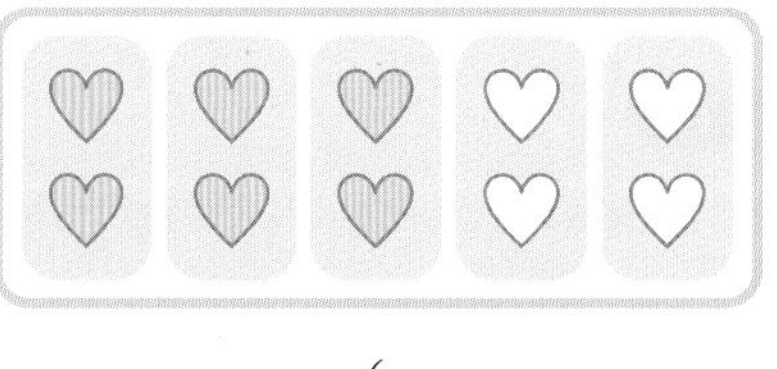

(   )

3 차시 2 | 분수로 나타내기(2)

학습 목표

전체를 똑같이 묶어 나누는 개념을 이해하고, 부분의 양을 전체의 양과 비교하여 분수로 나타낼 수 있습니다.
생각열기 민서는 가게에 장식할 풍선을 10개 준비하였어요. 2개씩 묶어 매달 거예요.

그림으로 개념 잡기

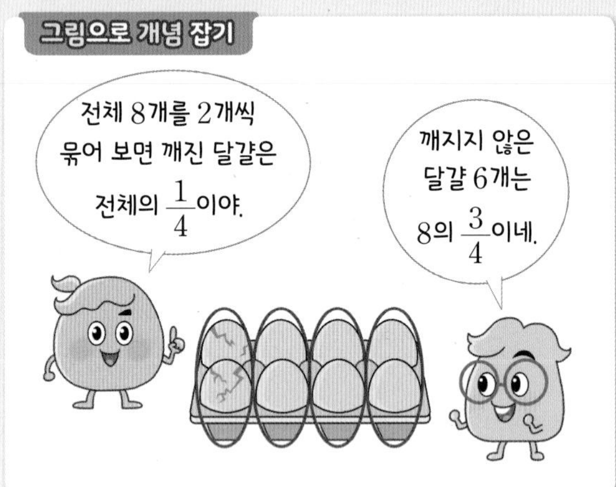

전체 8개를 2개씩 묶어 보면 깨진 달걀은 전체의 $\frac{1}{4}$이야.
깨지지 않은 달걀 6개는 8의 $\frac{3}{4}$이네.

참고

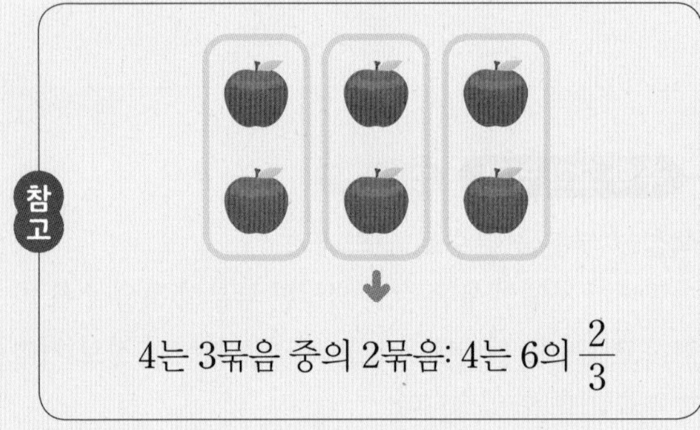

4는 3묶음 중의 2묶음: 4는 6의 $\frac{2}{3}$

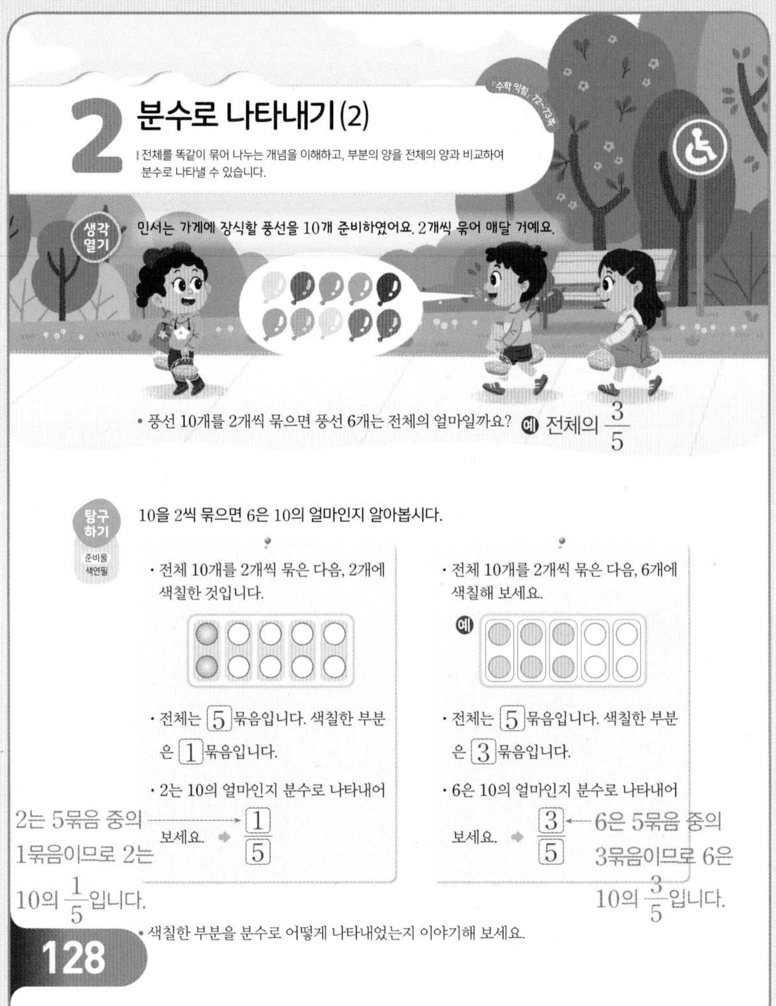

교과서 개념 완성

탐구하기 정리하기 10을 2씩 묶으면 6은 10의 얼마인지 탐구하기

- 전체 10개를 2개씩 묶음 다음, 6개에 색칠해 보면 전체는 5묶음이고, 색칠한 부분은 3묶음입니다.
- 6은 10의 얼마인지 분수로 나타내기

➜ 6은 10의 $\frac{3}{5}$입니다.

학부모 코칭 Tip

2씩 묶었을 때 전체의 묶음 수와 색칠된 부분의 묶음 수를 세어서 $\frac{(\text{부분의 묶음 수})}{(\text{전체의 묶음 수})}$로 나타냅니다.

확인하기 몇씩 묶어 보면서 부분을 분수로 나타내기

- 8을 2씩 묶으면 4묶음입니다. 4는 4묶음 중의 2묶음이므로 4는 8의 $\frac{2}{4}$입니다.
- 8을 2씩 묶으면 4묶음입니다. 6은 4묶음 중의 3묶음이므로 6은 8의 $\frac{3}{4}$입니다.
- 20을 4씩 묶으면 5묶음입니다. 12는 5묶음 중의 3묶음이므로 12는 20의 $\frac{3}{5}$입니다.
- 20을 5씩 묶으면 4묶음입니다. 15는 4묶음 중의 3묶음이므로 15는 20의 $\frac{3}{4}$입니다.

정리하기 • 10을 2씩 묶으면 6은 10의 얼마인지 분수로 나타내는 방법을 알아봅시다.

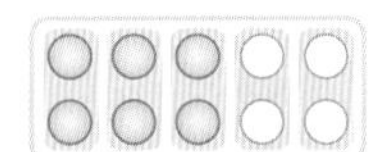

10을 2씩 묶으면 5묶음입니다.
2는 **5묶음** 중의 **1묶음**이므로
2는 10의 $\frac{1}{5}$입니다.

10을 2씩 묶으면 5묶음입니다.
6은 **5묶음** 중의 **3묶음**이므로
6은 10의 $\frac{3}{5}$입니다.

• 전체 15를 5씩 묶어 보고, □ 안에 알맞은 수를 써넣으세요.

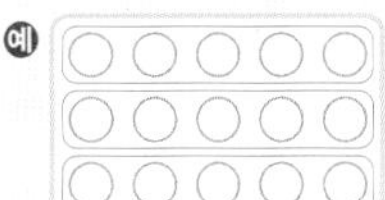
예 15를 5씩 묶으면 3묶음입니다. 10은 3묶음 중의 2묶음이므로 10은 15의 $\frac{2}{3}$입니다.

주의 묶은 상황에 주의하여 $\frac{2}{3}$를 $\frac{10}{15}$으로 나타내지 않도록 합니다.

확인하기 그림을 보고 □ 안에 알맞은 수를 써넣으세요. 추론

• 8을 2씩 묶으면 4는 8의 $\frac{2}{4}$입니다.
• 8을 2씩 묶으면 6은 8의 $\frac{3}{4}$입니다.

• 20을 4씩 묶으면 12는 20의 $\frac{3}{5}$입니다.
• 20을 5씩 묶으면 15는 20의 $\frac{3}{4}$입니다.

풀이 8을 2씩 묶으면 4묶음입니다.
4는 4묶음 중의 2묶음이므로 4는 8의 $\frac{2}{4}$입니다.

이런 문제가 서술형으로 나와요

다음을 보고 ㉠+㉡의 값을 구하는 풀이 과정을 쓰고, 답을 구해 보세요.

• 24를 4씩 묶으면 4는 24의 $\frac{㉠}{6}$입니다.
• 24를 6씩 묶으면 18은 24의 $\frac{㉡}{4}$입니다.

| 풀이 과정 |

❶ ㉠의 값 구하기
24를 4씩 묶으면 6묶음이므로 4는 24의 $\frac{1}{6}$입니다.
→ ㉠=1

❷ ㉡의 값 구하기
24를 6씩 묶으면 4묶음이므로 18은 24의 $\frac{3}{4}$입니다.
→ ㉡=3

❸ ㉠+㉡의 값 구하기
㉠=1, ㉡=3이므로 ㉠+㉡의 값은 4입니다.

답 4

개념 확인 문제

정답 및 풀이 229쪽

1 12를 3씩 묶으면 6은 12의 몇 분의 몇인지 알아보세요.

(1) 12를 3씩 묶으면 몇 묶음일까요?
( )

(2) 6은 몇 묶음일까요?
( )

(3) 12를 3씩 묶으면 6은 12의 몇 분의 몇일까요?
( )

2 □ 안에 알맞은 수를 써넣으세요.

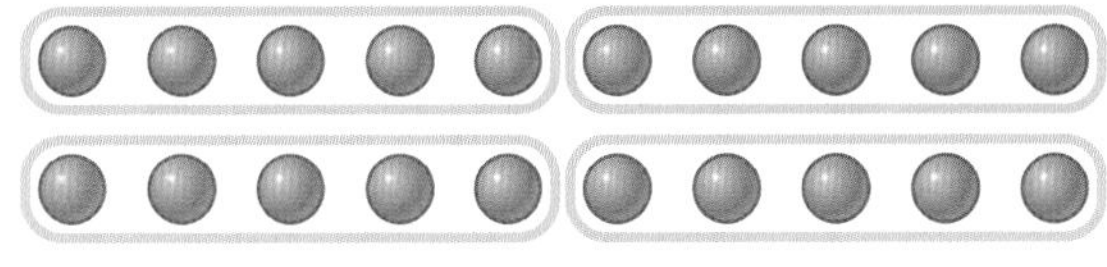

5는 20의 $\frac{\square}{\square}$입니다.

3 토마토 20개를 4개씩 묶었을 때, 토마토 12개는 전체 토마토의 몇 분의 몇일까요?

( )

3 | 전체의 분수만큼 알아보기(1)

학습 목표

낱개로 이루어진 전체에서 분수만큼은 얼마인지 이해합니다.

그림으로 개념 잡기

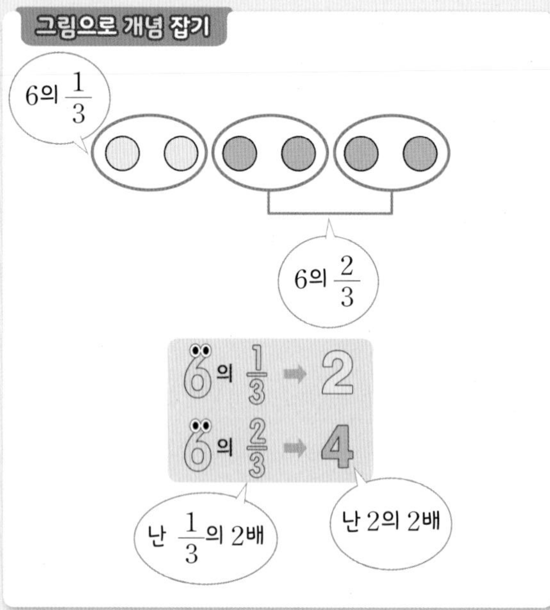

참고 $\frac{2}{3}$는 $\frac{1}{3}$이 2개인 수이므로 6의 $\frac{2}{3}$는 6의 $\frac{1}{3}$인 2의 2배와 같습니다.

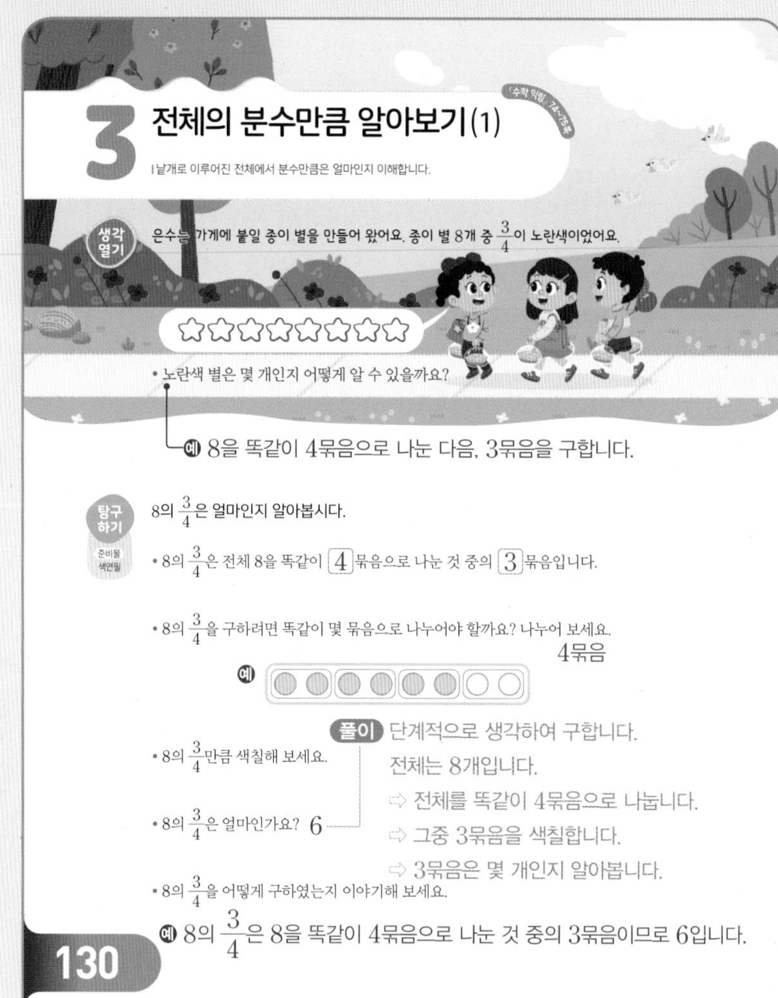

3 전체의 분수만큼 알아보기(1)
낱개로 이루어진 전체에서 분수만큼은 얼마인지 이해합니다.
생각열기 은수는 가게에 붙일 종이 별을 만들어 왔어요. 종이 별 8개 중 $\frac{3}{4}$이 노란색이었어요.
• 노란색 별은 몇 개인지 어떻게 알 수 있을까요?
예 8을 똑같이 4묶음으로 나눈 다음, 3묶음을 구합니다.
탐구하기 8의 $\frac{3}{4}$은 얼마인지 알아봅시다.
• 8의 $\frac{3}{4}$은 전체 8을 똑같이 4묶음으로 나눈 것 중의 3묶음입니다.
• 8의 $\frac{3}{4}$을 구하려면 똑같이 몇 묶음으로 나누어야 할까요? 나누어 보세요. 4묶음
• 8의 $\frac{3}{4}$만큼 색칠해 보세요.
• 8의 $\frac{3}{4}$은 얼마인가요? 6
풀이 단계적으로 생각하여 구합니다.
전체는 8개입니다.
⇨ 전체를 똑같이 4묶음으로 나눕니다.
⇨ 그중 3묶음을 색칠합니다.
⇨ 3묶음은 몇 개인지 알아봅니다.
• 8의 $\frac{3}{4}$을 어떻게 구하였는지 이야기해 보세요.
예 8의 $\frac{3}{4}$은 8을 똑같이 4묶음으로 나눈 것 중의 3묶음이므로 6입니다.
130

교과서 개념 완성

탐구하기 정리하기 8의 $\frac{3}{4}$은 얼마인지 구하기

- 8의 $\frac{3}{4}$을 구하려면 전체 8을 똑같이 4묶음으로 나누고, 그중 3묶음인 6개를 색칠해야 합니다.
- 8의 $\frac{3}{4}$ 구하기

  → 8의 $\frac{3}{4}$은 6입니다.

학부모 코칭 Tip

'8의 $\frac{3}{4}$'에서 전체 8, 분수의 분모 4, 분자 3이 각각 무엇을 의미하는지, 전체를 몇 묶음으로 나누어야 하는지, 부분은 똑같이 나눈 것 중의 몇 묶음인지 등을 이해하게 합니다.

확인하기 전체의 분수만큼 구하기

1. 그림을 보고 □ 안에 알맞은 수를 써넣기
   - 10의 $\frac{2}{5}$는 전체 10개를 똑같이 5묶음으로 나눈 것 중의 2묶음입니다. → 10의 $\frac{2}{5}$는 4입니다.
   - 10의 $\frac{3}{5}$은 전체 10개를 똑같이 5묶음으로 나눈 것 중의 3묶음입니다. → 10의 $\frac{3}{5}$은 6입니다.
2. 구슬 18개 중 $\frac{4}{6}$만큼인 파란색 구슬은 몇 개인지 구하기
   - 18개의 $\frac{4}{6}$는 전체 18개를 똑같이 6묶음으로 나눈 것 중의 4묶음입니다.

     → 18개의 $\frac{4}{6}$는 12개입니다.

• 8의 $\frac{3}{4}$을 구하는 방법을 정리해 봅시다.

8의 $\frac{3}{4}$은 전체 8개를 똑같이 4묶음으로 나눈 것 중의 3묶음입니다.

1묶음은 2개이므로 8의 $\frac{3}{4}$은 6입니다.

• 12의 $\frac{2}{3}$를 구해 보세요.

12의 $\frac{2}{3}$는 전체 12개를 똑같이 [3]묶음으로 나눈 것 중의 [2]묶음입니다.

1묶음은 [4]개이므로 12의 $\frac{2}{3}$는 [8]입니다.

풀이 12의 $\frac{2}{3}$는 전체 12개를 똑같이 3묶음으로 나눈 것 중의 2묶음입니다. 1묶음은 4개이므로 12의 $\frac{2}{3}$는 8입니다.

1. 그림을 보고 □ 안에 알맞은 수를 써넣으세요. 문제 해결

• 10의 $\frac{2}{5}$는 [4]입니다.

• 10의 $\frac{3}{5}$은 [6]입니다.

2. 모양과 크기가 같은 구슬이 18개 있습니다. 그중 $\frac{4}{6}$가 파란색일 때, 파란색 구슬은 몇 개일까요? 12개

풀이 18개의 $\frac{4}{6}$는 전체 18개를 똑같이 6묶음으로 나눈 것 중의 4묶음입니다. 1묶음은 3개이므로 18개의 $\frac{4}{6}$는 12개입니다.

131

이런 문제가 서술형으로 나와요

지훈이는 가지고 있던 초콜릿 6개 중 $\frac{2}{3}$를 먹었습니다. 남은 초콜릿은 몇 개인지 풀이 과정을 쓰고, 답을 구해 보세요.

| 풀이 과정 |

❶ 먹은 초콜릿은 몇 개인지 구하기

6개의 $\frac{2}{3}$는 6을 똑같이 3묶음으로 나눈 것 중의 2묶음이므로 먹은 초콜릿은 4개입니다.

❷ 남은 초콜릿은 몇 개인지 구하기

6개 중 4개를 먹었으므로 남은 초콜릿은 2개입니다.

답 2개

수학 교과 역량 문제 해결

전체의 분수만큼 구하기

전체의 분수만큼을 이해하고 문제를 해결해 보는 과정을 통하여 문제 해결 능력을 기를 수 있습니다.

개념 확인 문제

정답 및 풀이 229~230쪽

1 그림을 보고 물음에 답해 보세요.

(1) 딸기 12개를 똑같이 3묶음으로 나누어 보세요.

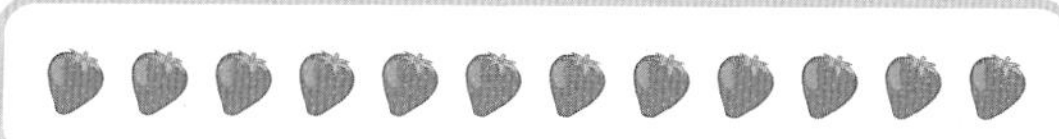

(2) 전체의 $\frac{1}{3}$만큼 색칠해 보세요.

(3) 12의 $\frac{1}{3}$은 얼마일까요?

( )

2 그림을 보고 □ 안에 알맞은 수를 써넣으세요.

(1) 15의 $\frac{2}{5}$는 □입니다.

(2) 15의 $\frac{3}{5}$은 □입니다.

(3) 15의 $\frac{4}{5}$는 □입니다.

4 | 전체의 분수만큼 알아보기(2)

학습 목표

길이에서 전체의 분수만큼은 얼마인지 이해합니다.

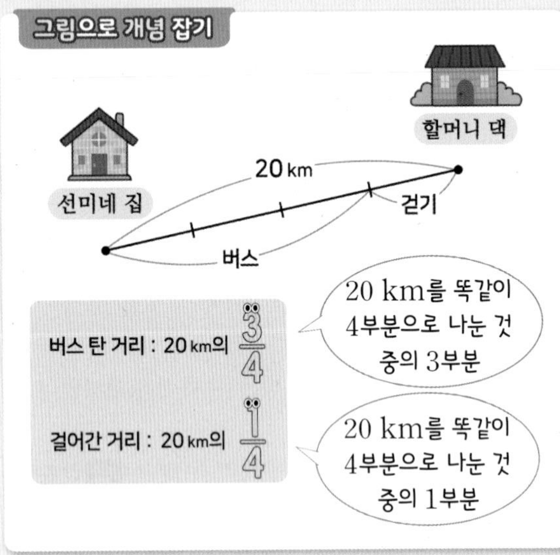

참고

전체의 $\frac{★}{◆}$

→ 전체를 똑같이 ◆묶음으로 나눈 것 중의 ★묶음

4 전체의 분수만큼 알아보기(2)
길이에서 전체의 분수만큼은 얼마인지 이해합니다.
초록 장터
생각 열기
전체 거리가 10 km인 어울림 숲길의 2/5만큼을 걸어 초록 장터에 도착하였어요.
10 km의 2/5만큼의 거리가 얼마인지 어떻게 알 수 있을까요?

예 10 km를 똑같이 5부분으로 나누어 2부분의 거리를 구하면 될 것 같습니다.

탐구하기 10 km의 $\frac{2}{5}$는 얼마인지 알아봅시다.

- 10 km의 $\frac{2}{5}$는 전체 10 km를 똑같이 5 부분으로 나눈 것 중의 2 부분입니다.
- 10 km의 $\frac{2}{5}$만큼을 색칠해 보세요.

0 1 2 3 4 5 6 7 8 9 10(km)

- 10 km의 $\frac{2}{5}$는 얼마인가요? 4 km
- 10 km의 $\frac{2}{5}$를 어떻게 구하였는지 이야기해 보세요.

예 10 km의 $\frac{2}{5}$는 전체를 똑같이 5부분으로 나눈 것 중의 2부분이므로 4 km입니다.

132

교과서 개념 완성

탐구하기 정리하기 10 km의 $\frac{2}{5}$는 얼마인지 구하는 방법 알기

- 10 km의 $\frac{2}{5}$를 구하려면 똑같이 5부분으로 나누고, 그중 2부분을 색칠해야 합니다.

→ 10 km $\frac{2}{5}$는 4 km입니다.

참고

10 km의 $\frac{1}{5}$이 2 km이므로 10 km의 $\frac{2}{5}$는 4 km이고, 10 km의 $\frac{4}{5}$는 8 km입니다.

확인하기 길이에서 전체의 분수만큼 구하기

- 16 m의 $\frac{1}{2}$은 전체 16 m를 똑같이 2부분으로 나눈 것 중의 1부분이므로 8 m입니다.
- 16 m의 $\frac{3}{4}$은 전체 16 m를 똑같이 4부분으로 나눈 것 중의 3부분입니다.

→ 16 m의 $\frac{3}{4}$은 12 m입니다.

- 16 m의 $\frac{5}{8}$는 전체 16 m를 똑같이 8부분으로 나눈 것 중의 5부분입니다.

→ 16 m의 $\frac{5}{8}$은 10 m입니다.

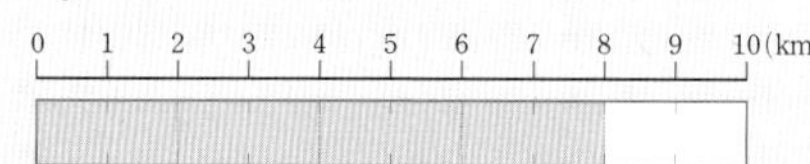
정리하기
• 10 km의 $\frac{2}{5}$를 구하는 방법을 정리해 봅시다.
10 km의 $\frac{2}{5}$는 전체 10 km를 똑같이 5부분으로 나눈 것 중의 2부분입니다.
1부분은 2 km이므로 10 km의 $\frac{2}{5}$는 4 km입니다.

• 10 km의 $\frac{4}{5}$만큼을 색칠하고, 몇 km인지 구해 보세요. 8 km

풀이 10 km의 $\frac{1}{5}$이 2 km이므로 10 km의 $\frac{4}{5}$는 8 km입니다.

확인하기 □안에 알맞은 수를 써넣고, 각각의 색으로 칠해 보세요. 추론 정보 처리

• 16 m의 $\frac{1}{2}$은 8 m입니다. (빨간색)

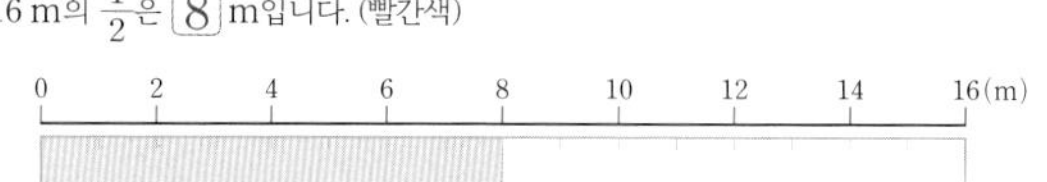

• 16 m의 $\frac{3}{4}$은 12 m입니다. (파란색)

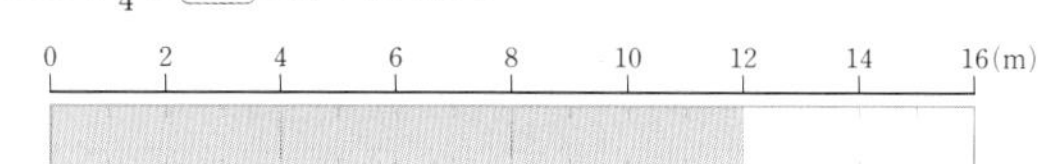

• 16 m의 $\frac{5}{8}$는 10 m입니다. (노란색)

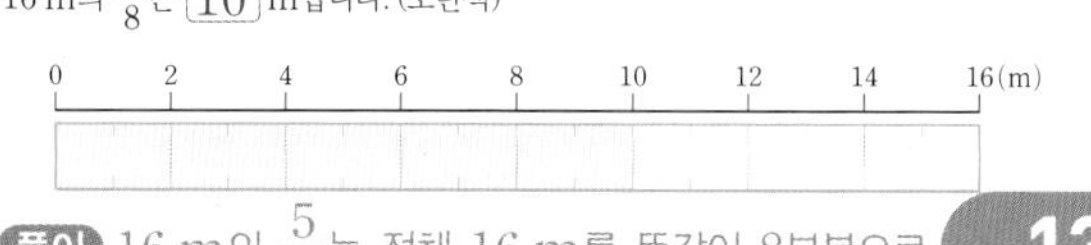

풀이 16 m의 $\frac{5}{8}$는 전체 16 m를 똑같이 8부분으로 나눈 것 중의 5부분이므로 10 m입니다.

133

이런 문제가 서술형으로 나와요

길이가 30 m인 끈의 $\frac{2}{5}$를 사용하여 상자를 포장하였습니다. 사용한 끈의 길이는 몇 m인지 풀이 과정을 쓰고, 답을 구해 보세요.

| 풀이 과정 |

❶ 30의 $\frac{1}{5}$은 얼마인지 구하기

30의 $\frac{1}{5}$은 6입니다.

❷ 사용한 끈의 길이 구하기

30의 $\frac{2}{5}$는 12이므로 사용한 끈의 길이는 12 m입니다.

답 12 m

수학 교과 역량  

길이에서 전체의 분수만큼 구하기

종이띠의 눈금을 이용하여 분모의 수만큼 부분으로 똑같이 나누어 보고 분자에 해당하는 부분의 길이만큼을 구하는 과정을 통하여 추론과 정보 처리 능력으로 기를 수 있습니다.

개념 확인 문제

정답 및 풀이 230쪽

1 그림을 보고 □ 안에 알맞은 수를 써넣으세요.

0
3
6
9
12
15(cm)

(1) 15 cm의 $\frac{1}{5}$은 □ cm입니다.

(2) 15 cm의 $\frac{2}{5}$는 □ cm입니다.

(3) 15 cm의 $\frac{3}{5}$은 □ cm입니다.

(4) 15 cm의 $\frac{4}{5}$는 □ cm입니다.

2 그림을 보고 □ 안에 알맞은 수를 써넣으세요.

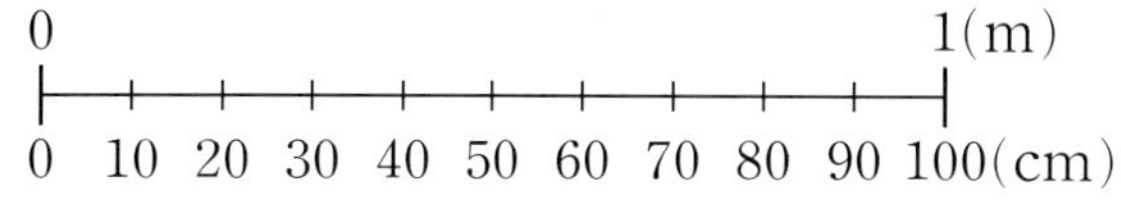
0
1(m)
0 10 20 30 40 50 60 70 80 90 100(cm)

(1) 1 m의 $\frac{1}{5}$은 □ cm입니다.

(2) 1 m의 $\frac{2}{5}$는 □ cm입니다.

3 20 cm의 $\frac{1}{2}$은 몇 cm일까요?

( )

6
차시

5 | 여러 가지 분수 (1)

학습 목표

진분수와 가분수를 알고 분류할 수 있습니다.

그림으로 개념 잡기
진분수
분자와 분모가 같지.
가분수
내가 더 큰 수
내가 더 큰 수
$\frac{5}{7}$
$\frac{5}{5}$
$\frac{7}{5}$

어휘	진분수	
	a proper fraction	분자가 분모보다 작은 분수를 말합니다.
	眞(참 진) 分(나눌 분) 數(셈 수)	

어휘	가분수	
	improper fraction	분자가 분모와 같거나 분자가 분모보다 큰 분수를 말합니다.
	假(거짓 가) 分(나눌 분) 數(셈 수)	

「수학 익힘」 78~79쪽

5 여러 가지 분수(1)

| 진분수와 가분수를 알고 분류할 수 있습니다.

생각열기 어울림 숲길을 걸어 온 친구들에게 다울이가 물을 나누어 주려고 해요. 물 한 병의 $\frac{1}{4}$만큼씩 5개의 컵에 나누어 담았어요.

물을 마시고 판매할 물건을 정리하자.

• 5개의 컵에 담은 물의 양을 분수로 어떻게 나타낼 수 있을까요?

의사소통 정보 처리 — 예 $\frac{5}{4}$로 나타낼 수 있을 것 같습니다.

탐구하기 여러 가지 분수를 알아봅시다.

준비물 색연필

• $\frac{1}{4}$이 1, 2, 3, 4, 5개인 수만큼 각각 색칠하고, 분수로 나타내어 보세요.

$\frac{1}{4}$이 1개인 수 — $\frac{1}{4}$

$\frac{1}{4}$이 2개인 수 — $\frac{2}{4}$

$\frac{1}{4}$이 3개인 수 — $\frac{3}{4}$

$\frac{1}{4}$이 4개인 수 — $\frac{4}{4}$

$\frac{1}{4}$이 5개인 수 — $\frac{5}{4}$

$\frac{1}{4}$, $\frac{2}{4}$, $\frac{3}{4}$, $\frac{4}{4}$, $\frac{5}{4}$ (0, 1, 2)

분수의 분모는 같은데 분자만 바뀌고 있어요.

• 수직선에 나타낸 분수들을 기준을 정하여 분류해 보세요.

134

주의 분수의 분모와 분자가 같으면 1이 된다는 것을 그림과 수직선을 통하여 이해합니다.

교과서 개념 완성

탐구하기 정리하기 여러 가지 분수로 나타내고 분류하기

- $\frac{1}{4}$이 1개인 수는 $\frac{1}{4}$, $\frac{1}{4}$이 2개인 수는 $\frac{2}{4}$, $\frac{1}{4}$이 3개인 수는 $\frac{3}{4}$입니다.
- $\frac{1}{4}$이 4개인 수는 $\frac{4}{4}$, $\frac{1}{4}$이 5개인 수는 $\frac{5}{4}$입니다.
- $\frac{1}{4}$, $\frac{2}{4}$, $\frac{3}{4}$ → 진분수
- $\frac{4}{4}$, $\frac{5}{4}$ → 가분수

확인하기 진분수와 가분수로 나타내고, 분류하기

1. □ 안에 알맞은 수를 써넣기
수직선에서 숫자 눈금 한 칸을 작은 눈금 몇 칸으로 똑같이 나누었는지 살펴보고 작은 눈금 한 칸의 크기가 $\frac{1}{5}$임을 압니다. 작은 눈금의 칸 수에 따라 분수의 분자가 변하는 것을 이해하고 분수로 나타냅니다.

2. 진분수에는 ○표, 가분수에는 △표 하기
진분수는 분자가 분모보다 작은 분수이므로 $\frac{3}{8}$, $\frac{8}{10}$, $\frac{4}{5}$, $\frac{1}{3}$에 ○표, 가분수는 분자가 분모와 같거나 분모보다 큰 분수이므로 $\frac{8}{5}$, $\frac{7}{7}$, $\frac{15}{9}$에 △표 합니다.

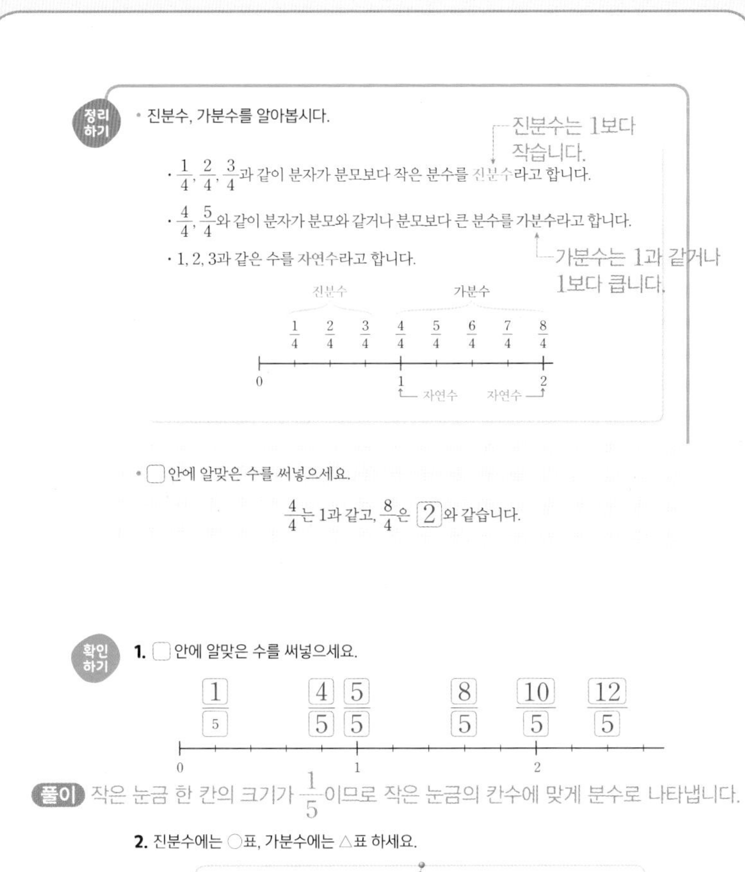

이런 문제가 서술형으로 나와요

3장의 숫자 카드 중 2장을 골라 한 번씩만 사용하여 만들 수 있는 가분수를 모두 구하려고 합니다. 풀이 과정을 쓰고, 답을 구해 보세요.

5 8 6

| 풀이 과정 |

❶ 분모가 5인 가분수 모두 구하기

분모가 5인 가분수는 $\frac{8}{5}$, $\frac{6}{5}$입니다.

❷ 만들 수 있는 가분수 모두 구하기

분모가 6인 가분수는 $\frac{8}{6}$이고, 분모가 8인 가분수는 만들 수 없습니다. 따라서 만들 수 있는 가분수는 $\frac{8}{5}$, $\frac{6}{5}$, $\frac{8}{6}$입니다.

답 $\frac{8}{5}$, $\frac{6}{5}$, $\frac{8}{6}$

수학 교과 역량 의사소통 정보 처리

진분수와 가분수로 나타내고, 분류하기

수직선에 나타낸 분수들을 각자의 기준을 정하여 분류하고 이야기해 보는 과정을 통하여 의사소통과 정보 처리 능력을 기를 수 있습니다.

개념 확인 문제

정답 및 풀이 230쪽

1 □ 안에 분모가 3인 분수를 쓰고 진분수이면 ○표, 가분수이면 △표 하세요.

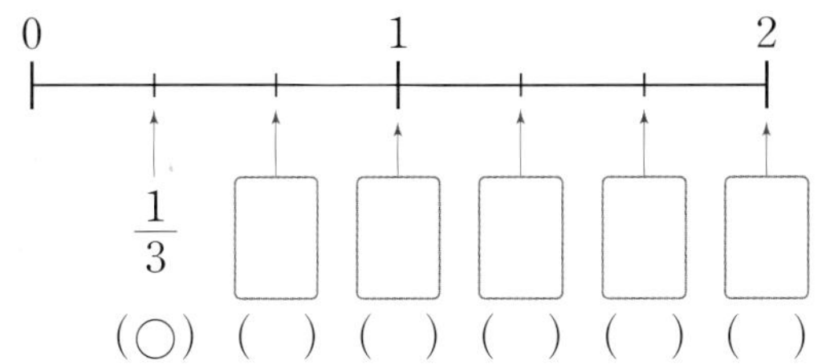

2 진분수를 모두 찾아 ○표 하세요.

$\frac{5}{6}$ $\frac{7}{5}$ $\frac{7}{7}$ $\frac{8}{7}$ $\frac{2}{3}$

3 가분수를 모두 찾아 ○표 하세요.

$\frac{4}{7}$ $\frac{5}{5}$ $\frac{1}{3}$ $\frac{10}{8}$ $\frac{9}{8}$

4 진분수와 가분수의 개수를 각각 구해 보세요.

$\frac{1}{4}$ $\frac{8}{6}$ $\frac{12}{10}$ $\frac{3}{3}$ $\frac{4}{5}$ $\frac{8}{7}$

진분수 ( )

가분수 ( )

6 | 여러 가지 분수 (2)

학습 목표

대분수를 알고 대분수를 가분수로, 가분수를 대분수로 나타낼 수 있습니다.

그림으로 개념 잡기

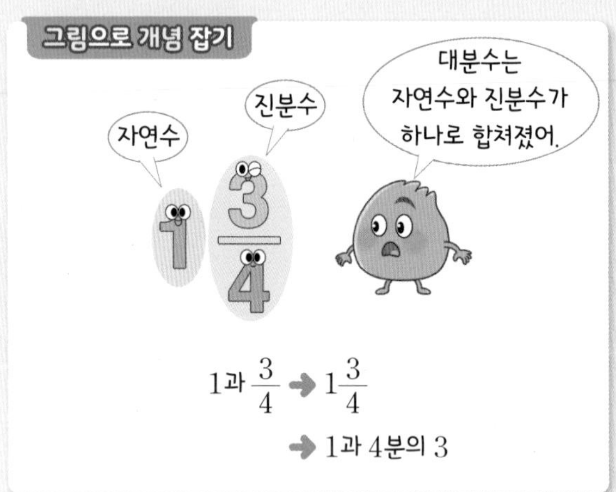

자연수
진분수
대분수는 자연수와 진분수가 하나로 합쳐졌어.

1과 $\frac{3}{4}$ ➔ $1\frac{3}{4}$

➔ 1과 4분의 3

어휘		
대분수	mixed fraction	帶(띠 대) 分(나눌 분) 數(셈 수)
자연수와 진분수의 합으로 이루어진 수를 말합니다.		

6 여러 가지 분수(2)
대분수를 알고 대분수를 가분수로, 가분수를 대분수로 나타낼 수 있습니다.
생각열기 판매할 호두파이를 정리하고 있어요. 호두파이 한 개와 $\frac{1}{4}$개를 접시에 놓았어요.
• 접시에 놓은 호두파이의 양을 분수로 어떻게 나타낼 수 있을까요?

의사소통 예 $1\frac{1}{4}$로 나타낼 수 있을 것 같습니다.

탐구하기 1 여러 가지 분수를 알아봅시다.

• 1과 $\frac{1}{4}$만큼 색칠해 보세요.

풀이 1을 나타내는 도형 1개와 1을 똑같이 4부분으로 나눈 것 중의 한 부분($\frac{1}{4}$)을 색칠합니다.

• 1과 $\frac{1}{4}$을 분수로 어떻게 나타낼 수 있을지 이야기해 보세요.

색칠한 부분을 가분수로 나타낼 수도 있겠다.

가분수가 아닌 다른 방법으로 나타낼 수도 있을까?

136

예 • $\frac{5}{4}$로 나타낼 수 있습니다.

• $1\frac{1}{4}$로 나타낼 수 있을 것 같습니다.

교과서 개념 완성

탐구하기 1 정리하기 **1과 $\frac{1}{4}$을 분수로 나타내는 방법 탐구하기**

1을 나타내는 도형: [1] ↑ 1

1을 똑같이 4부분으로 나눈 것 중의 1부분: [$\frac{1}{4}$| | |] ↑ $\frac{1}{4}$

➔ $1\frac{1}{4}$로 나타낼 수 있습니다.

학부모 코칭 Tip

대분수를 그림이나 수직선에 나타낼 때에는 대분수의 자연수 부분과 진분수 부분을 나누어 나타내어 보게 합니다.

확인하기 **그림을 대분수로 나타내기**

• 1과 $\frac{3}{6}$ ➔ $1\frac{3}{6}$

• 2와 $\frac{4}{7}$ ➔ $2\frac{4}{7}$

• 2와 $\frac{4}{5}$ ➔ $2\frac{4}{5}$

참고

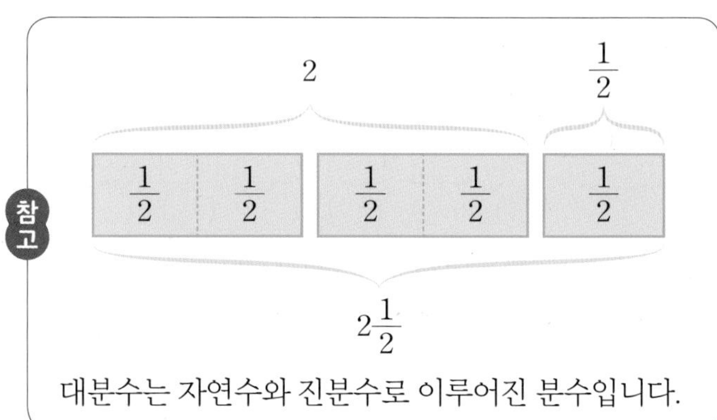

대분수는 자연수와 진분수로 이루어진 분수입니다.

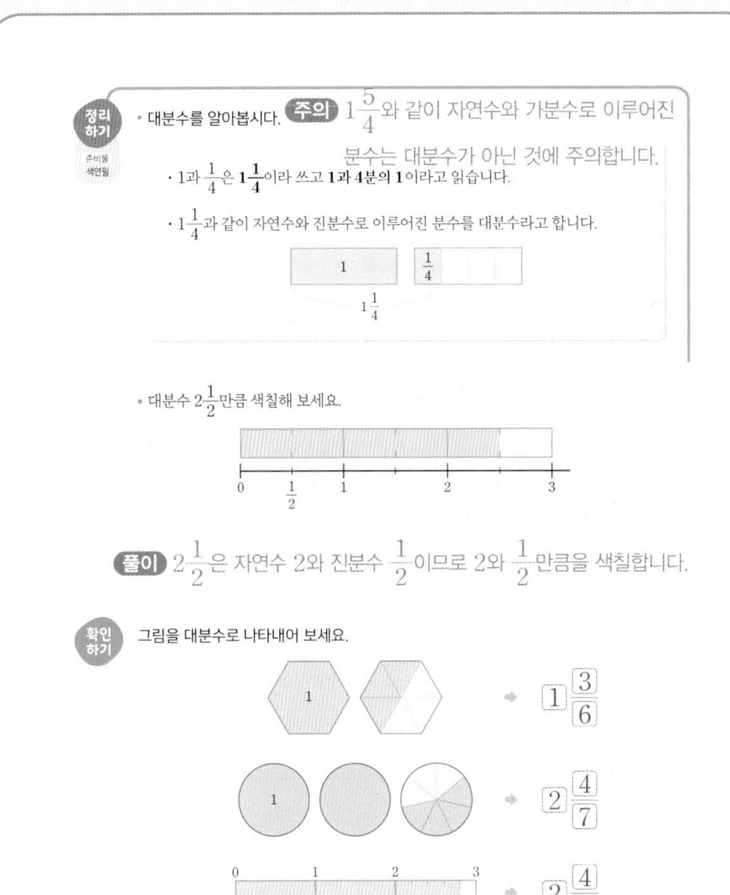

이런 문제가 서술형으로 나와요

자연수 부분이 3이고 분모가 4인 대분수를 모두 쓰려고 합니다. 풀이 과정을 쓰고, 답을 구해 보세요.

| 풀이 과정 |

❶ 대분수의 형태 알기

자연수 부분이 3이고 분모가 4인 대분수는 $3\frac{\square}{4}$로 나타낼 수 있습니다.

❷ 대분수 모두 구하기

대분수의 분수 부분이 분모가 4인 진분수이므로 분수 부분은 $\frac{1}{4}$, $\frac{2}{4}$, $\frac{3}{4}$입니다.

따라서 자연수 부분이 3이고 분모가 4인 대분수는 $3\frac{1}{4}$, $3\frac{2}{4}$, $3\frac{3}{4}$입니다.

답 $3\frac{1}{4}$, $3\frac{2}{4}$, $3\frac{3}{4}$

수학 교과 역량 의사소통

그림을 대분수로 나타내기

자연수와 진분수를 하나의 분수로 나타내는 방법을 이야기해 보는 과정을 통하여 의사소통 능력을 기를 수 있습니다.

개념 확인 문제

정답 및 풀이 230~231쪽

1 보기 를 보고 그림을 대분수로 나타내어 보세요.

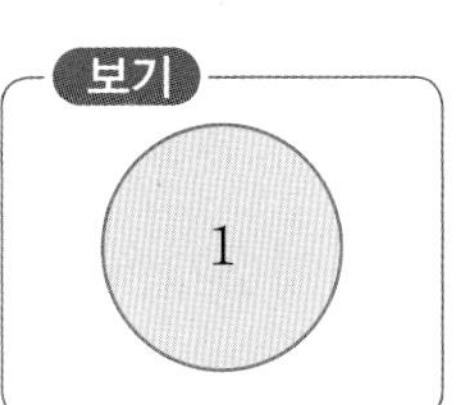

(1) → $\square\frac{\square}{\square}$

(2) → $\square\frac{\square}{\square}$

2 대분수를 모두 찾아 ○표 하세요.

$\frac{4}{7}$ $5\frac{1}{4}$ $3\frac{4}{3}$ $\frac{21}{9}$ $1\frac{5}{6}$

3 3장의 숫자 카드를 한 번씩 모두 사용하여 분모가 5인 대분수를 만들어 보세요.

( )

그림으로 개념 잡기

가분수를 대분수로

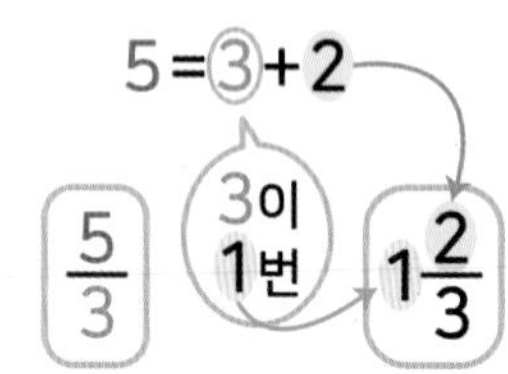

$\frac{5}{3}$ 가분수 ⟶ 대분수 $1\frac{2}{3}$

대분수를 가분수로

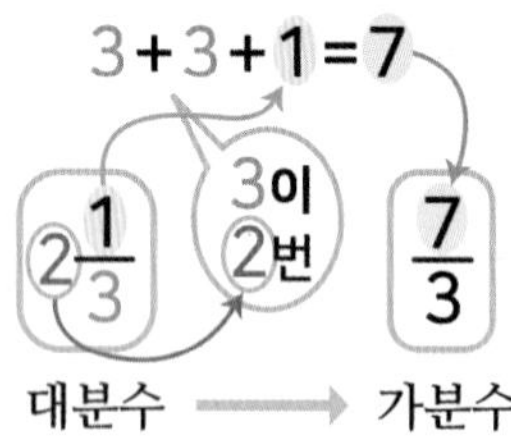

$2\frac{1}{3}$ 대분수 ⟶ 가분수 $\frac{7}{3}$

참고

- $\frac{4}{4}$와 같이 분모와 분자가 같으면 1과 같습니다.
- 자연수 1을 분모가 3인 가분수로 나타내면 $\frac{3}{3}$입니다.

의사소통

탐구하기 ② 대분수 $3\frac{1}{2}$을 가분수로 나타내는 방법을 알아봅시다.

준비물 색연필

- $3\frac{1}{2}$만큼 색칠해 보세요.

예 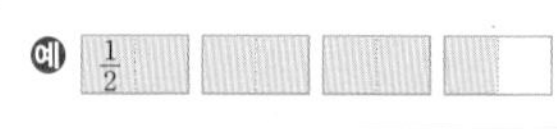

$\frac{1}{2}$이 ▲개인 수를 $\frac{▲}{2}$라고 써요.

- $3\frac{1}{2}$은 $\frac{1}{2}$이 몇 개인 수인가요? 7개

풀이 $\frac{1}{2}$이 모두 7개입니다.

- 대분수 $3\frac{1}{2}$을 가분수로 어떻게 나타낼 수 있을지 이야기해 보세요.

예 대분수 $3\frac{1}{2}$은 $\frac{1}{2}$이 7개인 수와 같으므로 $\frac{7}{2}$로 나타낼 수 있습니다.

정리하기 • 대분수를 가분수로 나타내는 방법을 정리해 봅시다.

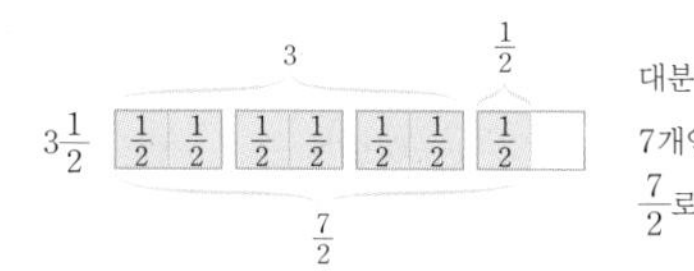

대분수 $3\frac{1}{2}$은 단위분수 $\frac{1}{2}$이 7개인 수와 같으므로 가분수 $\frac{7}{2}$로 나타낼 수 있습니다.

풀이 대분수 $2\frac{3}{4}$은 수직선 0에서 오른쪽으로 2만큼 간 다음, $\frac{1}{4}$씩 3칸 더 간 곳입니다.

확인하기

1. 대분수 $2\frac{3}{4}$을 수직선에 ↑로 표시하고, 가분수로 나타내어 보세요.

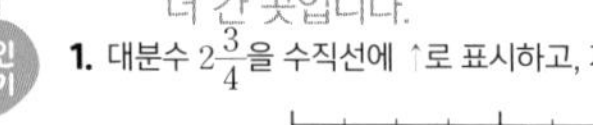

$2\frac{3}{4}$ ➡ $\frac{11}{4}$

2. 대분수를 가분수로 나타내어 보세요.

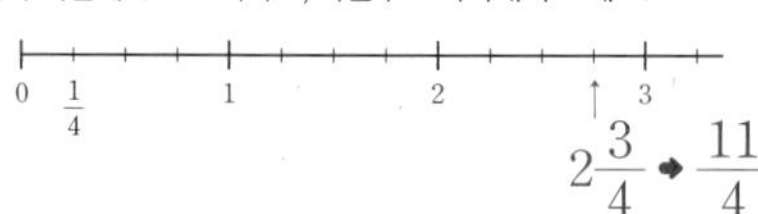

$1\frac{1}{3}=\frac{4}{3}$ $4\frac{1}{2}=\frac{9}{2}$ $2\frac{4}{5}=\frac{14}{5}$ $2\frac{6}{10}=\frac{26}{10}$

138

풀이 $1\frac{1}{3}$은 $\frac{1}{3}$이 4개인 수와 같으므로 $\frac{4}{3}$입니다.

교과서 개념 완성

탐구하기 ② **정리하기** **대분수를 가분수로 나타내는 방법 알기**

- $3\frac{1}{2}$만큼을 색칠해 보면 $\frac{1}{2}$이 7개인 수입니다.
- $3\frac{1}{2}$은 $\frac{1}{2}$이 7개인 수와 같으므로 $\frac{7}{2}$로 나타낼 수 있습니다.

확인하기 **대분수를 가분수로 나타내기**

- $2\frac{3}{4}$은 $\frac{1}{4}$이 11개인 수와 같으므로 $\frac{11}{4}$입니다.
- $2\frac{6}{10}$은 $\frac{1}{10}$이 26개인 수와 같으므로 $\frac{26}{10}$입니다.

탐구하기 ③ **정리하기** **가분수를 대분수로 나타내는 방법 알기**

- $\frac{8}{3}$은 $\frac{1}{3}$이 8개인 수입니다.
- $\frac{1}{3}$이 3개이면 $\frac{3}{3}=1$이고, $\frac{1}{3}$이 6개이면 $\frac{6}{3}=2$입니다. $\frac{8}{3}$은 $2\left(=\frac{6}{3}\right)$와 $\frac{2}{3}$이므로 $2\frac{2}{3}$로 나타낼 수 있습니다.

확인하기 **가분수를 대분수로 나타내기**

- $\frac{7}{6}$은 1과 $\frac{1}{6}$이므로 $1\frac{1}{6}$입니다.
- $\frac{3}{2}$은 1과 $\frac{1}{2}$이므로 $1\frac{1}{2}$입니다.

의사소통

탐구하기 ③ 가분수 $\frac{8}{3}$을 대분수로 나타내는 방법을 알아봅시다.

준비물 색연필

• $\frac{8}{3}$만큼 색칠해 보세요.

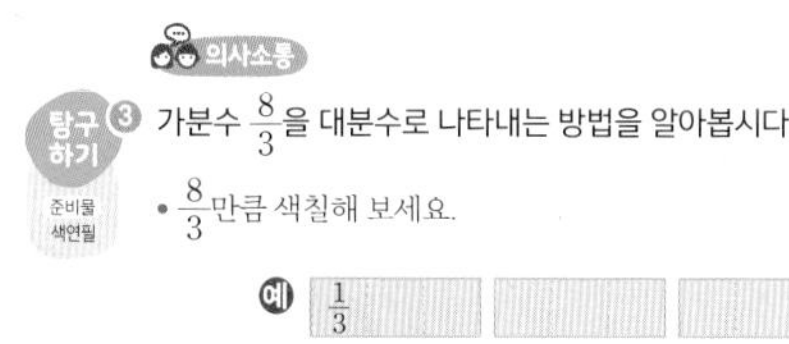

• $\frac{1}{3}$이 3개이면 $\frac{3}{3}=\boxed{1}$이고, $\frac{1}{3}$이 6개이면 $\frac{\boxed{6}}{\boxed{3}}=\boxed{2}$입니다.

• 가분수 $\frac{8}{3}$을 대분수로 어떻게 나타낼 수 있을지 이야기해 보세요.

예 가분수 $\frac{8}{3}$은 자연수 2와 진분수 $\frac{2}{3}$이므로 $2\frac{2}{3}$로 나타낼 수 있습니다.

정리하기 • 가분수를 대분수로 나타내는 방법을 정리해 봅시다.

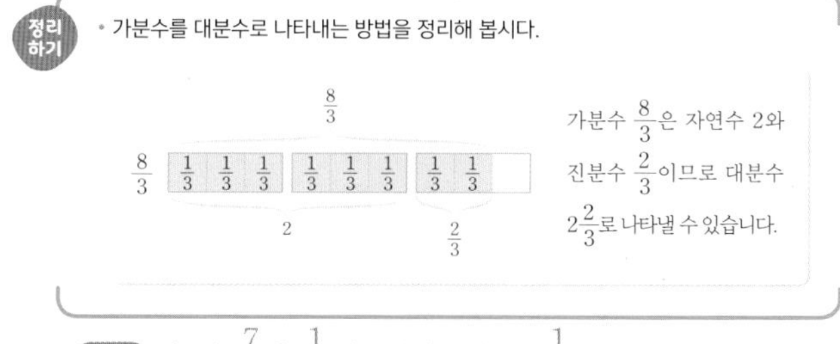

가분수 $\frac{8}{3}$은 자연수 2와 진분수 $\frac{2}{3}$이므로 대분수 $2\frac{2}{3}$로 나타낼 수 있습니다.

풀이 가분수 $\frac{7}{6}$은 $\frac{1}{6}$이 7개인 수이므로 $\frac{1}{6}$씩 7칸 간 곳입니다.

확인하기 1. 가분수 $\frac{7}{6}$을 수직선에 ↑로 표시하고, 대분수로 나타내어 보세요. 의사소통

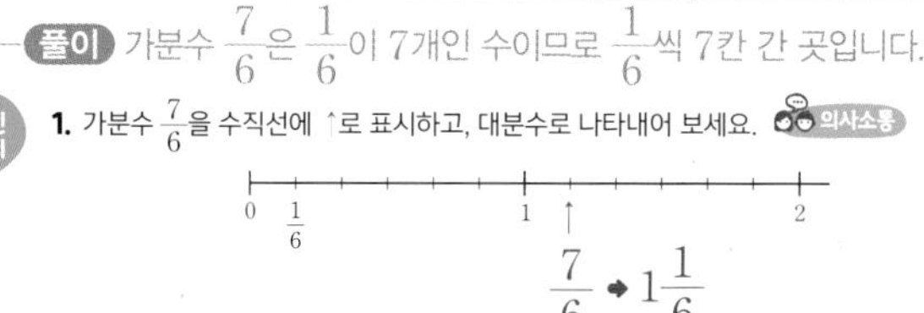

$\frac{7}{6} \rightarrow 1\frac{1}{6}$

2. 가분수를 대분수로 나타내어 보세요.

$\frac{3}{2}=1\frac{1}{2}$ $\frac{11}{6}=1\frac{5}{6}$ $\frac{9}{4}=2\frac{1}{4}$ $\frac{20}{7}=2\frac{6}{7}$

풀이 $\frac{3}{2}$은 1과 $\frac{1}{2}$이므로 $1\frac{1}{2}$입니다.

139

이런 문제가 서술형으로 나와요

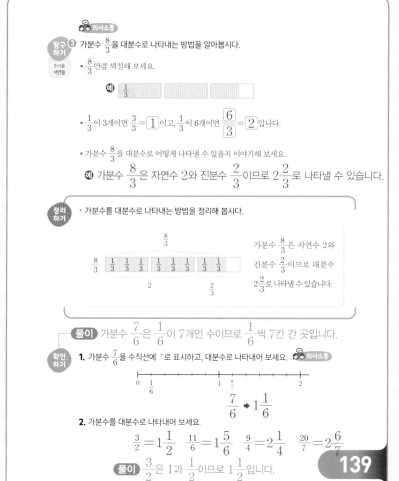

자연수가 6이고 분모가 5인 대분수 중에서 분자가 가장 큰 분수를 가분수로 나타내려고 합니다. 풀이 과정을 쓰고, 답을 구해 보세요.

| 풀이 과정 |

❶ 자연수가 6이고 분모가 5인 대분수 중 가장 큰 분수 구하기

자연수가 6이고 분모가 5인 대분수 중에서 분자가 가장 큰 분수는 $6\frac{4}{5}$입니다.

❷ 대분수를 가분수로 나타내기

$6\frac{4}{5}$는 $\frac{1}{5}$이 34개인 수와 같으므로 $\frac{34}{5}$입니다.

답 $\frac{34}{5}$

수학 교과 역량 의사소통

가분수를 대분수로, 대분수를 가분수로 나타내기

가분수를 대분수로, 대분수를 가분수로 나타내는 방법을 이야기해 보는 과정을 통하여 의사소통 능력을 기를 수 있습니다.

개념 확인 문제

정답 및 풀이 231쪽

1 그림을 보고 대분수를 가분수로 나타내어 보세요.

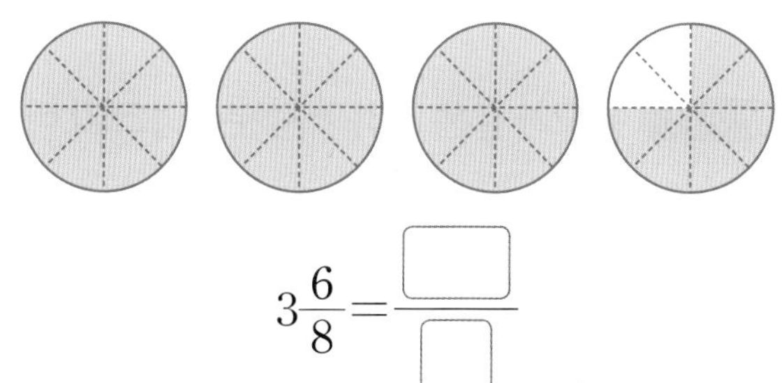

$3\frac{6}{8}=\frac{\square}{\square}$

2 대분수를 가분수로 나타내어 보세요.

(1) $1\frac{1}{7}$ (2) $4\frac{2}{5}$

3 그림을 보고 대분수를 가분수로 나타내어 보세요.

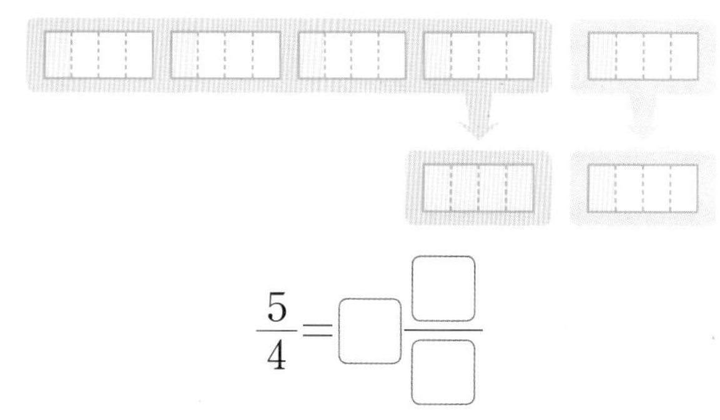

$\frac{5}{4}=\square\frac{\square}{\square}$

4 가분수를 대분수로 나타내어 보세요.

(1) $\frac{17}{9}$ (2) $\frac{29}{8}$

9 차시 7 | 분모가 같은 분수의 크기 비교

학습 목표

분모가 같은 여러 가지 분수의 크기를 비교할 수 있습니다.

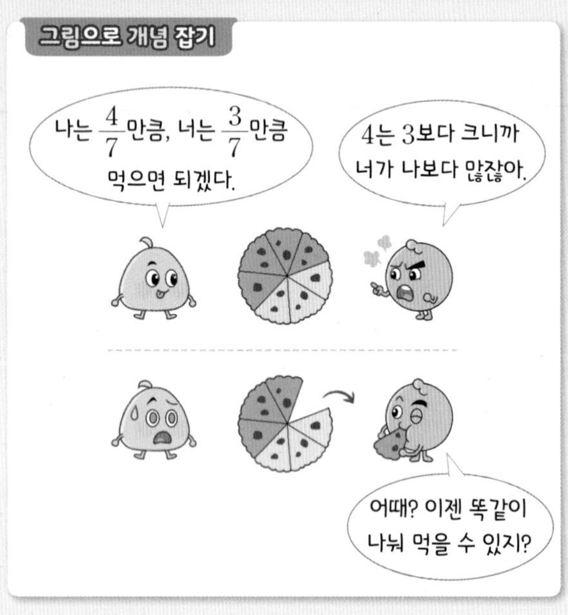

그림으로 개념 잡기
나는 $\frac{4}{7}$만큼, 너는 $\frac{3}{7}$만큼 먹으면 되겠다.
4는 3보다 크니까 너가 나보다 많잖아.
어때? 이젠 똑같이 나눠 먹을 수 있지?

자연수 부분이 다른 경우	자연수 부분이 같은 경우
자연수 부분의 크기가 큰 분수가 더 큽니다. 예 $1\frac{2}{3}<2\frac{1}{3}$	분자의 크기가 큰 대분수가 더 큽니다. 예 $2\frac{1}{3}<2\frac{2}{3}$

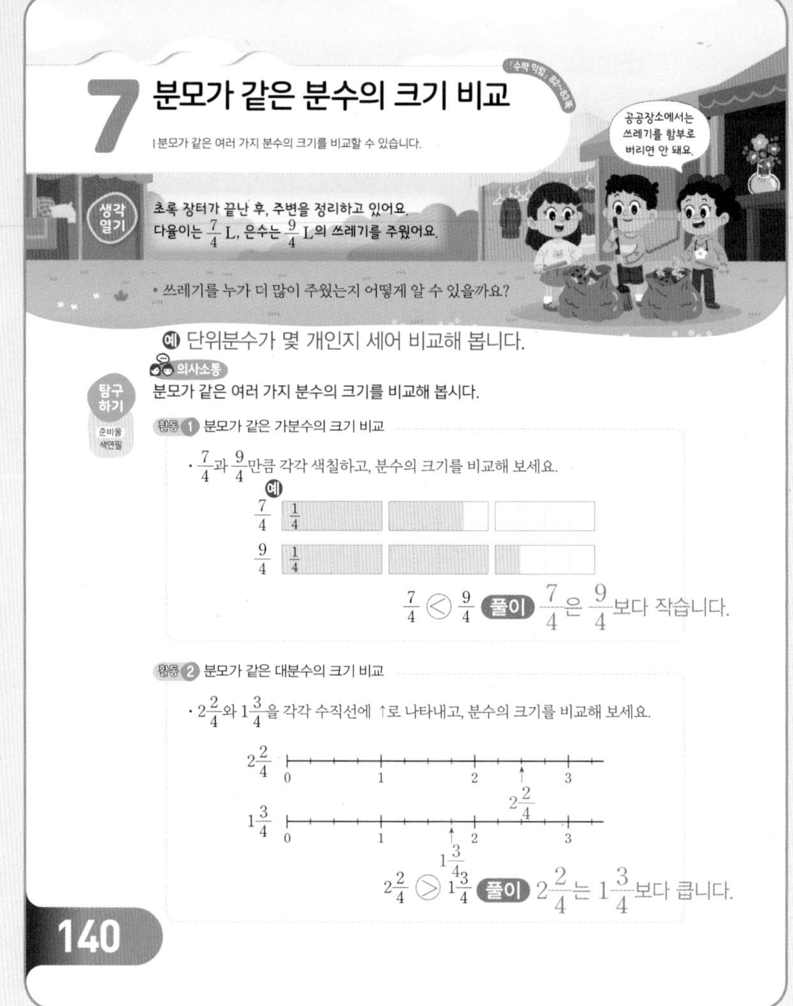

7 분모가 같은 분수의 크기 비교
분모가 같은 여러 가지 분수의 크기를 비교할 수 있습니다.
공공장소에서는 쓰레기를 함부로 버리면 안 돼요.
생각열기
초록 장터가 끝난 후, 주변을 정리하고 있어요.
다올이는 $\frac{7}{4}$ L, 은수는 $\frac{9}{4}$ L의 쓰레기를 주웠어요.
• 쓰레기를 누가 더 많이 주웠는지 어떻게 알 수 있을까요?
예 단위분수가 몇 개인지 세어 비교해 봅니다.
탐구하기
의사소통
분모가 같은 여러 가지 분수의 크기를 비교해 봅시다.
활동 1 분모가 같은 가분수의 크기 비교
• $\frac{7}{4}$과 $\frac{9}{4}$만큼 각각 색칠하고, 분수의 크기를 비교해 보세요.
$\frac{7}{4}$ < $\frac{9}{4}$ 풀이 $\frac{7}{4}$은 $\frac{9}{4}$보다 작습니다.
활동 2 분모가 같은 대분수의 크기 비교
• $2\frac{2}{4}$와 $1\frac{3}{4}$을 각각 수직선에 ↑로 나타내고, 분수의 크기를 비교해 보세요.
$2\frac{2}{4}$ > $1\frac{3}{4}$ 풀이 $2\frac{2}{4}$는 $1\frac{3}{4}$보다 큽니다.
140

교과서 개념 완성

탐구하기 정리하기 분모가 같은 여러 가지 분수의 크기를 비교하는 방법 알기

· 분모가 같은 가분수의 크기 비교

$\frac{7}{4}$과 $\frac{9}{4}$만큼 각각 색칠해 보면 $\frac{7}{4}$은 $\frac{9}{4}$보다 작습니다.

➜ $\frac{7}{4}<\frac{9}{4}$

· 분모가 같은 대분수의 크기 비교

$2\frac{2}{4}$와 $1\frac{3}{4}$을 각각 수직선에 나타내고, 크기를 비교해 보면 $2\frac{2}{4}$는 $1\frac{3}{4}$보다 큽니다. ➜ $2\frac{2}{4}>1\frac{3}{4}$

· 분모가 같은 가분수와 대분수의 크기 비교

가분수를 대분수로 나타내거나 대분수를 가분수로 나타내어 비교합니다.

확인하기 분모가 같은 여러 가지 분수의 크기 비교하기

· $2\frac{3}{5}$과 $1\frac{4}{5}$의 자연수 부분을 비교하면 $2>1$이므로 $2\frac{3}{5}>1\frac{4}{5}$입니다.

· $3\frac{1}{4}$과 $\frac{13}{4}$에서 $3\frac{1}{4}$을 가분수로 나타내면 $\frac{13}{4}$이므로 $3\frac{1}{4}=\frac{13}{4}$입니다.

활동 3 분모가 같은 가분수와 대분수의 크기 비교

• $\frac{10}{4}$과 $2\frac{3}{4}$의 크기를 두 가지 방법으로 비교해 보세요.

방법 1 가분수 $\frac{10}{4}$을 대분수로 나타내어 크기 비교하기 ➡ $2\frac{2}{4} < 2\frac{3}{4}$

방법 2 대분수 $2\frac{3}{4}$을 가분수로 나타내어 크기 비교하기 ➡ $\frac{10}{4} < \frac{11}{4}$

$\frac{10}{4} < 2\frac{3}{4}$ **풀이** 대분수 $2\frac{3}{4}$을 가분수로 나타내면 $\frac{11}{4}$입니다.

• 분모가 같은 여러 가지 분수의 크기를 비교하는 방법을 이야기해 보세요.

정리하기 • 분모가 같은 여러 가지 분수의 크기를 비교하는 방법을 정리해 봅시다.

분모가 같은 가분수의 크기 비교 방법	분자가 클수록 더 큽니다. 예 $\frac{7}{4} < \frac{9}{4}$
분모가 같은 대분수의 크기 비교 방법	자연수 부분이 클수록 더 큽니다. 자연수 부분이 같으면 분자가 클수록 더 큽니다. 예 $2\frac{2}{4} > 1\frac{3}{4}$, $2\frac{3}{7} < 2\frac{5}{7}$
분모가 같은 가분수와 대분수의 크기 비교 방법	가분수를 대분수로 나타내거나 대분수를 가분수로 나타내어 분수의 크기를 비교합니다.

확인하기 분수의 크기를 비교하여 ○ 안에 >, =, <를 알맞게 써넣으세요.

$\frac{19}{7} < \frac{21}{7}$ $2\frac{3}{5} > 1\frac{4}{5}$ $3\frac{1}{4} = \frac{13}{4}$

풀이 두 가분수의 분모가 같으므로 분자를 비교합니다.

풀이 두 대분수의 분모가 같으므로 자연수 부분을 비교합니다.

풀이 대분수를 가분수로 고치거나 가분수를 대분수로 고쳐서 비교합니다.

141

이런 문제가 서술형으로 나와요

색 테이프를 현아는 $\frac{7}{5}$ m, 민수는 $1\frac{4}{5}$ m 가지고 있습니다. 누가 색 테이프를 더 많이 가지고 있는지 풀이 과정을 쓰고, 답을 구해 보세요.

| 풀이 과정 |

❶ 두 분수의 크기 비교하기

$\frac{7}{5}=1\frac{2}{5}$

$1\frac{2}{5}$와 $1\frac{4}{5}$의 자연수 부분이 같으므로 진분수 부분을 비교하면 $\frac{2}{5} < \frac{4}{5}$입니다.

➜ $1\frac{2}{5} < 1\frac{4}{5}$

❷ 누가 색 테이프를 더 많이 가지고 있는지 구하기

$\frac{7}{5} < 1\frac{4}{5}$이므로 민수가 더 많이 가지고 있습니다.

답 민수

수학 교과 역량 의사소통

분모가 같은 여러 가지 분수의 크기 비교하기

여러 가지 분수의 크기를 비교하는 방법을 이야기해 보는 과정을 통하여 의사소통 능력을 기를 수 있습니다.

개념 확인 문제

정답 및 풀이 231쪽

1 그림을 보고 분수의 크기를 비교하여 ○ 안에 >, =, <를 알맞게 써넣으세요.

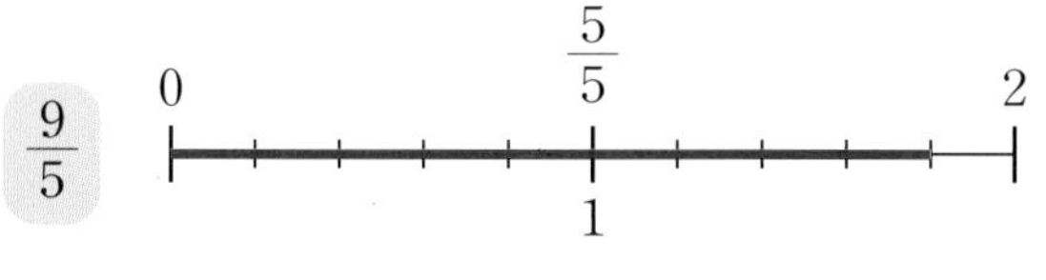

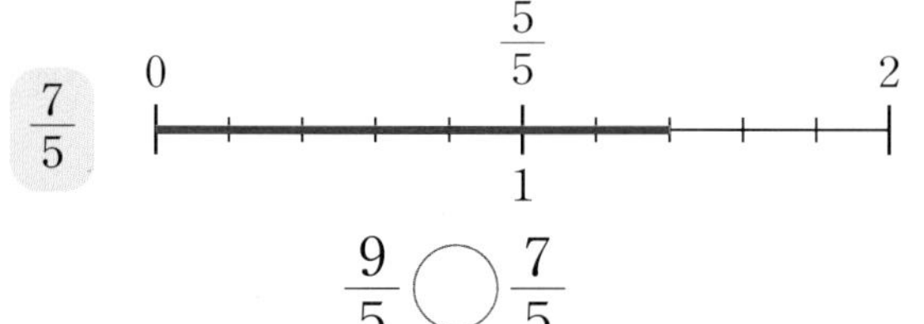

$\frac{9}{5}$ ○ $\frac{7}{5}$

2 더 큰 분수에 ○표 하세요.

(1)
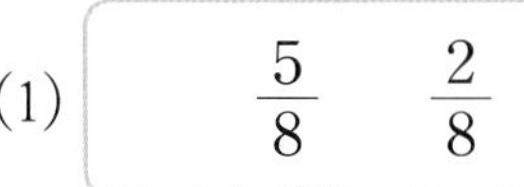
$\frac{5}{8}$ $\frac{2}{8}$

(2)
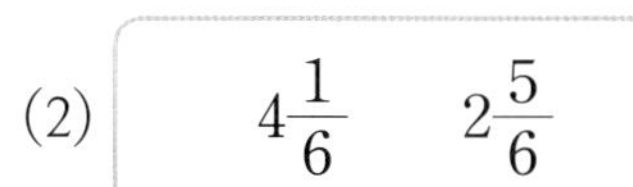
$4\frac{1}{6}$ $2\frac{5}{6}$

(3) $7\frac{3}{7}$ $7\frac{4}{7}$

(4) $4\frac{1}{8}$ $\frac{34}{8}$

10차시 문제 해결력 | 쑥쑥

어항 안에는 몇 마리의 물고기가 있을까

학습 목표

그림 그리기 전략을 이용하여 여러 가지 분수를 활용하여 실생활 문제를 해결하고 어떻게 해결하였는지 설명할 수 있습니다.

문제 해결 전략 그림 그리기 전략

수학 교과 역량 문제 해결 정보 처리

어항 안에는 몇 마리의 물고기가 있을까요

- 문제의 조건을 확인하고 문제 해결에 적절한 전략을 선택하는 과정에서 문제 해결 능력을 기를 수 있습니다.
- 문제 해결을 위한 조건을 확인하고 취사 선택하는 과정에서 주어진 정보를 수집, 분석, 활용하는 정보 처리 능력을 기를 수 있습니다.

문제 해결 Tip 전체가 1인 띠 모양을 같은 크기로 나누어 주어진 분수만큼 나타내고, 주어진 수를 이용하여 한 칸의 크기를 찾습니다.

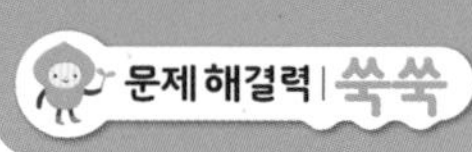

문제 해결력 | 쑥쑥 어항 안에는 몇 마리의 물고기가 있을까요

문제 해결 정보 처리

어항 안에 있는 물고기 중에서 $\frac{1}{3}$은 쉬리이고, 나머지는 거피입니다. 거피가 24마리일 때, 어항 안에 있는 물고기는 모두 몇 마리인지 구해 보세요.

문제 이해하기 • 구하려고 하는 것은 무엇인가요? 예 어항 안에 있는 물고기의 수

• 알고 있는 것은 무엇인가요?

예 • 어항 안에 있는 물고기 중 $\frac{1}{3}$은 쉬리이고 나머지는 거피입니다.

• 거피는 24마리입니다.

계획 세우기 • 어떤 방법으로 문제를 해결할 수 있을지 계획을 세워 보세요.

전체 물고기 수를 1로 해서 그림을 그려 보자.

그래, 그러면 전체가 1인 띠를 그려서 해결해 볼까?

계획대로 풀기 • □ 안에 알맞은 수를 써넣으세요.

전체 물고기 / 24 마리 / $\frac{1}{3}$ / 쉬리 / 거피

142

교과서 개념 완성

문제 이해하기

» 구하려고 하는 것

어항 안에 있는 물고기의 수입니다.

» 알고 있는 것

- 어항 안에 있는 물고기 중에서 $\frac{1}{3}$은 쉬리이고, 나머지는 거피입니다.
- 어항 안에 있는 거피는 24마리입니다.

학부모 코칭 Tip

문제 해결 과정에서 얻을 수 있는 새로운 사실이나 수학적 생각, 의견을 함께 공유할 수 있게 합니다.

계획 세우기

전체가 1인 띠 모양을 같은 크기로 나누어 쉬리의 수만큼 나타내고, 나머지 물고기가 24마리임을 이용하여 한 칸의 크기를 찾아 물고기의 수를 구할 수 있습니다.

계획대로 풀기

- 어항 안에 있는 물고기 중에서 $\frac{1}{3}$은 쉬리이고, 나머지가 거피이므로 □ 안에는 24를 씁니다.
- 2부분이 24마리이므로 1부분은 12마리입니다. 따라서 $\frac{1}{3}$인 쉬리는 12마리입니다.
- 어항 안에 있는 물고기는 모두 $12+24=36$(마리)입니다.

풀이 전체를 똑같이 3부분으로 나눈 것 중의 2부분은 거피입니다. 2부분이 24마리이므로 1부분은 12마리입니다. 따라서 전체의 $\frac{1}{3}$인 쉬리는 12마리입니다.

• 쉬리는 몇 마리일까요? 12마리

• 어항 안에 있는 물고기는 모두 몇 마리일까요? 36마리

풀이 어항 안에 있는 물고기는 모두 12+24=36(마리)입니다.

되돌아보기 • 구한 답이 맞았는지 확인해 보세요.

• 문제를 해결한 방법을 친구들과 이야기해 보세요.

생각을 키워요

새롬이가 선물 상자를 포장하는 데 6 m의 리본을 사용하였습니다. 남은 리본의 길이가 처음 리본의 길이의 $\frac{2}{5}$였을 때, 처음 리본의 길이를 구해 보세요.

[풀이] 예 사용하고 남은 리본의 길이가 처음 리본의 길이의 $\frac{2}{5}$이므로 전체가 1인 띠를 똑같이 5부분으로 나누어 그려 보면

처음 리본의 길이 / 6 m / 남은 리본의 길이 / 사용한 리본의 길이

사용한 리본의 길이는 전체의 $\frac{3}{5}$이고 6 m입니다. 따라서 처음 리본 길이의 $\frac{1}{5}$이 2 m이므로 처음 리본의 길이는 2×5=10 (m)입니다. [답] 10 m

143

생각을 키워요

문제 해결 정보 처리

문제 이해하기

» 구하려고 하는 것

처음 리본의 길이입니다.

» 알고 있는 것

6 m의 리본을 사용하였고, 사용하고 남은 리본의 길이가 처음 리본의 길이의 $\frac{2}{5}$입니다.

계획 세우기

전체가 1인 띠 모양을 같은 크기로 나누어 문제를 해결할 수 있습니다.

계획대로 풀기

사용하고 남은 리본의 길이가 처음 리본의 길이의 $\frac{2}{5}$이므로 사용한 리본의 길이는 전체의 $\frac{3}{5}$이고 6 m입니다. 따라서 처음 리본의 길이의 $\frac{1}{5}$이 2 m이므로 처음 리본의 길이는 2×5=10 (m)입니다.

되돌아보기

처음 길이가 10 m이면 남은 길이는 10−6=4 (m)이고 4 m는 10 m의 $\frac{2}{5}$이므로 맞습니다.

문제 해결력 문제

정답 및 풀이 231쪽

1 자루 안에 있는 구슬 중에서 $\frac{1}{4}$은 노란색 구슬이고 나머지는 빨간색 구슬입니다. 빨간색 구슬이 15개일 때, 자루 안에 들어있는 구슬은 모두 몇 개인지 구하려고 합니다. 물음에 답해 보세요.

(1) 노란색 구슬은 몇 개일까요?

( )

(2) 자루 안에 들어있는 구슬은 모두 몇 개일까요?

( )

2 과일 가게에 사과 81개가 있었는데 그중 $\frac{5}{9}$를 팔았다면 남은 사과는 몇 개인지 구해 보세요.

( )

3 연아는 미술 시간에 12 m인 끈을 사용하였습니다. 남은 끈의 길이가 처음 끈의 길이의 $\frac{3}{7}$이었을 때, 처음 끈의 길이를 구해 보세요.

( )

추론

전체에 대한 부분을 분수로 나타내기

▶자습서 쪽수 144~145쪽

학부모 코칭 Tip

똑같이 묶음으로 나누었을 때, 부분의 양을 전체의 양과 비교하여 분수로 나타내도록 합니다.

1 색칠한 부분을 분수로 나타내어 보세요.

126쪽

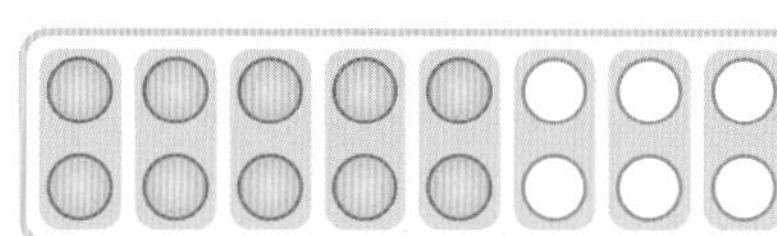

$\frac{5}{8}$

풀이 색칠한 부분은 전체를 똑같이 8묶음으로 나눈 것 중의 5묶음이므로 $\frac{5}{8}$입니다.

정보 처리

부분의 양을 전체의 양과 비교하여 분수로 나타내고 길이에서 전체의 분수만큼 알기

▶자습서 146~147쪽, 150~151쪽

학부모 코칭 Tip

전체를 묶음으로 나누었을 때 묶음의 수에 주의하여 전체의 묶음 수와 부분의 묶음 수를 먼저 찾아보게 하고 분수로 나타내어 보게 합니다.

2 그림을 보고 ☐ 안에 알맞은 수를 써넣으세요.

128, 132쪽

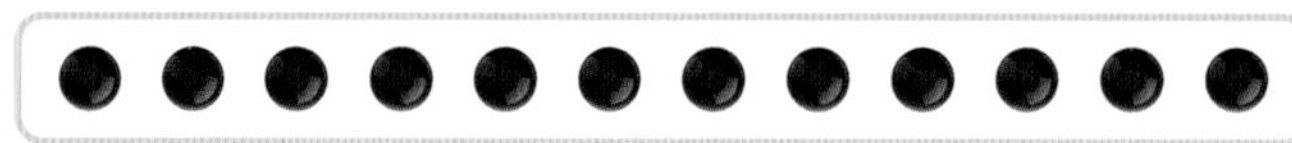

12를 2씩 묶으면 10은 12의 $\frac{5}{6}$입니다.

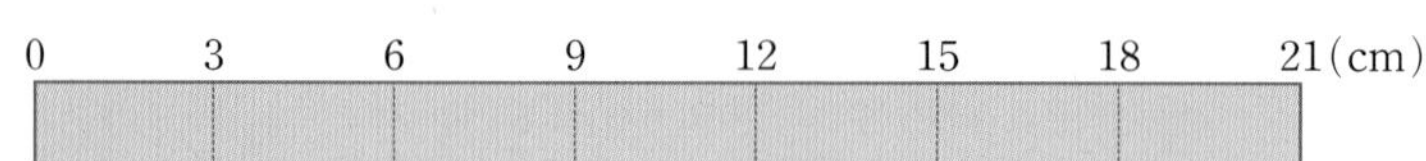

21 cm의 $\frac{4}{7}$는 12 cm입니다.

풀이 • 12를 2씩 묶으면 6묶음이고, 10은 6묶음 중의 5묶음이므로 10은 12의 $\frac{5}{6}$입니다.

• 21 cm의 $\frac{4}{7}$는 21 cm를 똑같이 7부분으로 나눈 것 중의 4부분이므로 21 cm의 $\frac{4}{7}$는 12 cm입니다.

추론

진분수, 가분수, 대분수의 이해

▶자습서 152~155쪽

학부모 코칭 Tip

진분수, 가분수, 대분수의 정확한 개념을 이해하여 $\frac{9}{9}$를 진분수라고 답하지 않도록 주의합니다.

3 진분수에는 '진', 가분수에는 '가', 대분수에는 '대'를 써 보세요.

134, 136쪽

$2\frac{1}{3}$	$\frac{9}{9}$	$\frac{10}{11}$	$6\frac{1}{8}$	$\frac{11}{2}$
(대)	(가)	(진)	(대)	(가)

풀이 진분수는 분자가 분모보다 작은 분수이므로 $\frac{10}{11}$, 가분수는 분자가 분모와 같거나 분모보다 큰 분수이므로 $\frac{9}{9}$, $\frac{11}{2}$, 대분수는 자연수와 진분수로 이루어진 분수이므로 $2\frac{1}{3}$, $6\frac{1}{8}$입니다.

144

4 분수의 크기를 비교하여 ○ 안에 >, =, <를 알맞게 써넣으세요.

140쪽

$2\frac{2}{4}$ (<) $2\frac{3}{4}$　　$\frac{19}{3}$ (<) $\frac{22}{3}$　　$\frac{75}{8}$ (>) $7\frac{6}{8}$

풀이
- $2\frac{2}{4}$와 $2\frac{3}{4}$의 자연수 부분이 같으므로 분자를 비교하면 $2\frac{2}{4} < 2\frac{3}{4}$입니다.
- $\frac{19}{3}$와 $\frac{22}{3}$의 분자를 비교하면 $\frac{19}{3} < \frac{22}{3}$입니다.
- $\frac{75}{8}$와 $7\frac{6}{8}$의 크기는 가분수를 대분수로 나타내거나 대분수를 가분수로 나타내어 비교하면 $\frac{75}{8} > \frac{62}{8}$ 또는 $9\frac{3}{8} > 7\frac{6}{8}$입니다.

추론
여러 가지 분수의 크기 비교하기
▶자습서 158~159쪽
대분수와 가분수의 크기 비교는 대분수를 가분수로 또는 가분수를 대분수로 바꾸어 비교합니다.

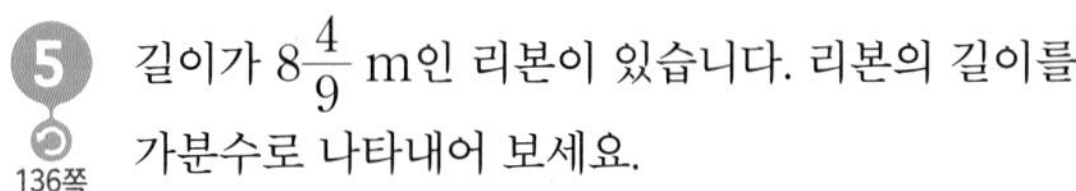

5 길이가 $8\frac{4}{9}$ m인 리본이 있습니다. 리본의 길이를 가분수로 나타내어 보세요.

136쪽

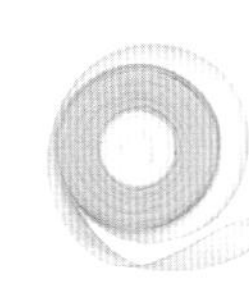

($\frac{76}{9}$ m)

풀이 대분수 $8\frac{4}{9}$는 자연수 8과 진분수 $\frac{4}{9}$로 이루어져 있고 $8=\frac{72}{9}$이므로 $8\frac{4}{9}=\frac{76}{9}$입니다.

문제 해결 **태도 및 실천**
대분수를 가분수로 나타내기
▶자습서 156쪽
$1=\frac{9}{9}, 2=\frac{18}{9}, 3=\frac{27}{9}$, ..., $8=\frac{72}{9}$와 같이 자연수를 가분수로 바꿀 수 있습니다.

생각을 넓혀요 추론 창의·융합

6 노란색 공 8개와 빨간색 공 2개가 들어 있는 상자에 빨간색 공을 2개 더 넣으려고 합니다. 공을 넣은 다음, 같은 색깔 공끼리 4개씩 묶으면 노란색 공은 전체 공의 얼마일지 분수로 나타내어 보세요.

128쪽

빨간색 공을 2개 더 넣자.
공을 넣은 후, 같은 색깔 공끼리 4개씩 나누어 묶어 보자.

($\frac{2}{3}$)

풀이 상자 안에 빨간색 공 2개를 더 넣으면 노란색 공은 8개, 빨간색 공은 4개가 됩니다. 공을 4개씩 묶으면 전체는 3묶음이고, 노란색 공은 2묶음이므로 노란색 공은 전체의 $\frac{2}{3}$입니다.

분수를 활용한 문제 해결하기
▶자습서 146~147쪽

학부모 코칭 Tip
공을 직접 4개씩 묶어 보게 하고 전체 공의 묶음의 수와 노란색 공의 묶음의 수를 이용하여 답을 구해 보게 합니다. 묶음의 수를 생각하지 않고 $\frac{8}{12}$로 답하지 않도록 주의합니다.

145

• 시간 속으로 | 째깍 • 이야기로 키우는 | 생각

하루 동안 한 일	잠	아침 식사 및 휴식	체험 활동	점심 식사 및 휴식	가족과 시장 가기	저녁 식사 및 휴식	책 읽기 및 정리하기
걸린 시간	하루의 $\frac{3}{8}$	하루의 $\frac{2}{24}$	하루의 $\frac{1}{8}$	하루의 $\frac{2}{24}$	하루의 $\frac{1}{6}$	하루의 $\frac{1}{24}$	하루의 $\frac{1}{8}$

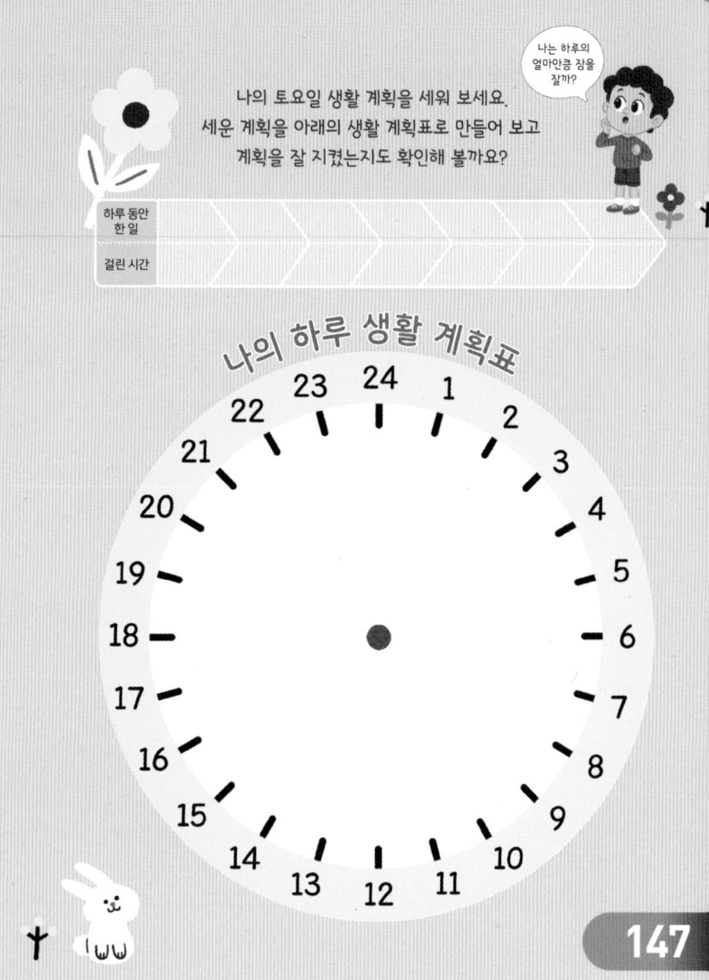

교과서 개념 완성

시간 속으로 | 째깍

1 준비물 확인 및 활동 방법 살펴보기

1. '분수로 생활 계획표 만들기' 활동 이해하기
   '분수로 생활 계획표 만들기' 활동을 알아봅니다.

2. 24시간의 $\frac{1}{6}$, $\frac{1}{24}$, $\frac{1}{8}$ 알아보기
   하루(24시간)의 분수만큼을 알아보고, 구한 방법을 설명해 봅니다.

3. '하루 생활 계획표' 나타내기
   모형 시계에 활동한 시간별로 나누어 봅니다.

2 활동하기

• 분수로 생활 계획표 만들기
하루의 분수만큼을 나타낸 각각의 활동 시간을 구하여 모형 시계에 나타내어 완성해 봅니다.

• 하루가 24시간이므로 24의 $\frac{1}{6}$, $\frac{1}{24}$, $\frac{1}{8}$을 각각 구해야 합니다. 24시간의 $\frac{1}{6}$, $\frac{1}{24}$, $\frac{1}{8}$을 각각 그림으로 나타내어 보면 다음과 같습니다.

하루의 $\frac{1}{6}$ ➡ 4시간 하루의 $\frac{1}{24}$ ➡ 1시간 하루의 $\frac{1}{8}$ ➡ 3시간

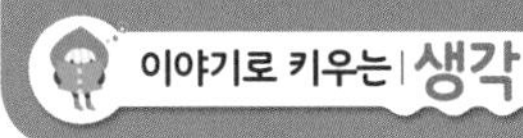

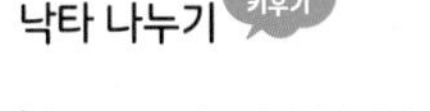

낙타 나누기 (창의력 키우기)

'린드 파피루스'는 세계에서 가장 오래된 수학책으로, 기원전 1650년 무렵 고대 이집트에서 사용한 것입니다. 두루마리 형태로 되어 있으며 많은 수학 지식들이 담겨 있습니다. 다음은 '린드 파피루스'에 적힌 '분수 이야기'입니다.

옛날 이집트의 한 상인이 자식 3명에게 낙타 17마리를 나누어 가지라는 유언을 남겼습니다.

너희 3형제가 어떻게 살아갈지 걱정이 많구나.
나의 전 재산인 낙타 17마리를 너희 3형제가 사이좋게 나누어 가졌으면 좋겠다.
첫째는 전체 낙타의 $\frac{1}{2}$을,
둘째는 전체 낙타의 $\frac{1}{3}$을,
셋째는 전체 낙타의 $\frac{1}{9}$을
가지면 된다.

낙타 17마리의 $\frac{1}{2}$만큼은 전체를 똑같이 2묶음으로 나눈 것 중의 1묶음인데, 17을 똑같이 2묶음으로 어떻게 나눌까?

낙타 17마리의 $\frac{1}{3}$만큼은 전체를 똑같이 3묶음으로 나눈 것 중의 1묶음인데, 17을 똑같이 3묶음으로?

낙타 17마리의 $\frac{1}{9}$만큼은 전체를 똑같이 9묶음으로 나눈 것 중의 1묶음인데, 17은 똑같이 9묶음으로 나눌 수가 없어요.

낙타 한 마리를 끌고 지나가던 노인이 3형제에게 말하였습니다.
"내 낙타 한 마리를 빌려줄 테니 유언에 따라 나누어 보세요."
3형제는 노인에게 낙타 한 마리를 빌려 아버지의 유언에 따라 낙타를 나누어 보았습니다.

첫째는 낙타 18마리의 $\frac{1}{2}$만큼인 9마리를, 둘째는 낙타 18마리의 $\frac{1}{3}$만큼인 6마리를, 셋째는 낙타 18마리의 $\frac{1}{9}$만큼인 2마리를 가질 수 있었습니다.

이렇게 3형제는 낙타 17마리를 아버지의 유언에 따라 나누어 가질 수 있었고, 노인에게 빌렸던 낙타 한 마리도 돌려줄 수 있었습니다.

[출처] 『Talk Talk 11월호』, 에듀진, 2019.

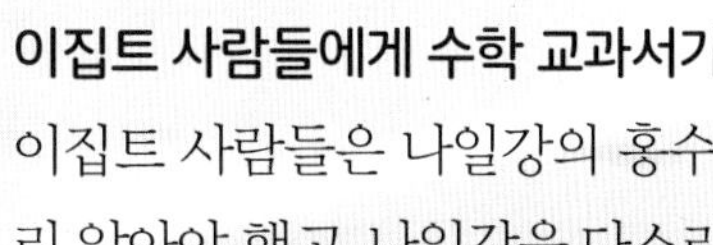

148 149

참고 **이집트 사람들에게 수학 교과서가 왜 필요했을까요?**
이집트 사람들은 나일강의 홍수가 시작될 시기를 미리 알아야 했고, 나일강을 다스리기 위해 운하를 파고 둑을 쌓는 데 필요한 수학 지식도 알아야 했습니다.

- 모형 시계의 눈금 한 칸이 1시간을 나타내고 하루의 $\frac{1}{6}$은 4시간이므로 4칸을, 하루의 $\frac{1}{24}$은 1시간이므로 1칸을, 하루의 $\frac{1}{8}$은 3시간이므로 3칸을 모형 시계에 나타냅니다.
- 나의 하루 생활 계획표를 만들어 보고 각 활동 시간이 하루 24시간의 얼마인지 분수로 나타내어 봅니다.

수학 교과 역량 창의·융합 태도 및 실천

'분수로 생활 계획표 만들기' 활동 중 분수의 의미를 적용해 보는 과정을 통하여 창의·융합 능력을 기를 수 있습니다. 또한 생활 계획표를 만들고 나타내어 보는 과정을 통하여 시간을 계획적으로 보내야 할 필요성을 깨닫게 할 수 있습니다.

이야기로 키우는 생각

린드 파피루스(Rhind Papyrus)

'파피루스(Papyrus)'는 우리나라 강가에서 많이 자라는 갈대와 같은 식물이며, 이집트 사람들은 이 파피루스 줄기의 섬유로 만든 종이에 여러 기록을 남겼습니다. 지금까지 발견된 파피루스 중 가장 유명한 것은 역사 기록가 아메스(Ahmes)가 쓴 파피루스 즉, '아메스 파피루스'입니다. 이는 길이가 약 550 cm나 되어서 둘둘 말아 사용하였으며 지금은 영국 박물관에 소장되어 있습니다. 기원전 1650년 무렵 이집트에서 사용한 것으로, 세계에서 가장 오래된 수학책입니다.

[출처] 강미선, 『지금하자! 개념 수학 2』

개념 + 확인

교과서 개념과 확인 문제를 풀면서 단원을 마무리해 보아요.

개념

분수로 나타내기(1)

전체 6개를 똑같이 3부분으로 나누기

 →   

부분 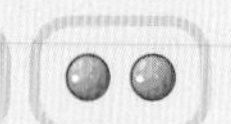 은 전체를 3부분으로 나눈 것 중의 1이므로 전체의 $\frac{1}{3}$입니다.

분수로 나타내기(2)

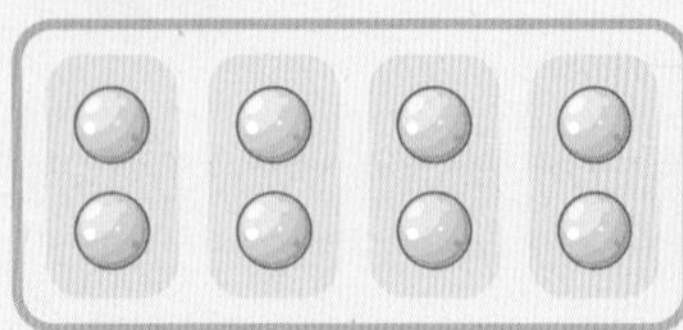

8을 2씩 묶으면 4묶음입니다. 6은 4묶음 중의 3묶음이므로 6은 8의 $\frac{3}{4}$입니다.

전체의 분수만큼 알아보기(1)

예 9의 $\frac{2}{3}$ 알아보기

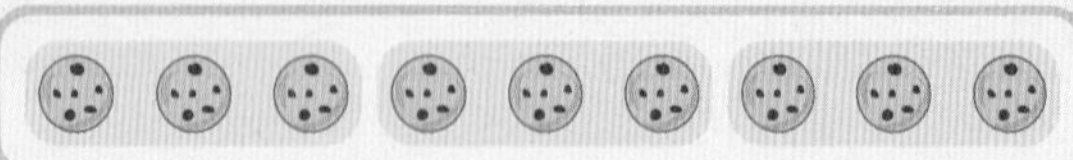

① 9를 똑같이 3묶음으로 나눈 것 중의 1묶음은 3입니다. ➔ 9의 $\frac{1}{3}$은 3입니다.

② 9를 똑같이 3묶음으로 나눈 것 중의 2묶음은 6입니다. ➔ 9의 $\frac{2}{3}$는 6입니다.

전체의 분수만큼 알아보기(2)

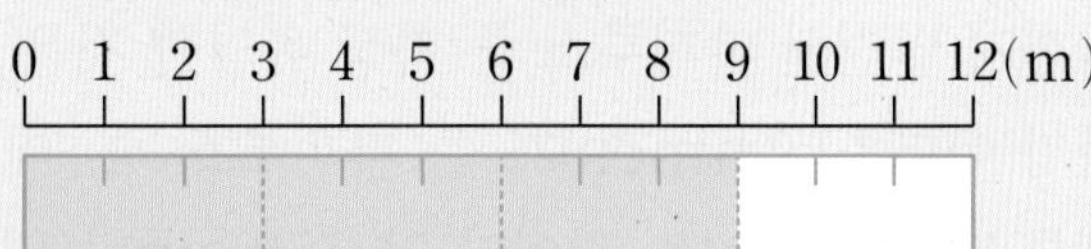

· 12 m의 $\frac{1}{4}$은 3 m입니다.

· 12 m의 $\frac{3}{4}$은 9 m입니다.

확인 문제

1 ☐ 안에 알맞은 수를 써넣으세요.

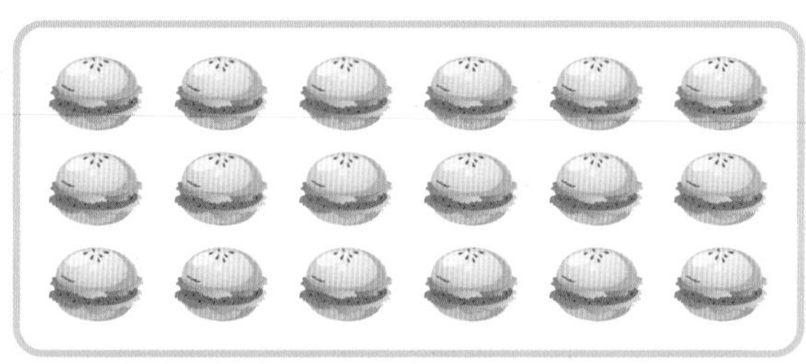

18을 3씩 묶으면 ☐묶음이 됩니다.

6은 18의 $\frac{☐}{☐}$ 입니다.

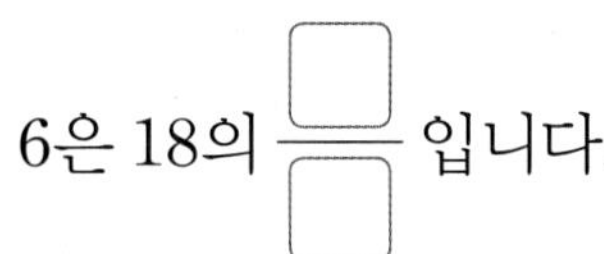

2 그림을 보고 ☐ 안에 알맞은 수를 써넣으세요.

(1) 12의 $\frac{1}{3}$은 ☐입니다.

(2) 12의 $\frac{2}{3}$는 ☐입니다.

3 9 m의 종이띠에 $\frac{2}{3}$만큼을 색칠하고, ☐ 안에 알맞은 수를 써넣으세요.

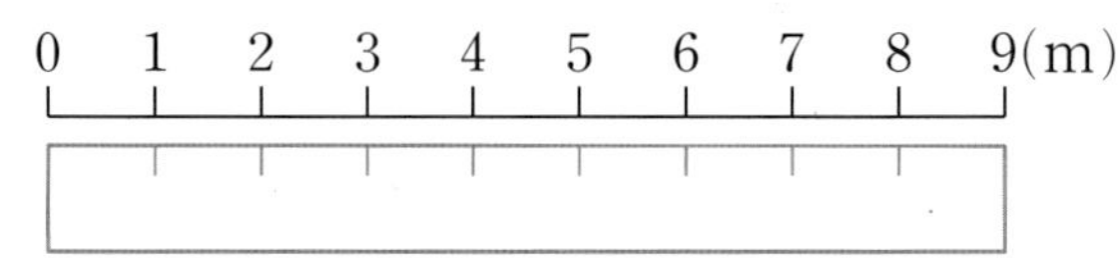

9 m의 $\frac{2}{3}$는 ☐m입니다.

개념

여러 가지 분수(1)

- 진분수: 분자가 분모보다 작은 분수

  예 $\frac{1}{2}$, $\frac{1}{3}$, $\frac{2}{3}$

- 가분수: 분자가 분모와 같거나 분모보다 큰 분수

  예 $\frac{3}{2}$, $\frac{5}{3}$, $\frac{4}{4}$

- 자연수: 1, 2, 3과 같은 수

여러 가지 분수(2)

- 대분수: 자연수와 진분수로 이루어진 분수

  예 1과 $\frac{2}{3}$ — 쓰기 $1\frac{2}{3}$ — 읽기 1과 3분의 2

- 대분수를 가분수로 나타내기

  $1\frac{3}{4}$ ➜ 1과 $\frac{3}{4}$ ➜ $\frac{4}{4}$와 $\frac{3}{4}$ ➜ $\frac{7}{4}$

- 가분수를 대분수로 나타내기

  $\frac{8}{5}$ ➜ $\frac{5}{5}$와 $\frac{3}{5}$ ➜ 1과 $\frac{3}{5}$ ➜ $1\frac{3}{5}$

분모가 같은 분수의 크기 비교

(1) 분모가 같은 가분수의 크기 비교

분자의 크기가 큰 가분수가 더 큽니다.

(2) 분모가 같은 대분수의 크기 비교

- 자연수 부분이 다르면 자연수 부분이 클수록 큽니다.
- 자연수 부분이 같으면 진분수의 분자가 클수록 큽니다.

(3) 분모가 같은 대분수와 가분수의 크기 비교

가분수를 대분수로 나타내거나 대분수를 가분수로 나타내어 분수의 크기를 비교합니다.

확인 문제

4 진분수와 가분수는 각각 몇 개인가요?

$\frac{8}{5}$ $\frac{7}{7}$ $1\frac{1}{4}$ $\frac{20}{9}$ $\frac{8}{10}$

진분수 (　　　　)

가분수 (　　　　)

5 $\frac{★}{5}$은 진분수입니다. ★이 될 수 없는 것은 어느 것일까요? .... (　　　)

① 1　② 2　③ 3　④ 4　⑤ 5

6 가분수를 대분수로, 대분수를 가분수로 나타내어 보세요.

(1) $\frac{12}{7}$　(2) $\frac{35}{11}$

(3) $5\frac{1}{3}$　(4) $1\frac{8}{9}$

7 분수의 크기를 비교하여 ○ 안에 >, =, <를 알맞게 써넣으세요.

(1) $\frac{8}{5}$ ○ $1\frac{2}{5}$　(2) $2\frac{2}{3}$ ○ $\frac{10}{3}$

(3) $2\frac{4}{9}$ ○ $\frac{22}{9}$　(4) $\frac{12}{5}$ ○ $2\frac{4}{5}$

단계별로

서술형 문제 해결하기

과정 중심 평가 내용: 주어진 수의 분수만큼을 알 수 있는가?

1-1 민선이는 연필 30자루를 친구들에게 다음과 같이 나누어 주었습니다. 나누어 준 연필은 모두 몇 자루인지 풀이 과정을 쓰고, 답을 구해 보세요. [8점]

현아: 30자루의 $\frac{1}{6}$, 우석: 30자루의 $\frac{2}{6}$

풀이

❶ 30자루의 $\frac{1}{6}$은 ☐자루, 30자루의 $\frac{2}{6}$는 ☐자루입니다.

❷ 나누어 준 연필은 모두 ☐+☐=☐(자루)입니다.

답

1-2 쌍둥이

영희는 구슬 45개를 동생들에게 다음과 같이 나누어 주었습니다. 나누어 준 구슬은 모두 몇 개인지 풀이 과정을 쓰고, 답을 구해 보세요. [12점]

영우: 45개의 $\frac{2}{9}$, 영진: 45개의 $\frac{3}{9}$

풀이

답

1-3 유사

하루는 24시간입니다. 지은이가 하루 동안 독서하는 시간과 학교에서의 시간을 빼고 남은 시간은 몇 시간인지 풀이 과정을 쓰고, 답을 구해 보세요. [15점]

독서하는 시간: 하루의 $\frac{1}{8}$

학교에서의 시간: 하루의 $\frac{2}{8}$

풀이

답

1-4 실전

민서는 가지고 있던 35 m짜리 끈 중에서 미술 작품을 만드는 데 35 m의 $\frac{3}{7}$을 사용하고, 상자를 포장하는 데 35 m의 $\frac{2}{7}$를 사용하였습니다. 남은 끈은 몇 m인지 풀이 과정을 쓰고, 답을 구해 보세요. [15점]

풀이

답

과정 중심 평가 내용	분모가 같은 분수의 크기를 비교할 수 있는가?	공부한 날 월 일

→ 정답 및 풀이 232~233쪽

2-1 ★에 알맞은 자연수를 구하려고 합니다. 풀이 과정을 쓰고, 답을 구해 보세요. [8점]

$$4\frac{★}{7}<\frac{30}{7}$$

풀이

❶ $\frac{30}{7}=\square\frac{\square}{7}$

❷ $4\frac{2}{7}$보다 작은 $4\frac{★}{7}$은 $4\frac{\square}{7}$뿐이므로

★에 알맞은 자연수는 □입니다.

답

2-2 쌍둥이 □ 안에 들어갈 수 있는 자연수를 모두 구하려고 합니다. 풀이 과정을 쓰고, 답을 구해 보세요. [12점]

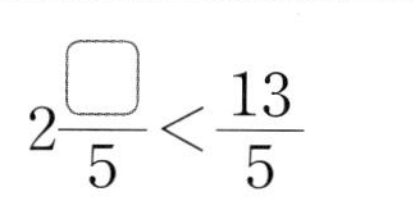

$$2\frac{\square}{5}<\frac{13}{5}$$

풀이

답

2-3 유사 □ 안에 들어갈 수 있는 자연수를 모두 구하려고 합니다. 풀이 과정을 쓰고, 답을 구해 보세요. [15점]

$$2\frac{\square}{8}>\frac{21}{8}$$

풀이

답

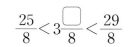

2-4  □ 안에 들어갈 수 있는 자연수는 모두 몇 개인지 풀이 과정을 쓰고, 답을 구해 보세요. [15점]

$$\frac{25}{8}<3\frac{\square}{8}<\frac{29}{8}$$

풀이

답

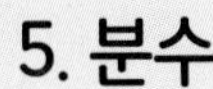

| 분수로 나타내기(1) |

01 빨간색 구슬을 분수로 나타내어 보세요.

하

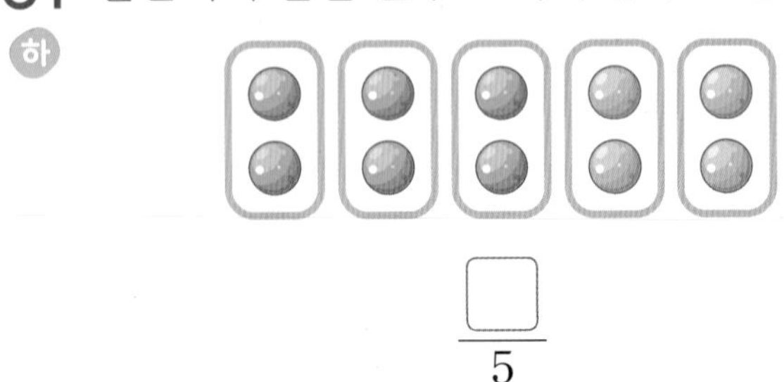

$\frac{\square}{5}$

| 분수로 나타내기(2) |

02 그림을 보고 □ 안에 알맞은 수를 써넣으세요.

하

(1) 14를 2씩 묶으면 10은 14의 $\frac{\square}{\square}$입니다.

(2) 14를 7씩 묶으면 7은 14의 $\frac{\square}{\square}$입니다.

| 여러 가지 분수(1) |

03 진분수를 모두 찾아 ○표 하세요.

하

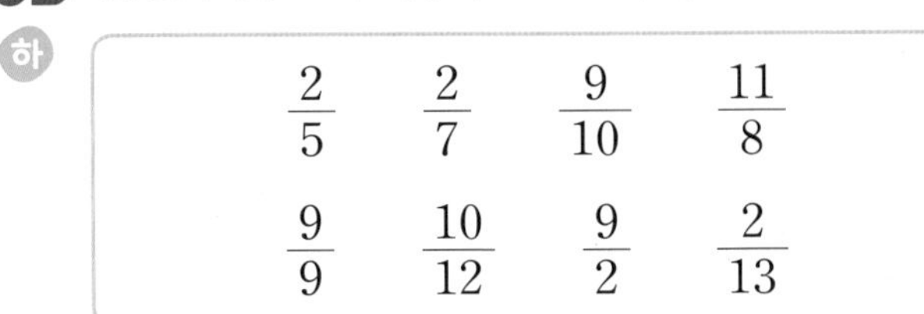

$\frac{2}{5}$ $\frac{2}{7}$ $\frac{9}{10}$ $\frac{11}{8}$

$\frac{9}{9}$ $\frac{10}{12}$ $\frac{9}{2}$ $\frac{2}{13}$

| 여러 가지 분수(1) |

04 가분수를 모두 찾아 ○표 하세요.

하

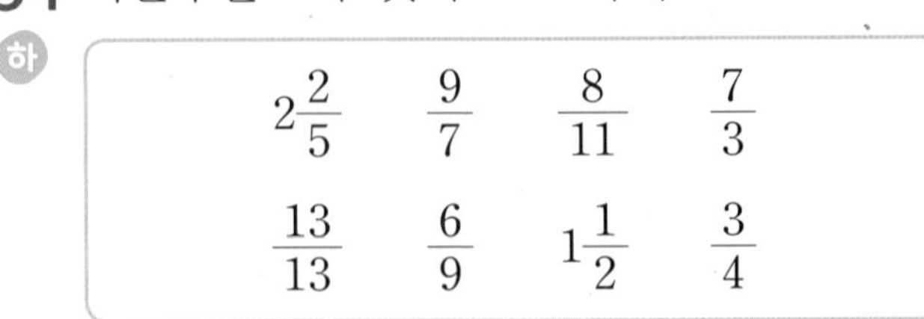

$2\frac{2}{5}$ $\frac{9}{7}$ $\frac{8}{11}$ $\frac{7}{3}$

$\frac{13}{13}$ $\frac{6}{9}$ $1\frac{1}{2}$ $\frac{3}{4}$

| 여러 가지 분수(1) |

05 □ 안에 알맞은 수를 써넣으세요.

중

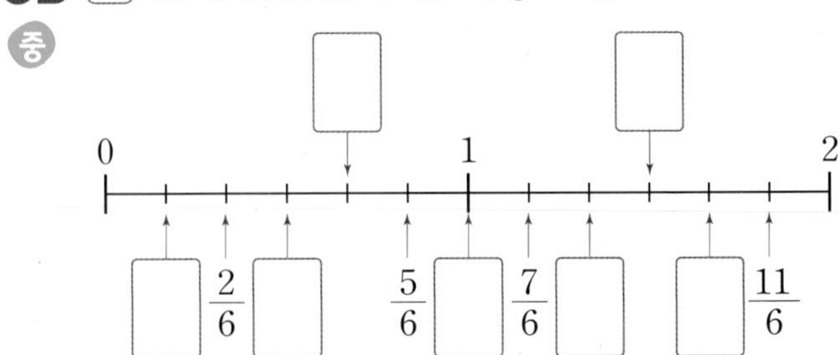

| 분수로 나타내기(2) |

06 □ 안에 알맞은 수를 써넣으세요.

중

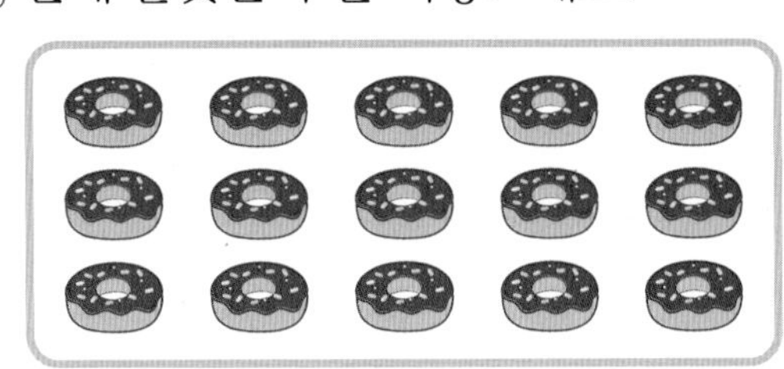

15를 3씩 묶으면 □묶음이 됩니다.

12는 24의 $\frac{\square}{\square}$입니다.

| 전체의 분수만큼 알아보기(1) |

07 □ 안에 알맞은 수를 써넣으세요.

중

32의 $\frac{5}{8}$는 □입니다.

32의 $\frac{7}{8}$은 □입니다.

| 전체의 분수만큼 알아보기(1) |

08 자연수의 분수만큼은 얼마인지 잘못 나타낸 친구는 누구일까요?

중

현주: 24의 $\frac{3}{4}$은 18이야.

민호: 24의 $\frac{1}{3}$은 8이야.

정이: 24의 $\frac{5}{6}$는 21이야.

(　　　　　　　　)

| 전체의 분수만큼 알아보기(2) |

09 종이띠를 보고 □ 안에 알맞은 수를 써넣으세요.
중

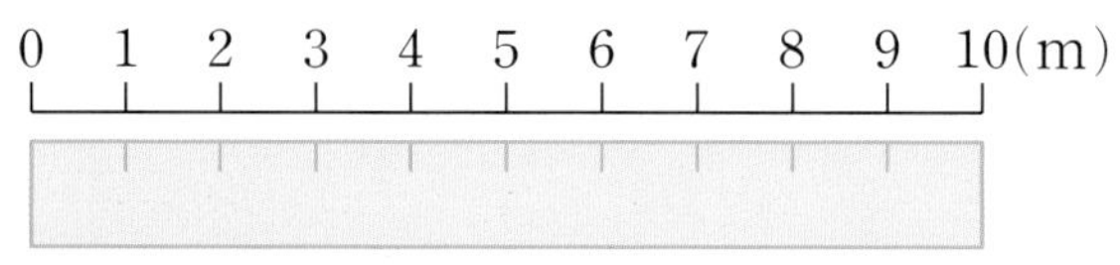

(1) 종이띠를 2 m씩 나누면 2 m는 10 m의

입니다.

(2) 10 m의 $\frac{3}{5}$은 □ m입니다.

| 여러 가지 분수(2) |

10 그림을 보고 대분수와 가분수로 각각 나타내어 보세요.
중

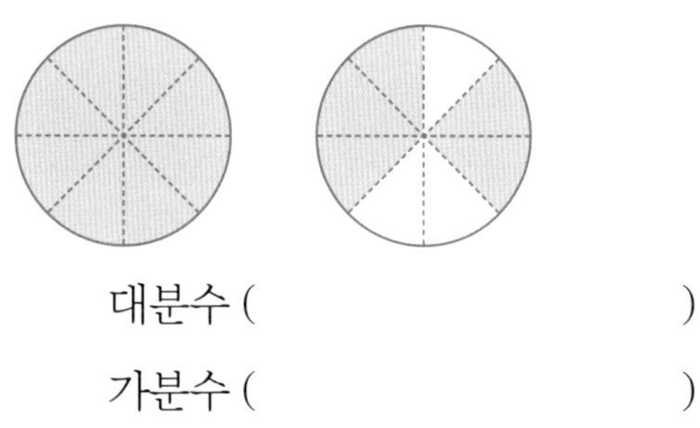

대분수 (　　　　　　　　)

가분수 (　　　　　　　　)

| 여러 가지 분수(1) |

11 분모가 8인 진분수는 모두 몇 개일까요?
중

(　　　　　　　　)

| 여러 가지 분수(2) |

12 대분수는 가분수로, 가분수는 대분수로 나타내어 보세요.
중

(1) $7\frac{1}{4}$

(2) $\frac{24}{7}$

| 분모가 같은 분수의 크기 비교 |

13 두 분수의 크기를 비교하여 ○ 안에 >, =, <를 알맞게 써넣으세요.
중

$5\frac{1}{3}$ ○ $\frac{17}{3}$

| 분모가 같은 분수의 크기 비교 | 서술형

14 영주네 집에서 은행까지의 거리는 $\frac{11}{9}$ km이고, 영주네 집에서 서점까지의 거리는 $1\frac{4}{9}$ km입니다. 은행과 서점 중 영주네 집에서 더 가까운 곳은 어디인지 풀이 과정을 쓰고, 답을 구해 보세요.
중

풀이

답

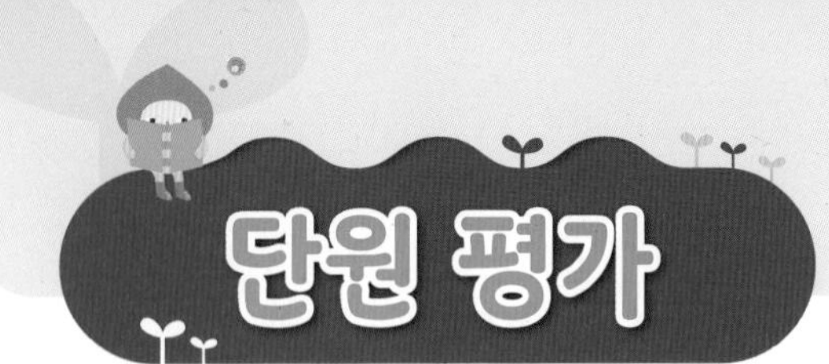

→ 정답 및 풀이 233~234쪽

| 분모가 같은 분수의 크기 비교 |

15 두 분수의 크기를 비교하여 더 큰 분수를 위에 있는 □ 안에 써넣으세요.
중

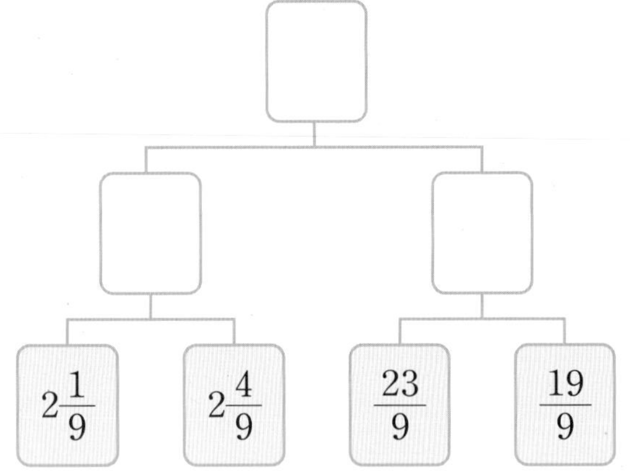

| 분모가 같은 분수의 크기 비교 |

16 큰 분수부터 차례로 써 보세요.
중

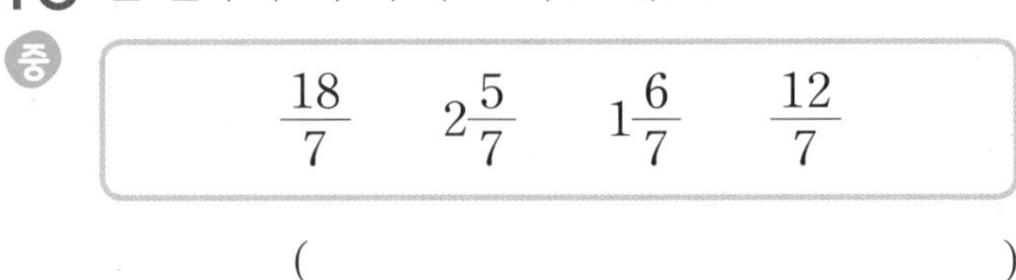

(　　　　　　　　　　　　)

| 여러 가지 분수(2) | 서술형

17 3장의 숫자 카드를 한 번씩만 사용하여 대분수를 만들려고 합니다. 만들 수 있는 대분수를 모두 구하는 풀이 과정을 쓰고, 답을 구해 보세요.
상

풀이

답

| 여러 가지 분수(2) |

18 자연수가 4이고 분모가 5인 대분수 중에서 가장 큰 분수를 가분수로 나타내어 보세요.
중

(　　　　　　　　　　　　)

| 전체의 분수만큼 알아보기(2) | 서술형

19 수경이는 길이가 1 m인 색 테이프의 $\frac{3}{5}$을 사용했습니다. 수경이가 사용하고 남은 색 테이프는 몇 cm인지 풀이 과정을 쓰고 답을 구해 보세요.
상

풀이

답

| 전체의 분수만큼 알아보기(1) |

20 붙임딱지를 주형이는 72장의 $\frac{5}{9}$를 모았고, 민수는 56장의 $\frac{7}{8}$을 모았습니다. 붙임딱지를 더 많이 모은 친구는 누구일까요?
상

(　　　　　　　　　　　　)

분수의 크기를 비교해 볼까요?

6 그림그래프

이전에 배운 내용	이번에 배울 내용	다음에 배울 내용
2-2 5. 표와 그래프 • 자료를 표와 그래프로 나타내기 • 표와 그래프를 읽고 해석하기	• 간단한 그림그래프 이해하기 • 자료를 간단한 그림그래프로 나타내기 • 간단한 그림그래프를 읽고 해석하기 • 주제에 맞는 자료를 수집, 정리하여 그림그래프로 나타내고 해석하기	4-1 5. 막대그래프 • 자료를 막대그래프로 나타내기 • 막대그래프를 읽고 해석하기

- 학생들이 김장 나눔 행사를 위해 모였습니다.
- 학년별 참석한 학생 수, 학년별 준비한 배추 수, 김장을 나누어 드릴 마을별 가구 수, 행사에 참석한 학생들이 좋아하는 간식을 조사하여 정리해 보는 상황에서 그림그래프를 살펴봅니다.

그림 속 상황

공부할 준비가 되었나요?

자/기/주/도/학/습

	학습 내용	계획 및 확인(공부한 날)	
예습	**1차시** | 단원 도입 / 준비 팡팡	176~177쪽	월 일
진도	**2차시** | 1 그림그래프 알아보기	178~179쪽	월 일
	3차시 | 2 그림그래프 그리기	180~183쪽	월 일
	4차시 | 3 그림그래프 해석하기	184~185쪽	월 일
	5~6차시 | 4 자료를 조사하여 그림그래프로 나타내기	186~189쪽	월 일
	7차시 | 문제 해결력 쑥쑥	190~191쪽	월 일
	8차시 | 단원 마무리 척척	192~193쪽	월 일
	9차시 | 정보 속으로 딸깍 / 이야기로 키우는 생각	194~195쪽	월 일
평가	**개념+확인** / 서술형 문제 해결하기	196~199쪽	월 일
	단원 평가 / 재미있는 수학 이야기	200~203쪽	월 일

준비 팡팡

1 차시

학습 목표

'무엇을 알고 있나요'와 '함께 생각해 볼까요'를 통하여 단원을 준비할 수 있습니다.

조사한 자료를 표와 그래프로 나타내기

- 유하네 반 학생들이 일 년 동안 가장 기억에 남는 학교 행사를 조사한 자료를 보고 표로 나타내어 봅니다.
- 표를 보고 그래프로 나타내어 봅니다.
- 표와 그래프를 보고 알 수 있는 내용을 이야기해 봅니다.
  - ➜ 유하네 반 학생들이 일 년 동안 가장 기억에 남는 학교 행사를 조사하였습니다.
  - ➜ 가장 기억에 남는 학교 행사로 가장 많은 학생들이 선택한 것은 체험 학습입니다.
  - ➜ 가장 기억에 남는 학교 행사로 가장 적은 학생들이 선택한 것은 알뜰 시장입니다.
- 표와 그래프의 다른 점을 이야기해 봅니다.
  - ➜ 조사한 결과를 표는 수로 나타내었고, 그래프는 ○로 나타내었습니다.
  - ➜ 가장 많거나 적은 항목을 찾을 때 표는 수를 모두 읽고 비교하여 찾아야 하지만 그래프는 수를 모두 세지 않고 높이(길이)를 비교하여 찾을 수 있습니다.

교과서 개념 완성 | 배운 것을 다시 생각하기

표로 나타내기

영미네 모둠 학생들이 좋아하는 운동

이름	운동	이름	운동	이름	운동
영미	태권도	우진	야구	기훈	축구
선주	축구	선호	태권도	정은	축구

좋아하는 운동별 학생 수를 표로 나타내어 봅니다.

영미네 모둠 학생들이 좋아하는 운동

운동	태권도	축구	야구	합계
학생 수(명)	2	3	1	6

➜ 좋아하는 운동별 학생 수를 알아보기 편리합니다. 전체 학생 수를 알아보기 편리합니다.

그래프로 나타내기

그래프의 가로와 세로에 어떤 것을 나타낼지 정하고 운동별 학생 수만큼 한 칸에 하나씩 아래에서 위로 ○를 그립니다.

영미네 반 학생들이 좋아하는 운동

3		○	
2	○	○	
1	○	○	○
학생 수(명) / 운동	태권도	축구	야구

➜ 가장 많은 학생이 좋아하는 운동과 가장 적은 학생이 좋아하는 운동이 무엇인지 한눈에 알 수 있습니다.

공부한 날 월 일

함께 생각해 볼까요

1 희수네 반 학생들이 좋아하는 간식을 조사하여 표로 나타내었습니다. 표를 보고 알 수 있는 내용을 대화로 완성해 보세요.

학생들이 좋아하는 간식

간식	떡볶이	피자	빵	김밥	치킨	합계
학생 수(명)	7	8	4	5	12	36

피자를 좋아하는 학생은 몇 명일까?
예 가장 많은 학생들이 좋아하는 간식은 무엇일까?
예 가장 많은 학생들이 좋아하는 간식은 치킨이야.
예 피자를 좋아하는 학생은 8명이야.

풀이 예 떡볶이를 좋아하는 학생은 7명입니다.
예 피자를 좋아하는 학생 수는 빵을 좋아하는 학생 수의 2배입니다.
예 가장 많은 학생들이 좋아하는 간식은 치킨입니다.

2 각 그림이 나타내는 수를 이용하여 주어진 수를 붙임딱지로 붙여 보세요.

준비물 준비물⑤ (붙임딱지)

10
1
42
13
20

풀이 • 집 그림을 이용하여 13을 큰 그림 1개, 작은 그림 3개로 나타냅니다.
• 얼굴 그림을 이용하여 20을 큰 그림 2개로 나타냅니다.

153

표를 보고 알 수 있는 내용 이야기하기

• 조사한 표를 보고 알 수 있는 내용을 이야기해 봅니다.
  ➜ 조사한 간식으로는 떡볶이, 피자, 빵, 김밥, 치킨이 있습니다.
  ➜ 조사한 학생 수는 모두 36명입니다.
  ➜ 가장 많은 학생들이 좋아하는 간식은 치킨입니다.
  ➜ 가장 적은 학생들이 좋아하는 간식은 빵입니다.
  ➜ 떡볶이를 좋아하는 학생은 김밥을 좋아하는 학생보다 2명 더 많습니다.
  ➜ 피자를 좋아하는 학생 수는 빵을 좋아하는 학생 수의 2배입니다.

수를 그림으로 나타내기

• 그림이 나타내는 수를 이용하여 수를 그림으로 나타내어 봅니다.
  ➜ 수 모형을 이용하여 42를 십 모형 4개와 일 모형 2개로 나타내었습니다.
  ➜ 집 그림을 이용하여 13을 큰 그림 1개, 작은 그림 3개로 나타내었습니다.
  ➜ 얼굴 그림을 이용하여 20을 큰 그림 2개로 나타내었습니다.

개념 확인 문제

정답 및 풀이 235쪽

| 2-2 5. 표와 그래프 |

[1~3] 현아네 모둠 학생들이 좋아하는 색깔을 조사하여 나타낸 것입니다. 물음에 답해 보세요.

현아네 모둠 학생들이 좋아하는 색깔

이름	색깔	이름	색깔	이름	색깔	이름	색깔
현아	빨강	석호	노랑	혜민	빨강	주호	보라
지석	파랑	경훈	빨강	진석	노랑	정민	파랑

1 조사한 자료를 보고 표로 나타내어 보세요.

색깔	빨강	파랑	노랑	보라	합계
학생 수(명)					

2 조사한 자료를 보고 ○를 이용하여 그래프로 나타내어 보세요.

좋아하는 색깔별 학생 수

3				
2				
1				
학생 수(명) / 색깔	빨강	파랑	노랑	보라

3 위 **2**의 그래프를 보고 알 수 있는 내용을 1가지 써 보세요.

1 | 그림그래프 알아보기

학습 목표

그림그래프를 알고 그 특징을 이해합니다.

그림으로 개념 잡기

자료의 수를 그림으로 나타냈어.

태어난 계절별 학생 수

계절	학생 수(명)
봄	
여름	
가을	
겨울	

10명 1명

쉽게 비교할 수 있어서 좋은거 같아.

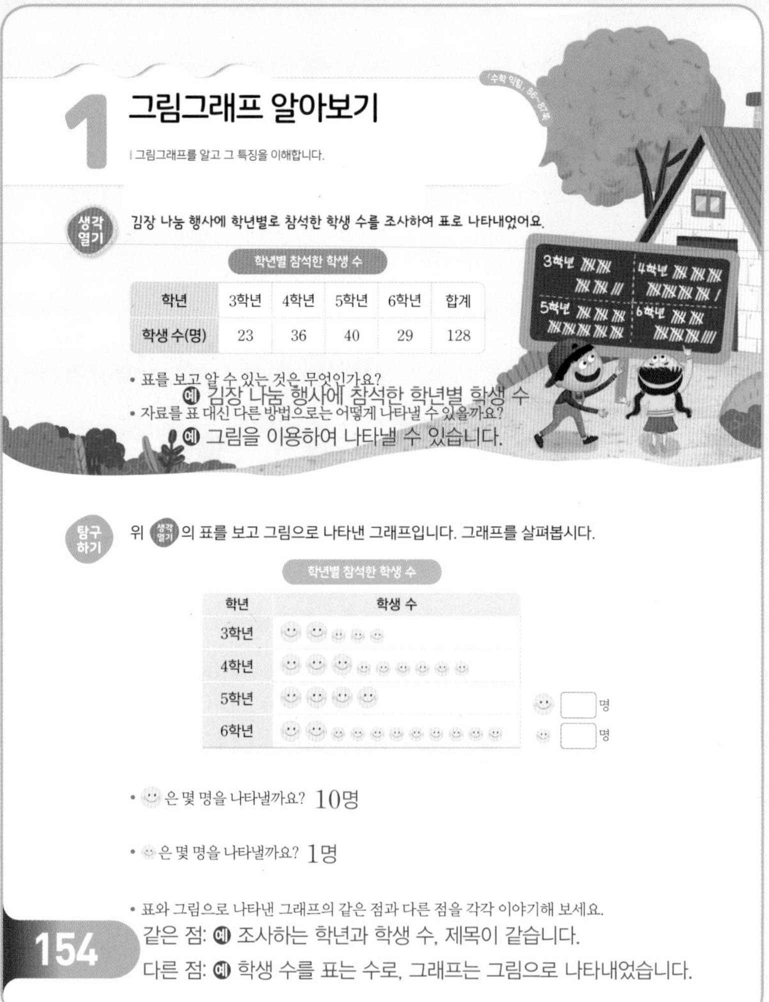

1 그림그래프 알아보기

| 그림그래프를 알고 그 특징을 이해합니다.

『수학 익힘』 86~87쪽

생각 열기 김장 나눔 행사에 학년별로 참석한 학생 수를 조사하여 표로 나타내었어요.

학년별 참석한 학생 수

학년	3학년	4학년	5학년	6학년	합계
학생 수(명)	23	36	40	29	128

• 표를 보고 알 수 있는 것은 무엇인가요?
예 김장 나눔 행사에 참석한 학년별 학생 수

• 자료를 표 대신 다른 방법으로는 어떻게 나타낼 수 있을까요?
예 그림을 이용하여 나타낼 수 있습니다.

탐구하기 위 생각 열기 의 표를 보고 그림으로 나타낸 그래프입니다. 그래프를 살펴봅시다.

학년별 참석한 학생 수

학년	학생 수
3학년	
4학년	
5학년	
6학년	

□명
□명

• 은 몇 명을 나타낼까요? 10명

• 은 몇 명을 나타낼까요? 1명

• 표와 그림으로 나타낸 그래프의 같은 점과 다른 점을 각각 이야기해 보세요.
같은 점: 예 조사하는 학년과 학생 수, 제목이 같습니다.
다른 점: 예 학생 수를 표는 수로, 그래프는 그림으로 나타내었습니다.

154

참고

[그림그래프의 특징]

• 자료의 특징을 알맞은 그림으로 나타내어 어떠한 자료에 대한 내용인지 한눈에 알기 쉽습니다.

• 각각의 자료의 수와 크기를 쉽게 비교할 수 있습니다.

교과서 개념 완성

탐구하기 정리하기 그림그래프의 구성 요소 탐구하기

• 그림그래프에서 은 10명을 나타냅니다.

• 그림그래프에서 은 1명을 나타냅니다.

• 표와 그림으로 나타낸 그래프의 다른 점
➜ 학생 수를 표는 수로, 그래프는 그림으로 나타내었습니다.

학부모 코칭 Tip

그림그래프의 구성 요소를 살펴보면서 표와 그림그래프의 다른 점을 확인할 수 있도록 합니다.

확인하기 그림그래프의 구성 요소 확인하기

• 반별로 도서관에서 빌린 책의 수를 조사하여 나타낸 표와 그림그래프입니다.

• 그림그래프에서 은 10권, 은 1권을 나타냅니다.

• 그림그래프를 보면 3반에서 빌린 책은 (10권)이 6개, (1권)이 1개이므로 61권입니다.

• 그림을 이용하여 그래프로 나타내었을 때 편리한 점
➜ 조사한 것이 무엇인지 그림을 보고 쉽게 알 수 있습니다.
➜ 자료의 수량을 한눈에 비교하기 쉽습니다.
➜ 자료의 수량이 많고, 적음을 그림의 크기와 개수를 보고 알 수 있습니다.

정리하기 • 그림그래프를 알아봅시다.

• 조사한 수를 그림으로 나타낸 그래프를 그림그래프라고 합니다.
• 그림그래프는 그림의 크기와 개수로 나타냅니다.

확인하기 지난달 연우네 학교 3학년 학생들이 반별로 도서관에서 빌린 책의 수를 조사하여 나타낸 표와 그림그래프입니다. 물음에 답해 보세요.

반별 빌린 책의 수

반	1반	2반	3반	4반	합계
책의 수(권)	46	33	61	22	162

반별 빌린 책의 수

반	책의 수
1반	
2반	
3반	
4반	

10권, 1권

• 무엇을 조사하여 나타낸 표와 그림그래프인가요? 반별로 도서관에서 빌린 책의 수

• 그림그래프에서 그림을 몇 가지로 나타내었나요? 2가지

풀이 책의 수를 나타내는 그림을 큰 그림과 작은 그림 2가지로 나타내었습니다.

• 그림그래프에서 과 은 각각 몇 권을 나타낼까요? 10권, 1권

• 그림을 이용하여 그래프로 나타내었을 때 편리한 점을 이야기해 보세요.

예 • 조사한 것이 무엇인지 그림을 보고 쉽게 알 수 있습니다.
• 자료의 수량을 한눈에 비교하기 쉽습니다.

155

이런 문제가 서술형으로 나와요

약국별 판매한 마스크를 조사하여 나타낸 그림그래프입니다. 그림을 이용하여 그래프로 나타내었을 때 편리한 점을 2가지 이야기해 보세요.

약국별 판매한 마스크 수

약국	판매량
가	
나	
다	

10개, 1개

| 편리한 점 |

❶ 편리한 점 1가지 이야기 하기

예 조사한 것이 무엇인지 그림을 보고 쉽게 알 수 있습니다.

❷ 편리한 점 1가지 더 이야기 하기

예 자료의 수량을 한눈에 비교하기 쉽습니다.

개념 확인 문제

정답 및 풀이 235쪽

1 학생들이 좋아하는 음식을 조사하여 나타낸 그래프입니다. □ 안에 알맞은 수를 써넣으세요.

좋아하는 음식별 학생 수

음식	학생 수
피자	
치킨	
도넛	

10명, 1명

➜ 은 □명, 은 □명을 나타냅니다.

2 마을별 쌀 수확량을 조사하여 나타낸 그림그래프입니다. 행복 마을의 쌀 수확량이 43가마라고 할 때 그림그래프의 □ 안에 알맞은 수를 써넣으세요.

마을별 쌀 수확량

마을	쌀 수확량
행복	
사랑	
우정	
기쁨	

□가마, 1가마

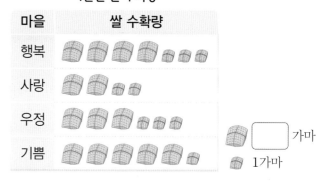

3
차시

2 | 그림그래프 그리기

학습 목표

자료를 그림그래프로 나타낼 수 있습니다.

그림으로 개념 잡기
난 1명 단위
난 10명 단위
나무 수가 34 그루이면
3 개
4 개

참고

표와 그림그래프의 비교

표를 보면 각 항목별 수량을 쉽게 확인할 수는 있지만, 자료의 수량이 많고 적음을 한눈에 비교하기에는 불편함이 있습니다. 그림그래프는 자료의 수량을 그림의 크기와 개수로 나타내어 직관적으로 비교합니다. 자료의 크기가 클수록 표보다는 그림그래프가 항목별 수량의 크기를 비교할 때 좀더 편리할 수 있습니다.

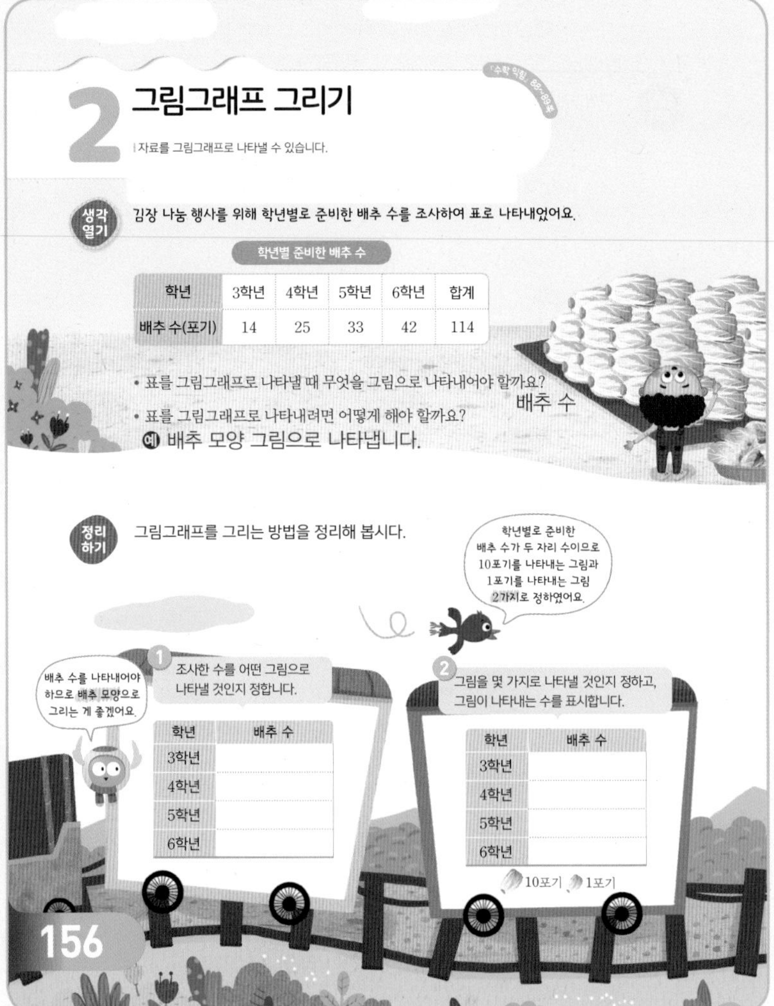

2 그림그래프 그리기

| 자료를 그림그래프로 나타낼 수 있습니다.

생각열기 김장 나눔 행사를 위해 학년별로 준비한 배추 수를 조사하여 표로 나타내었어요.

학년별 준비한 배추 수

학년	3학년	4학년	5학년	6학년	합계
배추 수(포기)	14	25	33	42	114

- 표를 그림그래프로 나타낼 때 무엇을 그림으로 나타내어야 할까요? 배추 수
- 표를 그림그래프로 나타내려면 어떻게 해야 할까요?
  예 배추 모양 그림으로 나타냅니다.

정리하기 그림그래프를 그리는 방법을 정리해 봅시다.

학년별로 준비한 배추 수가 두 자리 수이므로 10포기를 나타내는 그림과 1포기를 나타내는 그림 2가지로 정하였어요.
배추 수를 나타내어야 하므로 배추 모양으로 그리는 게 좋겠어요.
1 조사한 수를 어떤 그림으로 나타낼 것인지 정합니다.
2 그림을 몇 가지로 나타낼 것인지 정하고, 그림이 나타내는 수를 표시합니다.

학년	배추 수
3학년	
4학년	
5학년	
6학년	

학년	배추 수
3학년	
4학년	
5학년	
6학년	

10포기 1포기

156

교과서 개념 완성

탐구하기 정리하기 **표를 그림그래프로 나타내는 방법 탐구하기**

- 그림그래프에 들어갈 내용은 학년, 배추 수, 제목입니다.
- 단위를 나타내는 그림은 큰 배추 그림과 작은 배추 그림으로 2가지입니다.
  ➜ 배추 수가 두 자리 수이므로 십의 자리 수를 나타내는 배추 그림, 일의 자리 수를 나타내는 배추 그림 2가지로 하였습니다.
- ㉠, ㉡, ㉢은 조사한 학년을, ㉣, ㉤은 배추 수를 나타냅니다.

➜ 4학년은 25포기이므로 (10포기)을 2개, (1포기)을 5개 그립니다.

➜ 5학년은 33포기이므로 (10포기)을 3개, (1포기)을 3개 그립니다.

➜ 6학년은 42포기이므로 (10포기)을 4개, (1포기)을 2개 그립니다.

학부모 코칭 Tip

그림그래프를 그리는 순서

❶ 조사한 수를 어떤 그림으로 나타낼 것인지 정합니다.
❷ 그림을 몇 가지로 나타낼 것인지 정하고, 그림이 나타내는 수를 표시합니다.
❸ 조사한 수에 맞도록 그림을 그립니다.
❹ 조사한 내용에 알맞은 제목을 씁니다.

3학년에서 준비한 배추 수는 14포기이므로 큰 그림 1개와 작은 그림 4개로 나타내었습니다.
탐구하기
왼쪽 의 표를 그림그래프로 나타내어 봅시다.
학년별 준비한 배추 수
학년
배추 수
3학년
㉠4학년
㉡5학년
㉢6학년
㉣10 포기
㉤1 포기
단위를 나타내는 그림은 몇 가지인가요? 2가지
㉠~㉤이 나타내는 것이 무엇인지 이야기해 보고, 안에 알맞게 써넣으세요.
조사한 수에 맞게 그림을 그리고, 알맞은 제목을 써넣으세요.
3학년이 준비한 배추 수는 14포기이므로 큰 그림 1개와 작은 그림 4개를 그리면 돼요.
조사한 수에 맞도록 그림을 그립니다.
조사한 내용에 알맞은 제목을 씁니다.
학년별 준비한 배추 수
10포기
1포기
157

이런 문제가 서술형으로 나와요

문구점에서 한 달 동안 팔린 학용품을 조사하여 나타낸 표입니다. 표를 보고 (큰 그림)은 10개, (작은 그림)은 1개로 하는 그림그래프로 나타내려고 할 때, 팔린 지우개의 수를 그림으로 나타내려고 합니다. 풀이 과정을 쓰고, 답을 구해 보세요.

한 달 동안 팔린 학용품 수

학용품	연필	지우개	풀	가위	합계
학용품 수(개)	25		41	16	116

| 풀이 과정 |

❶ 팔린 지우개의 수 구하기

팔린 지우개의 수는 $116-25-41-16=34$(개)입니다.

❷ 팔린 지우개의 수를 그림으로 나타내기

지우개는 34개 팔렸으므로 큰 그림 3개, 작은 그림 4개로 나타냅니다.

답 (큰 그림 3개, 작은 그림 4개)

개념 확인 문제

정답 및 풀이 235쪽

[1~3] 현아네 학교 학생들이 가고 싶은 나라를 조사하여 나타낸 표입니다. 물음에 답해 보세요.

가고 싶은 나라별 학생 수

나라	미국	영국	프랑스	합계
학생 수(명)	23	17	31	71

1 표를 보고 그림그래프로 나타내려고 합니다. 그림을 몇 가지로 나타내는 것이 좋을지 알맞은 것에 ○표 하세요.

(1가지 , 2가지)

2 (큰 그림) 그림을 10명, (작은 그림) 그림을 1명으로 나타내려고 합니다. 미국에 가고 싶은 학생은 다음 그림을 각각 몇 개씩 그려야 하는지 □ 안에 알맞은 수를 써넣으세요.

(큰 그림) □개, (작은 그림) □개

3 표를 보고 그림그래프로 나타내어 보세요.

나라	학생 수
미국	(큰 그림 2개, 작은 그림 3개)
영국	
프랑스	

(큰 그림) 10명
(작은 그림) 1명

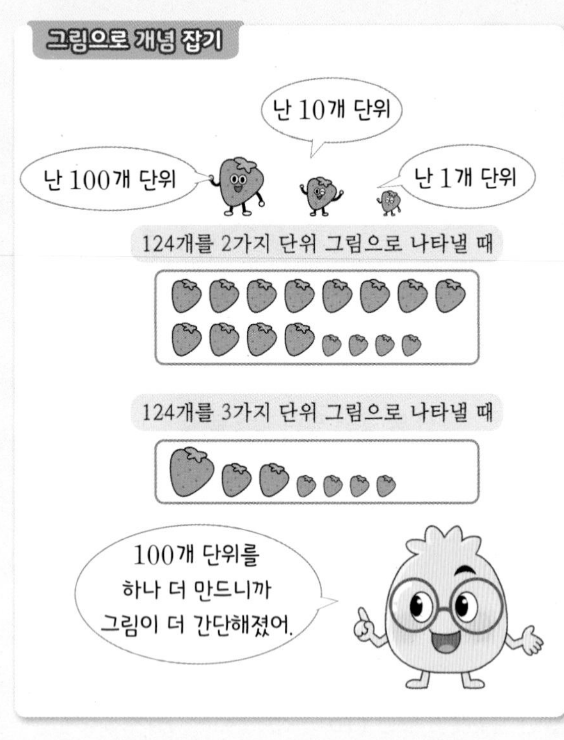

그림으로 개념 잡기
난 10개 단위
난 100개 단위
난 1개 단위
124개를 2가지 단위 그림으로 나타낼 때
124개를 3가지 단위 그림으로 나타낼 때
100개 단위를 하나 더 만드니까 그림이 더 간단해졌어.

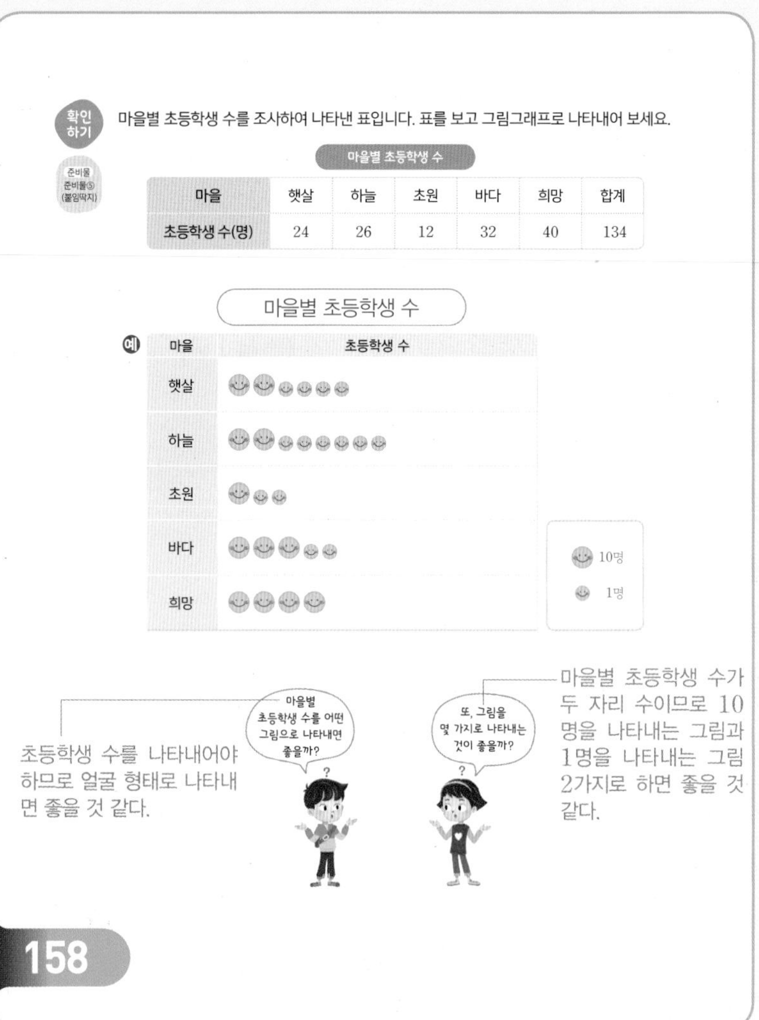

확인하기
마을별 초등학생 수를 조사하여 나타낸 표입니다. 표를 보고 그림그래프로 나타내어 보세요.
마을별 초등학생 수
마을 | 햇살 | 하늘 | 초원 | 바다 | 희망 | 합계
초등학생 수(명) | 24 | 26 | 12 | 32 | 40 | 134
마을별 초등학생 수
예
마을
초등학생 수
햇살
하늘
초원
바다
희망
10명
1명
마을별 초등학생 수를 어떤 그림으로 나타내면 좋을까?
또, 그림을 몇 가지로 나타내는 것이 좋을까?
초등학생 수를 나타내어야 하므로 얼굴 형태로 나타내면 좋을 것 같다.
마을별 초등학생 수가 두 자리 수이므로 10명을 나타내는 그림과 1명을 나타내는 그림 2가지로 하면 좋을 것 같다.
158

학부모 코칭 Tip

그림그래프를 그릴 때 자료의 수량을 큰 그림으로 최대한 나타내고 남은 수량을 작은 그림으로 나타냅니다.

교과서 개념 완성

확인하기 표를 보고 그림그래프로 나타내기

- 표를 보고 그림그래프로 나타내려고 할 때, 마을별 초등학생 수를 어떤 그림으로 나타내면 좋을지 생각해 봅니다.
  ➜ 학생 수이므로 사람을 나타내는 얼굴이나 사람의 형태로 나타내면 좋을 것 같습니다.

- 마을별 초등학생 수를 나타내는 그림의 크기를 몇 가지로 하면 좋을지 생각해 봅니다.
  ➜ 10명을 나타내는 그림과 1명을 나타내는 그림 2가지로 하면 좋을 것 같습니다.

생각 솔솔 단위를 다르게 하여 그림그래프로 나타내기

- 학년별 도서관을 이용한 학생 수를 조사하여 나타낸 표를 보고, 단위를 다르게 하여 그림그래프를 나타내어 봅니다.

- (큰 얼굴) 은 10명, (작은 얼굴) 은 1명을 나타내도록 하여 그립니다.
  ➜ 그림이 너무 많아서 학생 수가 몇 명인지 한눈에 알아보기가 어렵습니다.

- (큰 얼굴) 은 100명, (중간 얼굴) 은 10명, (작은 얼굴) 은 1명을 나타내도록 하여 그립니다.
  ➜ 단위를 나타내는 그림을 3가지로 하였을 때 더 간단하게 나타낼 수 있습니다.

학년별 도서관을 이용한 학생 수를 조사하여 나타낸 표입니다.
표를 보고 물음에 답해 보세요.

학년별 도서관을 이용한 학생 수

학년	3학년	4학년	5학년	합계
학생 수(명)	81	135	212	428

• 단위를 나타내는 그림을 2가지로 하여 그림그래프를 완성해 보세요.

학년별 도서관을 이용한 학생 수

10명
1명

4학년은 135명이므로 10명을 나타내는 그림 13개와 1명을 나타내는 그림 5개를 그립니다.

• 단위를 나타내는 그림을 3가지로 하여 그림그래프를 그려 보세요.

학년별 도서관을 이용한 학생 수

100명을 묶어 나타낼 수 있는 단위를 추가해 봅니다.

• 위의 두 그림그래프를 비교해 보고 알게 된 점을 이야기해 보세요.
예 단위를 나타내는 그림을 3가지로 하였을 때 더 간단하게 나타낼 수 있습니다.

159

이런 문제가 서술형으로 나와요

초등학생 100명을 대상으로 좋아하는 과목을 조사하여 나타낸 표입니다. 표를 보고 은 10명, 은 5명, ○은 1명으로 하는 그림그래프로 나타내려고 할 때, 수학을 좋아하는 학생 수에는 그림이 모두 몇 개인지 풀이 과정을 쓰고, 답을 구해 보세요.

좋아하는 과목별 학생 수

과목	국어	수학	사회	과학	합계
학생 수(명)	16	27	32	25	100

| 풀이 과정 |

❶ 수학을 좋아하는 학생 수를 그림으로 나타내기

수학을 좋아하는 학생 수는 27명이므로 2개, 1개, ○ 2개로 나타냅니다.

❷ 수학을 좋아하는 학생 수의 그림이 모두 몇 개인지 구하기

수학을 좋아하는 학생 수에는 그림이 모두 $2+1+2=5$(개)입니다.

답 5개

개념 확인 문제

정답 및 풀이 235~236쪽

1 표를 보고 그림그래프로 나타내어 보세요.

모둠별 붙임딱지 수

모둠	가	나	다	합계
수(장)	51	47	42	140

모둠	붙임딱지 수
가	
나	
다	

◇ 10장
◇ 1장

2 표를 보고 그림그래프로 나타내어 보세요.

초등학교별 학생 수

초등학교	상상	하늘	구름	합계
학생 수(명)	413	521	442	1376

초등학교	학생 수
상상	
하늘	
구름	

100명　10명　○1명

3 | 그림그래프 해석하기

학습 목표

그림그래프를 해석하여 여러 가지 내용을 말할 수 있습니다.

그림으로 개념 잡기

길이가 길다고 수량이 많은 것은 아니야.
큰 수를 나타내는 그림이 많을수록 수량이 많은 거구나.
마을별 기르는 돼지 수
마을
돼지 수(마리)
가
나
다
10마리
1마리

학부모 코칭 Tip

큰 그림의 수가 많을수록 수량이 많고, 큰 그림의 수가 같으면 작은 그림의 수가 많을수록 수량이 많음을 이해하도록 합니다.

참고 크기를 비교할 때는 큰 그림의 수를 먼저 비교하고, 작은 그림의 수를 비교합니다.

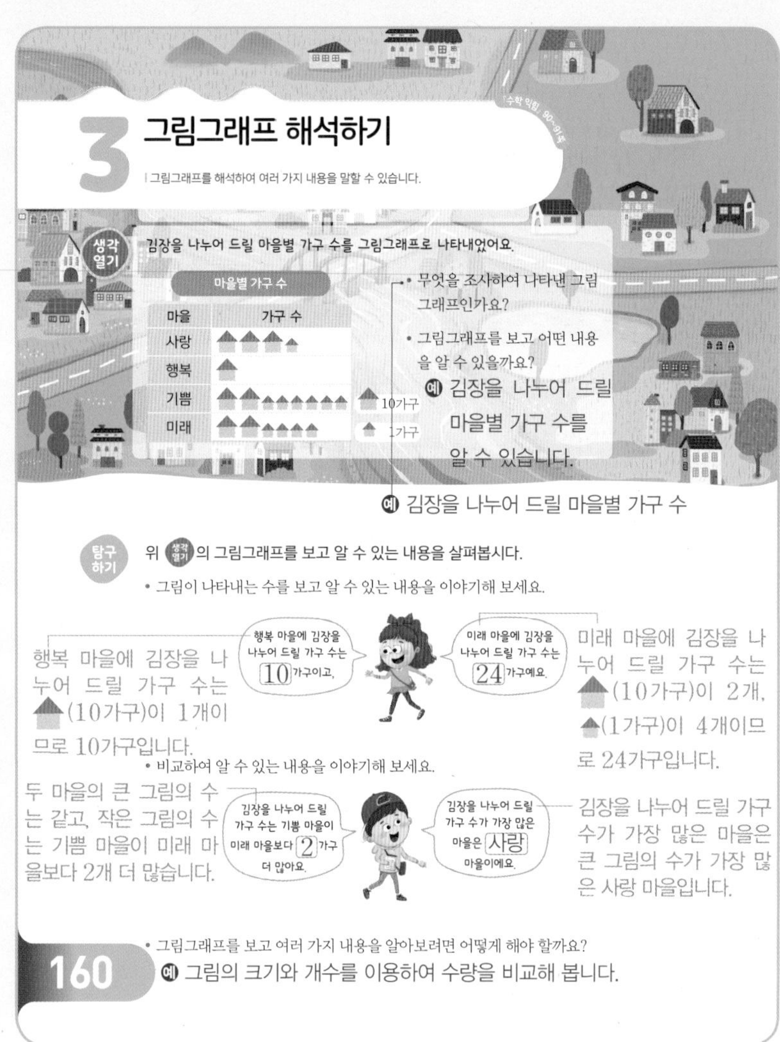

3 그림그래프 해석하기
그림그래프를 해석하여 여러 가지 내용을 말할 수 있습니다.
생각열기 김장을 나누어 드릴 마을별 가구 수를 그림그래프로 나타내었어요.
마을별 가구 수
마을
가구 수
사랑
행복
기쁨
미래
10가구
1가구
• 무엇을 조사하여 나타낸 그림그래프인가요?
• 그림그래프를 보고 어떤 내용을 알 수 있을까요?
예 김장을 나누어 드릴 마을별 가구 수를 알 수 있습니다.
예 김장을 나누어 드릴 마을별 가구 수
탐구하기 위 생각열기의 그림그래프를 보고 알 수 있는 내용을 살펴봅시다.
• 그림이 나타내는 수를 보고 알 수 있는 내용을 이야기해 보세요.
행복 마을에 김장을 나누어 드릴 가구 수는 10가구이고,
미래 마을에 김장을 나누어 드릴 가구 수는 24가구예요.
행복 마을에 김장을 나누어 드릴 가구 수는 (10가구)이 1개이므로 10가구입니다.
미래 마을에 김장을 나누어 드릴 가구 수는 (10가구)이 2개, (1가구)이 4개이므로 24가구입니다.
• 비교하여 알 수 있는 내용을 이야기해 보세요.
김장을 나누어 드릴 가구 수는 기쁨 마을이 미래 마을보다 2가구 더 많아요.
김장을 나누어 드릴 가구 수가 가장 많은 마을은 사랑 마을이에요.
두 마을의 큰 그림의 수는 같고, 작은 그림의 수는 기쁨 마을이 미래 마을보다 2개 더 많습니다.
김장을 나누어 드릴 가구 수가 가장 많은 마을은 큰 그림의 수가 가장 많은 사랑 마을입니다.
• 그림그래프를 보고 여러 가지 내용을 알아보려면 어떻게 해야 할까요?
예 그림의 크기와 개수를 이용하여 수량을 비교해 봅니다.
160

교과서 개념 완성

탐구하기 정리하기 그림그래프를 보고 알 수 있는 내용 탐구하기

- 기쁨 마을과 미래 마을에서 두 마을의 큰 그림의 수는 같고, 작은 그림의 수는 기쁨 마을이 미래 마을보다 2개 더 많습니다. 따라서 김장을 나누어 드릴 가구 수는 기쁨 마을이 미래 마을보다 2가구 더 많습니다.
- 김장을 나누어 드릴 가구 수가 가장 많은 마을은 큰 그림의 수가 가장 많은 사랑 마을입니다.
- 김장을 나누어 드릴 가구 수가 가장 적은 마을은 큰 그림의 수가 가장 적은 행복 마을입니다.

확인하기 그림그래프의 내용 알아보기

- 3학년 학생들이 가고 싶어 하는 체험 학습 장소를 조사하여 나타낸 그림그래프입니다.
- 박물관에 가고 싶어 하는 학생은 (10명)이 3개, (1명)이 2개이므로 32명입니다.
- 과학관에 가고 싶어 하는 학생은 25명이고, 동물원에 가고 싶어 하는 학생은 19명이므로 과학관에 가고 싶어하는 학생은 동물원에 가고 싶어 하는 학생보다 $25-19=6$(명) 더 많습니다.
- 가장 많은 학생들이 가고 싶어 하는 체험 학습 장소는 (10명)의 수가 가장 많은 아쿠아리움입니다.

정리하기

• 그림그래프의 내용을 알아보는 방법을 정리해 봅시다.

- 그림을 이용하여 각 항목의 수량을 알 수 있습니다.
- 그림의 크기와 개수를 이용하여 항목의 수량을 서로 비교할 수 있습니다.
- 그림의 크기와 개수를 이용하여 수량이 가장 많은 것과 가장 적은 것을 알 수 있습니다.

확인하기

지우네 학교 3학년 학생들이 가고 싶어 하는 체험 학습 장소를 조사하여 그림그래프로 나타내었습니다. 그림그래프의 내용을 알아보세요.

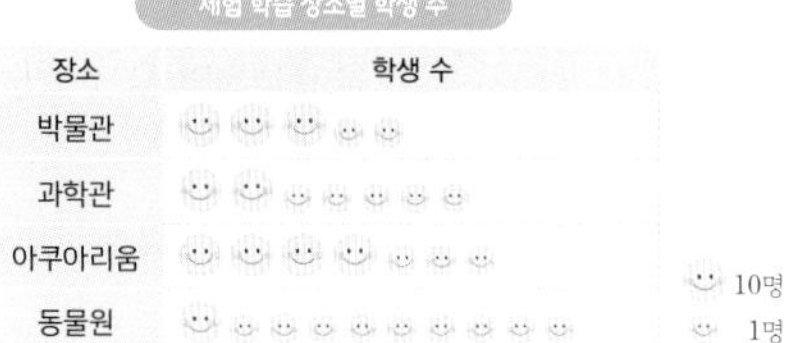

체험 학습 장소별 학생 수
장소
학생 수
박물관
과학관
아쿠아리움
동물원
10명
1명

• 학생들이 가고 싶어 하는 [체험 학습 장소]을/를 조사하여 나타낸 그림그래프입니다.

• 박물관에 가고 싶어 하는 학생은 [32]명입니다.

풀이 (10명)이 3개, (1명)이 2개이므로 32명입니다.

• 과학관에 가고 싶어 하는 학생은 동물원에 가고 싶어 하는 학생보다 [6]명 더 많습니다.

풀이 $25-19=6$(명)

• 가장 많은 학생들이 가고 싶어 하는 체험 학습 장소는 [아쿠아리움]입니다.

풀이 (10명)의 개수가 가장 많은 아쿠아리움이다.

• 그림그래프를 보고 더 알 수 있는 내용을 이야기해 보세요.

예 많은 학생들이 가고 싶어 하는 체험 학습 장소부터 차례로 아쿠아리움, 박물관, 과학관, 동물원입니다.

161

이런 문제가 서술형으로 나와요

학급 문고의 종류별 책 수를 조사하여 나타낸 그림그래프입니다. 동화책은 위인전보다 몇 권 더 많은지 풀이 과정을 쓰고, 답을 구해 보세요.

학급 문고의 종류별 책 수

종류	책 수
동화책	■■■■□□□
위인전	■■□□□□□□
과학책	■■■□□□□□

■ 10권 □ 1권

| 풀이 과정 |

❶ 동화책과 위인전의 수 각각 구하기

동화책은 43권, 위인전은 26권 있습니다.

❷ 동화책은 위인전보다 몇 권 더 많은지 구하기

동화책은 위인전보다 $43-26=17$(권) 더 많습니다.

답 17권

개념 확인 문제

정답 및 풀이 236쪽

[1~3] 어느 과일 가게에서 하루 동안 판매한 과일별 판매 수를 조사하여 나타낸 그림그래프입니다. 물음에 답해 보세요.

하루 동안 판매한 과일별 판매 수

과일	판매 수
사과	●●●●●●○
귤	●●●●○○
바나나	●●●○○○○○○
딸기	●●●●●○○○

● 10개 ○ 1개

1 가장 많이 판매한 과일은 무엇인가요?

( )

2 가장 적게 판매한 과일은 무엇인가요?

( )

3 가장 많이 판매한 과일은 가장 적게 판매한 과일보다 몇 개 더 많나요?

( )

5~6
차시

4 | 자료를 조사하여 그림그래프로 나타내기

학습 목표

주제에 맞는 자료를 수집, 정리하여 그림그래프로 나타내고 해석할 수 있습니다.

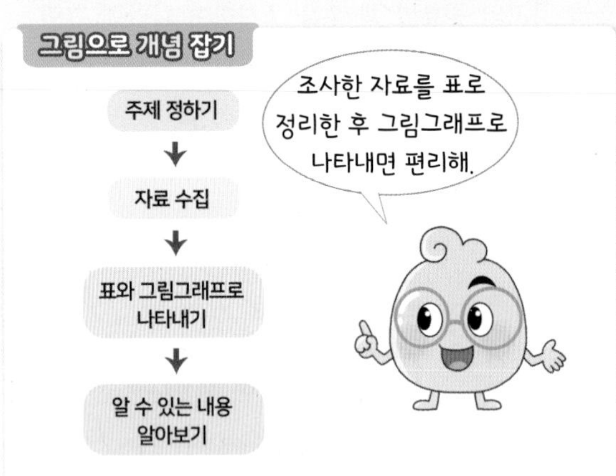
그림으로 개념 잡기
주제 정하기
자료 수집
표와 그림그래프로 나타내기
알 수 있는 내용 알아보기
조사한 자료를 표로 정리한 후 그림그래프로 나타내면 편리해.

학부모 코칭 Tip

- 표나 그림그래프를 보고 알 수 있는 점을 설명하기 어려운 경우
  ➜ 신문이나 인터넷 등과 같이 표나 그래프가 사용되는 경우를 찾아보고 이를 통해 알 수 있는 점을 이야기해 보도록 지도합니다.
- 자료를 표로 나타내는 것을 어려워 하는 경우
  ➜ 자료에서 알 수 있는 정보를 찾아보고, 기준을 정하여 분류하고 표로 나타낼 수 있도록 지도합니다.

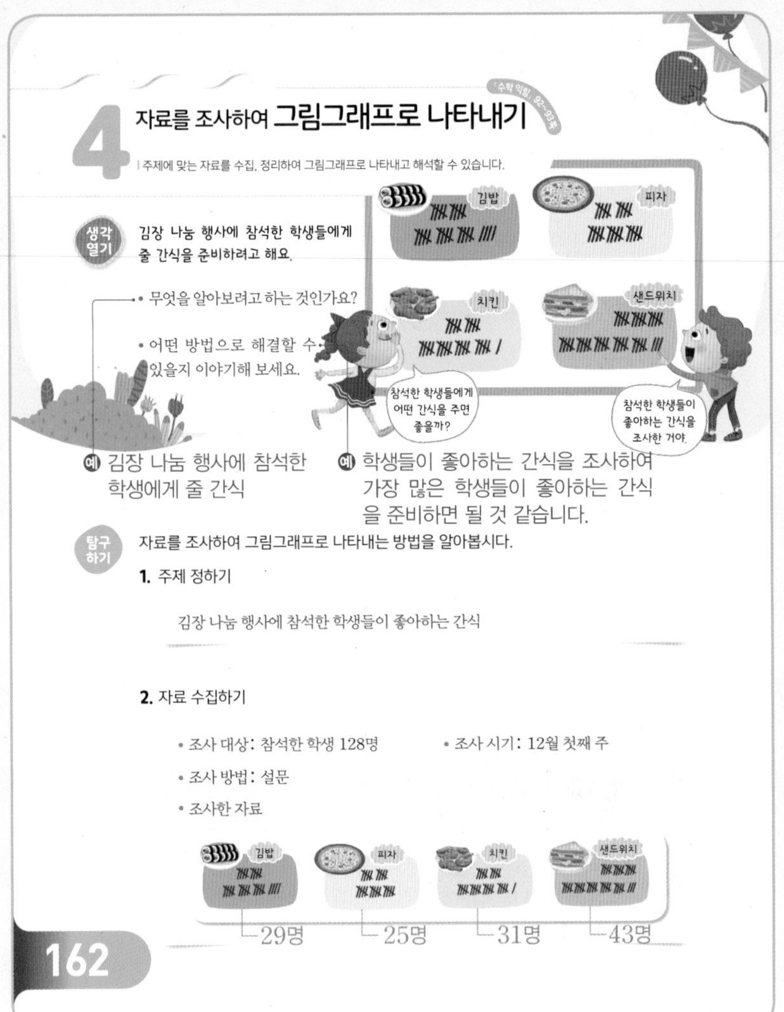

4 자료를 조사하여 그림그래프로 나타내기

주제에 맞는 자료를 수집, 정리하여 그림그래프로 나타내고 해석할 수 있습니다.

생각열기 김장 나눔 행사에 참석한 학생들에게 줄 간식을 준비하려고 해요.

- 무엇을 알아보려고 하는 것인가요?

예 김장 나눔 행사에 참석한 학생에게 줄 간식

- 어떤 방법으로 해결할 수 있을지 이야기해 보세요.

예 학생들이 좋아하는 간식을 조사하여 가장 많은 학생들이 좋아하는 간식을 준비하면 될 것 같습니다.

김밥
피자
치킨
샌드위치
참석한 학생들에게 어떤 간식을 주면 좋을까?
참석한 학생들이 좋아하는 간식을 조사한 거야.

탐구하기 자료를 조사하여 그림그래프로 나타내는 방법을 알아봅시다.

1. 주제 정하기

김장 나눔 행사에 참석한 학생들이 좋아하는 간식

2. 자료 수집하기

- 조사 대상: 참석한 학생 128명
- 조사 시기: 12월 첫째 주
- 조사 방법: 설문
- 조사한 자료

김밥
피자
치킨
샌드위치

29명 25명 31명 43명

162

교과서 개념 완성

탐구하기 정리하기 자료를 조사하여 그림그래프로 나타내는 방법 탐구하기

1. 주제 정하기

➜ 주제는 '김장 나눔 행사에 참석한 학생들이 좋아하는 간식'입니다.

2. 자료 수집하기

조사 대상, 조사 시기, 조사 방법 등을 정합니다.

➜ 조사 대상은 김장 나눔 행사에 참석한 학생 128명이고, 조사할 항목은 김밥, 피자, 치킨, 샌드위치의 4가지입니다.

3. 자료 정리하기

➜ 조사한 자료를 보고 조사 항목에 따른 결과를 표로 정리하고, 표를 보고 그림그래프로 나타냅니다.

4. 결과 해석하기

- 김밥 29명, 피자 25명, 치킨 31명, 샌드위치 43명입니다.
- 샌드위치가 치킨보다 12명 더 많습니다.
- 가장 많은 학생들이 좋아하는 간식은 샌드위치입니다.

➜ 가장 많은 학생들이 좋아하는 간식이 샌드위치이므로 간식으로 샌드위치를 준비하면 좋을 것 같습니다.

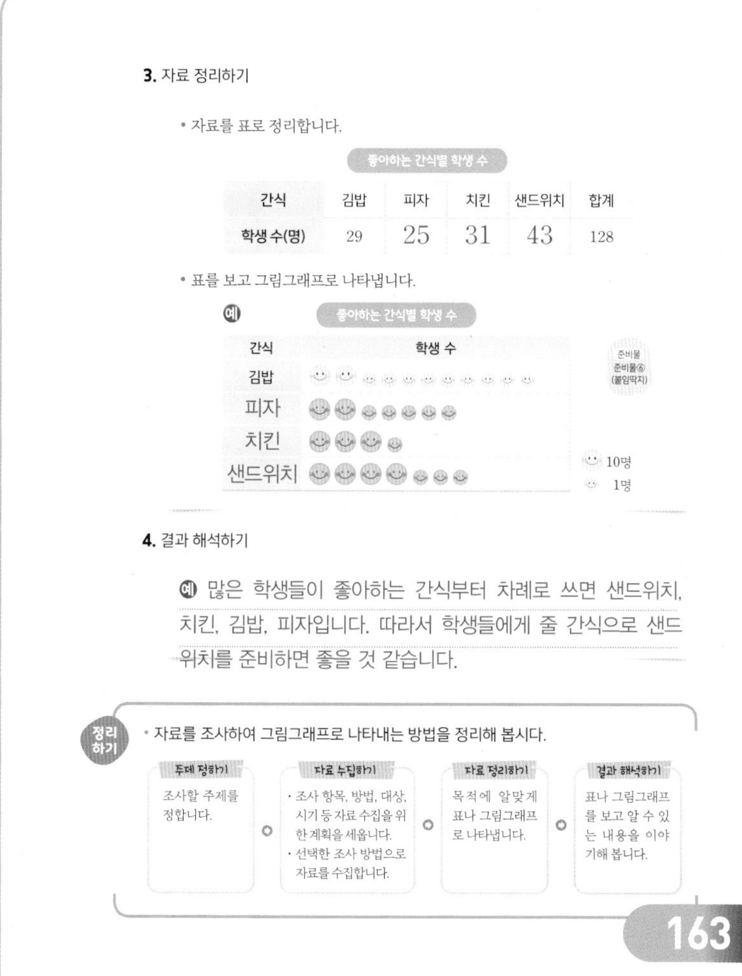

3. 자료 정리하기
• 자료를 표로 정리합니다.
좋아하는 간식별 학생 수
간식 김밥 피자 치킨 샌드위치 합계
학생 수(명) 29 25 31 43 128
• 표를 보고 그림그래프로 나타냅니다.
예 좋아하는 간식별 학생 수
간식 학생 수
김밥
피자
치킨
샌드위치
10명
1명
4. 결과 해석하기
예 많은 학생들이 좋아하는 간식부터 차례로 쓰면 샌드위치, 치킨, 김밥, 피자입니다. 따라서 학생들에게 줄 간식으로 샌드위치를 준비하면 좋을 것 같습니다.
정리하기
• 자료를 조사하여 그림그래프로 나타내는 방법을 정리해 봅시다.
주제 정하기
조사할 주제를 정합니다.
자료 수집하기
• 조사 항목, 방법, 대상, 시기 등 자료 수집을 위한 계획을 세웁니다.
• 선택한 조사 방법으로 자료를 수집합니다.
자료 정리하기
목적에 알맞게 표나 그림그래프로 나타냅니다.
결과 해석하기
표나 그림그래프를 보고 알 수 있는 내용을 이야기해 봅니다.
163

이런 문제가 서술형으로 나와요

농장별 고구마 생산량을 조사하였더니 모두 100 kg이었습니다. 조사한 자료를 그림그래프로 나타내었더니 다음과 같을 때, 나 농장의 고구마 생산량은 몇 kg인지 풀이 과정을 쓰고, 답을 구해 보세요.

농장별 고구마 생산량

농장	생산량
가	(10 kg 3개, 1 kg 4개)
나	
다	(10 kg 4개)

10 kg 1 kg

| 풀이 과정 |

❶ 가와 다 농장의 고구마 생산량 구하기

가 농장: 34 kg, 다 농장: 40 kg

❷ 나 농장의 고구마 생산량 구하기

$100-34-40=26$ (kg)

답 26 kg

개념 확인 문제

정답 및 풀이 236쪽

[1~3] 민호네 학교 3학년 학생들이 좋아하는 꽃을 조사한 자료를 보고 물음에 답해 보세요.

민호네 학교 3학년 학생들이 좋아하는 꽃

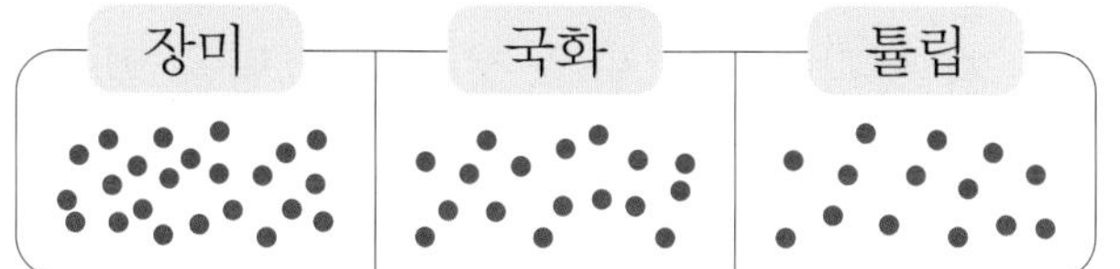

1 조사한 자료를 보고 표로 나타내어 보세요.

좋아하는 꽃별 학생 수

꽃	장미	국화	튤립	합계
학생 수(명)				

2 표를 보고 그림그래프로 나타내어 보세요.

좋아하는 꽃별 학생 수

꽃	학생 수
장미	
국화	
튤립	

10명
1명

3 그림그래프를 보고 알 수 있는 내용을 한 가지 써 보세요.

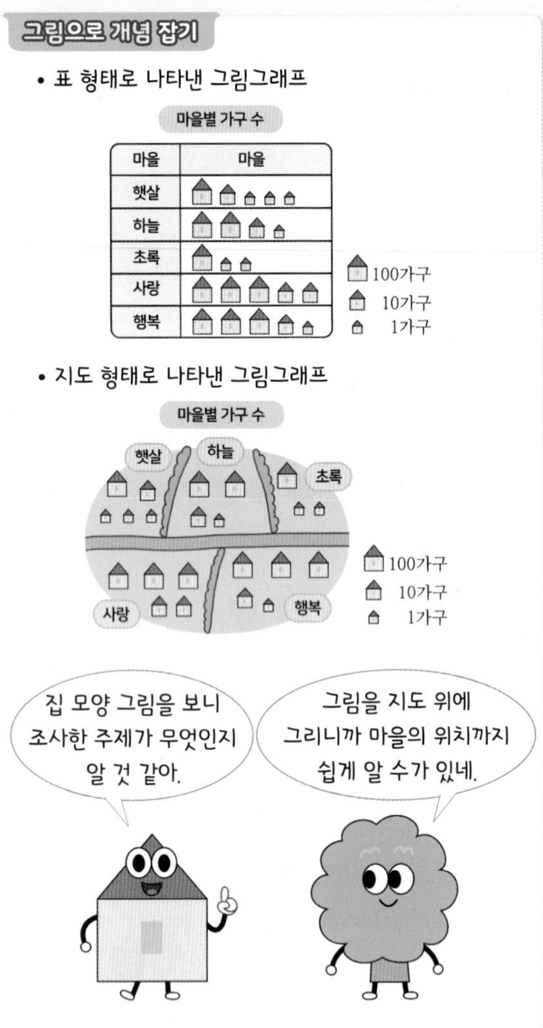

교과서 개념 완성

확인하기 새해 소망에 대한 자료를 조사하여 그림그래프로 나타내기

1. 주제 정하기
   ➜ 새해에 이루고 싶어 하는 소망
2. 자료 수집하기
   ① 새해 소망을 조사하여 정리합니다.
   ➜ 예 건강, 공부, 우정, 용돈
   ② 필요한 것들을 결정합니다.
   ➜ 조사 대상(예 우리 학교 3학년 학생)
   ➜ 조사 시기(예 12월 첫째 주)
   ➜ 조사 방법(예 붙임딱지 붙이기)
   ③ 정한 방법으로 조사합니다.
3. 자료 정리하기
   ① 조사 항목에 따라 칸을 나누고 조사한 결과를 표로 정리합니다.
   ② 조사한 자료의 특징을 나타내는 그림이 무엇인지 생각하여 그림을 정하고, 그림을 몇 가지로 할지 정합니다.
   ③ 표를 보고 정한 방법에 따라 그림그래프로 나타냅니다.
4. 자료 해석하기
   그림그래프를 보고 알 수 있는 내용을 이야기해 봅니다.

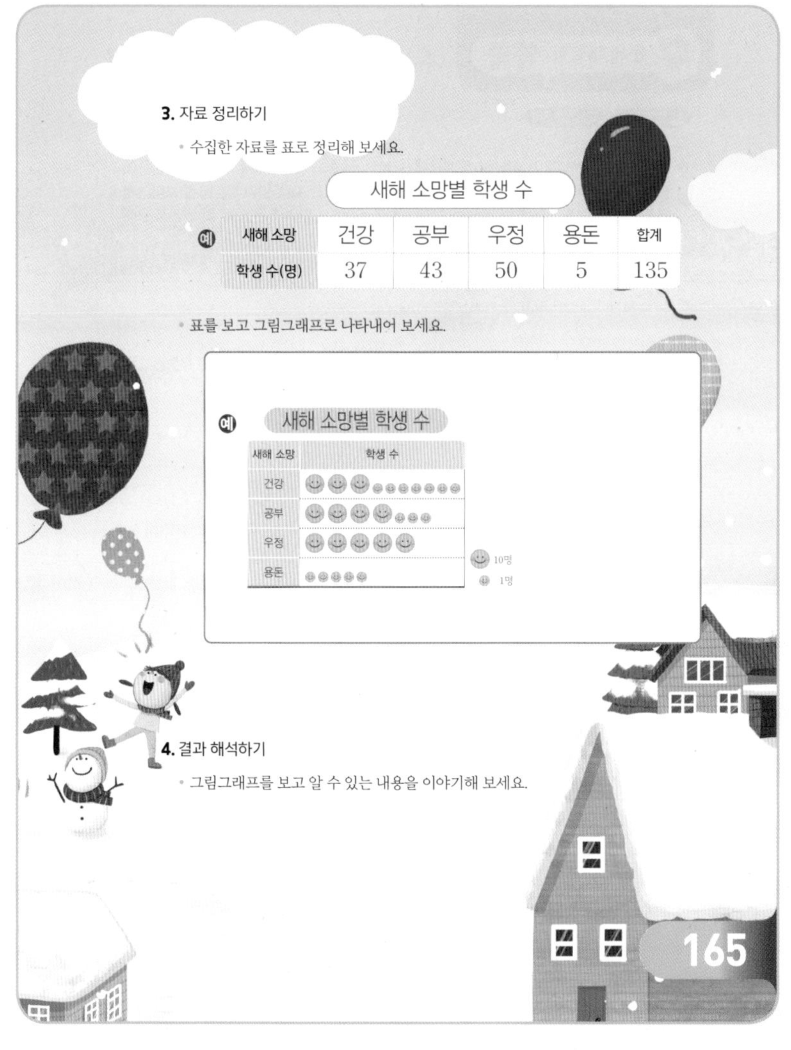

3. 자료 정리하기
• 수집한 자료를 표로 정리해 보세요.
새해 소망별 학생 수
예 새해 소망 | 건강 | 공부 | 우정 | 용돈 | 합계
학생 수(명) | 37 | 43 | 50 | 5 | 135
• 표를 보고 그림그래프로 나타내어 보세요.
예 새해 소망별 학생 수
새해 소망 | 학생 수
건강
공부
우정
용돈
10명
1명
4. 결과 해석하기
• 그림그래프를 보고 알 수 있는 내용을 이야기해 보세요.
165

이런 문제가 서술형으로 나와요

모둠별 학생 수를 조사하여 나타낸 그림그래프입니다. 나 모둠 학생은 가 모둠 학생보다 12명 많고, 다 모둠 학생은 나 모둠 학생보다 7명 적을 때, 다 모둠 학생 수를 구하는 풀이 과정을 쓰고, 답을 구해 보세요.

모둠별 학생 수

모둠	학생 수
가	(큰 그림 2개, 작은 그림 3개)
나	
다	

(큰 그림) 10명 (작은 그림) 1명

| 풀이 과정 |

❶ 나 모둠의 학생 수 구하기

나 모둠의 학생 수: $23+12=35$(명)

❷ 다 모둠의 학생 수 구하기

다 모둠의 학생 수: $35-7=28$(명)

답 28명

개념 확인 문제

정답 및 풀이 237쪽

[1~3] 조사한 자료를 보고 물음에 답해 보세요.

1년 동안 팔린 자동차 수

(/는 1대, ////는 5대)

검은색	//// //// //// //// ////
흰색	//// //// //// //// //// //// //// //// //
회색	//// //// //// //// //

1 조사한 자료를 보고 표로 나타내어 보세요.

색깔	검은색	흰색	회색	합계
자동차 수(대)	25			

2 표를 보고 그림그래프로 나타내어 보세요.

1년 동안 팔린 자동차 수

색깔	자동차 수
검은색	
흰색	
회색	

(큰 그림) 10대 (작은 그림) 1대

3 이 자동차 대리점에서 다음 해에 어떤 색 자동차를 가장 많이 준비하는 것이 좋을까요?

( )

문제 해결력 | 쑥쑥

도서관에서 빌린 책은 모두 몇 권일까요

7 차시

학습 목표

표 만들기 전략을 이용하여 조건에 맞게 그림그래프를 완성하여 문제를 해결하고 어떻게 해결하였는지 설명할 수 있습니다.

문제 해결 전략 표 만들기 전략

수학 교과 역량  

도서관에서 빌린 책은 모두 몇 권일까요

- 문제의 조건을 확인하고 문제 해결에 적절한 전략을 선택하는 과정에서 문제 해결 능력을 기를 수 있습니다.
- 문제 해결을 위한 조건을 확인하고 취사 선택하는 과정에서 주어진 정보를 수집, 분석, 활용하는 정보 처리 능력을 기를 수 있습니다.

문제 해결 Tip 큰 그림과 작은 그림의 수의 합이 31이므로 더하여 31이 되는 두 수를 이용하여 표를 만들어 봅니다.

큰 그림의 수(개)	15	14	13	12	……
작은 그림의 수(개)	16	17	18	19	……

도서관에서 빌린 책은 모두 몇 권일까요

문제 해결 · 정보 처리

우진이네 반 학생들이 지난달 도서관에서 빌린 책을 조사하여 나타낸 그림그래프에 물감을 쏟았습니다. 그림그래프의 그림은 모두 31개였고, (1권)이 (10권)보다 5개 더 많았습니다. 우진이네 반 학생들이 지난달 도서관에서 빌린 책은 모두 몇 권인지 구해 보세요.

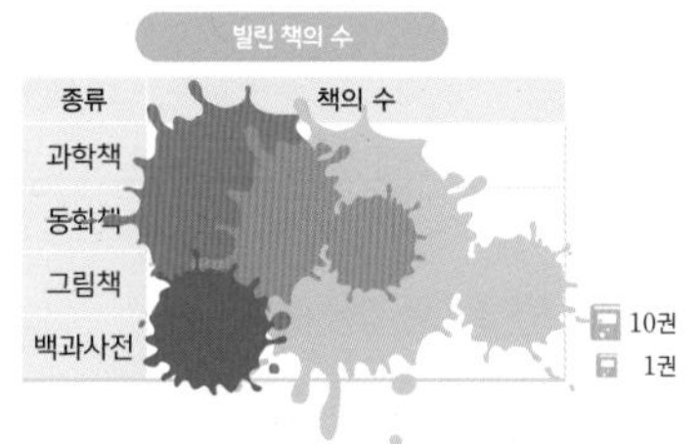

문제 이해하기 • 구하려고 하는 것은 무엇인가요?

예 우진이네 반 학생들이 지난달 도서관에서 빌린 책의 수

• 알고 있는 것은 무엇인가요?

예 • 그림그래프에 그려진 그림은 모두 31개입니다.
• 그림그래프에서 작은 그림이 큰 그림보다 5개 더 많습니다.
• 큰 그림은 10권을, 작은 그림은 1권을 나타냅니다.

계획 세우기 • 어떤 방법으로 문제를 해결할 수 있을지 계획을 세워 보세요.

예 표를 만들어서 해결하면 좋을 것 같습니다.

166

교과서 개념 완성

문제 이해하기

≫ 구하려고 하는 것

우진이네 반 학생들이 지난달 도서관에서 빌린 책의 수

≫ 알고 있는 것

- 그림그래프에 그려진 그림은 모두 31개입니다.
- 그림그래프에 작은 그림이 큰 그림보다 5개 더 많습니다.
- 큰 그림은 10권을, 작은 그림은 1권을 나타냅니다.

계획 세우기

큰 그림과 작은 그림의 수의 합이 31이 되는 경우를 표에 나타내고, 표에서 작은 그림이 큰 그림보다 5개 더 많은 경우를 찾으면 될 것 같습니다.

계획대로 풀기

- 큰 그림과 작은 그림의 수의 합이 31이므로 더하여 31이 되는 두 수를 이용하여 표를 만듭니다.
- 큰 그림의 수가 작은 그림의 수보다 적으므로 큰 그림의 수를 15개, 작은 그림의 수를 16개로 하여 큰 그림의 수를 줄여가며 표를 만듭니다.
- 작은 그림이 큰 그림보다 5개 더 많은 경우는 큰 그림이 13개, 작은 그림이 18개인 경우이므로 도서관에서 빌린 책은 모두 $130+18=148$(권)입니다.

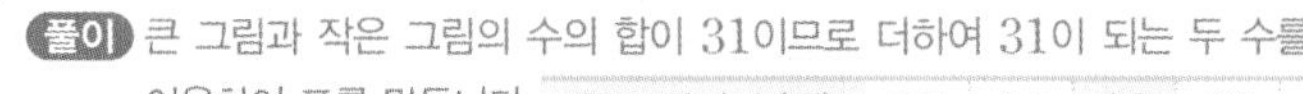

풀이 큰 그림과 작은 그림의 수의 합이 31이므로 더하여 31이 되는 두 수를 이용하여 표를 만듭니다.

큰 그림의 수(개)	15	14	13	12	11	……
작은 그림의 수(개)	16	17	18	19	20	……

계획대로 풀기 • 계획한 방법으로 문제를 해결해 보세요. 148권
작은 그림이 큰 그림보다 5개 더 많은 경우는 큰 그림이 13개, 작은 그림이 18개인 경우이므로 우진이네 반 학생들이 도서관에서 빌린 책은 모두 $130+18=148$(권)입니다.

되돌아보기 • 구한 답이 맞았는지 확인해 보세요.

• 문제를 해결한 방법을 친구들과 이야기해 보세요.

생각을 키워요

상자에 들어 있는 포도 맛, 사과 맛, 딸기 맛 사탕의 수를 그림그래프로 나타내려고 합니다. 상자에 들어 있는 사탕은 모두 34개이고, 포도 맛 사탕이 15개입니다. 사과 맛 사탕은 딸기 맛 사탕보다 3개 더 많습니다. 그림그래프를 완성해 보세요.

맛별 사탕의 수

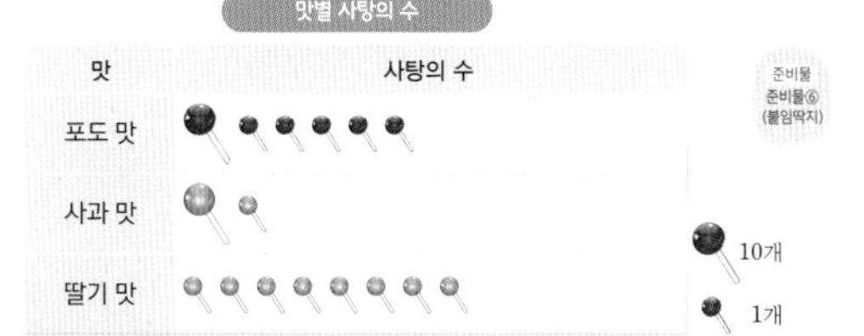

풀이 예 사탕 34개 중 포도 맛 사탕이 15개이므로 사과 맛 사탕과 딸기 맛 사탕은 $34-15=19$(개)입니다.

사과 맛 사탕의 수(개)	10	11	12	13	14	……
딸기 맛 사탕의 수(개)	9	8	7	6	5	……

사과 맛 사탕이 딸기 맛 사탕보다 3개 더 많은 경우는 사과 맛 사탕이 11개, 딸기 맛 사탕이 8개인 경우입니다. 따라서 그림그래프의 사과 맛 사탕에는 큰 그림 1개, 작은 그림 1개를 그리고, 딸기 맛 사탕에는 작은 그림 8개를 그려서 그림그래프를 완성합니다.

167

생각을 키워요 문제 해결 정보 처리

문제 이해하기

» 구하려고 하는 것

그림그래프 완성하기

» 알고 있는 것

- 상자에 들어 있는 사탕은 모두 34개입니다.
- 포도 맛 사탕은 15개입니다.
- 사과 맛 사탕이 딸기 맛 사탕보다 3개 더 많습니다.

계획 세우기

사과 맛 사탕과 딸기 맛 사탕이 $34-15=19$(개)인 것을 이용하여 표를 만들어 두 수의 합이 19인 수 중 차가 3인 두 수를 찾아서 해결할 수 있습니다.

계획대로 풀기

사탕 34개 중 포도 맛 사탕이 15개이므로 사과 맛 사탕과 딸기 맛 사탕은 $34-15=19$(개)입니다.
합이 19인 두 수를 이용하여 표를 만듭니다.

사과 맛 사탕의 수(개)	10	11	12	……
딸기 맛 사탕의 수(개)	9	8	7	……

사과 맛 사탕이 딸기 맛 사탕보다 3개 더 많은 경우는 사과 맛 사탕이 11개, 딸기 맛 사탕이 8개인 경우입니다.

문제 해결력 문제

정답 및 풀이 237쪽

1 다음 그림그래프에서 그림은 모두 22개이고, (1마리)이 (10마리)보다 4개 많을 때, 조사한 닭은 모두 몇 마리일까요?

마을별 닭의 수

(　　　　　　　　)

2 영수네 반 학생들이 체험 학습으로 가고 싶은 장소를 조사하여 그림그래프로 나타내려고 합니다. 조사한 학생이 모두 70명이고, 동물원에 가고 싶은 학생이 과학관에 가고 싶은 학생보다 5명 더 많습니다. 그림그래프를 완성해 보세요.

체험 학습으로 가고 싶은 장소

장소	학생 수
박물관	☺☺☺☺☺☺☺☺
과학관	
동물원	

☺ 10명 ☺ 1명

단원 마무리 | 척척

[1~4] 알뜰 시장에서 판매할 물건별로 가져온 학생 수를 조사하여 그림그래프로 나타내었습니다. 물음에 답해 보세요.

가져온 물건별 학생 수

물건	학생 수
장난감	(10명 그림 4개, 1명 그림 5개)
학용품	(10명 그림 3개, 1명 그림 8개)
책	(10명 그림 5개, 1명 그림 2개)
옷	(10명 그림 3개)

(큰 그림) 10명, (작은 그림) 1명

추론 · 정보 처리

그림그래프 이해하기

▶자습서 178~179쪽

1 큰 그림과 작은 그림은 각각 몇 명을 나타낼까요?

154쪽

큰 그림 (10명), 작은 그림 (1명)

풀이 큰 그림은 10명, 작은 그림은 1명을 나타냅니다.

추론 · 정보 처리

그림그래프 해석하기

▶자습서 184~185쪽

학부모 코칭 Tip

단위를 나타내는 그림을 구분해 보고 각 그림이 나타내는 수를 확인하고 정확하게 세어 수로 나타내도록 합니다.

2 옷을 가져온 학생은 몇 명인가요?

160쪽

(30명)

풀이 10명을 나타내는 큰 그림이 3개이므로 30명입니다.

추론

그림그래프 해석하기

▶자습서 184~185쪽

학부모 코칭 Tip

장난감과 학용품을 가져온 학생 수를 각각 바르게 세어 무엇이 얼마나 더 많은지 알 수 있도록 단계별로 지도합니다.

3 장난감을 가져온 학생은 학용품을 가져온 학생보다 몇 명 더 많은가요?

160쪽

(7명)

풀이 장난감을 가져온 학생은 45명이고, 학용품을 가져온 학생은 38명이므로 장난감을 가져온 학생이 7명 더 많습니다.

추론

그림그래프 해석하기

▶자습서 184~185쪽

4 많은 학생들이 가져온 물건부터 차례로 써 보세요.

160쪽

(책, 장난감, 학용품, 옷)

풀이 큰 그림의 수가 많은 것부터 찾아보면 책, 장난감, 학용품과 옷의 순서입니다. 그중 큰 그림의 수가 같은 학용품과 옷의 작은 그림의 수를 비교하면 학용품의 작은 그림의 수가 더 많으므로 많은 학생들이 가져온 물건부터 차례로 쓰면 책, 장난감, 학용품, 옷입니다.
장난감은 45명, 학용품은 38명, 책은 52명, 옷은 30명으로 많은 학생들이 가져온 물건부터 차례로 쓰면 책, 장난감, 학용품, 옷입니다.

168

5 윤서네 학교 3학년 학생들이 좋아하는 운동을 조사하여 나타낸 표입니다. 표를 보고 그림그래프로 나타내어 보세요.

156쪽

좋아하는 운동별 학생 수

운동	축구	야구	농구	피구	합계
학생 수(명)	25	40	43	32	140

좋아하는 운동별 학생 수

예

운동	학생 수
축구	
야구	
농구	
피구	

10 명, 1 명

풀이 10명을 나타내는 그림과 1명을 나타내는 그림에 주의하여 좋아하는 운동별 학생 수에 맞게 그림그래프를 그립니다.

추론 정보 처리

표를 보고 그림그래프로 나타내기

▶자습서 180~183쪽

학부모 코칭 Tip

그림그래프에서 큰 그림과 작은 그림은 섞어서 나타내지 않고 큰 그림부터 나타내도록 지도합니다.

생각을 넓혀요 문제 해결 의사소통 정보 처리

6 어느 마을의 과수원별 사과나무 수를 조사하여 나타낸 그림그래프입니다. 바름이와 새롬이의 대화 중 잘못된 부분을 모두 찾아 바르게 고쳐 보세요.

160쪽

과수원별 사과나무 수

과수원	사과나무 수
초원	
자연	
하늘	
햇빛	

100그루 10그루

자연 과수원의 사과나무 수가 가장 적어.
사과나무 수가 가장 많은 과수원은 초원 과수원이야.
바름
새롬

예 • 햇빛 과수원의 사과나무 수가 가장 적어.
• 사과나무 수가 가장 많은 과수원은 하늘 과수원이야.

문제 해결 의사소통 정보 처리

그림그래프 해석하기

▶자습서 184~185쪽

169

• 정보 속으로 | 딸깍 • 이야기로 키우는 | 생각

정보 속으로 | 딸깍

함께하는 활동

그림그래프로 세계 여행을 해요

세계 여러 도시의 비 온 날수

2019년에 세계 여러 도시의 비 온 날수를 조사하여 나타낸 그림그래프야.

지도에 나타내니까 도시를 알아보기가 쉬워.

런던(영국)

조사한 도시 중 비가 온 날수가 가장 많은 도시는 어디일까?

런던

내가 사는 서울의 비가 온 날수는 며칠일까?

135일

동해

서울(대한민국)

뉴욕(미국)

비가 온 날수가 가장 적은 도시는 어디일까?

카이로

카이로(이집트)

비가 온 날수가 많은 도시부터 차례로 알아볼까?

런던, 브라질리아, 서울, 시드니, 뉴욕, 카이로

브라질리아(브라질)

단위를 나타내는 그림을 3가지로 하여 그렸어.

시드니와 비가 온 날수가 비슷한 도시는 어디일까?

서울

시드니(호주)

100일 10일 1일

[출처] http://globalresidenceindex.com/hnwi-index/climate-in...

170 171

교과서 개념 완성

1 활동 방법 살펴보기

1. 그림그래프의 주제와 구성 요소 확인하기
   어떤 주제로 자료를 조사하여 나타낸 그림그래프인지 확인합니다. 단위를 나타내는 그림은 몇 가지인지 확인하고, 각각의 그림이 나타내는 수는 얼마인지 확인해 봅니다.
2. 그림그래프를 읽고 해석하기
   친구들의 질문에 답하기에 알맞은 정보를 찾아봅니다.
3. 그림그래프의 특징 살펴보기
   그림그래프를 지도 위에 그렸을 때의 좋은 점에 대해 생각해 봅니다.

2 활동하기

- 무엇을 조사한 그림그래프일까요?
  ➜ 2019년에 세계 여러 도시의 비가 온 날수를 조사하여 나타낸 그림그래프입니다.
- 그림그래프를 그리기 위해 자료를 어떻게 수집하였을까요?
  ➜ 각 나라별 기상청에서 기록해 놓은 자료를 수집하였을 것 같습니다.

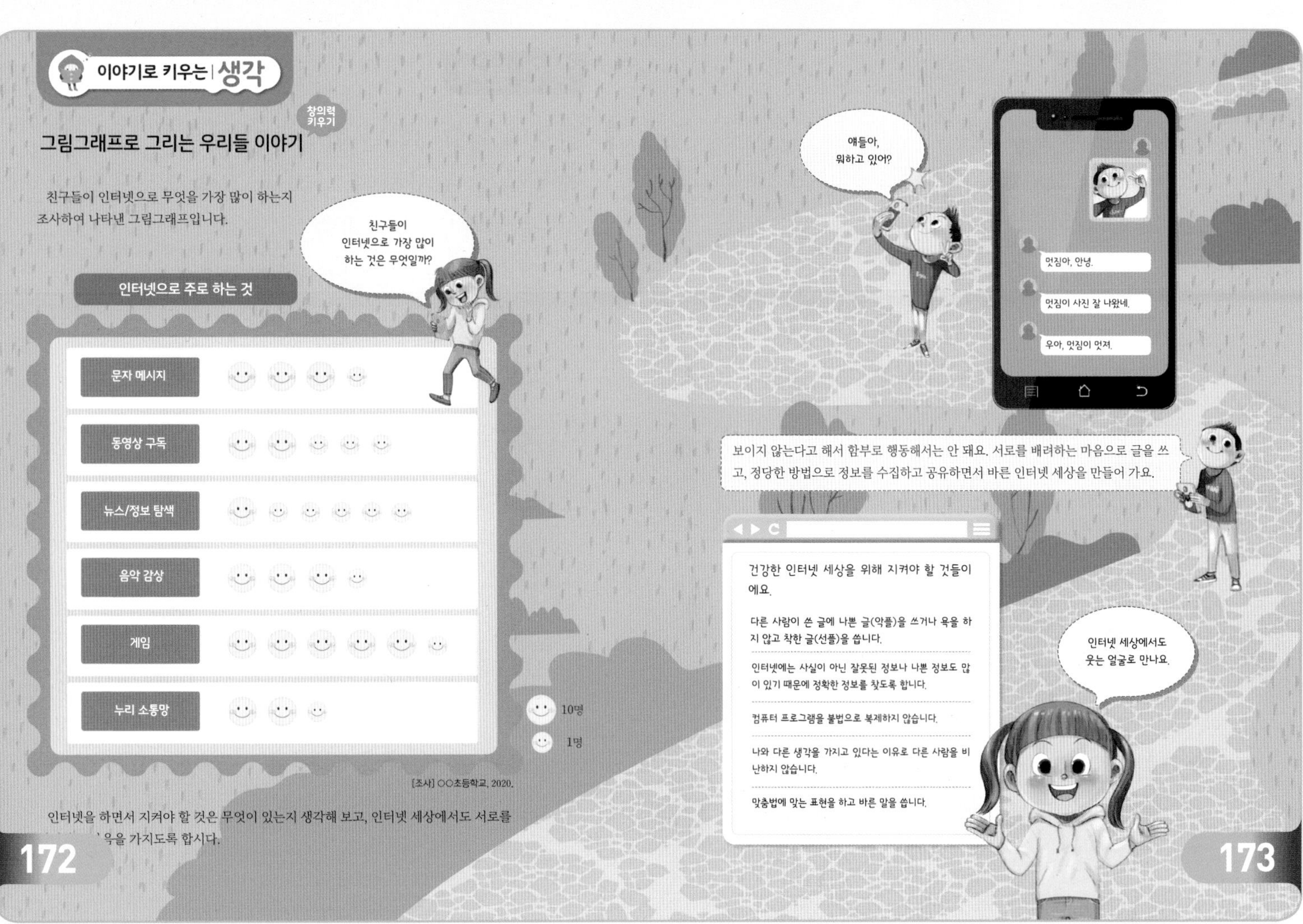

- 왜 빗방울 그림을 이용하여 그림그래프를 그렸을까요?
  ➜ 조사한 주제가 무엇인지 한눈에 알아보게 하기 위해서입니다.
- 그림그래프를 왜 지도 위에 그렸을까요?
  ➜ 조사한 도시가 어디인지 쉽게 찾을 수 있기 때문입니다.

수학 교과 역량 창의·융합 태도 및 실천

간단한 그림그래프를 읽고 해석한 경험을 지도 형태의 그림그래프를 읽고 해석하는 데 적용해 보는 과정을 통하여 창의・융합 능력을 기를 수 있고, 지도 위에 그림그래프를 그림으로써 통계 정보를 표현하는 데에서 수학의 유용성과 심미성을 인식할 수 있습니다.

이야기로 키우는 생각

선플 달기 운동

선플 달기 운동은 인터넷 악성 댓글(악플)로 인해 고통 받는 사람들에게 용기와 희망을 주는 댓글, 즉 선플을 달아 주자는 운동입니다.

인터넷 이용자들에게 건전한 비판이 아닌 근거 없는 악플이 당사자들에게 얼마나 큰 고통과 피해를 주는지를 인식하게 함은 물론 아름다운 인터넷 문화, 아름다운 사회를 가꾸어 나가자는 것이 이 운동의 취지입니다.

선플의 영어 표기인 'sunfull'은 '햇살이 가득한 사이버 세상'이라는 뜻입니다.

[출처] 선플 운동 본부 (https://www.sunful.or.kr)

개념 + 확인

교과서 개념과 확인 문제를 풀면서 단원을 마무리해 보아요.

개념

그림그래프 알아보기

조사한 수를 그림으로 나타낸 그래프를 그림그래프라고 합니다.

마을별 학생 수

마을	학생 수
웃음	◎◎◎○○○
미소	◎◎○
천사	◎◎◎○○○○○
미래	◎◎◎◎○○

◎ 10명 ○ 1명

- 그림을 2가지로 나타내었습니다.
- ◎은 10명, ○은 1명을 나타냅니다.

그림그래프 그리기

① 그림을 몇 가지로 나타낼 것인지 정합니다.
② 어떤 그림으로 나타낼 것인지 정합니다.
③ 조사한 수에 맞도록 그림을 그립니다.
④ 그린 그림그래프에 알맞은 제목을 붙입니다.

배우고 싶은 악기별 학생 수

악기	피아노	기타	바이올린	칼림바	합계
학생 수(명)	31	15	25	17	88

배우고 싶은 악기별 학생 수

악기	학생 수
피아노	◎◎◎○
기타	◎○○○○○
바이올린	◎◎○○○○○
칼림바	◎○○○○○○○

◎ 10명 ○ 1명

확인 문제

1 연호네 학교 3학년 학생들이 키우고 싶은 반려동물을 조사하여 나타낸 그림그래프입니다. 물음에 답해 보세요.

키우고 싶은 반려동물별 학생 수

동물	학생 수
강아지	◎◎◎○○○○
고양이	◎◎◎◎○
햄스터	◎◎○○○○
토끼	○○○○○○

◎ 10명 ○ 1명

(1) 무엇을 조사하여 나타낸 그림그래프인가요?

( )

(2) ◎과 ○은 각각 몇 명을 나타낼까요?

◎ ( ), ○ ( )

2 표를 보고 그림그래프로 나타내어 보세요.

좋아하는 계절별 학생 수

계절	봄	여름	가을	겨울	합계
학생 수(명)	24	12	16	23	75

좋아하는 계절별 학생 수

계절	학생 수
봄	
여름	
가을	
겨울	

◎ 10명 ○ 1명

개념

그림그래프 해석하기

지은이가 월별로 읽은 동화책을 조사하여 그림그래프로 나타내었습니다.

월별 읽은 동화책 수

월	동화책 수
8월	📕📕📗📗
9월	📕📕📗📗📗
10월	📕📕📕📕📗📗
11월	📕📕📕📕📕

📕 10명 📗 1명

- 11월에 동화책을 가장 많이 읽었습니다.
- 8월에 동화책을 가장 적게 읽었습니다.
- 8월에서 11월까지 동화책을 점점 더 많이 읽고 있습니다.
- 8월과 9월에 읽은 동화책의 수가 비슷합니다.

자료를 조사하여 그림그래프로 나타내기

주제 정하기
조사할 주제를 정합니다.

⇨ **자료 수집하기**
- 조사 항목, 방법, 대상 시기 등 자료 수집을 위한 계획을 세웁니다.
- 선택한 조사 방법으로 자료를 수집합니다.

⇨ **자료 정리하기**
목적에 알맞게 표나 그림그래프로 나타냅니다.

⇨ **결과 해석하기**
표나 그림그래프를 보고 알 수 있는 내용을 이야기해 봅니다.

확인 문제

3 민혁이네 학교 3학년 학생들이 좋아하는 민속놀이를 조사하여 나타낸 그림그래프입니다. 많은 학생들이 좋아하는 민속놀이부터 차례로 써 보세요.

좋아하는 민속놀이별 학생 수

민속놀이	학생 수
윷놀이	☺☺☺ ∘
제기차기	☺ ∘∘∘∘∘
연날리기	☺☺ ∘∘∘∘∘

☺ 10명 ∘ 1명

( )

4 현아네 학교 3학년 학생들의 장래 희망을 조사하여 나타낸 자료입니다. 조사한 자료를 보고 표와 그림그래프로 나타내어 보세요.

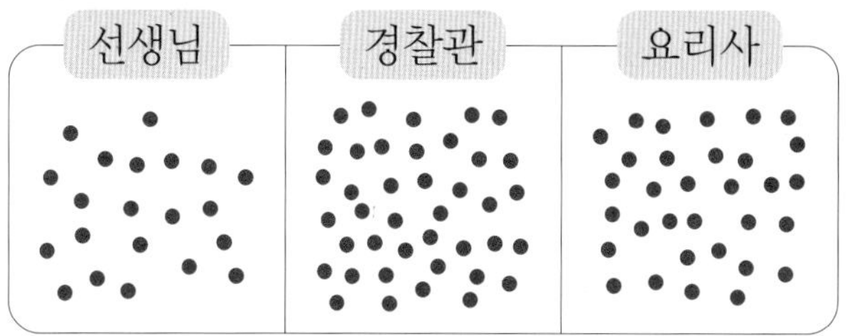

장래 희망별 학생 수

계절	선생님	경찰관	요리사	합계
학생 수(명)				

장래 희망별 학생 수

장래 희망	학생 수
선생님	
경찰관	
요리사	

☺ 10명 ∘ 1명

단계별로

서술형 문제 해결하기

과정 중심 평가 내용: 그림그래프에서 각 자료의 합과 차를 구할 수 있는가?

1-1 가 대리점과 다 대리점의 자동차 판매량의 차는 몇 대인지 풀이 과정을 쓰고, 답을 구해 보세요. [8점]

대리점별 자동차 판매량

대리점	자동차 수
가	●●●•••
나	●●••••
다	●•••••

풀이

❶ 가 대리점에서 판매한 자동차: □대

다 대리점에서 판매한 자동차: □대

❷ □ − □ = □(대)

1-2 쌍둥이 개미를 좋아하는 학생 수와 사슴벌레를 좋아하는 학생 수의 차는 몇 명인지 풀이 과정을 쓰고, 답을 구해 보세요. [12점]

좋아하는 곤충별 학생 수

곤충	학생 수
개미	●●●●••
나비	●●••••
잠자리	●●●●●
사슴벌레	●•••••••

10명 1명

풀이

답

1-3 유사 그림그래프를 보고 조사한 학생은 모두 몇 명인지 풀이 과정을 쓰고, 답을 구해 보세요. [15점]

체육 시간에 하고 싶은 운동별 학생 수

운동	학생 수
피구	●●●•••••
농구	●●••••••
축구	●●●••
달리기	●••

10명 1명

풀이

답

1-4 실전 생산량이 가장 많은 목장과 가장 적은 목장의 생산량의 차는 몇 kg인지 풀이 과정을 쓰고, 답을 구해 보세요. [15점]

목장별 우유 생산량

목장	우유 생산량
가	●●●●•••
나	●●●••••••
다	●●●●●•
라	●●••••

10 kg 1 kg

풀이

답

공부한 날 월 일

➔ 정답 및 풀이 238쪽

2-1 일주일 동안 팔린 장난감이 모두 940개일 때, 팔린 인형의 수는 몇 개인지 풀이 과정을 쓰고, 답을 구해 보세요. [8점]

일주일 동안 팔린 장난감 수

장난감	장난감 수
인형	
자동차	(100개 그림 3개, 10개 그림 4개)
퍼즐	(100개 그림 2개, 10개 그림 8개)

(큰 그림) 100개 (작은 그림) 10개

풀이

❶ 팔린 자동차는 ☐개, 팔린 퍼즐은 ☐개입니다.

❷ 940－☐－☐＝☐(개)

답

2-2 쌍둥이

조사한 학생 수가 85명일 때, 김밥을 만들어 보고 싶은 학생은 몇 명인지 풀이 과정을 쓰고, 답을 구해 보세요. [12점]

만들어 보고 싶은 음식별 학생 수

음식	학생 수
떡볶이	(10명 그림 2개, 1명 그림 5개)
호떡	(10명 그림 3개, 1명 그림 6개)
김밥	

(큰 그림) 10명 (작은 그림) 1명

풀이

답

2-3 유사

수학을 좋아하는 학생은 국어를 좋아하는 학생보다 12명 더 많을 때, 수학을 좋아하는 학생은 몇 명인지 풀이 과정을 쓰고, 답을 구해 보세요. [15점]

좋아하는 과목별 학생 수

과목	학생 수
수학	
국어	(10명 그림 3개, 1명 그림 2개)
사회	(10명 그림 2개, 1명 그림 6개)

(큰 그림) 10명 (작은 그림) 1명

풀이

답

2-4 실전

네 모둠의 붙임딱지 수는 모두 121장이고, 가 모둠의 붙임딱지 수가 나 모둠의 붙임딱지 수보다 3장 많을 때, 나 모둠의 붙임딱지 수는 몇 장인지 풀이 과정을 쓰고, 답을 구해 보세요. [15점]

모둠별 붙임딱지 수

모둠	붙임딱지 수
가	
나	
다	(10장 그림 5개, 1장 그림 4개)

◇ 10장 ◇ 1장

풀이

답

[01~04] 현정이네 학교 3학년 학생들이 좋아하는 봄꽃을 조사하여 나타낸 그림그래프입니다. 물음에 답해 보세요.

좋아하는 봄꽃별 학생 수

봄꽃	학생 수
개나리	◎◎◎○○○
진달래	◎◎○○○○○○○○
벚꽃	◎◎○○○○
목련	◎○○○○

◎ 10명 ○ 1명

| 그림그래프 알아보기 |

01 그림 ◎과 ○은 각각 몇 명을 나타낼까요?
하

◎ (   )

○ (   )

| 그림그래프 알아보기 |

02 좋아하는 봄꽃별 학생 수를 써 보세요.
하

개나리 (   ), 진달래 (   ),
벚꽃 (   ), 목련 (   )

| 그림그래프 해석하기 |

03 가장 많은 학생들이 좋아하는 봄꽃은 무엇인가요?
하

(   )

| 그림그래프 해석하기 |

04 좋아하는 학생 수가 목련의 2배인 봄꽃은 무엇일까요?
중

(   )

[05~08] 민경이네 마을에서 지난주에 수확한 사과 수확량을 과수원별로 조사하여 나타낸 표입니다. 물음에 답해 보세요.

과수원별 사과 수확량

과수원	가	나	다	라	합계
수확량(kg)	43	21	42	61	167

| 그림그래프 그리기 |

05 🍎은 10 kg, ●은 1 kg으로 하여 표를 그림그래프로 나타낼 때 가 과수원에는 다음 그림을 각각 몇 개씩 그려야 할까요?
하

🍎 (   )

● (   )

| 그림그래프 그리기 |

06 표를 보고 그림그래프를 완성해 보세요.
중

과수원별 사과 수확량

과수원	수확량
가	
나	
다	
라	

🍎 10 kg ● 1 kg

| 그림그래프 해석하기 |

07 수확량이 가장 적은 과수원은 어느 과수원인가요?
중

(   )

| 그림그래프 해석하기 |

08 지난주 수확량이 가장 적었던 과수원에서 이번 주에 수확량을 30 kg으로 늘리려고 합니다. 사과 수확량을 지난주보다 몇 kg 더 늘려야 할까요?
중

(   )

➜ 정답 및 풀이 239~240쪽

[09~12] 민석이네 반 학생들이 좋아하는 색깔을 조사하였습니다. 물음에 답해 보세요.

민석이네 반 학생들이 좋아하는 색깔

민석	소라	규영	현아	수민
경민	아영	수원	진범	호선
서우	선민	미영	경아	사현
성진	설희	종국	소연	지성
지영	은수	인호	나경	은우
유진	은영	해영	지호	민호

| 자료를 조사하여 그림그래프로 나타내기 |

09 조사한 내용을 표로 나타내어 보세요.

중

민석이네 반 학생들이 좋아하는 색깔

색깔	빨강	파랑	노랑	초록	합계
학생 수(명)					

| 자료를 조사하여 그림그래프로 나타내기 |

10 표를 보고 그림그래프를 완성해 보세요.

중

민석이네 반 학생들이 좋아하는 색깔

색깔	학생 수
빨강	
파랑	
노랑	
초록	

10명 1명

| 자료를 조사하여 그림그래프로 나타내기 |

11 좋아하는 학생이 두 번째로 많은 색깔은 무엇인가요?

중

( )

| 자료를 조사하여 그림그래프로 나타내기 |

12 완성된 표와 그림그래프를 보고 알맞은 것끼리 선으로 이어 보세요.

중

조사한 수를 쉽게 알 수 있습니다. •		• 그림그래프
어느 것이 많고 적은지 한눈에 비교할 수 있습니다. •		• 표

[13~14] 어느 인형 가게에서 지난 한 달 동안 팔린 인형 수를 조사하여 나타낸 그림그래프입니다. 지난 한 달 동안 토끼 인형이 원숭이 인형보다 170개 더 많이 팔렸습니다. 물음에 답해 보세요.

지난 한 달 동안 팔린 인형의 수

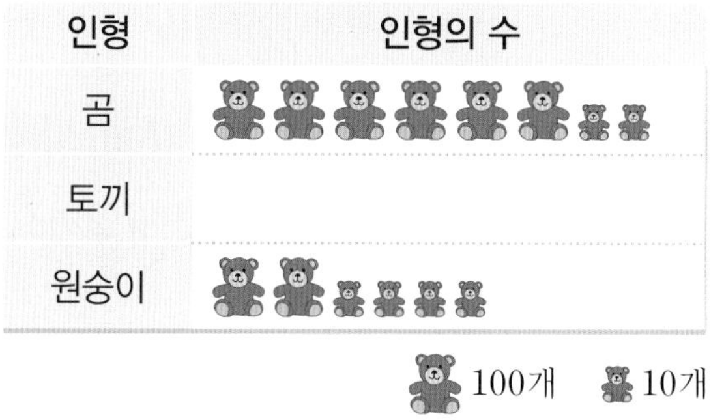

인형	인형의 수
곰	
토끼	
원숭이	

100개 10개

| 그림그래프 해석하기 | 서술형

13 지난 한 달 동안 팔린 토끼 인형은 몇 개인지 풀이 과정을 쓰고, 답을 구해 보세요.

중

풀이

답

| 그림그래프 해석하기 |

14 다음 달에 어느 인형을 가장 많이 들여 놓는 것이 좋을까요?

중

( )

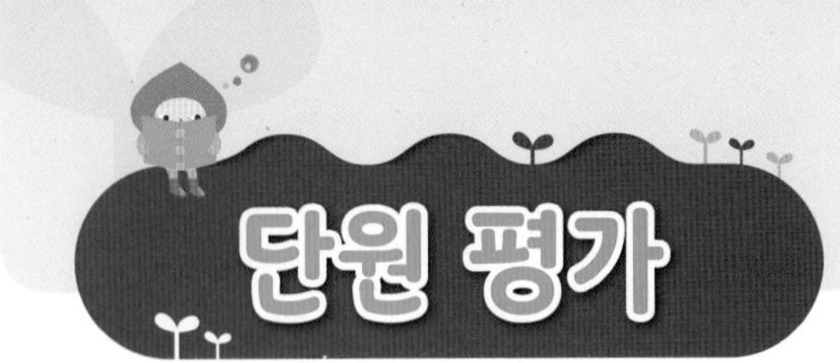

→ 정답 및 풀이 239~240쪽

[15~18] 현우네 반 학생들이 사는 마을을 조사하여 나타낸 그림그래프입니다. 조사한 전체 학생 수는 54명이고, 행운 마을과 사랑 마을의 학생 수는 같습니다. 물음에 답해 보세요.

마을별 학생 수

마을	학생 수
행복	☺ ◦ ◦
행운	
사랑	

☺ 10명 ◦ 1명

| 그림그래프 해석하기 |

15 행운 마을과 사랑 마을에 사는 학생은 모두 몇 명일까요?
중

( )

| 그림그래프 해석하기 |

16 행운 마을에 사는 학생은 몇 명일까요?
중

( )

| 그림그래프 그리기 |

17 위 그림그래프를 완성해 보세요.
중

| 그림그래프 해석하기 | 서술형

18 사랑 마을에 사는 남학생이 9명일 때, 사랑 마을에 사는 여학생은 몇 명인지 풀이 과정을 쓰고, 답을 구해 보세요.
상

풀이

답

| 그림그래프 해석하기 | 서술형

19 학교 정원에 있는 꽃을 조사하여 나타낸 그림그래프입니다. 꽃은 모두 68송이가 있을 때, 가장 많은 꽃은 가장 적은 꽃보다 몇 송이 더 많은지 풀이 과정을 쓰고, 답을 구해 보세요.
상

학교 정원에 있는 꽃의 수

꽃	꽃의 수
장미	✿✿✿ ✿✿✿(작은)
국화	✿✿ ✿✿✿✿✿✿(작은)
해바라기	

✿ 10송이 ✿(작은) 1송이

풀이

답

| 그림그래프 해석하기 |

20 원영이네 학교 150명 학생들의 혈액형을 조사하여 나타낸 그림그래프입니다. B형이 AB형보다 11명 더 많을 때, B형인 학생은 몇 명일까요?
상

학생들의 혈액형

혈액형	학생 수
A형	☺☺☺☺☺ ◦◦◦◦
B형	
AB형	
O형	☺☺☺☺ ◦

☺ 10명 ◦ 1명

( )

그림그래프로 나타내 볼까요?

Memo

3~4학년군

수학 3-2

수학 다잡기

정답 및 풀이

정답 및 풀이

1 곱셈

개념 확인 문제 9쪽

1 23, 3, 69
2 32, 40, 72
3 (1) 42 (2) 294
4 105개

풀이

1 수 모형이 23개씩 3묶음입니다.
→ $23\times3=69$

2 8, 10에 각각 4를 곱한 다음, 곱을 더합니다.

3 (1)
$$\begin{array}{r} {}^{1} \\ 1\,4 \\ \times\quad 3 \\ \hline 4\,2 \end{array}$$
(2)
$$\begin{array}{r} {}^{1} \\ 4\,2 \\ \times\quad 7 \\ \hline 2\,9\,4 \end{array}$$

4 (5상자에 들어 있는 사과의 수)
$=21\times5=105$(개)

개념 확인 문제 11쪽

1 3, 6 / 10, 20 / 200, 400 / 426
2 (1) 268 (2) 1836 (3) 969
3 2048개

풀이

1 3, 10, 200에 각각 2를 곱한 다음, 곱을 모두 더합니다.

2 (1)
$$\begin{array}{r} 1\,3\,4 \\ \times\quad 2 \\ \hline 2\,6\,8 \end{array}$$
(2)
$$\begin{array}{r} 6\,1\,2 \\ \times\quad 3 \\ \hline 1\,8\,3\,6 \end{array}$$

3 (4상자에 들어 있는 구슬의 수)
$=512\times4$
$=2048$(개)

개념 확인 문제 13쪽

1 3, 12 / 20, 80 / 200, 800 / 892
2 (1) 272 (2) 957
3 381개

풀이

1 3, 20, 200에 각각 4를 곱한 다음, 곱을 모두 더합니다.

2 (1)
$$\begin{array}{r} {}^{1} \\ 1\,3\,6 \\ \times\quad 2 \\ \hline 2\,7\,2 \end{array}$$
(2)
$$\begin{array}{r} {}^{2} \\ 3\,1\,9 \\ \times\quad 3 \\ \hline 9\,5\,7 \end{array}$$

3 (3상자에 담은 고구마의 수)
$=127\times3$
$=381$(개)

개념 확인 문제 15쪽

1 6, 30 / 20, 100 / 400, 2000 / 2130
2 (1) 2136 (2) 2238
3 1295 mL

풀이

1 6, 20, 400에 각각 5를 곱한 다음, 곱을 모두 더합니다.

2 (1)
$$\begin{array}{r} {}^{1}\,{}^{1}\quad \\ 5\,3\,4 \\ \times \quad\;\; 4 \\ \hline 2\,1\,3\,6 \end{array}$$
(2)
$$\begin{array}{r} {}^{4}\,{}^{1}\quad \\ 3\,7\,3 \\ \times \quad\;\; 6 \\ \hline 2\,2\,3\,8 \end{array}$$

3 일주일은 7일입니다.
(다운이가 일주일 동안 마신 우유의 양)
=185×7
=1295 (mL)

개념 확인 문제 17쪽

1 120, 1200 / 148, 1480
2 (1) 720 (2) 3750
3 580개
4 수종

풀이

1 • 30×4=120이므로 30×40=1200입니다.
• 37×4=148이므로 37×40=1480입니다.

2 (1) 24×3=72이므로 24×30=720입니다.
(2) 75×5=375이므로 75×50=3750입니다.

3 (29봉지에 담는 귤의 수)=29×20
=580(개)

4 28=20+8이므로 28×70은 20×70의 값과 8×70의 값을 더하여 계산할 수 있습니다.
따라서 잘못 설명한 학생은 수종이입니다.

개념 확인 문제 19쪽

1 5, 20 / 30, 120 / 140
2 (1) 135 (2) 301
3 5×33에 ○표
4 144개

풀이

1 4와 35의 각 자리 수를 곱한 다음, 곱을 더합니다.

2 (1)
$$\begin{array}{r} 5 \\ \times\; 2\,7 \\ \hline 3\,5 \\ 1\,0\;\; \\ \hline 1\,3\,5 \end{array}$$
(2)
$$\begin{array}{r} 7 \\ \times\; 4\,3 \\ \hline 2\,1 \\ 2\,8\;\; \\ \hline 3\,0\,1 \end{array}$$

3
$$\begin{array}{r} 5 \\ \times\; 3\,3 \\ \hline 1\,5 \\ 1\,5\;\; \\ \hline 1\,6\,5 \end{array} \qquad \begin{array}{r} 3 \\ \times\; 4\,7 \\ \hline 2\,1 \\ 1\,2\;\; \\ \hline 1\,4\,1 \end{array} \qquad \begin{array}{r} 6 \\ \times\; 2\,4 \\ \hline 2\,4 \\ 1\,2\;\; \\ \hline 1\,4\,4 \end{array}$$
따라서 계산 결과가 가장 큰 것은 5×33입니다.

4 (16봉지에 들어 있는 사탕의 수)
=9×16=144(개)

개념 확인 문제 21쪽

1 4, 248 / 10, 620 / 868
2 (1) 552 (2) 564
3 ㉡
4 728개

풀이

1 14를 10과 4로 나누어 62와 각각 곱한 다음, 곱을 더합니다.

2 (1)
$$\begin{array}{ccc} & 2 & 4 \\ \times & 2 & 3 \\ \hline & 7 & 2 \\ 4 & 8 & \\ \hline 5 & 5 & 2 \end{array}$$

(2)
$$\begin{array}{ccc} & 4 & 7 \\ \times & 1 & 2 \\ \hline & 9 & 4 \\ 4 & 7 & \\ \hline 5 & 6 & 4 \end{array}$$

3 ㉠
$$\begin{array}{ccc} & 2 & 1 \\ \times & 2 & 8 \\ \hline 1 & 6 & 8 \\ 4 & 2 & \\ \hline 5 & 8 & 8 \end{array}$$
㉡
$$\begin{array}{ccc} & 1 & 3 \\ \times & 3 & 7 \\ \hline & 9 & 1 \\ 3 & 9 & \\ \hline 4 & 8 & 1 \end{array}$$
㉢
$$\begin{array}{ccc} & 1 & 4 \\ \times & 4 & 2 \\ \hline & 2 & 8 \\ 5 & 6 & \\ \hline 5 & 8 & 8 \end{array}$$

따라서 계산 결과가 다른 하나는 ㉡입니다.

4 (수확한 밤의 수)$=52\times14=728$(개)

개념 확인 문제 23쪽

1 6, 330 / 20, 1100 / 1430
2 (1) 1472 (2) 1628
3 910, 513
4 1426분

풀이

1 26을 20과 6으로 나누어 55와 각각 곱한 다음, 곱을 더합니다.

2 (1)
$$\begin{array}{cccc} & & 9 & 2 \\ & \times & 1 & 6 \\ \hline & 5 & 5 & 2 \\ & 9 & 2 & \\ \hline 1 & 4 & 7 & 2 \end{array}$$

(2)
$$\begin{array}{cccc} & & 3 & 7 \\ & \times & 4 & 4 \\ \hline & 1 & 4 & 8 \\ 1 & 4 & 8 & \\ \hline 1 & 6 & 2 & 8 \end{array}$$

3
$$\begin{array}{ccc} & 2 & 6 \\ \times & 3 & 5 \\ \hline 1 & 3 & 0 \\ 7 & 8 & \\ \hline 9 & 1 & 0 \end{array}$$
$$\begin{array}{ccc} & 2 & 7 \\ \times & 1 & 9 \\ \hline 2 & 4 & 3 \\ 2 & 7 & \\ \hline 5 & 1 & 3 \end{array}$$

4 8월의 날수는 31일입니다.
(지희가 8월 한 달 동안 운동을 한 시간)
$=46\times31=1426$(분)

개념 확인 문제 25쪽

1 1323 **2** ㉢, ㉠, ㉡
3 4698 kg **4** 4, 9

풀이

1
$$\begin{array}{cccc} & & 4 & 9 \\ & \times & 2 & 7 \\ \hline & 3 & 4 & 3 \\ & 9 & 8 & \\ \hline 1 & 3 & 2 & 3 \end{array}$$

2 ㉠
$$\begin{array}{cccc} & & 5 & 0 \\ & \times & 3 & 9 \\ \hline & 4 & 5 & 0 \\ 1 & 5 & 0 & \\ \hline 1 & 9 & 5 & 0 \end{array}$$
㉡
$$\begin{array}{cccc} & & 2 & 4 \\ & \times & 6 & 3 \\ \hline & & 7 & 2 \\ 1 & 4 & 4 & \\ \hline 1 & 5 & 1 & 2 \end{array}$$
㉢
$$\begin{array}{cccc} & & 4 & 5 \\ & \times & 4 & 8 \\ \hline & 3 & 6 & 0 \\ 1 & 8 & 0 & \\ \hline 2 & 1 & 6 & 0 \end{array}$$

따라서 계산 결과가 큰 것부터 차례로 쓰면 ㉢, ㉠, ㉡입니다.

3 $87\times54=4698$이므로 코끼리의 무게는 약 4698 kg입니다.

4 • 일의 자리 계산: $18\times5=90$이므로 $\square=9$입니다.
• 십의 자리 계산: $18\times\square=72$이므로 $\square=4$입니다.

문제 해결력 문제 27쪽

1 (1) 24, 26 (2) 624
2 195
3 2450

풀이

1 합이 50인 두 수 중에서 차가 가장 작은 두 수는 24, 26이므로 만들 수 있는 가장 큰 곱은 $24 \times 26 = 624$입니다.

2 합이 28인 두 수 중에서 차가 가장 작은 두 수는 13, 15이므로 만들 수 있는 가장 큰 곱은 $13 \times 15 = 195$입니다.

3 합이 99인 두 수 중에서 차가 가장 작은 두 수는 49, 50이므로 만들 수 있는 가장 큰 곱은 $49 \times 50 = 2450$입니다.

개념+확인 32~33쪽

1 (1) 963 (2) 1286
2 (1) 860 (2) 516
3 <
4 1296권
5 1080
6 352
7 (선 잇기)
8 1110 m

풀이

2 (1)
$$\begin{array}{r} {}^{2}\quad \\ 215 \\ \times \quad 4 \\ \hline 860 \end{array}$$
(2)
$$\begin{array}{r} {}^{2}\quad\;\; \\ 172 \\ \times \quad 3 \\ \hline 516 \end{array}$$

3
$$\begin{array}{r} {}^{1}\quad\;\; \\ 284 \\ \times \quad 2 \\ \hline 568 \end{array}, \quad \begin{array}{r} {}^{2\,2}\quad \\ 167 \\ \times \quad 4 \\ \hline 668 \end{array}$$
→ $568 < 668$

4 (필요한 공책의 수) $= 324 \times 4$
$= 1296$(권)

5 $54 \times 20 = 1080$

6 가장 작은 수는 4이고, 가장 큰 수는 88입니다. 따라서 두 수의 곱은 $4 \times 88 = 352$입니다.

7
$$\begin{array}{r} 13 \\ \times \; 42 \\ \hline 26 \\ 52\; \\ \hline 546 \end{array} \qquad \begin{array}{r} 17 \\ \times \; 51 \\ \hline 17 \\ 85\; \\ \hline 867 \end{array}$$

8 (소영이가 자전거를 탄 거리)
$= 74 \times 15$
$= 1110$ (m)

서술형 문제 해결하기 34~35쪽

1-1 ❶ 6, 531
❷ 531, 6, 3186
/ 3186

1-2 예 ❶ 곱이 가장 작게 되는 곱셈은 곱하는 수가 가장 작은 수인 2이고, 곱해지는 수는 남은 숫자로 만들 수 있는 가장 작은 수인 459인 경우입니다.
❷ 곱이 가장 작게 되는 곱셈의 곱은 $459 \times 2 = 918$입니다.
/ 918

1-3 예 ❶ 곱이 가장 크게 되는 곱셈은 두 수의 십의 자리가 각각 7, 8이고, 일의 자리는 4, 5인 경우입니다.
❷ 만든 곱셈의 곱은 $74 \times 85 = 6290$ 또는 $75 \times 84 = 6300$입니다.
따라서 $6290 < 6300$이므로 곱이 가장 크게 되는 곱셈의 곱은 6300입니다.
/6300

1-4 예 ❶ 곱이 가장 작게 되는 곱셈은 두 수의 십의 자리가 각각 2, 3이고, 일의 자리는 나머지 숫자 중 작은 수인 4, 6인 경우입니다.
❷ 만든 곱셈의 곱은 $24 \times 36 = 864$ 또는 $26 \times 34 = 884$입니다.
따라서 $864 < 884$이므로 곱이 가장 작게 되는 곱셈의 곱은 864입니다.
/ 864

2-1 ❶ 3, 8 ❷ 3, 3, 5, 8, 8
/ ㉠=5, ㉡=3

2-2 예 ❶ $8 \times$ ㉡에서 일의 자리 숫자가 6이므로 $8 \times$ ㉡$=16$ 또는 $8 \times$ ㉡$=56$입니다.
→ ㉡=2 또는 ㉡=7
❷ ㉡=2일 때, ㉠$\times 2 = 10$이므로 ㉠=5입니다.
㉡=7일 때, 4×7에 5를 더한 값의 일의 자리 숫자는 9가 아닙니다.
/ ㉠=5, ㉡=2

2-3 예 ❶ ㉡×㉡에서 일의 자리 숫자가 5이므로 ㉡×㉡=25입니다. → ㉡=5
❷ ㉠×5에 2를 더한 값이 12이므로 ㉠×5=10입니다. → ㉠=2
/ ㉠=2, ㉡=5

2-4 예 ❶ ㉡×㉡에서 일의 자리 숫자가 ㉡이므로 ㉡×㉡=1 또는 ㉡×㉡=25 또는 ㉡×㉡=36입니다.
→ ㉡=1 또는 ㉡=5 또는 ㉡=6
❷ ㉡=1일 때, ㉠㉠1×1=㉠㉠1이므로 ㉡=1이 될 수 없습니다.
㉡=5일 때, 십의 자리 계산에서 ㉠×5에 2를 더한 값의 일의 자리 숫자는 3이 아닙니다.
㉡=6일 때, 십의 자리 계산에서 ㉠×6에 3을 더한 값이 33이므로 ㉠×6=30입니다. → ㉠=5
/ ㉠=5, ㉡=6

풀이

1-2

채점 기준		
	❶ 곱이 가장 작게 되도록 곱하는 수와 곱해지는 수에 들어갈 숫자 카드 고르기	8점
	❷ 곱이 가장 작게 되는 곱셈의 곱 구하기	4점

1-3

채점 기준		
	❶ 곱이 가장 크게 되도록 하는 숫자 카드 고르기	9점
	❷ 곱이 가장 크게 되는 곱셈의 곱 구하기	6점

1-4

채점 기준		
	❶ 곱이 가장 작게 되도록 하는 숫자 카드 고르기	9점
	❷ 곱이 가장 작게 되는 곱셈의 곱 구하기	6점

2-2

채점 기준		
	❶ ㉡에 알맞은 수 모두 구하기	6점
	❷ ㉠, ㉡에 알맞은 수 각각 구하기	6점

2-3

채점 기준		
	❶ ㉡에 알맞은 수 구하기	7점
	❷ ㉠에 알맞은 수 구하기	8점

2-4

채점 기준		
	❶ ㉡에 알맞은 수 모두 구하기	7점
	❷ ㉠, ㉡에 알맞은 수 각각 구하기	8점

단원 평가 36~38쪽

01 232, 464
02 (1) 874 (2) 192
03 1251
04 2275
05 (선 잇기)
06 2555일
07 216개
08 <
09 8×33에 ○표
10 624
11 860 cm
12 1225 m
13 324개
14 예 ❶ 9월의 날수는 30일입니다.
❷ (지윤이가 9월 한 달 동안 책을 읽은 시간) $= 35 \times 30 = 1050$(분)
/ 1050분

15 5　　16 6, 7, 8, 9

17 2627　　18 5216

19 예 ❶ (45개씩 40상자에 넣은 귤의 수)
$=45\times40=1800$(개)
❷ (윤기네 농장에서 수확한 귤의 수)
$=1800+16=1816$(개)
/ 1816개

20 예 ❶ (색 테이프 19장의 길이의 합)
$=26\times19=494$ (cm)
❷ (겹쳐진 부분)$=19-1=18$(군데)
(겹쳐진 부분의 길이의 합)
$=2\times18=36$ (cm)
❸ (이어 붙인 색 테이프의 전체 길이)
$=494-36=458$ (cm)
/ 458 cm

풀이

01 백 모형 2개, 십 모형 3개, 일 모형 2개는 232입니다. 따라서 232씩 2묶음 있으므로 $232\times2=464$입니다.

02 (1) $\begin{array}{r} {\scriptstyle 1} \\ 437 \\ \times2 \\ \hline 874 \end{array}$　(2) $\begin{array}{r} 16 \\ \times12 \\ \hline 32 \\ 16 \\ \hline 192 \end{array}$

03 $\begin{array}{r} {\scriptstyle 2} \\ 417 \\ \times3 \\ \hline 1251 \end{array}$

04 백의 자리 계산 $3\times7=21$에 십의 자리에서 올림한 1을 더하지 않아 잘못 계산하였습니다.

05 $\begin{array}{r} 18 \\ \times39 \\ \hline 162 \\ 54 \\ \hline 702 \end{array}$　$\begin{array}{r} 26 \\ \times40 \\ \hline 1040 \end{array}$　$\begin{array}{r} 24 \\ \times18 \\ \hline 192 \\ 24 \\ \hline 432 \end{array}$

06 (7년의 날수)$=365\times7=2555$(일)

07 (24상자에 들어 있는 배의 수)
$=9\times24=216$(개)

08 $242\times4=968$, $37\times30=1110$
→ $968<1110$

09 $8\times33=264$, $3\times84=252$, $5\times45=225$
따라서 계산 결과가 가장 큰 것은 8×33입니다.

10 ㉠ 2씩 4묶음인 수는 8입니다.
㉡ 10이 7개, 1이 8개인 수는 78입니다.
→ ㉠×㉡$=8\times78=624$

11 정사각형은 네 변의 길이가 같습니다.
(액자의 네 변의 길이의 합)$=215\times4=860$ (cm)

12 (세진이가 25분 동안 걸은 산책로의 길이)
$=49\times25=1225$ (m)

13 (민지네 반 전체 학생 수)$=14+13=27$(명)
(필요한 초콜릿 수)$=27\times12=324$(개)

14

채점 기준		
	❶ 9월의 날수 구하기	2점
	❷ 지윤이가 9월 한 달 동안 책을 읽은 시간 구하기	3점

15 십의 자리 계산 □×7에 일의 자리 계산에서 올림한 2를 더한 값이 37이므로 □=5입니다.

16 38을 40으로 어림하면 $40\times5=200$이므로 □ 안에는 5보다 큰 수가 들어갈 수 있습니다.
따라서 □ 안에 들어갈 수 있는 숫자는 6, 7, 8, 9입니다.

17 어떤 수를 □라고 하면 □$+34=71$, □$=37$입니다. 따라서 바르게 계산하면 $37\times71=2627$입니다.

18 곱이 가장 크게 되려면 곱하는 수에 가장 큰 수인 8을 놓고, 곱해지는 수에는 남은 3개의 숫자 카드로 만들 수 있는 가장 큰 수인 652를 놓아야 합니다. 따라서 만든 곱셈의 곱은 $652\times8=5216$입니다.

19

채점 기준		
	❶ 45개씩 40상자에 넣은 귤의 수 구하기	3점
	❷ 윤기네 농장에서 수확한 귤의 수 구하기	2점

20

채점 기준		
	❶ 색 테이프 19장의 길이의 합 구하기	2점
	❷ 겹쳐진 부분의 길이의 합 구하기	2점
	❸ 이어 붙인 색 테이프의 전체 길이 구하기	1점

2 원

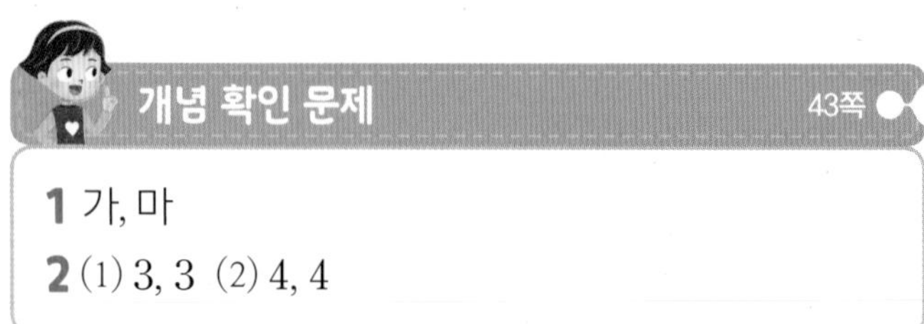

개념 확인 문제 43쪽

1 가, 마

2 (1) 3, 3 (2) 4, 4

풀이

1 원은 뾰족한 부분이 없고, 어느 쪽에서 보아도 똑같이 동그란 모양입니다.
따라서 원은 가, 마입니다.

2 (1) 삼각형은 변이 3개, 꼭짓점이 3개입니다.
(2) 사각형은 변이 4개, 꼭짓점이 4개입니다.

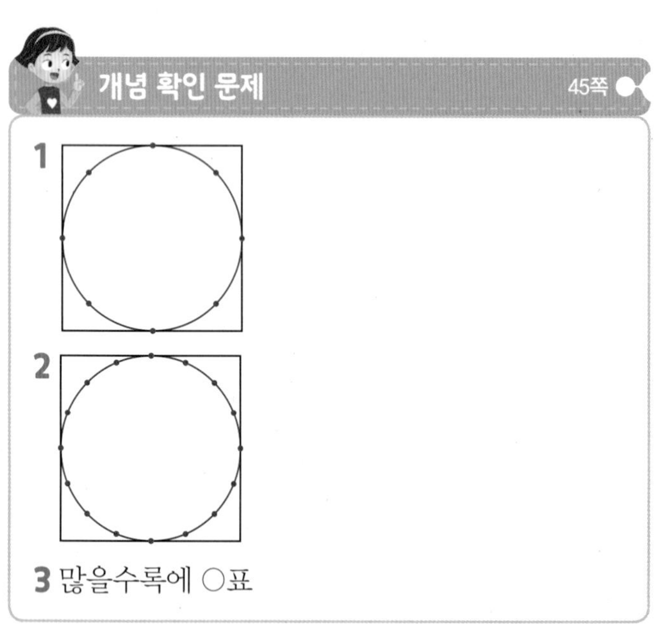

개념 확인 문제 45쪽

1

2

3 많을수록에 ○표

풀이

1 8개의 점을 이어 원을 그립니다.

2 16개의 점을 이어 원을 그립니다.

3 점의 개수를 늘려서 그리면 모양을 좀 더 원에 가깝게 그릴 수 있습니다.

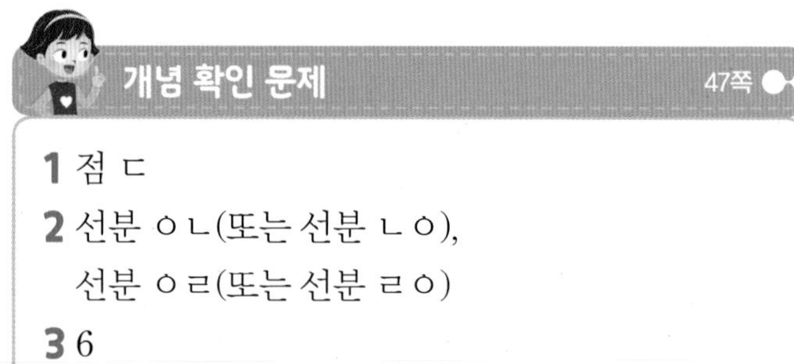

개념 확인 문제 47쪽

1 점 ㄷ

2 선분 ㅇㄴ(또는 선분 ㄴㅇ),
선분 ㅇㄹ(또는 선분 ㄹㅇ)

3 6

풀이

1 원의 중심은 원의 가장 안쪽에 있는 점입니다.

2 원의 반지름은 원의 중심과 원 위의 한 점을 이은 선분입니다.

3 한 원에서 원의 반지름은 모두 같습니다.

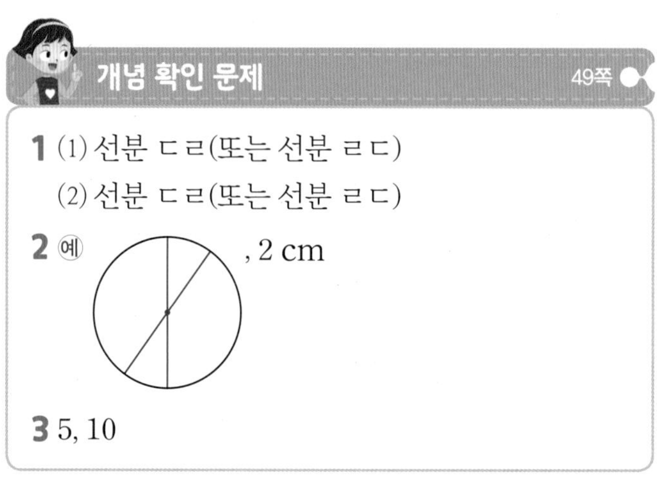

개념 확인 문제 49쪽

1 (1) 선분 ㄷㄹ(또는 선분 ㄹㄷ)
(2) 선분 ㄷㄹ(또는 선분 ㄹㄷ)

2 예 , 2 cm

3 5, 10

풀이

1 (1) 한 원 위의 두 점을 이은 선분 중 원의 중심을 지나는 선분의 길이가 가장 깁니다.
(2) 원의 지름은 원 안에 그을 수 있는 선분 중 가장 긴 선분입니다.

2 한 원 위의 두 점을 지나는 선분 중 원의 중심을 지나도록 그립니다.

3 한 원에서 지름은 반지름의 2배입니다.
→ (원의 지름) $= 5 \times 2 = 10$ (cm)

개념 확인 문제 51쪽

1 ㉢, ㉠, ㉡

2 (그림)

3 4 cm

풀이

1 ㉢ 원의 중심이 되는 점 ㅇ을 정합니다.
→ ㉠ 컴퍼스를 원의 반지름만큼 벌립니다.
→ ㉡ 컴퍼스를 한 바퀴 돌려 원을 그립니다.

2 컴퍼스의 침과 연필심 사이를 주어진 선분의 길이만큼 벌려 컴퍼스의 침을 점 ㅇ에 꽂고 원을 그립니다.

3 컴퍼스의 침과 연필심 사이의 거리는 원의 반지름과 같습니다. 따라서 그린 원의 반지름은 4 cm입니다.

개념 확인 문제 53쪽

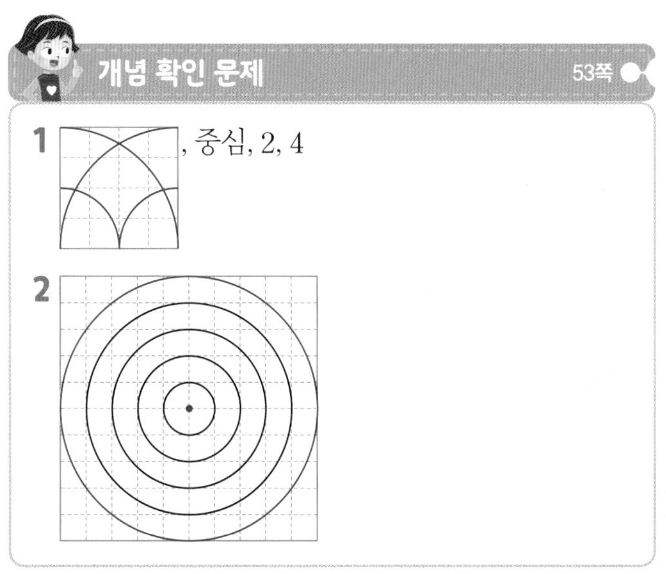

1 (그림), 중심, 2, 4

2 (그림)

풀이

1 정사각형의 꼭짓점을 원의 중심으로 하고 반지름이 각각 모눈 2칸과 4칸인 원의 일부분을 2개씩 그립니다.

2 원의 중심은 같고, 반지름이 모눈 1칸, 2칸, 3칸, 4칸으로 모눈 1칸씩 늘어나는 규칙입니다.

문제 해결력 문제 55쪽

1 ㉡ 2 ㉢

풀이

1 ㉠ 지름이 5 cm인 원, ㉡ 지름이 8 cm인 원, ㉢ 지름이 $5 \times 2 = 10$ (cm)인 원이므로 수진이가 그린 원은 ㉢입니다.
따라서 철민이가 그린 원은 민수가 그린 원보다 작으므로 ㉠이고, 민수가 그린 원은 ㉡입니다.

2 • 민호는 지름이 $3 \times 2 = 6$ (cm)인 원을 그린 것이므로 ㉡입니다.
• 은정이가 그린 원이 가장 작으므로 ㉠입니다.
• 태윤이가 그린 원은 민호가 그린 원보다 크므로 ㉢ 또는 ㉣이고, 지수가 그린 원은 태윤이가 그린 원보다 크므로 ㉣입니다.
따라서 태윤이가 그린 원은 ㉢입니다.

개념+확인 60~61쪽

1 (1) 중심 (2) 반지름

2 (1) 3 cm, 6 cm (2) 4 cm, 8 cm

3 ㉠

4 4 cm

5

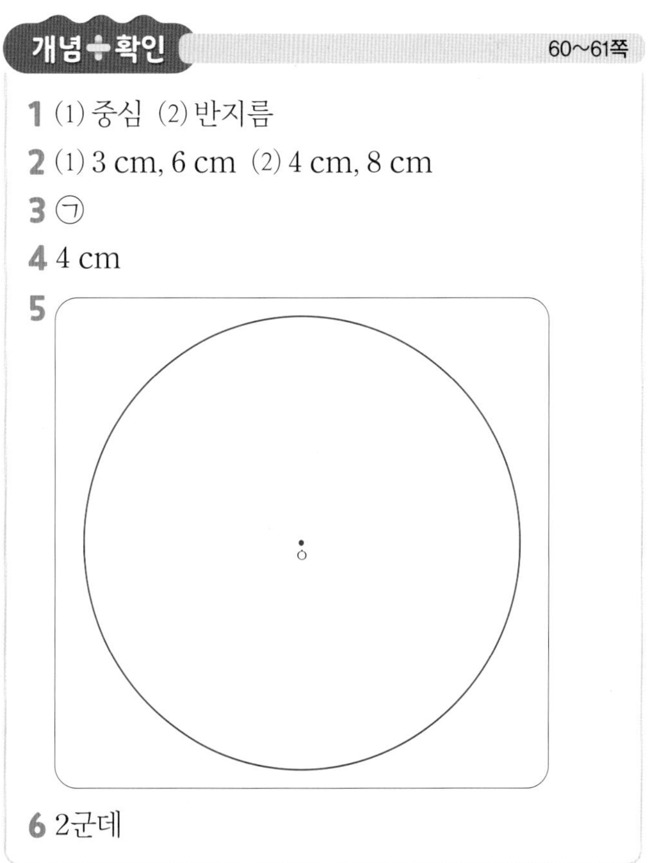

6 2군데

풀이

2 (1) 반지름이 3 cm이므로 지름은 $3\times2=6$ (cm)입니다.

(2) 지름이 8 cm이므로 반지름은 $8\div2=4$ (cm)입니다.

3 ㉠은 지름이 $8\times2=16$ (cm)인 원이고, ㉡은 지름이 10 cm인 원입니다.
따라서 더 큰 원은 지름이 더 긴 ㉠입니다.

4 컴퍼스를 이용하여 원을 그릴 때, 컴퍼스의 침과 연필심 사이의 거리는 원의 반지름과 같습니다.
따라서 그린 원의 반지름은 4 cm입니다.

5 컴퍼스의 침과 연필심 사이를 2 cm만큼 벌린 다음 컴퍼스의 침을 점 ㅇ에 꽂고 원을 그립니다.

6

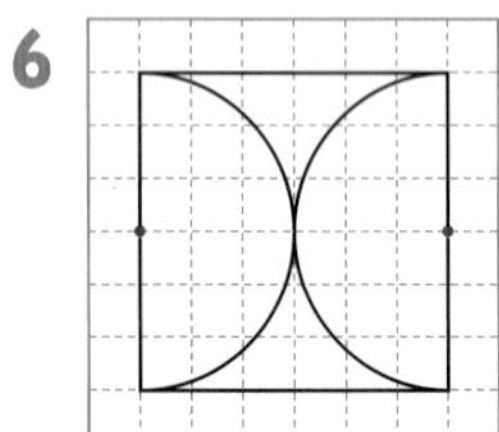

컴퍼스의 침을 꽂아야 할 곳은 모두 2군데입니다.

서술형 문제 해결하기 62~63쪽

1-1 ❶ 3, 5 ❷ 3, 5, 8
/ 8 cm

1-2 예 ❶ 큰 원의 반지름은 6 cm이므로 지름은 $6\times2=12$ (cm)이고, 작은 원의 반지름은 4 cm입니다.
❷ 선분 ㄱㄷ의 길이는 큰 원의 지름의 길이와 작은 원의 반지름의 길이의 합과 같습니다.
따라서 선분 ㄱㄷ의 길이는
$12+4=16$ (cm)입니다.
/ 16 cm

1-3 예 ❶ 큰 원의 반지름이 8 cm이므로 작은 원의 지름은 $20-8=12$ (cm)입니다.
❷ 작은 원의 지름이 12 cm이므로 반지름은 $12\div2=6$ (cm)입니다.
/ 6 cm

1-4 예 ❶ 한 원의 지름은 $2\times2=4$ (cm)입니다.
❷ 선분 ㄱㅂ의 길이는 원 4개의 지름의 길이의 합과 같습니다.
따라서 선분 ㄱㅂ의 길이는
$4+4+4+4=16$ (cm)입니다.
/ 16 cm

2-1 ❶ 예 원의 중심이 왼쪽으로 모눈 한 칸씩 옮겨 가는 규칙입니다.
❷ 예 원의 반지름은 모눈 1칸, 2칸, 3칸으로 한 칸씩 늘어나는 규칙입니다.
❸

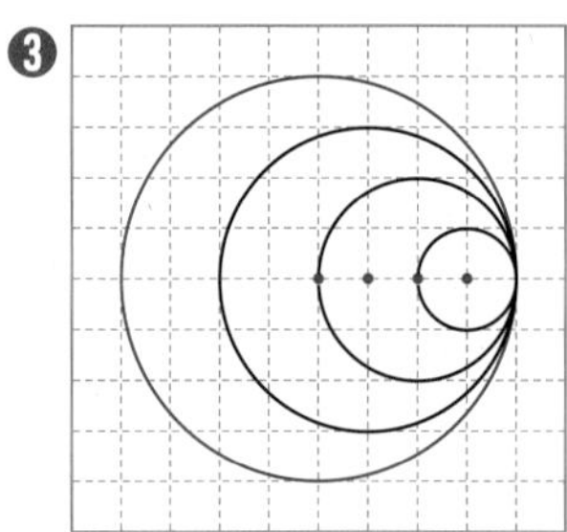

2-2 ❶ 예 원의 중심이 위쪽으로 모눈 2칸씩 올라가는 규칙입니다.
❷ 예 원의 반지름은 모눈 2칸인 원과 모눈 1칸인 원이 반복되어 나타나는 규칙입니다.
❸

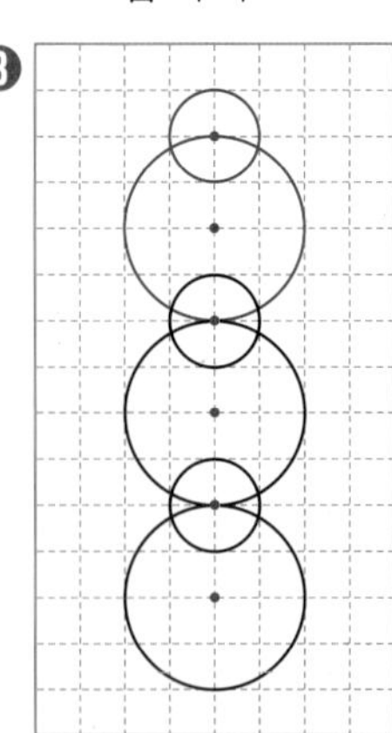

풀이

1-2

채점 기준		
	❶ 두 원의 반지름을 각각 구하기	6점
	❷ 선분 ㄱㄷ의 길이 구하기	6점

1-3

채점 기준		
	❶ 큰 원의 반지름을 이용하여 작은 원의 지름 구하기	8점
	❷ 작은 원의 반지름 구하기	7점

1-4

채점 기준		
	❶ 한 원의 지름 구하기	8점
	❷ 선분 ㄱㅂ의 길이 구하기	7점

2-1

채점 기준		
	❶ '원의 중심'을 넣어 설명하기	9점
	❷ '원의 반지름'을 넣어 설명하기	9점
	❸ 규칙에 따라 원을 1개 더 그리기	7점

2-2

채점 기준		
	❶ '원의 중심'을 넣어 설명하기	9점
	❷ '원의 반지름'을 넣어 설명하기	9점
	❸ 규칙에 따라 원을 2개 더 그리기	7점

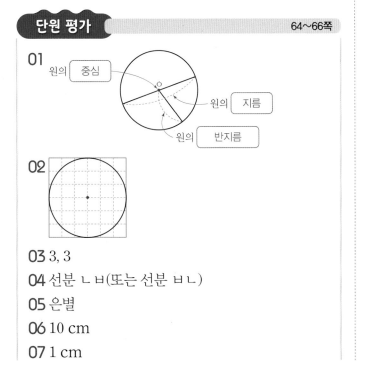

단원 평가

64~66쪽

01 원의 중심, 원의 지름, 원의 반지름

02

03 3, 3

04 선분 ㄴㅂ(또는 선분 ㅂㄴ)

05 은별

06 10 cm

07 1 cm

08 ㉡

09

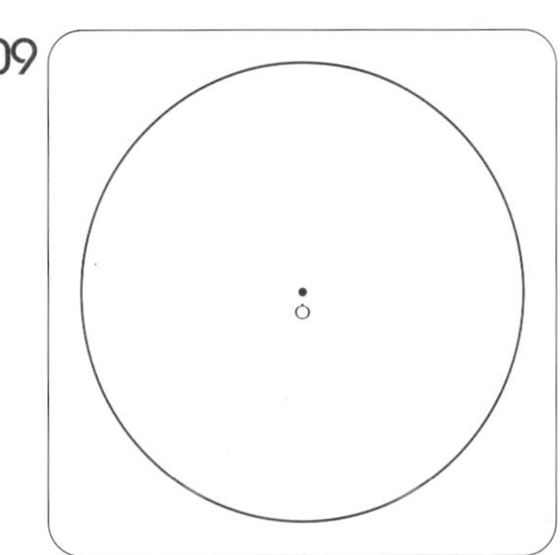

10

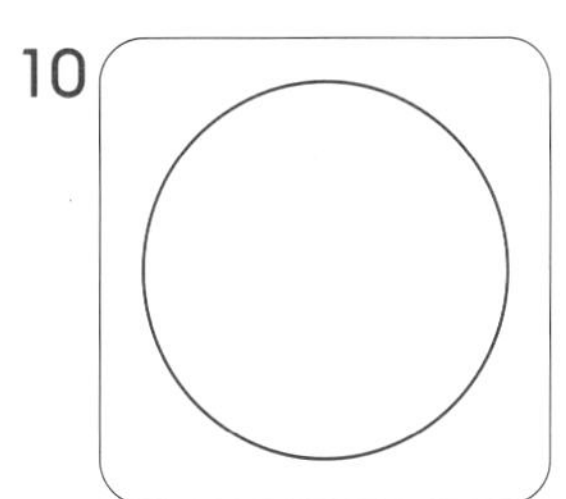

11 15 cm

12

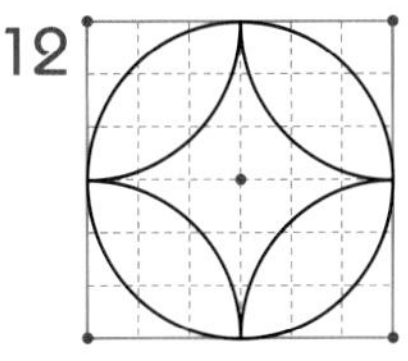

13

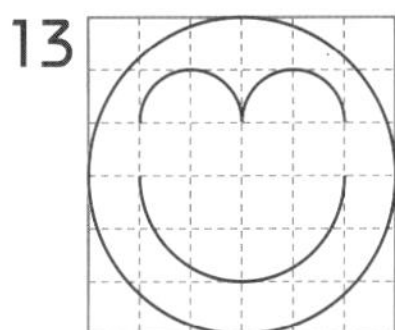

14 ㉡

15 예 ❶ 원의 중심은 움직이지 않고, 반지름이 2 cm씩 늘어나는 규칙입니다.

❷ 다음에 그려야 할 원의 반지름은 $2+2+2+2=8$ (cm)입니다.

/ 8 cm

16

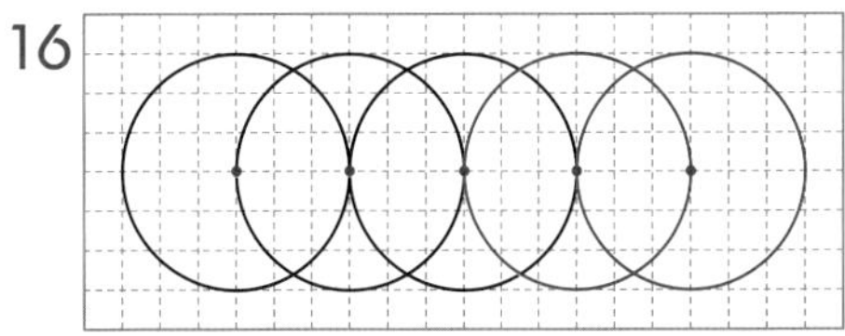

17 예 ❶ 선분 ㅇㄱ과 선분 ㅇㄴ은 원의 반지름이므로 길이가 같습니다.

❷ 원의 반지름을 □cm라고 하면 □+□+20=50이므로 □+□=30, □=15입니다.

따라서 원의 반지름은 15 cm입니다.

/ 15 cm

18 24 cm

19

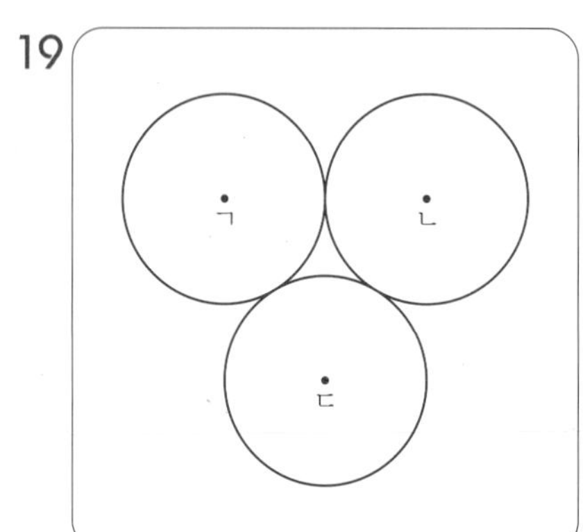

20 예 ❶ 원의 중심이 점 ㄴ인 원의 지름은 16 cm이므로 선분 ㄱㄴ의 길이는 $16 \div 2 = 8$ (cm)입니다.
❷ 원의 중심이 점 ㄷ인 원의 지름은 원의 중심이 점 ㄴ인 원의 반지름과 같으므로 8 cm입니다. 따라서 선분 ㄴㄷ의 길이는 $8 \div 2 = 4$ (cm)입니다.
❸ 선분 ㄱㄷ의 길이는 선분 ㄱㄴ의 길이와 선분 ㄴㄷ의 길이의 합이므로 $8 + 4 = 12$ (cm)입니다.
/ 12 cm

풀이

01
- 원을 그릴 때 누름 못이 꽂혔던 점 ㅇ을 원의 중심이라고 합니다.
- 원의 중심과 원 위의 한 점을 이은 선분을 원의 반지름이라고 합니다.
- 원 위의 두 점을 이은 선분 중 원의 중심을 지나는 선분을 원의 지름이라고 합니다.

02 원의 중심은 원의 가장 안쪽에 있는 점입니다.

03 원의 중심 ㅇ과 원 위의 한 점을 이은 선분의 길이는 모두 같습니다.

04 한 원 위의 두 점을 이은 선분 중 길이가 가장 긴 선분을 찾습니다.

05 한 원에서 원의 중심은 1개뿐입니다.

06 원의 반지름은 원의 중심과 원 위의 한 점을 이은 선분이므로 5 cm입니다.
따라서 원의 지름은 $5 \times 2 = 10$ (cm)입니다.

07 (큰 원의 반지름)$= 6 \div 2 = 3$ (cm)
(작은 원의 반지름)$= 4 \div 2 = 2$ (cm)
→ (두 원의 반지름의 차)$= 3 - 2 = 1$ (cm)

08 컴퍼스를 3 cm만큼 벌린 것을 찾으면 ㉡입니다.

09 반지름이 2 cm이므로 컴퍼스를 2 cm만큼 벌린 후 컴퍼스의 침을 원의 중심에 꽂고 원을 그립니다.

10 원의 반지름만큼 컴퍼스를 벌린 후 컴퍼스의 침을 원의 중심에 꽂고 원을 그립니다.

11 컴퍼스의 침과 연필심 사이의 거리는 원의 반지름입니다. 지름이 30 cm인 원의 반지름은 $30 \div 2 = 15$ (cm)이므로 컴퍼스의 침과 연필심 사이의 거리는 15 cm로 해야 합니다.

12 원이나 원의 일부분을 보고 각각의 원의 중심을 모두 찾습니다.

13 반지름이 모눈 1칸, 2칸, 3칸인 원을 그립니다.

14 ㉠ 지름이 20 cm인 원
㉡ 지름이 $9 \times 2 = 18$ (cm)인 원
㉢ 지름이 22 cm인 원
따라서 가장 작은 원은 지름이 가장 짧은 ㉡입니다.

15

채점 기준		
	❶ 원을 그린 규칙 찾기	3점
	❷ 다음에 그려야 할 원의 반지름 구하기	2점

16 원의 반지름은 변하지 않고, 원의 중심은 오른쪽으로 모눈 3칸씩 이동하는 규칙입니다.

17

채점 기준		
	❶ 선분 ㅇㄱ과 선분 ㅇㄴ이 원의 반지름임을 알기	2점
	❷ 원의 반지름 구하기	3점

18 원의 지름은 $2 \times 2 = 4$ (cm)입니다.
직사각형의 네 변의 길이의 합은 원의 지름의 6배와 같으므로 $4 \times 6 = 24$ (cm)입니다.

19 점 ㄱ과 점 ㄴ, 점 ㄱ과 점 ㄷ, 점 ㄴ과 점 ㄷ을 연결한 선분의 길이는 모두 2 cm이므로 한 원의 반지름은 $2 \div 2 = 1$ (cm)입니다.
따라서 점 ㄱ, 점 ㄴ, 점 ㄷ을 원의 중심으로 하고 반지름이 1 cm인 원 3개를 그리면 됩니다.

20

채점 기준		
	❶ 선분 ㄱㄴ의 길이 구하기	2점
	❷ 선분 ㄴㄷ의 길이 구하기	2점
	❸ 선분 ㄱㄷ의 길이 구하기	1점

3 나눗셈

개념 확인 문제 71쪽

1 21÷3=7, 7봉지
2 (1) 5, 15 (2) 3, 5, 5, 3 (또는 5, 3, 3, 5)

풀이

1 (필요한 봉지의 수)=21÷3=7(봉지)
2 (1) 수박을 3통씩 묶으면 5묶음이 되므로 3×5=15입니다.
(2) 곱셈식을 두 개의 나눗셈식으로 나타낼 수 있습니다.

3×5=15 → 15÷3=5, 15÷5=3

개념 확인 문제 73쪽

1 (1) 40 (2) 30
2 (1) 10 (2) 10
3 20개

풀이

1 (1) 십 모형 8개를 똑같이 2묶음으로 나누면 한 묶음에는 십 모형이 4개이므로 40씩 있습니다.
→ 80÷2=40
(2) 십 모형 6개를 똑같이 2묶음으로 나누면 한 묶음에는 십 모형이 3개이므로 30씩 있습니다.
→ 60÷2=30
2 (1) 7÷7=1 → 70÷7=10
(2) 4÷4=1 → 40÷4=10
3 (한 봉지에 담을 수 있는 사과 수)
=(전체 사과 수)÷(봉지 수)
=60÷3=20(개)

개념 확인 문제 75쪽

1 22, 22
2 (1) 13 (2) 23
3 (○) (   )
4 21명

풀이

1 44÷2=22

```
   2 2
×    2
------
   4 4
```

2 (1)

```
    1 3
2) 2 6
   2
   ---
     6
     6
   ---
     0
```

(2)

```
    2 3
3) 6 9
   6
   ---
     9
     9
   ---
     0
```

3 62÷2=31, 46÷2=23
→ 31>23
4 (전체 달걀 수)=7×6=42(개)
→ (먹을 수 있는 사람 수)=42÷2=21(명)

개념 확인 문제 77쪽

1 13
2 (1) 37 (2) 19
3 13
4 12칸

풀이

1 52개를 똑같이 4묶음으로 나누면 한 묶음에 십 모형 1개, 일 모형 3개이므로 몫은 13입니다.
→ 52÷4=13

2 (1)

```
    3 7
2) 7 4
   6
   ---
   1 4
   1 4
   ---
     0
```

(2)

```
    1 9
3) 5 7
   3
   ---
   2 7
   2 7
   ---
     0
```

3

$$\begin{array}{r} 13 \\ 5\overline{)65} \\ \underline{5} \\ 15 \\ \underline{15} \\ 0 \end{array}$$

4 (필요한 책꽂이 칸 수)

=(전체 책 수)÷(한 칸에 꽂는 책 수)

=96÷8=12(칸)

3

$$\begin{array}{r} 8 \\ 6\overline{)52} \\ \underline{48} \\ 4 \end{array}$$

→ 52÷6=8 ⋯ 4

(확인) 8×6=48, 48+4=52

참고 몫과 나누는 수의 곱에 나머지를 더하여 나누어지는 수가 되면 나눗셈을 바르게 계산한 것입니다.

4 46÷7=6 ⋯ 4, 77÷9=8 ⋯ 5

→ 4<5

개념 확인 문제 79쪽

1 (   )

(○)

(   )

2 (1)

$$\begin{array}{r} 7 \\ 5\overline{)38} \\ \underline{35} \\ 3 \end{array}$$

(2)

$$\begin{array}{r} 6 \\ 9\overline{)56} \\ \underline{54} \\ 2 \end{array}$$

3 8, 4, 8, 4, 52

4 (   )(○)

풀이

1 6×5=30이 34보다 작은 수 중 가장 큰 값이므로 나눗셈의 몫을 구할 때 필요한 곱셈식은 6×5=30입니다.

2 (1)

$$\begin{array}{r} 7 \\ 5\overline{)38} \\ \underline{35} \\ 3 \end{array}$$

(확인) 7×5=35, 35+3=38

(2)

$$\begin{array}{r} 6 \\ 9\overline{)56} \\ \underline{54} \\ 2 \end{array}$$

(확인) 6×9=54, 54+2=56

1 (1)

$$\begin{array}{r} 15 \\ 4\overline{)63} \\ \underline{4} \\ 23 \\ \underline{20} \\ 3 \end{array}$$

(2)

$$\begin{array}{r} 24 \\ 3\overline{)74} \\ \underline{6} \\ 14 \\ \underline{12} \\ 2 \end{array}$$

2 16, 3, 16, 3, 83

3 ㉠

4 12봉지, 3개

풀이

2

$$\begin{array}{r} 16 \\ 5\overline{)83} \\ \underline{5} \\ 33 \\ \underline{30} \\ 3 \end{array}$$

→ 83÷5=16 ⋯ 3

(확인) 16×5=80, 80+3=83

3 ㉠ 53÷3=17 ⋯ 2

㉡ 49÷4=11 ⋯ 5

→ 17>11

4 75÷6=12 ⋯ 3

→ 쿠키는 12봉지가 되고, 3개가 남습니다.

개념 확인 문제 83쪽

1 (1)
```
    1 4 0
4)5 6 0
  4
  1 6
  1 6
      0
```
(2)
```
    1 1 5
5)5 7 7
  5
    7
    5
    2 7
    2 5
      2
```

2 114

3 <

4 173상자, 3개

풀이

2
```
    1 1 4
2)2 2 8
  2
    2
    2
      8
      8
      0
```

3 994÷7=142, 519÷3=173

→ 142<173

4 695÷4=173 ⋯ 3

→ 사탕을 담은 상자는 173상자가 되고, 남는 사탕은 3개입니다.

개념 확인 문제 85쪽

1 ( ) (○)

2 116, 3

3 125, 3, 125, 3, 628

4 ㉠

풀이

1 432÷3에서 백의 자리 수 4에 3이 1번 들어가므로 몫의 백의 자리 수는 1입니다.

651÷2에서 백의 자리 수 6에 2가 3번 들어가므로 몫의 백의 자리 수는 3입니다.

따라서 몫이 300보다 큰 나눗셈은 651÷2입니다.

2
```
    1 1 6
4)4 6 7
  4
    6
    4
    2 7
    2 4
      3
```

3 몫과 나누는 수의 곱에 나머지를 더하면 나누어지는 수와 같습니다.

4 ㉠ 375÷2=187 ⋯ 1

㉡ 809÷5=161 ⋯ 4

→ 187>161

개념 확인 문제 87쪽

1 (1)
```
      8 6
5)4 3 3
  4 0
    3 3
    3 0
      3
```
(2)
```
      1 7
7)1 2 1
    7
    5 1
    4 9
      2
```

2 (○) ( )

3
```
      8 9
4)3 5 9
  3 2
    3 9
    3 6
      3
```

4 26쪽

풀이

2
```
    ■ ■ ← 몫:
8)1 2 7  두 자리 수
```
```
    ■ ■ ■ ← 몫:
2)2 4 9  세 자리 수
```

3 백의 자리에서 나눌 수 없으므로 35÷4의 몫을 십의 자리에 써야 합니다.

4 일주일은 7일입니다.

→ (하루에 읽는 쪽수)=182÷7=26(쪽)

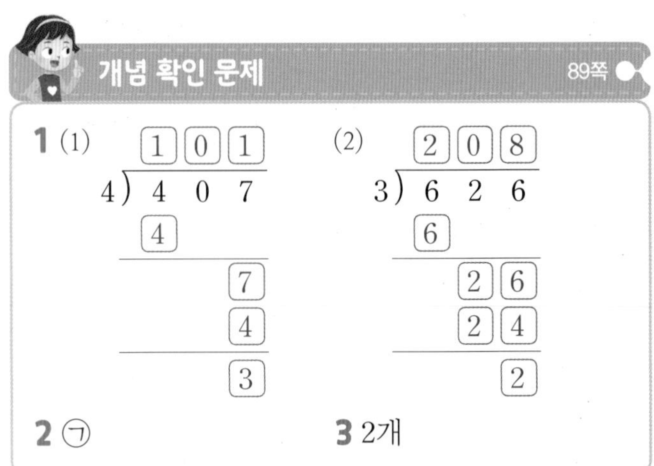

개념 확인 문제 89쪽

1 (1)
```
      1 0 1
4 ) 4 0 7
    4
    -----
        7
        4
    -----
        3
```
(2)
```
      2 0 8
3 ) 6 2 6
    6
    -----
      2 6
      2 4
    -----
        2
```

2 ㉠ 3 2개

풀이

2 ㉠ $925 \div 3 = 308 \cdots 1$
㉡ $614 \div 2 = 307$
→ $308 > 307$

3 $650 \div 6 = 108 \cdots 2$
한 봉지에 6개씩 108봉지에 포장하고 남는 사과는 2개입니다.

문제 해결력 문제 91쪽

1 (1) 9, 18, 27, 36, 45
(2) 12, 21, 30, 39, 48
(3)

올해 나이(살)	12	21	30	39	48
내년 나이(살)	13	22	31	40	49
내년 나이를 8로 나누었을 때의 나머지	5	6	7	0	1

(4) 39살

풀이

1 (1) 9의 단 곱셈구구의 곱을 가장 작은 수부터 5개 씁니다.
(2) (1)에서 구한 수에 3씩 더한 수를 5개 씁니다.
(4) 이모의 내년 나이를 8로 나누었을 때 나누어떨어지는 경우는 40살이므로 올해 나이는 39살입니다.

개념+확인 96~97쪽

1 3, 30

2 (1)
```
      1 1
7 ) 7 7
    7
    ---
      7
      7
    ---
      0
```
(2)
```
      1 7
5 ) 8 5
    5
    ---
    3 5
    3 5
    ---
      0
```

3 >

4 4, 6, 5에 ○표

5 (1)
```
      2 5
2 ) 5 1
    4
    ---
    1 1
    1 0
    ---
      1
```
(2)
```
      1 2 9
6 ) 7 7 4
    6
    -----
    1 7
    1 2
    -----
      5 4
      5 4
    -----
        0
```

6
```
      1 3 6
2 ) 2 7 3
    2
    -----
      7
      6
    -----
      1 3
      1 2
    -----
        1
```

7 105, 3, 105, 3, 843

8 44개, 7개

풀이

1 나누는 수가 같고 나누어지는 수가 10배가 되면 몫도 10배가 됩니다.

3 $84 \div 3 = 28$, $56 \div 4 = 14$
→ $28 > 14$

4 나머지는 나누는 수보다 작아야 하므로 9로 나누었을 때 나머지가 될 수 있는 0, 1, 2, 3, 4, 5, 6, 7, 8입니다.

6 십의 자리를 계산하고 남은 수를 내림하지 않았습니다.

7 몫과 나누는 수의 곱에 나머지를 더하면 나누어지는 수가 됩니다.

8 $359\div8=44\cdots7$
만들 수 있는 팔찌는 44개이고, 남는 구슬은 7개입니다.

서술형 문제 해결하기 98~99쪽

1-1 ❶ 8, 5 ❷ 8, 5
/ 5개

1-2 예 ❶ 남는 리본의 길이를 구하는 나눗셈식은 $208\div5=41\cdots3$입니다.
❷ 리본 208 m를 5조각으로 똑같이 나누면 한 조각의 길이는 41 m이고, 남는 리본은 3 m입니다.
/ 3 m

1-3 예 ❶ $125\div4=31\cdots1$
4봉지에 나누어 담으면 한 봉지에 31개씩 담고, 남는 구슬은 1개입니다.
❷ 남는 구슬 1개도 봉지에 담아야 하므로 구슬은 적어도 $31-1=30$(개) 더 있어야 합니다.
/ 30개

1-4 예 ❶ 유정이가 읽은 책은 모두 $22\times6=132$(쪽)입니다.
❷ $132\div8=16\cdots4$이므로 132쪽인 동화책을 하루에 8쪽씩 매일 읽으면 모두 읽는데 적어도 $16+1=17$(일)이 걸립니다.
/ 17일

2-1 ❶ 14, 3 ❷ 14, 84, 84, 3, 87, 87
/ 87

2-2 예 ❶ 어떤 수를 □라고 하면 잘못 계산한 식은 $□\div5=31\cdots1$입니다.
❷ □는 $31\times5=155$, $155+1=156$이므로 어떤 수는 156입니다.
/ 156

2-3 예 ❶ 어떤 수를 □라고 하면 잘못 계산한 식은 $□\times7=91$입니다.
$□=91\div7=13$이므로 어떤 수는 13입니다.
❷ 바르게 계산하면 $13\div7=1\cdots6$입니다. 따라서 몫은 1이고, 나머지는 6입니다.
/ 1, 6

2-4 예 ❶ ★에 들어갈 수 있는 자연수는 0, 1, 2, 3입니다.
❷ ♥ 안에 들어갈 수 있는 가장 큰 수는 ★=3일 때입니다. ♥ 안에 들어갈 수 있는 가장 큰 자연수는 $11\times4=44$, $44+3=47$입니다.
/ 47

풀이

1-1

채점 기준		
채점 기준	❶ 남는 사과 수를 구하는 나눗셈식 세우기	4점
	❷ 8봉지에 담고 남는 사과 수 구하기	4점

1-2

채점 기준		
채점 기준	❶ 남는 리본의 길이를 구하는 나눗셈식 세우기	6점
	❷ 5조각으로 나누고 남는 리본의 길이 구하기	6점

1-3

채점 기준		
채점 기준	❶ 나눗셈식 세우기	8점
	❷ 적어도 더 필요한 구슬 수 구하기	7점

1-4

채점 기준		
채점 기준	❶ 동화책의 전체 쪽수 구하기	8점
	❷ 동화책을 하루에 8쪽씩 매일 읽으면 모두 읽는데 적어도 며칠이 걸리는지 구하기	7점

2-1

채점 기준		
채점 기준	❶ 잘못 계산한 식 세우기	4점
	❷ 어떤 수 구하기	4점

2-2

채점 기준		
채점 기준	❶ 잘못 계산한 식 세우기	6점
	❷ 어떤 수 구하기	6점

2-3

채점 기준		
채점 기준	❶ 어떤 수 구하기	8점
	❷ 바르게 계산한 몫과 나머지 구하기	7점

2-4

채점 기준		
채점 기준	❶ ★에 들어갈 수 있는 수 구하기	7점
	❷ ♥ 안에 들어갈 수 있는 가장 큰 자연수 구하기	8점

단원 평가 100~102쪽

01 30

02
$$\begin{array}{r} 12 \\ 4\overline{)48} \\ \underline{4} \\ 8 \\ \underline{8} \\ 0 \end{array}$$

03 13

04 136, 3, 136, 272, 272, 3

05 20

06 (　)(　)(○)

07 5

08
$$\begin{array}{r} 9 \\ 6\overline{)56} \\ \underline{54} \\ 2 \end{array}$$

09 7

10 14상자, 1개

11 13개

12 ㉡

13 365

14 예 ❶ 가장 작은 세 자리 수는 346이고 남는 수는 8입니다.
❷ 346÷8=43 ⋯ 2이므로 몫은 43이고, 나머지는 2입니다.
/ 43, 2

15 16개, 3개

16 51

17 예 ❶ (전체 책의 쪽수)=17×9=153(쪽)
❷ 153÷5=30 ⋯ 3이므로 모두 읽으려면 적어도 30+1=31(일)이 걸립니다.
/ 31일

18 18 cm

19 56

20 예 ❶ 어떤 수를 □라고 하면
□÷5=14 ⋯ 4입니다. 14×5=70, 70+4=74이므로 어떤 수는 74입니다.
❷ 바르게 계산하면 74×5=370입니다.
/ 370

풀이

01 십 모형 9개를 3묶음으로 묶으면 한 묶음에 십 모형이 3개씩입니다. → 90÷3=30

03 91>7 → 91÷7=13

04 몫과 나누는 수의 곱에 나머지를 더하면 나누어지는 수가 됩니다.

05 8÷4=2 → 80÷4=20

06 63÷3=21, 46÷2=23, 93÷3=31
→ 31>23>21

07 50÷2=25, 5×□=25 → □=25÷5=5

08 나머지는 나누는 수보다 작아야 하므로 몫을 1 크게 해야 합니다.

09 나머지는 나누는 수보다 작아야 하므로 8보다 작은 수 중 가장 큰 수는 7입니다.

11 62÷5=12 ⋯ 2
쿠키는 5개씩 12봉지가 되고, 남는 2개의 쿠키도 봉지에 담아야 하므로 필요한 봉지는 적어도 12+1=13(개)입니다.

13 (어떤 수)÷3=121 ⋯ 2
→ 121×3=363, 363+2=365이므로 어떤 수는 365입니다.

14

채점 기준		
	❶ 가장 작은 세 자리 수와 남는 수 구하기	2점
	❷ ❶에서 만든 수의 나눗셈식의 몫과 나머지 구하기	3점

15 (전체 공의 수)=63+52=115(개)
115÷7=16 ⋯ 3이므로 한 모둠에 16개씩 나누어 줄 수 있고, 3개가 남습니다.

16 612÷6=102 → ▦=102,
▦÷2=♥ → 102÷2=51, ♥=51

17

채점 기준		
	❶ 전체 책의 쪽수 구하기	2점
	❷ 책을 하루에 5쪽씩 매일 읽으면 모두 읽는데 적어도 며칠이 걸리는지 구하기	3점

18 (끈의 길이)=24×3=72 (cm)
→ (사각형의 한 변의 길이)=72÷4=18 (cm)

19 40보다 크고 80보다 작은 수 중에서 7로 나누었을 때 나누어떨어지는 수는 42, 49, 56, 63, 70, 77입니다. 이 중 5로 나누었을 때 나머지가 1인 수를 찾습니다.
42÷5=8 ⋯ 2, 49÷5=9 ⋯ 4, 56÷5=11 ⋯ 1,
63÷5=12 ⋯ 3, 70÷5=14, 77÷5=15 ⋯ 2

20

채점 기준		
	❶ 어떤 수 구하기	2점
	❷ 바르게 계산한 값 구하기	3점

4 들이와 무게

개념 확인 문제 107쪽

1 (1) 야구공, 볼링공 (2) 볼링공, 야구공
2 ( ) (○)

풀이

1 (1) 손으로 들어 보았을 때 야구공은 볼링공보다 더 가볍습니다.
(2) 손으로 들어 보았을 때 볼링공은 야구공보다 더 무겁습니다.

2 물이 담긴 그릇의 모양과 크기가 같으므로 주어진 왼쪽 그릇의 물의 높이보다 더 높은 것을 찾습니다.

개념 확인 문제 109쪽

1 물통
2 주전자, 물통, 3

풀이

1 물통의 물을 옮겨 담은 그릇의 물의 높이가 더 높으므로 물통의 들이가 더 많습니다.

2 주전자: 컵 8개, 물병: 컵 5개
→ 주전자가 물병보다 컵 $8-5=3$(개)만큼 물이 더 들어갑니다.

참고 물을 가득 채운 후 모양과 크기가 같은 컵(또는 작은 그릇)에 물을 따라 담았을 때 컵(또는 작은 그릇)의 수가 많을수록 들이가 많습니다.

개념 확인 문제 111쪽

1 8 리터 300 밀리리터
2 200 mL
3 (1) 4, 170 (2) 5060
4 (1) = (2) >

풀이

1 L는 리터, mL는 밀리리터라고 읽습니다.

2 확대한 그림의 물이 채워진 곳의 눈금을 읽으면 200 mL입니다.

3 (1) 4170 mL=4000 mL+170 mL
=4 L+170 mL
=4 L 170 mL
(2) 5 L 60 mL=5 L+60 mL
=5000 mL+60 mL
=5060 mL

4 (1) 1000 mL=1 L → 4000 mL=4 L
(2) 2300 mL=2000 mL+300 mL
=2 L+300 mL
=2 L 300 mL
→ 2 L 300 mL>1 L 900 mL
(2>1)

참고 • 단위가 있는 들이 비교하기

단위를 통일하기
L, mL로 나타내기 → L, mL 순으로 비교
mL로 나타내기 → 수의 크기를 비교

예 1500 mL와 2 L 400 mL의 크기 비교
(방법 1) 1500 mL=1 L 500 mL
→ 1 L 500 mL ⓒ< 2 L 400 mL
(1<2)
(방법 2) 2 L 400 mL=2400 mL
→ 1500 mL ⓒ< 2400 mL
(1500<2400)

개념 확인 문제 113쪽

1 ( ) (○)
2 mL에 ○표
3 2 L

풀이

1 100 mL 단위는 적은 들이를 잴 때 알맞고, 1 L 단위는 많은 들이를 잴 때 알맞습니다.

2 주사기의 들이를 어림하여 재려면 mL 단위가 알맞습니다.

3 1 L 들이 비커의 반은 약 500 mL입니다. 냄비의 들이는 비커가 500 mL씩 4개이므로 약 2 L입니다.

개념 확인 문제 115쪽

1 7, 600
2 5, 400
3 8 L 300 mL
4 1 L 200 mL

풀이

3 5 L 600 mL+2 L 700 mL
=7 L+1300 mL
=8 L 300 mL

4 (남은 주스의 양)
=(처음에 있던 주스의 양)−(마신 주스의 양)
=1 L 800 mL−600 mL
=1 L 200 mL

개념 확인 문제 117쪽

1 무겁습니다 에 ○표
2 지우개, 주사위, 3

풀이

1 바둑돌의 개수가 8>6이므로 풀이 자보다 바둑돌 8−6=2(개)만큼 더 무겁습니다.

2 지우개가 주사위보다 동전 6−3=3(개)만큼 더 무겁습니다.

개념 확인 문제 119쪽

1 1900, 1, 900
2 (1) 4, 700 (2) 3560
3 (1) > (2) <

풀이

1 1900 g=1000 g+900 g
=1 kg+900 g
=1 kg 900 g

2 (1) 4700 g=4000 g+700 g
=4 kg+700 g
=4 kg 700 g

(2) 3 kg 560 g=3 kg+560 g
=3000 g+560 g
=3560 g

3 (1) 5400 g=5000 g +400 g
=5 kg+400 g=5 kg 400 g
→ 5 kg 400 g>5 kg 40 g
400>40

(2) 8 kg 200 g=8 kg+200 g
=8000 g+200 g
=8200 g
→ 8200 g<9100 g
8200<9100

참고 • 단위가 있는 무게 비교하기

단위를 통일하기
kg, g로 나타내기 → kg, g 순으로 비교
g으로 나타내기 → 수의 크기를 비교

예 1700 g과 1 kg 300 g의 크기 비교

(방법 1) 1700 g=1 kg 700 g
→ 1 kg 700 g ⓑ> 1 kg 300 g
700>300

(방법 2) 1 kg 300 g=1300 g
→ 1700 g > 1300 g
1700>1300

개념 확인 문제 121쪽

1 3톤
2 (1) 4 (2) 8000
3 ㉡
4 5000 kg

풀이

2 (1) 1000 kg=1 t이므로 4000 kg=4 t입니다.
(2) 1 t=1000 kg이므로 8 t=8000 kg입니다.
3 ㉠ 6 t=6000 kg → 6000 kg<6200 kg
4 1 t=1000 kg이므로 약 5 t=약 5000 kg입니다.

개념 확인 문제 123쪽

1 (1) (　　)(○) (2) (○)(　　)
2 (1) g (2) t
3 (○)(　　)(　　)

풀이

1 (1) 토마토의 무게를 어림하여 재려면 100 g 단위를 사용하는 것이 편리합니다.
(2) 의자의 무게를 어림하여 재려면 1 kg 단위를 사용하는 것이 편리합니다.
2 (1) 축구공의 무게는 약 420 g입니다.
(2) 범고래의 무게는 약 8 t입니다.
3 1 t보다 무게가 무거운 것은 유조선입니다.

개념 확인 문제 125쪽

1 3, 800
2 2, 500
3 3 kg 400 g
4 1 kg 950 g

풀이

3 4700 g=4 kg 700 g
→ (두 무게의 차)
=4 kg 700 g−1 kg 300 g
=3 kg 400 g
4 (동생의 구슬 주머니의 무게)
=(지후의 구슬 주머니의 무게)+500 g
=1 kg 450 g+500 g
=1 kg 950 g

문제 해결력 문제 127쪽

1 예 ① 3 L들이 그릇에 물을 가득 채워 5 L들이 그릇에 옮겨 담습니다.
② 3 L들이 그릇에 물을 가득 채워 5 L들이 그릇에 물이 가득 채워질 때까지 부으면 3 L들이 그릇에 남은 물은 1 L입니다.
2 예 ① 3 L들이 그릇에 물을 가득 채워 7 L들이 그릇에 두 번 옮겨 담으면 7 L들이 그릇에 1 L의 물을 담을 빈 공간이 있습니다.
② 3 L들이 그릇에 물을 가득 채워 7 L들이 그릇에 가득 채워질 때까지 부으면 3 L들이 그릇에 2 L의 물이 남습니다.

풀이

1 〈계획 세우기〉
- 3 L들이 그릇에 물 1 L를 담기 위해 물 2 L를 버리는 방법을 생각해야 합니다.
- 5 L들이 그릇에 물 3 L를 담는다면 5 L들이 그릇에 물 2 L를 더 담을 수 있습니다.
- 3 L+3 L=6 L이므로 3 L들이 그릇과 5 L들이 그릇을 이용하여 5 L들이 그릇에 물을 가득 담으면 문제를 해결할 수 있습니다.

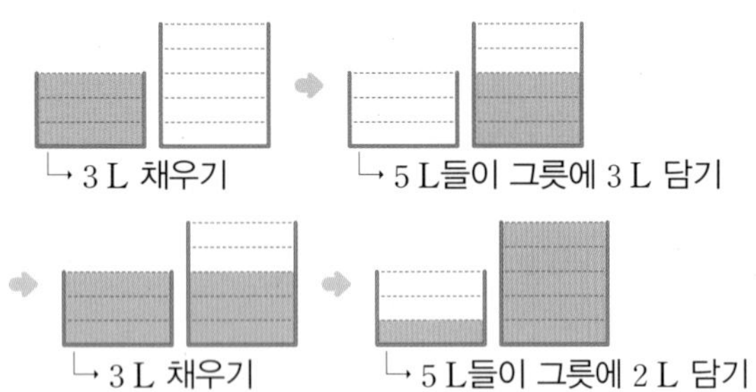

2 〈계획 세우기〉

- 3 L들이 그릇에 물 2 L를 담기 위해 물 1 L를 버리는 방법을 생각해야 합니다.
- 7 L들이 그릇에 물 6 L를 담는다면 물 1 L를 더 담을 공간이 생깁니다.
- 3 L들이 그릇과 7 L들이 그릇을 이용하여 7 L들이 그릇에 물을 가득 담으면 문제를 해결할 수 있습니다.

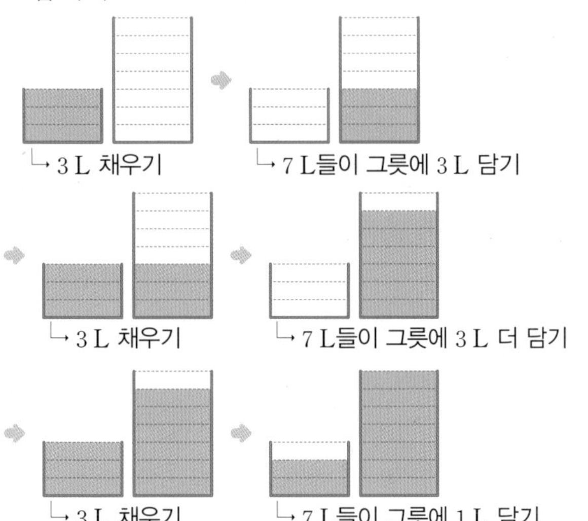

개념 확인 132~133쪽

1 ㉮ **2** (1) 4000 (2) 2, 350
3 (1) L (2) mL
4 (1) 3 L 600 mL (2) 2 L 350 mL
5 필통, 수첩, 5 **6** (1) 3500 (2) 7
7 < **8** 8 kg 550 g

풀이

1 그릇에 담긴 물의 높이가 낮을수록 들이가 적습니다.
2 (1) 1 L=1000 mL → 4 L=4000 mL
(2) 2350 mL=2000 mL+350 mL
=2 L+350 mL
=2 L 350 mL
3 (1) 냄비의 들이는 L 단위가 알맞습니다.
(2) 요구르트의 들이는 mL 단위가 알맞습니다.
4 (1)

	1 L	200 mL
+	2 L	400 mL
	3 L	600 mL

(2)

	3 L	700 mL
−	1 L	350 mL
	2 L	350 mL

5 필통이 수첩보다 구슬 14−9=5(개)만큼 더 무겁습니다.
6 (1) 3 kg 500 g=3000 g+500 g=3500 g
(2) 1000 kg=1 t → 7000 kg=7 t
7 5010 g=5 kg 10 g
→ 5 kg 10 g<5 kg 600 g
8 3 kg 400 g+5 kg 150 g=8 kg 550 g

서술형 문제 해결하기 134~135쪽

1-1 ❶ 2, 800 ❷ 5, 100
/ 5 L 100 mL

1-2 예 ❶ 도현이가 담은 물은
1 L 400 mL+500 mL
=1 L 900 mL입니다.
❷ 석현이와 도현이가 받은 물은 모두
1 L 400 mL+1 L 900 mL
=3 L 300 mL입니다.
/ 3 L 300 mL

1-3 예 ❶ 2분 동안 받은 물의 양은
1+1=2 (L)입니다.
❷ 따라서 수조를 가득 채우려면 물을
4 L 500 mL−2 L=2 L 500 mL
더 받아야 합니다.
/ 2 L 500 mL

1-4 예 ❶ 진아네 가족이 이틀 동안 마신 우유의 양은 1 L 200 mL+800 mL=2 L입니다. 수빈이네 가족이 이틀 동안 마신 우유의 양은
900 mL+1 L 150 mL
=2 L 50 mL입니다.
❷ 따라서 수빈이네 가족이
2 L 50 mL−2 L=50 mL 더 많이 마셨습니다.
/ 수빈이네 가족, 50 mL

2-1 ❶ 2, 400, 5, 300, 2, 400
❷ 5, 300, 2, 400, 7, 700
/ 7 kg 700 g

2-2 예 ❶ 2060 g=2 kg 60 g입니다.
가장 무거운 무게는 3 kg 200 g이고, 가장 가벼운 무게는 1 kg 900 g입니다.
❷ ❶에서 구한 두 무게의 차는
3 kg 200 g−1 kg 900 g
=1 kg 300 g입니다.
/ 1 kg 300 g

2-3 예 ❶ 가방의 무게는
34 kg−32 kg 750 g=1 kg 250 g입니다.
❷ 가방에 600 g의 책을 넣으면 무게는
1 kg 250 g+600 g=1 kg 850 g입니다.
/ 1 kg 850 g

2-4 예 ❶ 사과 2개의 무게는
400+400=800 (g)입니다.
❷ (배 1개의 무게)
=(사과 2개의 무게)−(귤 1개의 무게)
=800−150=650 (g)입니다.
/ 650 g

풀이

1-1

채점 기준		
	❶ 이번 달에 사용한 식용유의 양 구하기	4점
	❷ 지난달과 이번 달에 사용한 식용유의 양 구하기	4점

1-2

채점 기준		
	❶ 도현이가 담은 물의 양 구하기	6점
	❷ 석현이와 도현이가 담은 물의 양 구하기	6점

1-3

채점 기준		
	❶ 2분 동안 받은 물의 양 구하기	7점
	❷ 더 받아야 하는 물의 양 구하기	8점

1-4

채점 기준		
	❶ 두 가족이 이틀 동안 마신 우유의 양 각각 구하기	8점
	❷ 어느 가족이 얼마나 더 많이 마셨는지 구하기	7점

2-1

채점 기준		
	❶ 가장 무거운 무게와 가장 가벼운 무게 구하기	4점
	❷ ❶에서 구한 두 무게의 합 구하기	4점

2-2

채점 기준		
	❶ 가장 무거운 무게와 가장 가벼운 무게 구하기	6점
	❷ ❶에서 구한 두 무게의 차 구하기	6점

2-3

채점 기준		
	❶ 가방의 무게 구하기	8점
	❷ 가방에 책을 넣고 잰 무게 구하기	7점

2-4

채점 기준		
	❶ 사과 2개의 무게 구하기	7점
	❷ 배 1개의 무게 구하기	8점

단원 평가

136~138쪽

01 물통
02 배
03 2 리터 500 밀리리터
04 2, 300
05 (1) 4, 700 (2) 5030
06 (1) = (2) <
07 (○) (   )
08 1 L 250 mL
09 8 L, 2 L 800 mL
10 2 L 200 mL
11
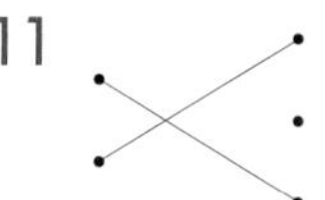
12 ㉡
13 (1) g (2) t

14 이유 예 ❶ 잘못 말한 친구는 진우입니다.
고치기 ❷ 달걀 한 개의 무게는 약 6 g입니다.

15 (1) 3 kg 700 g (2) 2 kg 50 g

16 예 ❶ (오후에 마셔야 하는 물의 양)
=(마시려는 물의 양)
−(오전에 마신 물의 양)
=2 L−800 mL
❷ 서진이가 오늘 오후에 마셔야 하는 물의 양은
2 L−800 mL=1 L 200 mL입니다.
/ 1 L 200 mL

17 4 kg 300 g

18 1 L 200 mL

19 민지

20 예 ❶ 형의 몸무게는
33 kg 200 g+3 kg 400 g
=36 kg 600 g입니다.
❷ 도현이와 형의 몸무게의 합은
33 kg 200 g+36 kg 600 g
=69 kg 800 g입니다.
/ 69 kg 800 g

풀이

01 수조에 물이 흘러넘쳤으므로 물통의 들이가 수조의 들이보다 더 많습니다.

02 배가 토마토보다 바둑돌 15−10=5(개)만큼 더 무겁습니다.

03 L는 리터로, mL는 밀리리터로 읽습니다.

04 작은 눈금 한 칸은 100 g입니다.

05 (1) 4700 mL=4000 mL+700 mL
=4 L 700 mL
(2) 5 L 30 mL=5000 mL+30 mL
=5030 mL

06 (1) 1 L 850 mL=1000 mL+850 mL
=1850 mL
(2) 3 L 70 mL=3000 mL+70 mL
=3070 mL
→ 3070 mL<3720 mL

07 냄비를 어림하여 잴 때는 L 단위로 재는 것이 더 편리합니다.

08 주전자에 가득 채운 물을 들이가 500 mL인 컵에 옮겨 담았더니 컵 2개가 가득 차고 컵 한 개의 반 정도 찼습니다. 따라서 냄비의 들이는 약 1 L 250 mL입니다.

09 합: 2 L 600 mL+5 L 400 mL=8 L
차: 5 L 400 mL−2 L 600 mL=2 L 800 mL

10 (처음 통에 들어 있던 우유의 양)
=(마신 우유의 양)+(남은 우유의 양)
=1 L 400 mL+800 mL=2 L 200 mL

11 4 킬로그램 600 그램 → 4 kg 600 g
4 킬로그램 60 그램 → 4 kg 60 g

12 ㉢ 1030 g=1000 g+30 g=1 kg 30 g
→ 13 kg>1 kg 300 g>1 kg 30 g

13 (1) 골프공의 무게는 g으로 재는 것이 알맞습니다.
(2) 코끼리의 무게는 t으로 재는 것이 알맞습니다.

14 채점 기준

채점 기준	❶ 잘못 말한 친구 찾기	3점
	❷ 바르게 고치기	2점

16 채점 기준

채점 기준	❶ 오후에 마셔야 하는 물의 양을 구하는 식 세우기	3점
	❷ 오후에 마셔야 하는 물의 양 구하기	2점

17 ㉢ 3020 g=3000 g+20 g=3 kg 20 g
2 kg 400 g<3 kg 20 g<6 kg 700 g이므로 가장 무거운 무게는 6 kg 700 g이고 가장 가벼운 무게는 2 kg 400 g입니다.
→ 6 kg 700 g−2 kg 400 g=4 kg 300 g

18 (마신 오렌지 주스의 양)
=600 mL+700 mL=1300 mL
=1 L 300 mL
→ (남은 오렌지 주스의 양)
=2 L 500 mL−1 L 300 mL
=1 L 200 mL

19 3 kg과 어림한 들이의 차를 구합니다.
→ 서영: 500 g, 규빈: 100 g, 민지: 30 g
3 kg에 가장 가깝게 어림한 사람은 민지입니다.

20 채점 기준

채점 기준	❶ 형의 몸무게 구하기	3점
	❷ 도현이와 형의 몸무게의 합 구하기	2점

5 분수

개념 확인 문제 143쪽

1 (1) $\frac{5}{6}$ (2) $\frac{4}{5}$
2 3조각
3 (1) < (2) >
4 <

풀이

1 (1) 색칠한 부분은 똑같이 6으로 나눈 것 중의 5이므로 $\frac{5}{6}$입니다.
(2) 색칠한 부분은 똑같이 5로 나눈 것 중의 4이므로 $\frac{4}{5}$입니다.

2 전체의 $\frac{1}{2}$은 전체를 똑같이 2로 나눈 것 중의 1이므로 6조각으로 나누어진 애플파이를 똑같이 2로 나눈 것 중의 1만큼은 3조각입니다.

3 (1) $2<5$이므로 $\frac{2}{6}<\frac{5}{6}$입니다.
(2) $5>3$이므로 $\frac{5}{8}>\frac{3}{8}$입니다.

4 $6>4$이므로 $\frac{1}{6}<\frac{1}{4}$입니다.
참고 단위분수는 분모가 작을수록 더 큽니다.

개념 확인 문제 145쪽

1 (1)
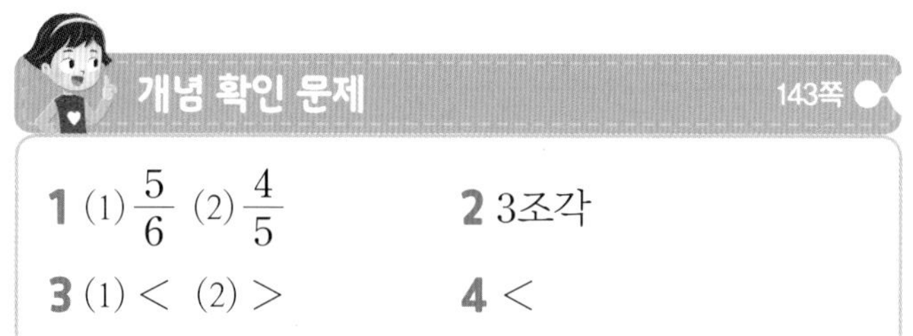
(2) $\frac{1}{3}$
2 3
3 $\frac{3}{5}$

풀이

1 (1) 6개를 똑같이 3묶음으로 나누어 묶어 보면 1묶음은 2개입니다.
(2) 2개는 6개를 똑같이 3묶음으로 나눈 것 중의 1묶음이므로 전체의 $\frac{1}{3}$입니다.

2 색칠한 부분은 전체를 똑같이 나눈 3묶음 중에서 1묶음이므로 전체의 $\frac{1}{3}$입니다.

3 색칠한 하트는 전체를 똑같이 나눈 5묶음 중에서 3묶음이므로 전체의 $\frac{3}{5}$입니다.

개념 확인 문제 147쪽

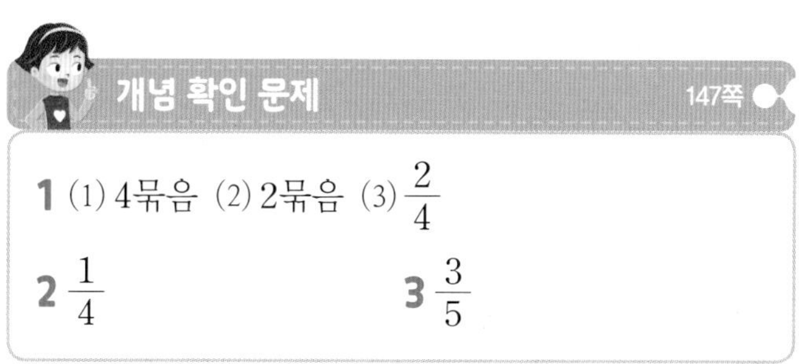
1 (1) 4묶음 (2) 2묶음 (3) $\frac{2}{4}$
2 $\frac{1}{4}$
3 $\frac{3}{5}$

풀이

1 12를 3씩 묶으면 4묶음이고, 6은 2묶음이므로 6은 12의 $\frac{2}{4}$입니다.

2 20을 5씩 묶으면 4묶음이 됩니다.
5는 1묶음이므로 5는 20의 $\frac{1}{4}$입니다.

3 토마토 20개를 4개씩 묶으면 5묶음이 됩니다.
12개는 3묶음이므로 12는 20의 $\frac{3}{5}$입니다.

개념 확인 문제 149쪽

1 (1)
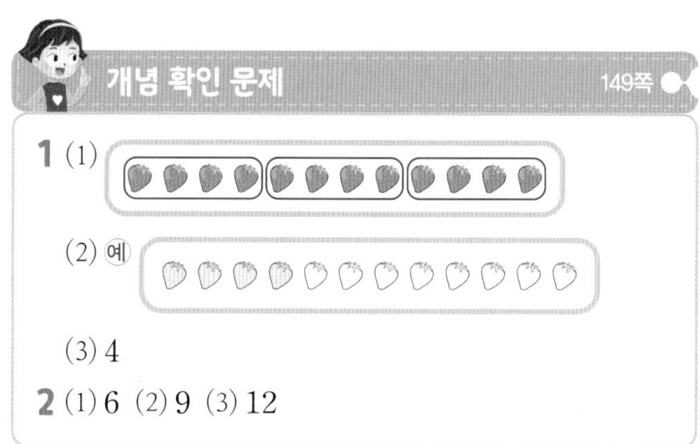
(2) 예
(3) 4
2 (1) 6 (2) 9 (3) 12

풀이

1 (3) 12의 $\frac{1}{3}$은 4입니다.

정답 및 풀이

2 (1) 15의 $\frac{2}{5}$는 15를 똑같이 5묶음으로 나눈 것 중의 2묶음입니다.

→ 15의 $\frac{2}{5}$는 6입니다.

(2) 15의 $\frac{3}{5}$은 15를 똑같이 5묶음으로 나눈 것 중의 3묶음입니다.

→ 15의 $\frac{3}{5}$은 9입니다.

(3) 15의 $\frac{4}{5}$는 15를 똑같이 5묶음으로 나눈 것 중의 4묶음입니다.

→ 15의 $\frac{4}{5}$는 12입니다.

개념 확인 문제 151쪽

1 (1) 3 (2) 6 (3) 9 (4) 12
2 (1) 20 (2) 40
3 10 cm

풀이

1 (1) 15 cm의 $\frac{1}{5}$은 전체 15 cm를 똑같이 5부분으로 나눈 것 중의 1부분이므로 3 cm입니다.

(2) 15 cm의 $\frac{2}{5}$는 전체 15 cm를 똑같이 5부분으로 나눈 것 중의 2부분이므로 6 cm입니다.

(3) 15 cm의 $\frac{3}{5}$은 전체 15 cm를 똑같이 5부분으로 나눈 것 중의 3부분이므로 9 cm입니다.

(4) 15 cm의 $\frac{4}{5}$는 전체 15 cm를 똑같이 5부분으로 나눈 것 중의 4부분이므로 12 cm입니다.

2 1 m=100 cm

(1) 100 cm의 $\frac{1}{5}$은 전체 100 cm를 똑같이 5부분으로 나눈 것 중의 1부분이므로 20 cm입니다.

(2) 100 cm의 $\frac{2}{5}$는 전체 100 cm를 똑같이 5부분으로 나눈 것 중의 2부분이므로 40 cm입니다.

3 20 cm의 $\frac{1}{2}$은 10 cm입니다.

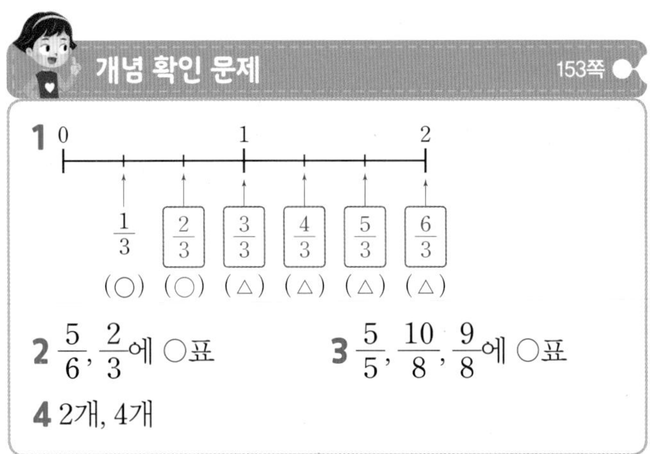

개념 확인 문제 153쪽

1 0, 1, 2 수직선: $\frac{1}{3}$ (○), $\frac{2}{3}$ (○), $\frac{3}{3}$ (△), $\frac{4}{3}$ (△), $\frac{5}{3}$ (△), $\frac{6}{3}$ (△)

2 $\frac{5}{6}$, $\frac{2}{3}$에 ○표　　**3** $\frac{5}{5}$, $\frac{10}{8}$, $\frac{9}{8}$에 ○표

4 2개, 4개

풀이

2 분자가 분모보다 작은 분수를 진분수라고 합니다.

진분수: $\frac{5}{6}$, $\frac{2}{3}$

3 분자가 분모와 같거나 분모보다 큰 분수를 가분수라고 합니다.

가분수: $\frac{5}{5}$, $\frac{10}{8}$, $\frac{9}{8}$

4 진분수: $\frac{1}{4}$, $\frac{4}{5}$ → 2개,

가분수: $\frac{8}{6}$, $\frac{12}{10}$, $\frac{3}{3}$, $\frac{8}{7}$ → 4개

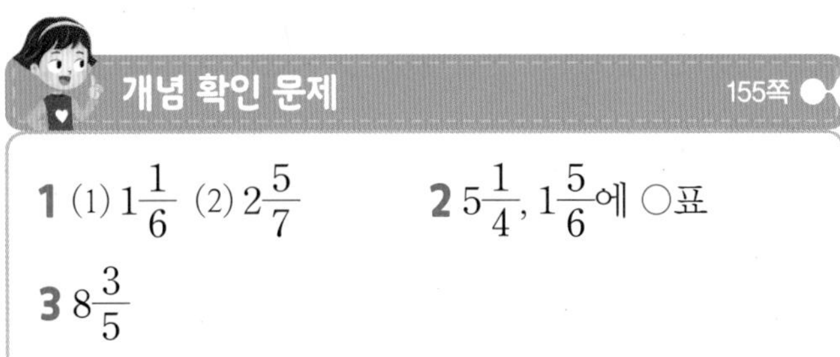

개념 확인 문제 155쪽

1 (1) $1\frac{1}{6}$ (2) $2\frac{5}{7}$　　**2** $5\frac{1}{4}$, $1\frac{5}{6}$에 ○표

3 $8\frac{3}{5}$

풀이

1 (1) 1과 $\frac{1}{6}$이므로 $1\frac{1}{6}$입니다.

(2) 2와 $\frac{5}{7}$이므로 $2\frac{5}{7}$입니다.

2 자연수와 진분수로 이루어진 분수를 대분수라고 합니다.

대분수: $5\frac{1}{4}$, $1\frac{5}{6}$

주의 $3\frac{4}{3}$에서 $\frac{4}{3}$가 진분수가 아니므로 $3\frac{4}{3}$는 대분수가 아닙니다.

3 분모가 5인 대분수를 ㉠$\frac{㉡}{5}$이라 하면 8 > 5이므로 8은 ㉡에 들어갈 수 없습니다. 따라서 ㉠ = 8, ㉡ = 3입니다. → $8\frac{3}{5}$

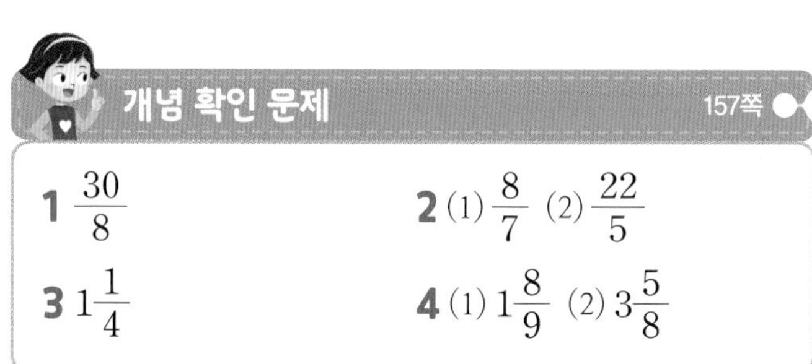

개념 확인 문제 157쪽

1 $\frac{30}{8}$　　**2** (1) $\frac{8}{7}$ (2) $\frac{22}{5}$

3 $1\frac{1}{4}$　　**4** (1) $1\frac{8}{9}$ (2) $3\frac{5}{8}$

풀이

1 $3\frac{6}{8}$은 $\frac{1}{8}$이 30개인 수와 같으므로 $\frac{30}{8}$입니다.

2 (1) $1\frac{1}{7}$은 $\frac{1}{7}$이 8개인 수와 같으므로 $\frac{8}{7}$입니다.

(2) $4\frac{2}{5}$는 $\frac{1}{5}$이 22개인 수와 같으므로 $\frac{22}{5}$입니다.

3 $\frac{5}{4}$는 1과 $\frac{1}{4}$이므로 $1\frac{1}{4}$입니다.

4 (1) $\frac{17}{9}$은 1과 $\frac{8}{9}$이므로 $1\frac{8}{9}$입니다.

(2) $\frac{29}{8}$는 3과 $\frac{5}{8}$이므로 $3\frac{5}{8}$입니다.

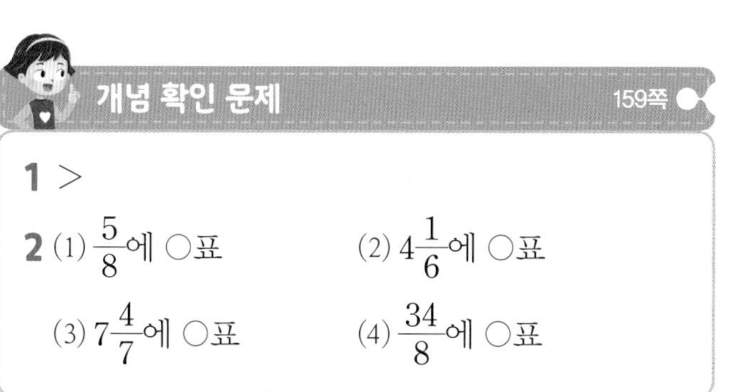

개념 확인 문제 159쪽

1 >

2 (1) $\frac{5}{8}$에 ○표　　(2) $4\frac{1}{6}$에 ○표

(3) $7\frac{4}{7}$에 ○표　　(4) $\frac{34}{8}$에 ○표

풀이

1 $\frac{9}{5}$는 $\frac{1}{5}$이 9개인 수이고, $\frac{7}{5}$은 $\frac{1}{5}$이 7개인 수이므로 $\frac{9}{5} > \frac{7}{5}$입니다.

2 (1) 분자의 크기를 비교하면 5 > 2이므로 $\frac{5}{8} > \frac{2}{8}$입니다.

(2) 자연수 부분의 크기를 비교하면 4 > 2이므로 $4\frac{1}{6} > 2\frac{5}{6}$입니다.

(3) 자연수 부분의 크기가 같으므로 분자의 크기를 비교하면 3 < 4이므로 $7\frac{3}{7} < 7\frac{4}{7}$입니다.

(4) $4\frac{1}{8} = \frac{33}{8}$이므로 $\frac{33}{8} < \frac{34}{8}$에서 $4\frac{1}{8} < \frac{34}{8}$입니다.

다른 풀이

$\frac{34}{8} = 4\frac{2}{8}$이므로 $4\frac{1}{8} < 4\frac{2}{8}$에서 $4\frac{1}{8} < \frac{34}{8}$입니다.

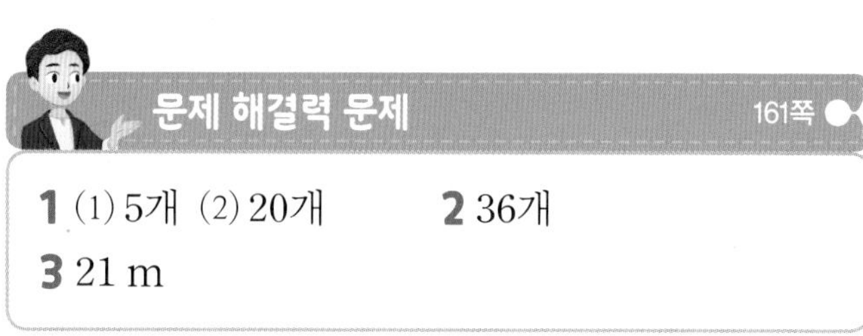

문제 해결력 문제 161쪽

1 (1) 5개 (2) 20개　　**2** 36개

3 21 m

풀이

1 (1) 전체를 똑같이 4부분으로 나눈 것 중의 1부분이 노란색 구슬입니다. 3부분이 15개이므로 1부분은 5개입니다. 따라서 $\frac{1}{4}$인 노란색 구슬은 5개입니다.

(2) 자루 안에 들어있는 구슬은 모두 5 + 15 = 20(개)입니다.

2 81개의 $\frac{1}{9}$은 9개이므로 81개의 $\frac{5}{9}$는 45개입니다.
따라서 45개의 사과를 팔았고 남은 사과는 81 − 45 = 36(개)입니다.

3 사용하고 남은 끈의 길이가 처음 끈의 길이의 $\frac{3}{7}$이므로 사용한 끈의 길이는 전체의 $\frac{4}{7}$이고 12 m입니다. 따라서 처음의 끈 길이의 $\frac{1}{7}$이 3 m이므로 처음 끈의 길이는 3 × 7 = 21(m)입니다.

개념+확인 166~167쪽

1 6, $\frac{2}{6}$

2 (1) 4 (2) 8

3 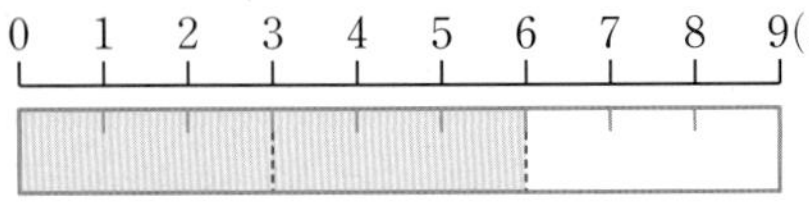

, 6

4 1개, 3개

5 ⑤

6 (1) $1\frac{5}{7}$ (2) $3\frac{2}{11}$ (3) $\frac{16}{3}$ (4) $\frac{17}{9}$

7 (1) > (2) < (3) = (4) <

풀이

1 18을 3씩 묶으면 6묶음이 되고 6은 2묶음이므로 6은 18의 $\frac{2}{6}$입니다.

2 12의 $\frac{1}{3}$은 4이고, 12의 $\frac{2}{3}$는 8입니다.

3 9 cm의 $\frac{1}{3}$은 3 cm이고, 9 cm의 $\frac{2}{3}$는 6 cm입니다.

4 진분수: $\frac{8}{10}$ → 1개

가분수: $\frac{8}{5}$, $\frac{7}{7}$, $\frac{20}{9}$ → 3개

5 진분수는 분자가 분모보다 작은 분수이므로 ★은 5보다 작아야 합니다.

6 (1) $\frac{12}{7}$ → $\frac{7}{7}$과 $\frac{5}{7}$ → 1과 $\frac{5}{7}$ → $1\frac{5}{7}$

(2) $\frac{35}{11}$ → $\frac{33}{11}$과 $\frac{2}{11}$ → 3과 $\frac{2}{11}$ → $3\frac{2}{11}$

(3) $5\frac{1}{3}$ → 5와 $\frac{1}{3}$ → $\frac{15}{3}$와 $\frac{1}{3}$ → $\frac{16}{3}$

(4) $1\frac{8}{9}$ → 1과 $\frac{8}{9}$ → $\frac{9}{9}$와 $\frac{8}{9}$ → $\frac{17}{9}$

7 (1) $\frac{8}{5}=1\frac{3}{5}$이므로 $1\frac{3}{5}>1\frac{2}{5}$입니다. → $\frac{8}{5}>1\frac{2}{5}$

(2) $2\frac{2}{3}=\frac{8}{3}$이므로 $\frac{8}{3}<\frac{10}{3}$입니다. → $2\frac{2}{3}<\frac{10}{3}$

(3) $2\frac{4}{9}=\frac{22}{9}$이므로 $\frac{22}{9}=\frac{22}{9}$입니다. → $2\frac{4}{9}=\frac{22}{9}$

(4) $\frac{12}{5}=2\frac{2}{5}$이므로 $2\frac{2}{5}<2\frac{4}{5}$입니다.

→ $\frac{12}{5}<2\frac{4}{5}$

서술형 문제 해결하기 168~169쪽

1-1 ❶ 5, 10 ❷ 5, 10, 15
/ 15자루

1-2 예 ❶ 45개의 $\frac{2}{9}$는 10개, 45개의 $\frac{3}{9}$은 15개입니다.
❷ 나누어 준 구슬은 모두 10+15=25(개)입니다.
/ 25개

1-3 예 ❶ 24시간의 $\frac{1}{8}$은 3시간, 24시간의 $\frac{2}{8}$는 6시간입니다.
❷ 남은 시간은 24−3−6=15(시간)입니다.
/ 15시간

1-4 예 ❶ 미술 작품을 만드는 데 사용한 끈은 35 m의 $\frac{3}{7}$인 15 m이고, 상자를 포장하는 데 사용한 끈은 35 m의 $\frac{2}{7}$인 10 m입니다.
❷ 남은 끈은 35−15−10=10 (m)입니다.
/ 10 m

2-1 ❶ 4, 2 ❷ 1, 1
/ 1

2-2 예 ❶ $\frac{13}{5}=2\frac{3}{5}$
❷ $2\frac{3}{5}$보다 작은 $2\frac{□}{5}$는 $2\frac{1}{5}$, $2\frac{2}{5}$이므로 □ 안에 들어갈 수 있는 자연수는 1, 2입니다.
/ 1, 2

2-3 예 ❶ $\frac{21}{8}=2\frac{5}{8}$
❷ $2\frac{□}{8}>2\frac{5}{8}$에서 $\frac{□}{8}$는 진분수이므로 □는 5보다 크고 8보다 작아야 합니다. 따라서 □ 안에 들어갈 수 있는 자연수는 6, 7입니다.
/ 6, 7

2-4 예 ❶ $\frac{25}{8}=3\frac{1}{8}$, $\frac{29}{8}=3\frac{5}{8}$이므로 $3\frac{1}{8}<3\frac{\square}{8}<3\frac{5}{8}$입니다.

❷ $1<\square<5$이므로 □ 안에 들어갈 수 있는 자연수는 2, 3, 4로 모두 3개입니다.

/ 3개

풀이

1-1

채점 기준		
	❶ 30자루의 $\frac{1}{6}$과 $\frac{2}{6}$ 각각 구하기	4점
	❷ 나누어 준 연필 수 구하기	4점

1-2

채점 기준		
	❶ 45개의 $\frac{2}{9}$와 $\frac{3}{9}$ 각각 구하기	6점
	❷ 나누어 준 구슬의 수 구하기	6점

1-3

채점 기준		
	❶ 24시간의 $\frac{1}{8}$과 $\frac{2}{8}$ 각각 구하기	7점
	❷ 남은 시간 구하기	8점

1-4

채점 기준		
	❶ 미술 작품을 만드는 데 사용한 끈과 상자를 만드는 데 사용한 끈의 길이 각각 구하기	8점
	❷ 남은 끈의 길이 구하기	7점

2-1

채점 기준		
	❶ $\frac{30}{7}$을 대분수로 나타내기	4점
	❷ ★에 알맞은 자연수 구하기	4점

2-2

채점 기준		
	❶ $\frac{13}{5}$을 대분수로 나타내기	6점
	❷ □ 안에 들어갈 수 있는 자연수 모두 구하기	6점

2-3

채점 기준		
	❶ $\frac{21}{8}$을 대분수로 나타내기	7점
	❷ □ 안에 들어갈 수 있는 자연수 모두 구하기	8점

2-4

채점 기준		
	❶ $\frac{25}{8}$, $\frac{29}{8}$를 각각 대분수로 나타내기	7점
	❷ □ 안에 들어갈 수 있는 자연수는 모두 몇 개인지 구하기	8점

단원 평가

170~172쪽

01 3

02 (1) $\frac{5}{7}$ (2) $\frac{1}{2}$

03 $\frac{2}{5}$, $\frac{2}{7}$, $\frac{9}{10}$, $\frac{10}{12}$, $\frac{2}{13}$에 ○표

04 $\frac{9}{7}$, $\frac{7}{3}$, $\frac{13}{13}$에 ○표

05

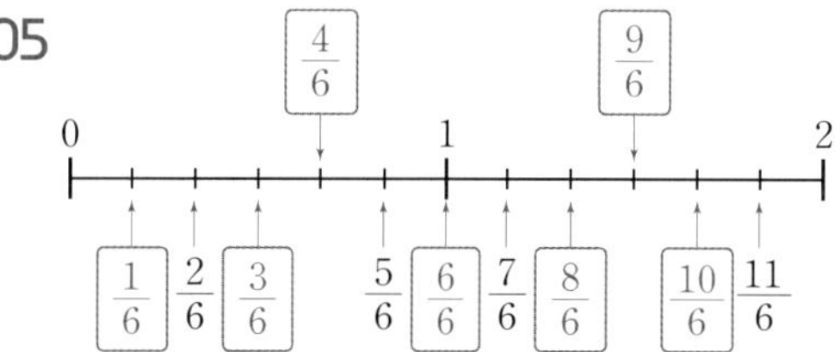

06 $5, \frac{4}{5}$

07 20, 28

08 정이

09 (1) $\frac{1}{5}$ (2) 6

10 $1\frac{5}{8}$, $\frac{13}{8}$

11 7개

12 (1) $\frac{29}{4}$ (2) $3\frac{3}{7}$

13 <

14 예 ❶ $1\frac{4}{9}=\frac{13}{9}$이므로 $\frac{11}{9}<1\frac{4}{9}$입니다.

❷ 영주네 집에서 더 가까운 곳은 은행입니다.

/ 은행

15 (위에서부터) $\frac{23}{9}$, $2\frac{4}{9}$, $\frac{23}{9}$

16 $2\frac{5}{7}$, $\frac{18}{7}$, $1\frac{6}{7}$, $\frac{12}{7}$

17 예 ❶ 만들 수 있는 진분수는 $\frac{3}{5}$, $\frac{5}{6}$, $\frac{3}{6}$입니다.

❷ 만들 수 있는 대분수는 $6\frac{3}{5}$, $3\frac{5}{6}$, $5\frac{3}{6}$입니다.

/ $6\frac{3}{5}$, $3\frac{5}{6}$, $5\frac{3}{6}$

18 $\frac{24}{5}$

19 예 ❶ 1 m=100 cm

100 cm의 $\frac{3}{5}$은 100 cm를 똑같이 5로 나눈 것 중의 3인 60 cm입니다.

❷ 사용하고 남은 색 테이프는
100−60=40 (cm)입니다.
/ 40 cm

20 민수

풀이

01 전체 5묶음 중의 3묶음 → $\frac{3}{5}$

02 (1) 14를 2씩 묶으면 7묶음이 되고 14는 5묶음이므로 14는 14의 $\frac{5}{7}$입니다.
(2) 14를 7씩 묶으면 2묶음이 되고 7은 1묶음이므로 7은 14의 $\frac{1}{2}$입니다.

03 분자가 분모보다 작은 분수를 진분수라고 합니다.
진분수: $\frac{2}{5}$, $\frac{2}{7}$, $\frac{9}{10}$, $\frac{10}{12}$, $\frac{2}{13}$

04 분자가 분모와 같거나 분모보다 큰 분수를 가분수라고 합니다.
가분수: $\frac{9}{7}$, $\frac{7}{3}$, $\frac{13}{13}$

05 수직선의 눈금 한 칸의 크기는 $\frac{1}{6}$입니다.

06 15를 3씩 묶으면 5묶음이 됩니다. 12는 5묶음 중의 4묶음이므로 12는 15의 $\frac{4}{5}$입니다.

07 32의 $\frac{1}{8}$은 4이므로 $\frac{5}{8}$는 20, $\frac{7}{8}$은 28입니다.

08 정이: 24의 $\frac{5}{6}$는 20입니다.

09 종이띠를 2 m씩 나누면 2 m는 10 m의 $\frac{1}{5}$이고, 10 m의 $\frac{3}{5}$은 6 m입니다.

10 모두 색칠한 원이 1개이고 $\frac{1}{8}$씩 5칸 색칠했으므로 $1\frac{5}{8}$로 나타낼 수 있습니다.
$\frac{1}{8}$씩 13칸 색칠했으므로 $\frac{13}{8}$으로 나타낼 수 있습니다.

11 $\frac{1}{8}$, $\frac{2}{8}$, $\frac{3}{8}$, $\frac{4}{8}$, $\frac{5}{8}$, $\frac{6}{8}$, $\frac{7}{8}$ → 7개

12 (1) 7은 $\frac{1}{4}$이 28개, $\frac{1}{4}$은 $\frac{1}{4}$이 1개이므로 $7\frac{1}{4}$은 $\frac{1}{4}$이 28+1=29(개)입니다.
→ $7\frac{1}{4}=\frac{29}{4}$
(2) $\frac{24}{7}$에서 $\frac{21}{7}$은 3으로 나타내고 나머지 $\frac{3}{7}$은 진분수로 하여 $3\frac{3}{7}$으로 나타낼 수 있습니다.
→ $\frac{24}{7}=3\frac{3}{7}$

13 $\frac{17}{3}=5\frac{2}{3}$이므로 $5\frac{1}{3}<5\frac{2}{3}$입니다.
→ $5\frac{1}{3}<\frac{17}{3}$

14

채점 기준		
	❶ 두 분수의 크기 비교하기	3점
	❷ 더 가까운 곳 구하기	2점

15 $2\frac{1}{9}<2\frac{4}{9}$, $\frac{23}{9}>\frac{19}{9}$
$\frac{23}{9}=2\frac{5}{9}$이므로 $2\frac{4}{9}<\frac{23}{9}$입니다.

16 $\frac{18}{7}=2\frac{4}{7}$, $\frac{12}{7}=1\frac{5}{7}$
→ $2\frac{5}{7}>2\frac{4}{7}\left(=\frac{18}{7}\right)>1\frac{6}{7}>1\frac{5}{7}\left(=\frac{12}{7}\right)$

17

채점 기준		
	❶ 만들 수 있는 진분수 모두 구하기	2점
	❷ 만들 수 있는 대분수 모두 구하기	3점

18 자연수가 4이고 분모가 5인 대분수를 $4\frac{\square}{5}$라 하면 □는 1, 2, 3, 4가 될 수 있으므로 가장 큰 대분수는 $4\frac{4}{5}$입니다.
→ $4\frac{4}{5}=\frac{24}{5}$

19

채점 기준		
	❶ 사용한 색 테이프의 길이 구하기	2점
	❷ 남은 색 테이프의 길이 구하기	3점

20 주형이가 모은 붙임딱지는 72장의 $\frac{5}{9}$이므로 40장이고, 민수가 모은 붙임딱지는 56장의 $\frac{7}{8}$이므로 49장입니다. 40<49이므로 붙임딱지를 더 많이 모은 친구는 민수입니다.

6 그림그래프

개념 확인 문제 177쪽

1 3, 2, 2, 1, 8

2

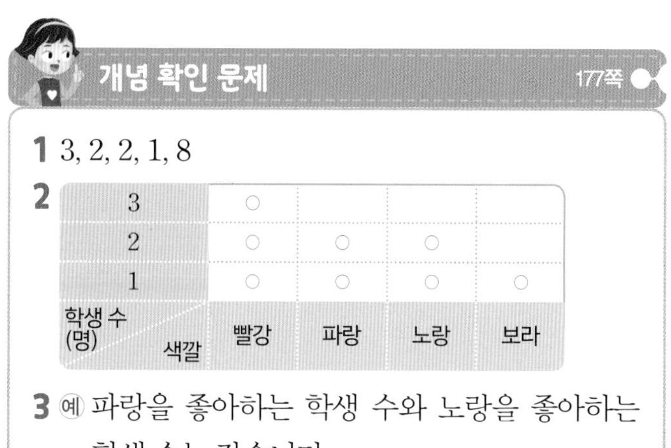

3	○			
2	○	○	○	
1	○	○	○	○
학생 수(명) / 색깔	빨강	파랑	노랑	보라

3 예 파랑을 좋아하는 학생 수와 노랑을 좋아하는 학생 수는 같습니다.

풀이

1 자료에서 각 색깔의 수를 세어 보면 빨강은 3개, 파랑은 2개, 노랑은 2개, 보라는 1개입니다.

2 색깔별 학생 수만큼 한 칸에 하나씩 아래에서 위로 ○를 그립니다.

3 예 가장 많은 학생들이 좋아하는 색깔은 빨강입니다. 가장 적은 학생들이 좋아하는 색깔은 보라입니다. 등

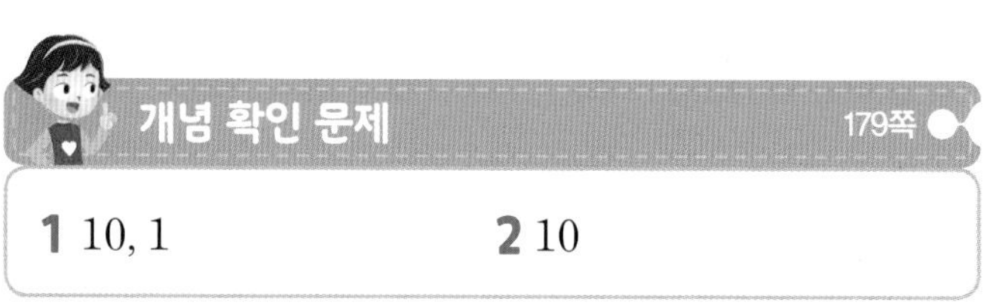

개념 확인 문제 179쪽

1 10, 1　　**2** 10

풀이

1 큰 그림은 10명, 작은 그림은 1명을 나타냅니다.
참고 피자를 좋아하는 학생은 42명, 치킨을 좋아하는 학생은 34명, 도넛을 좋아하는 학생은 17명입니다.

2 행복 마을의 쌀 수확량인 43가마를 (큰 그림) 4개와 (작은 그림) 3개로 나타내었으므로 (큰 그림)는 10가마를 나타냅니다.

개념 확인 문제 181쪽

1 2가지에 ○표

2 2, 3

3

풀이

1 학생 수가 두 자리 수이므로 그림은 십의 자리와 일의 자리를 각각 나타낼 수 있는 2가지가 좋습니다.

2 미국에 가고 싶은 학생은 23명이므로 큰 그림 2개, 작은 그림 3개로 나타냅니다.
참고 23명: 큰 그림의 수(2), 작은그림의 수(3)

3 영국에 가고 싶은 학생은 17명이므로 큰 그림 1개, 작은 그림 7개로 나타냅니다.
프랑스에 가고 싶은 학생은 31명이므로 큰 그림 3개, 작은 그림 1개로 나타냅니다.
참고 표를 보면 각 항목별 수량을 쉽게 확인할 수는 있지만, 자료의 수량의 많고 적음을 한눈에 비교하기에는 불편함이 있습니다. 그림그래프는 자료의 수량을 그림의 크기와 개수로 나타내어 직관적으로 변량들을 비교합니다. 자료의 크기가 클수록 표보다는 그림그래프가 자료의 크기를 비교할 때 좀 더 편리합니다.

개념 확인 문제 183쪽

1

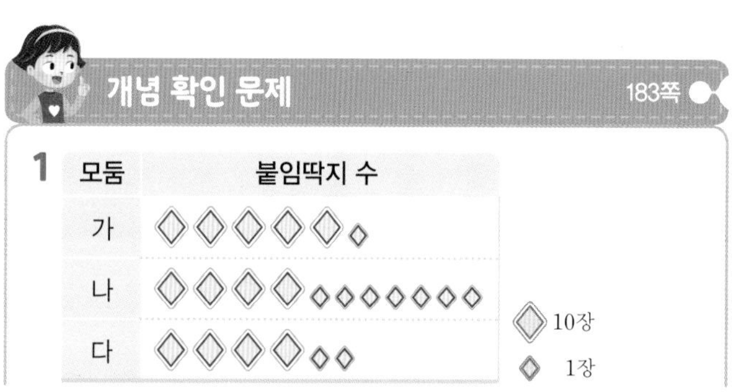

2 예

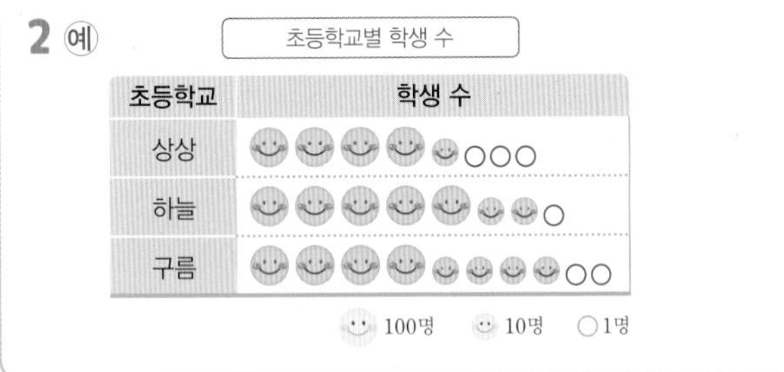

초등학교별 학생 수
초등학교
학생 수
상상
하늘
구름
100명
10명
1명

풀이

1 ◇이 10장, ◇이 1장을 나타내므로 십의 자리 수만큼 ◇을 그리고, 일의 자리 수만큼 ◇을 그립니다.

가 모둠 → ◇ 5개, ◇ 1개

나 모둠 → ◇ 4개, ◇ 7개

다 모둠 → ◇ 4개, ◇ 2개

2 ☺이 100명, ☺이 10명, ○이 1명을 나타내므로 백의 자리 수만큼 ☺을 그리고, 십의 자리 수만큼 ☺을 그리고, 일의 자리 수만큼 ○을 그립니다.

상상 초등학교 → ☺ 4개, ☺ 1개, ○ 3개

하늘 초등학교 → ☺ 5개, ☺ 2개, ○ 1개

구름 초등학교 → ☺ 4개, ☺ 4개, ○ 2개

주의 단위를 나타내는 그림을 3가지로 하면 2가지로 하였을 때보다 더 간단하게 나타낼 수 있습니다. 그림의 크기를 잘 생각하면서 그릴 수 있도록 주의합니다.

참고 단위를 나타내는 그림을 2가지로 한 그림그래프와 3가지로 한 그림그래프의 비교

- 단위를 나타내는 그림을 3가지로 하여 그리면 그림의 수가 줄어듭니다.
- 단위를 나타내는 그림을 3가지로 하여 그리면 더 간단하게 나타낼 수 있습니다.
- 단위를 나타내는 그림이 늘어나서 복잡하게 보일 수 있습니다.

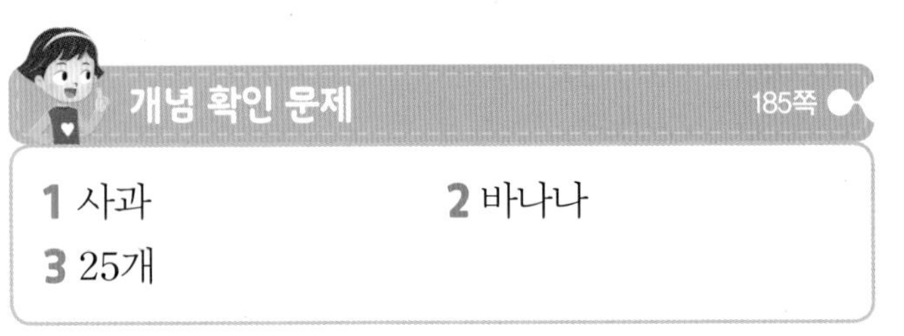

1 사과 **2** 바나나

3 25개

풀이

1 가장 많이 판매한 과일은 큰 그림의 수가 가장 많은 사과입니다.

2 가장 적게 판매한 과일은 큰 그림의 수가 가장 적은 바나나입니다.

3 가장 많이 판매한 과일은 사과로 61개이고, 가장 적게 판매한 과일은 바나나로 36개입니다.
따라서 $61-36=25$(개)입니다.

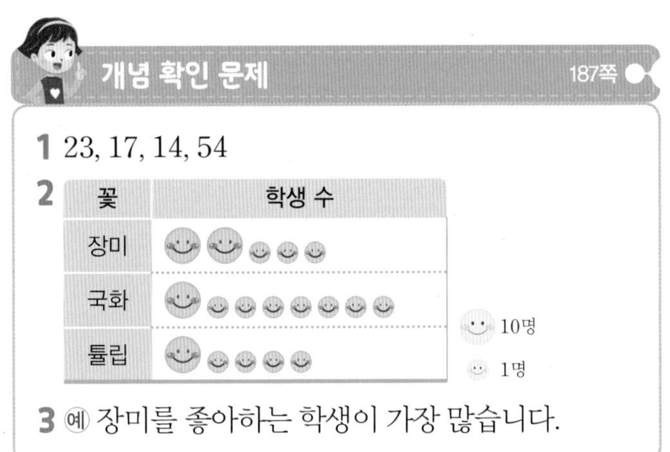

1 23, 17, 14, 54

2

꽃	학생 수
장미	☺☺☺☺☺
국화	☺☺☺☺☺☺☺☺
튤립	☺☺☺☺☺

☺ 10명 ☺ 1명

3 예 장미를 좋아하는 학생이 가장 많습니다.

풀이

1 각 자료의 수를 세어 표를 완성합니다.

주의 자료에 /, ∨ 등의 표시를 하여 자료를 빠뜨리지 않고 세도록 주의합니다.

2 ☺이 10명, ☺이 1명을 나타내므로 십의 자리 수만큼 ☺을 그리고, 일의 자리 수만큼 ☺을 그립니다.

장미 → ☺ 2개, ☺ 3개

국화 → ☺ 1개, ☺ 7개

튤립 → ☺ 1개, ☺ 4개

3 예 튤립을 좋아하는 학생이 가장 적습니다. 국화를 좋아하는 학생이 튤립을 좋아하는 학생보다 많습니다. 등

개념 확인 문제 189쪽

1 42, 22, 89

2

3 흰색

풀이

1 각 자료의 수를 세어 표를 완성합니다.

2 이 10대, 이 1대를 나타내므로 십의 자리 수만큼 을 그리고, 일의 자리 수만큼 을 그립니다.

검은색 → 2개, 5개

흰색 → 4개, 2개

회색 → 2개, 2개

3 흰색 자동차가 가장 많이 팔렸으므로 흰색 자동차를 가장 많이 준비하는 것이 좋을 것 같습니다.

참고 그림그래프를 보고 내용을 읽는 것뿐만아니라 그림그래프의 내용을 해석하는 방법을 탐구할 수도 있습니다.

문제 해결력 문제 191쪽

1 103마리

2

풀이

1 큰 그림과 작은 그림의 수의 합이 22이므로 더하여 22가 되는 수를 이용하여 표를 만듭니다.

큰 그림의 수(개)	11	10	9	8	7	……
작은 그림의 수(개)	11	12	13	14	15	……

작은 그림이 큰 그림보다 4개 더 많은 경우는 큰 그림이 9개, 작은 그림이 13개인 경우이므로 조사한 닭은 모두 $90+13=103$(마리)입니다.

2 조사한 학생 70명 중 박물관에 가고 싶은 학생이 35명이므로 과학관과 동물원에 가고 싶은 학생은 $70-35=35$(명)입니다.

과학관에 가고 싶은 학생 수(명)	17	16	15	14	13	……
동물원에 가고 싶은 학생 수(명)	18	19	20	21	22	……

동물원에 가고 싶은 학생이 과학관에 가고 싶은 학생보다 5명 더 많은 경우는 과학관에 가고 싶은 학생이 15명, 동물원에 가고 싶은 학생이 20명인 경우입니다. 따라서 그림그래프의 과학관에는 큰 그림 1개, 작은 그림 5개를 그리고, 동물원에는 큰 그림 2개를 그려서 그림그래프를 완성합니다.

개념+확인 196~197쪽

1 (1) 예 키우고 싶은 반려동물 (2) 10명, 1명

2

3 윷놀이, 연날리기, 제기차기

정답 및 풀이

4 21, 40, 32, 93

장래 희망	학생 수
선생님	
경찰관	
요리사	

10명 1명

풀이

1 (1) 키우고 싶은 반려동물을 조사한 그림그래프입니다.

(2) 큰 그림은 10명, 작은 그림은 1명을 나타냅니다.

2 이 10명, 이 1명을 나타내므로 십의 자리 수만큼 을 그리고, 일의 자리 수만큼 을 그립니다.

봄 → 2개, 4개

여름 → 1개, 2개

가을 → 1개, 6개

겨울 → 2개, 3개

3 큰 그림의 수를 비교하여 많은 학생들이 좋아하는 민속놀이부터 차례로 써 보면 윷놀이, 연날리기, 제기차기입니다.

4 자료의 수를 세어 보면 장래 희망이 선생님인 학생은 21명, 경찰관인 학생은 40명, 요리사인 학생은 32명입니다.

선생님 → 2개, 1개

경찰관 → 4개

요리사 → 3개, 2개

서술형 문제 해결하기

198~199쪽

1-1 ❶ 33, 15 ❷ 33, 15, 18

/ 18대

1-2 예 ❶ 개미를 좋아하는 학생은 42명이고, 사슴벌레를 좋아하는 학생은 17명입니다.

❷ 개미를 좋아하는 학생 수와 사슴벌레를 좋아하는 학생 수의 차는 $42-17=25$(명)입니다.

/ 25명

1-3 예 ❶ 피구를 하고 싶은 학생은 35명, 농구를 하고 싶은 학생은 26명, 축구를 하고 싶은 학생은 32명, 달리기를 하고 싶은 학생은 12명입니다

❷ 조사한 학생은 모두 $35+26+32+12=105$(명)입니다.

/ 105명

1-4 예 ❶ 생산량이 가장 많은 목장은 다 목장으로 51 kg이고, 생산량이 가장 적은 목장은 라 목장으로 24 kg입니다.

❷ $51-24=27$ (kg)

/ 27 kg

2-1 ❶ 340, 280 ❷ 340, 280, 320

/ 320개

2-2 예 ❶ 만들어 보고 싶은 음식별 학생 수는 떡볶이가 25명, 호떡이 36명입니다.

❷ 김밥을 만들어 보고 싶은 학생 수는 $85-25-36=24$(명)입니다.

/ 24명

2-3 예 ❶ 국어를 좋아하는 학생은 32명입니다.

❷ 수학을 좋아하는 학생은 국어를 좋아하는 학생보다 12명 더 많으므로 $32+12=44$(명)입니다.

/ 44명

2-4 예 ❶ 가 모둠과 나 모둠의 붙임딱지 수의 합은 $121-54=67$(장)입니다.

❷ 나 모둠의 붙임딱지 수를 □장이라 하면 □+□+3=67에서 □=32입니다.

/ 32장

풀이

1-1

채점 기준		
	❶ 가와 다 대리점에서 판매한 자동차 수 각각 구하기	4점
	❷ 가와 다 대리점의 자동차 판매량의 차 구하기	4점

1-2

채점 기준		
	❶ 개미와 사슴벌레를 좋아하는 학생 수 각각 구하기	6점
	❷ 개미와 사슴벌레를 좋아하는 학생 수의 차 구하기	6점

1-3

채점 기준		
	❶ 각 운동별 학생 수 구하기	7점
	❷ 조사한 학생 수 구하기	8점

1-4

채점 기준		
	❶ 생산량이 가장 많은 목장과 가장 적은 목장의 생산량 각각 구하기	8점
	❷ 생산량이 가장 많은 목장과 가장 적은 목장의 생산량의 차 구하기	7점

2-1

채점 기준		
	❶ 팔린 자동차와 팔린 퍼즐의 수 각각 구하기	4점
	❷ 팔린 인형의 수 구하기	4점

2-2

채점 기준		
	❶ 떡볶이와 호떡을 만들어 보고 싶은 학생 수 각각 구하기	6점
	❷ 김밥을 만들어 보고 싶은 학생 수 구하기	6점

2-3

채점 기준		
	❶ 국어를 좋아하는 학생 수 구하기	7점
	❷ 수학을 좋아하는 학생 수 구하기	8점

2-4

채점 기준		
	❶ 가 모둠과 나 모둠의 붙임딱지의 수의 합 구하기	6점
	❷ 나 모둠의 붙임딱지 수 구하기	9점

단원 평가 200~202쪽

01 10명, 1명

02 33명, 28명, 24명, 14명

03 개나리

04 진달래

05 4개, 3개

06

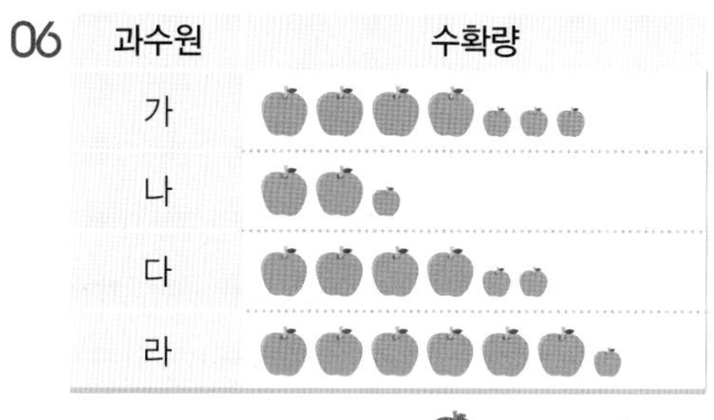

과수원	수확량
가	
나	
다	
라	

10 kg 1 kg

07 나 과수원

08 9 kg

09 10, 6, 12, 2, 30

10

색깔	학생 수
빨강	
파랑	
노랑	
초록	

10명 1명

11 빨강

12

13 예 ❶ 지난 한 달 동안 팔린 원숭이 인형은 240개입니다.

❷ 토끼 인형은 원숭이 인형보다 170개 더 많이 팔렸으므로 $240+170=410$(개) 팔렸습니다.

/ 410개

14 곰 인형

15 42명

16 21명

17

마을	학생 수
행복	
행운	
사랑	

10명 1명

18 예 ❶ 사랑 마을에 사는 학생은 21명이고, 남학생은 9명입니다.
❷ 사랑 마을에 사는 여학생은 $21-9=12$(명)입니다.
/ 12명

19 예 ❶ 해바라기를 뺀 나머지 꽃의 수의 합은 $33+25=58$(송이)이므로 해바라기는 $68-58=10$(송이)입니다.
❷ 가장 많은 꽃은 장미로 33송이, 가장 적은 꽃은 해바라기로 10송이이므로 장미가 해바라기보다 $33-10=23$(송이) 더 많습니다.
/ 23송이

20 33명

풀이

01 큰 그림은 10명, 작은 그림은 1명을 나타냅니다.

02 개나리: 큰 그림 3개, 작은 그림 3개 → 33명
진달래: 큰 그림 2개, 작은 그림 8개 → 28명
벚꽃: 큰 그림 2개, 작은 그림 4개 → 24명
목련: 큰 그림 1개, 작은 그림 4개 → 14명

03 큰 그림이 가장 많은 봄꽃이 개나리이므로 가장 많은 학생들이 좋아하는 봄꽃은 개나리입니다.

04 목련을 좋아하는 학생은 14명이므로 14명의 2배인 $14+14=28$(명)의 학생이 좋아하는 봄꽃은 진달래입니다.

05 가 과수원의 사과 수확량은 43 kg이므로 큰 그림 4개, 작은 그림 3개를 그려야 합니다.

07 큰 그림이 가장 적은 나 과수원의 수확량이 가장 적습니다.

08 지난주 수확량이 가장 적었던 과수원은 나 과수원으로 21 kg입니다. 수확량을 30 kg으로 늘리려면 $30-21=9$ (kg) 더 늘려야 합니다.

09 조사한 자료를 세어 보면 빨강이 10명, 파랑이 6명, 노랑이 12명, 초록이 2명입니다.
→ $10+6+12+2=30$(명)

11 좋아하는 학생이 가장 많은 색깔은 노랑이고, 두 번째로 많은 색깔은 빨강입니다.

12 표는 조사한 수를 쉽게 알 수 있습니다.
그림그래프는 어느 것이 많고 적은지 한눈에 비교할 수 있습니다.

13

채점 기준		
	❶ 지난 한 달 동안 팔린 원숭이 인형 수 구하기	2점
	❷ 지난 한 달 동안 팔린 토끼 인형 수 구하기	3점

14 곰 인형이 가장 많이 팔렸으므로 곰 인형을 가장 많이 들여 놓는 것이 좋겠습니다.
참고 그림그래프를 보고 통계적인 사실을 이야기 해 볼 수 있습니다. 그림그래프를 보고 다음 달에는 지난 달에 가장 많이 팔린 인형을 많이 들여 놓는 것이 좋다는 것을 알 수 있습니다.

15 조사한 전체 학생 수가 54명이고, 행복 마을에 사는 학생은 12명이므로 행운 마을과 사랑 마을에 사는 학생은 $54-12=42$(명)입니다.

16 행운 마을과 사랑 마을의 학생 수의 합은 42명이고, 두 마을의 학생 수가 같으므로 행운 마을의 학생 수는 $42\div2=21$(명)입니다.

17 행복 마을 → 큰 그림 1개, 작은 그림 2개
행운 마을 → 큰 그림 2개, 작은 그림 1개
사랑 마을 → 큰 그림 2개, 작은 그림 1개

18

채점 기준		
	❶ 사랑 마을에 사는 학생 수 구하기	2점
	❷ 사랑 마을에 사는 여학생 수 구하기	3점

19

채점 기준		
	❶ 해바라기 수 구하기	2점
	❷ 가장 많은 꽃은 가장 적은 꽃보다 몇 송이 더 많은지 구하기	3점

20 A형은 큰 그림 5개, 작은 그림 4개이므로 54명이고, O형은 큰 그림 4개, 작은 그림 1개이므로 41명입니다.
B형과 AB형인 학생 수: $150-54-41=55$(명)
B형인 학생 수를 □명이라 하면
$□+□-11=55$, $□+□=66$에서 $33+33=66$이므로 $□=33$입니다.

학교 시험 완벽 대비!

평가문제 다잡기

금성출판사

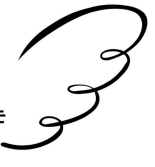

2015 개정 교육과정

초등 수학
자습서&평가문제집 3-2

평가문제 다잡기

금성출판사

초등 수학
자습서&평가문제집

평가문제 다잡기

금성출판사

구성과 특징

[교과서 핵심 개념], [쪽지시험], [단원 평가], [서술형 평가]로 자신의 실력을 점검하고 다양해지는 학교 시험에 대비할 수 있습니다.

1 교과서 핵심 개념

교과서에 나온 핵심 개념을 모아서 정리했습니다.

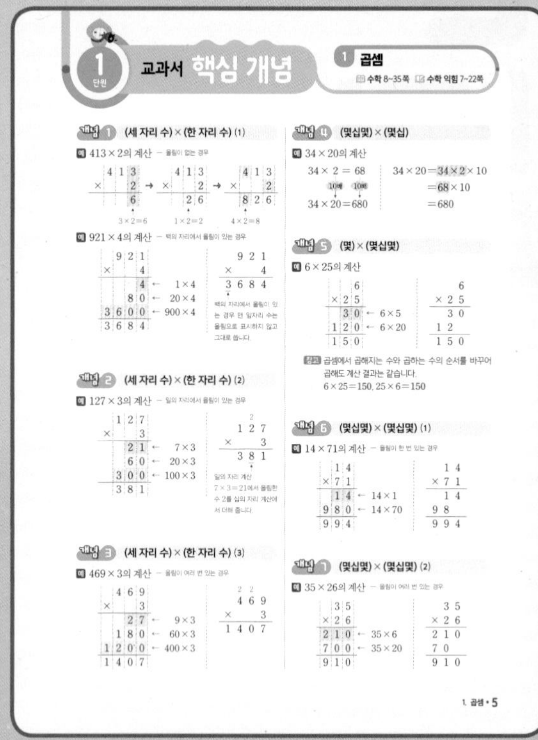

2 쪽지시험

한 회에 10문제씩 총 4회로 구성되어 있습니다.

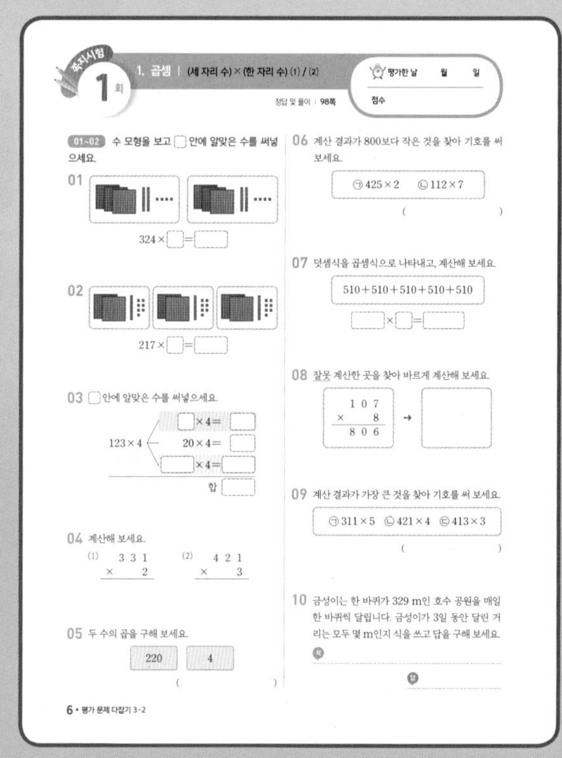

3 단원 평가 기본 실력

난이도별로 기본 단원 평가, 실력 단원 평가 2회가 제공됩니다.

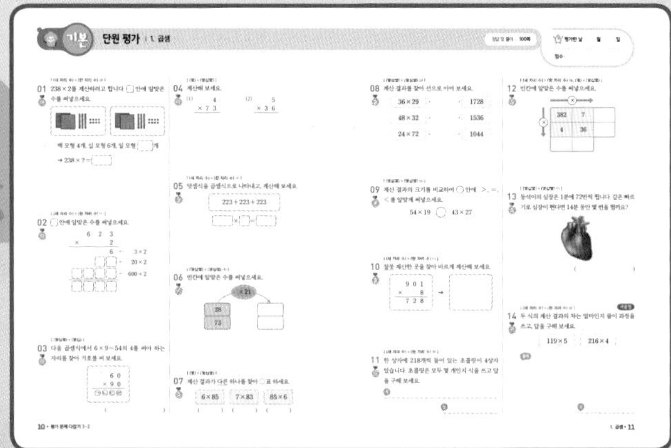

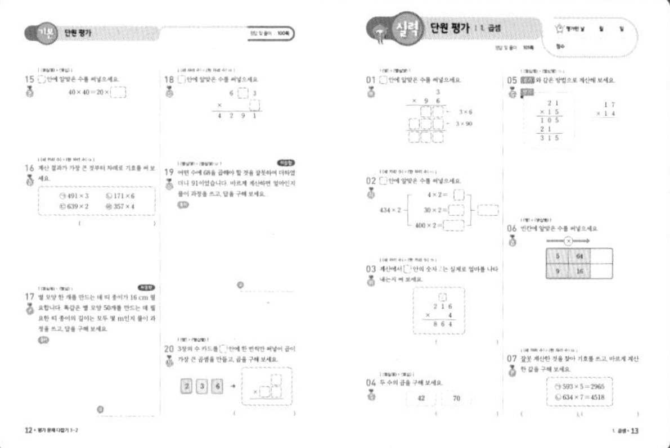

4 서술형 평가 연습 실전

난이도별로 연습 서술형 평가, 실전 서술형 평가 2회가 제공됩니다.

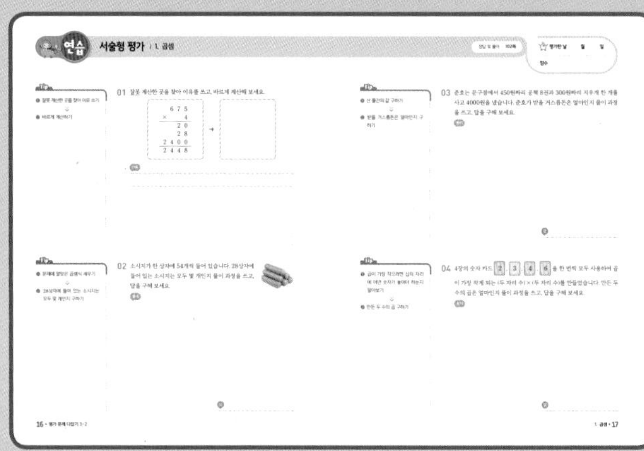

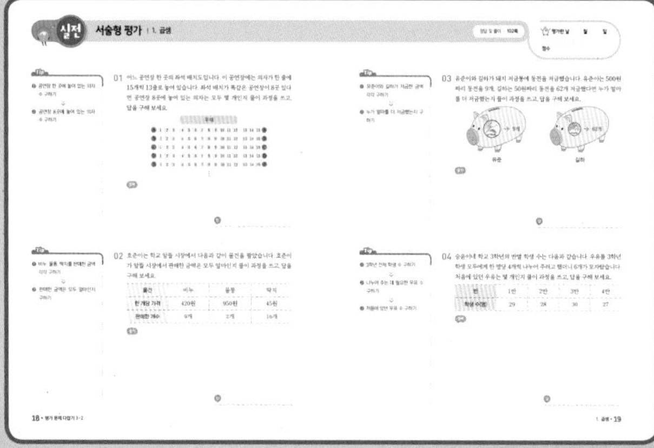

5 정답 및 풀이

자세한 풀이와 참고, 주의, 다른 풀이 등을 실어 학습 가이드로 활용할 수 있습니다.

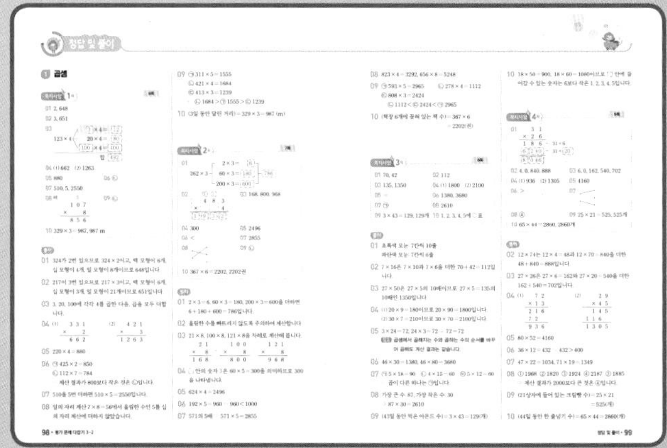

차례

1 단원 교과서 핵심 개념

1 곱셈

수학 8~35쪽 수학 익힘 7~22쪽

개념 1 (세 자리 수)×(한 자리 수) (1)

예 413×2의 계산 — 올림이 없는 경우

413 × 2 → 6 (3×2=6) → 26 (1×2=2) → 826 (4×2=8)

예 921×4의 계산 — 백의 자리에서 올림이 있는 경우

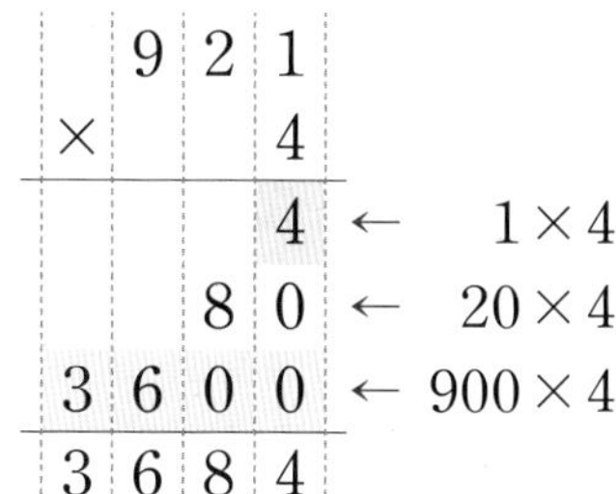

	9	2	1	
×			4	
			4	← 1×4
		8	0	← 20×4
3	6	0	0	← 900×4
3	6	8	4	

921 × 4 = 3684

백의 자리에서 올림이 있는 경우 맨 앞자리 수는 올림으로 표시하지 않고 그대로 씁니다.

개념 2 (세 자리 수)×(한 자리 수) (2)

예 127×3의 계산 — 일의 자리에서 올림이 있는 경우

1	2	7	
×		3	
	2	1	← 7×3
	6	0	← 20×3
3	0	0	← 100×3
3	8	1	

127 × 3 = 381 (올림 2)

일의 자리 계산 7×3=21에서 올림한 수 2를 십의 자리 계산에서 더해 줍니다.

개념 3 (세 자리 수)×(한 자리 수) (3)

예 469×3의 계산 — 올림이 여러 번 있는 경우

	4	6	9	
×			3	
		2	7	← 9×3
	1	8	0	← 60×3
1	2	0	0	← 400×3
1	4	0	7	

469 × 3 = 1407 (올림 2, 2)

개념 4 (몇십몇)×(몇십)

예 34×20의 계산

$34 \times 2 = 68$ → (10배, 10배) → $34 \times 20 = 680$

$34 \times 20 = 34 \times 2 \times 10$
$= 68 \times 10$
$= 680$

개념 5 (몇)×(몇십몇)

예 6×25의 계산

		6	
×	2	5	
	3	0	← 6×5
1	2	0	← 6×20
1	5	0	

6 × 25: 30, 12, 150

참고 곱셈에서 곱해지는 수와 곱하는 수의 순서를 바꾸어 곱해도 계산 결과는 같습니다.
$6 \times 25 = 150$, $25 \times 6 = 150$

개념 6 (몇십몇)×(몇십몇) (1)

예 14×71의 계산 — 올림이 한 번 있는 경우

	1	4	
×	7	1	
	1	4	← 14×1
9	8	0	← 14×70
9	9	4	

14 × 71: 14, 98, 994

개념 7 (몇십몇)×(몇십몇) (2)

예 35×26의 계산 — 올림이 여러 번 있는 경우

	3	5	
×	2	6	
2	1	0	← 35×6
7	0	0	← 35×20
9	1	0	

35 × 26: 210, 70, 910

1. 곱셈 | (세 자리 수)×(한 자리 수) (1) / (2)

평가한 날 월 일

점수

정답 및 풀이 | 98쪽

01~02 수 모형을 보고 □ 안에 알맞은 수를 써넣으세요.

01

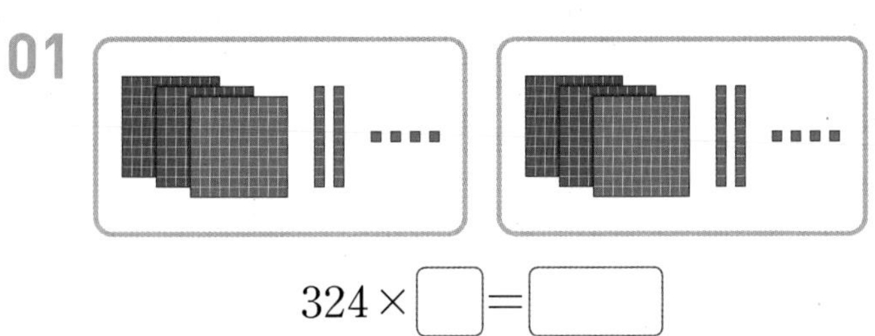

324×□=□

02

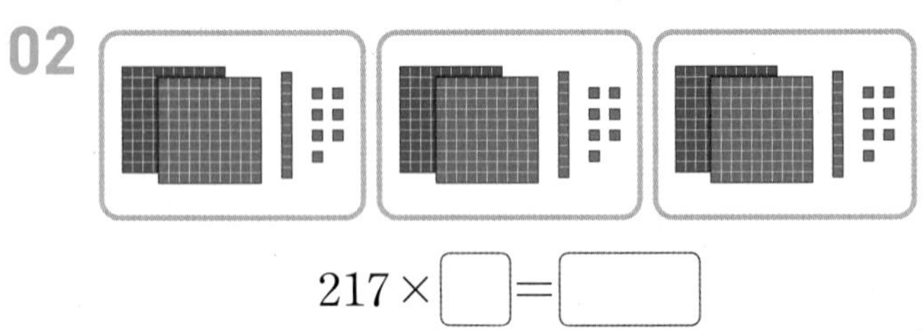

217×□=□

03 □ 안에 알맞은 수를 써넣으세요.

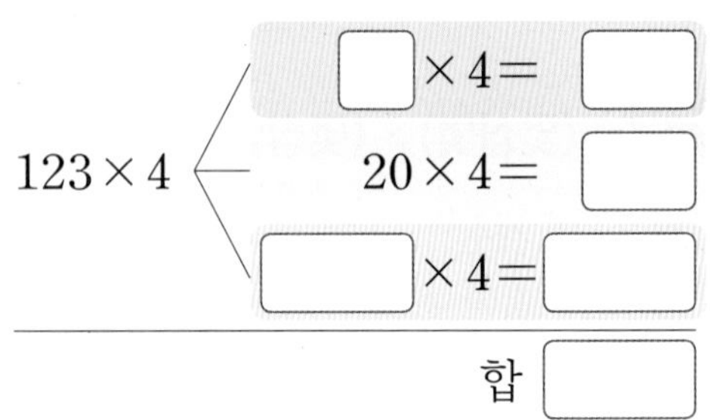

123×4 — □×4=□, 20×4=□, □×4=□

합 □

04 계산해 보세요.

(1)
```
  3 3 1
×     2
```

(2)
```
  4 2 1
×     3
```

05 두 수의 곱을 구해 보세요.

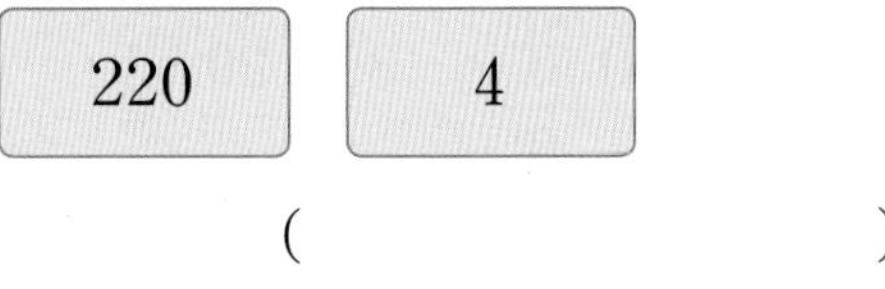

220　4

(　　　　　　)

06 계산 결과가 800보다 작은 것을 찾아 기호를 써 보세요.

㉠ 425×2　㉡ 112×7

(　　　　　　)

07 덧셈식을 곱셈식으로 나타내고, 계산해 보세요.

510+510+510+510+510

□×□=□

08 잘못 계산한 곳을 찾아 바르게 계산해 보세요.

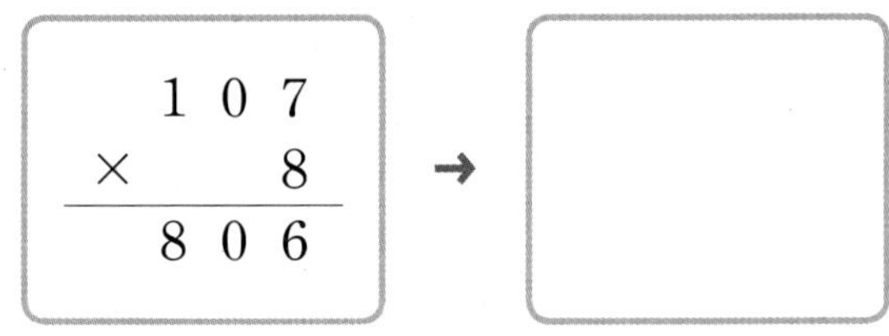

```
  1 0 7
×     8
-------
  8 0 6
```
→ □

09 계산 결과가 가장 큰 것을 찾아 기호를 써 보세요.

㉠ 311×5　㉡ 421×4　㉢ 413×3

(　　　　　　)

10 금성이는 한 바퀴가 329 m인 호수 공원을 매일 한 바퀴씩 달립니다. 금성이가 3일 동안 달린 거리는 모두 몇 m인지 식을 쓰고 답을 구해 보세요.

식

답

1. 곱셈 | (세 자리 수)×(한 자리 수) (3)

정답 및 풀이 | 98쪽

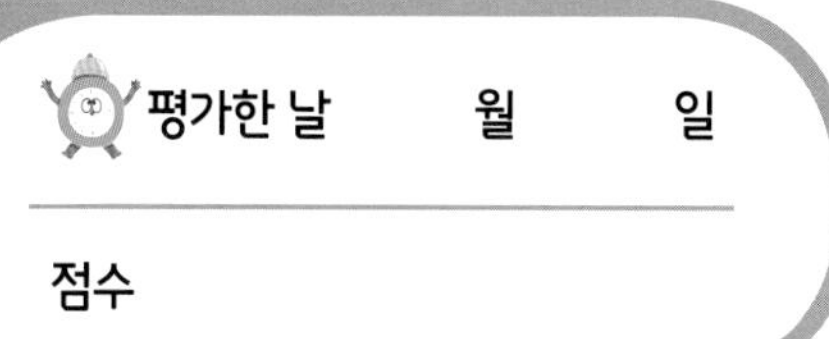

01 □ 안에 알맞은 수를 써넣으세요.

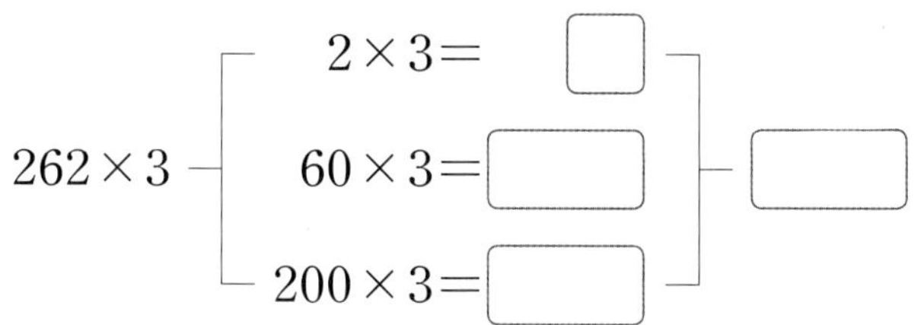

02 □ 안에 알맞은 수를 써넣으세요.

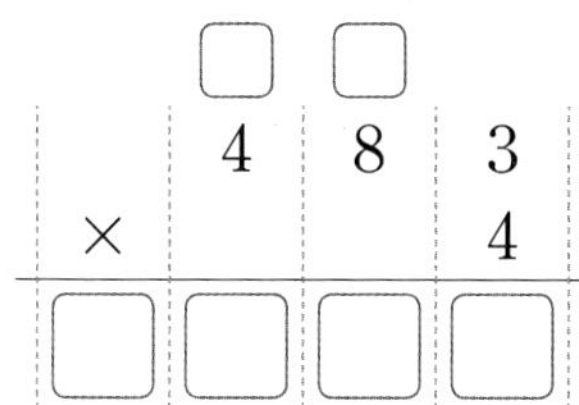

03 차례로 계산해 보세요.

$21 \times 8 \rightarrow 100 \times 8 \rightarrow 121 \times 8$

04 계산에서 □ 안의 숫자 3은 실제로 얼마를 나타내는지 써 보세요.

```
  3 2
  3 6 4
×     5
1 8 2 0
```

(　　　　　)

05 빈칸에 알맞은 수를 써넣으세요.

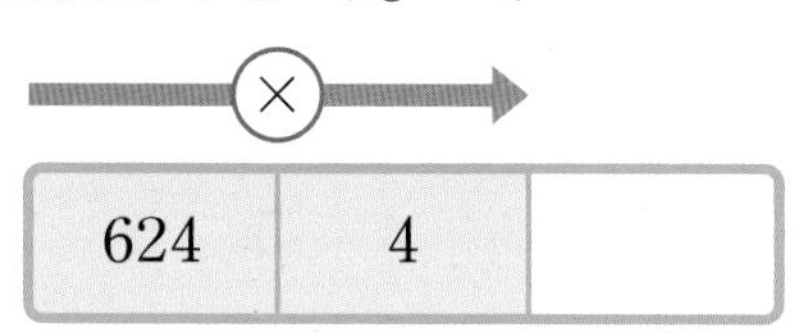

06 크기를 비교하여 ○ 안에 >, =, <를 알맞게 써넣으세요.

192×5 ○ 1000

07 다음이 나타내는 수를 구해 보세요.

571의 5배

(　　　　　)

08 계산 결과를 찾아 선으로 이어 보세요.

823×4	5248
656×8	3292
	4942

09 계산 결과가 가장 작은 것을 찾아 기호를 써 보세요.

㉠ 593×5　㉡ 278×4　㉢ 808×3

(　　　　　)

10 책장 한 개에 책이 367권 꽂혀 있습니다. 책장 6개에 꽂혀 있는 책은 모두 몇 권인지 식을 쓰고 답을 구해 보세요.

평가한 날 월 일

점수

정답 및 풀이 | 99쪽

01~02 모눈종이를 이용하여 7×16을 알아보려고 합니다. 물음에 답해 보세요.

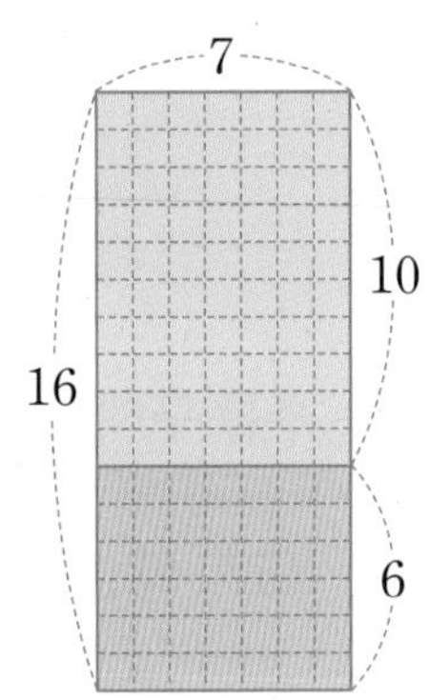

01 □ 안에 알맞은 수를 써넣으세요.

- 초록색 모눈의 수: $7\times10=$□(칸)
- 파란색 모눈의 수: $7\times6=$□(칸)

02 7×16은 얼마인가요?

( )

03 □ 안에 알맞은 수를 써넣으세요.

$27\times5=$□ → $27\times50=$□

04 계산해 보세요.

(1) 20×90 (2) 30×70

05 계산 결과의 크기를 비교하여 ◯ 안에 >, =, <를 알맞게 써넣으세요.

3×24  24×3

06 빈칸에 알맞은 수를 써넣으세요.

×	30	80
46		

07 곱이 다른 하나를 찾아 기호를 써 보세요.

㉠ 5×18 ㉡ 4×15 ㉢ 5×12

( )

08 가장 큰 수와 가장 작은 수의 곱을 구해 보세요.

55 30 48 87

( )

09 태훈이는 매일 아몬드를 3개씩 먹습니다. 43일 동안 태훈이가 먹은 아몬드는 몇 개인지 식을 쓰고 답을 구해 보세요.

식

답

10 □ 안에 들어갈 수 있는 숫자를 모두 찾아 ○표 하세요.

$18\times$□$0<1000$

1 2 3 4 5 6 7 8 9

1. 곱셈 | (몇십몇)×(몇십몇) (1) / (2)

정답 및 풀이 | 99쪽

평가한 날 월 일

점수

01 □ 안에 알맞은 수를 써넣으세요.

$$\begin{array}{r} 3\ 1 \\ \times\ 2\ 6 \\ \hline 1\ 8\ 6 \\ \square\square\square \\ \hline \square\square\square \end{array}$$

186 ← 31×6

□□□ ← 31×□

02~03 □ 안에 알맞은 수를 써넣으세요.

02 $12\times74=12\times\square+12\times7\square$

$=48+\square$

$=\square$

03 $27\times26=27\times\square+27\times2\square$

$=\square+\square$

$=\square$

04 계산해 보세요.

(1) $\begin{array}{r} 7\ 2 \\ \times\ 1\ 3 \\ \hline \end{array}$

(2) $\begin{array}{r} 2\ 9 \\ \times\ 4\ 5 \\ \hline \end{array}$

05 두 수의 곱을 빈칸에 써넣으세요.

80	52

06 크기를 비교하여 ◯ 안에 >, =, <를 알맞게 써넣으세요.

36×12 ◯ 400

07 계산 결과를 찾아 선으로 이어 보세요.

47×22 ·

71×19 ·

· 1034

· 1254

· 1349

08 계산 결과가 2000보다 큰 것은 어느 것인가요?

( )

① 48×41 ② 52×35 ③ 37×52

④ 27×81 ⑤ 29×65

09 크림빵이 한 상자에 25개씩 들어 있습니다. 21상자에 들어 있는 크림빵은 모두 몇 개인지 식을 쓰고 답을 구해 보세요.

식

답

10 희수는 매일 줄넘기를 65번씩 합니다. 희수가 44일 동안 한 줄넘기는 모두 몇 개인지 식을 쓰고 답을 구해 보세요.

식

답

단원 평가 | 1. 곱셈

| (세 자리 수)×(한 자리 수) (2) |

01 238×2를 계산하려고 합니다. □ 안에 알맞은 수를 써넣으세요.

하

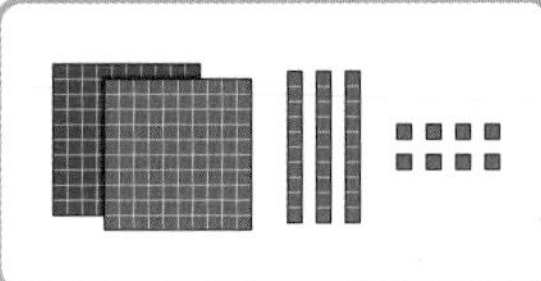
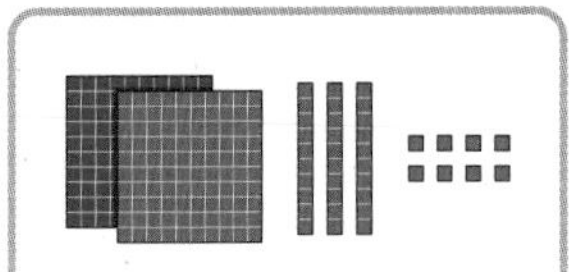

백 모형 4개, 십 모형 6개, 일 모형 □개

→ 238×2=□

| (세 자리 수)×(한 자리 수) (1) |

02 □ 안에 알맞은 수를 써넣으세요.

$$\begin{array}{r} 6\ 2\ 3 \\ \times\quad\ \ 2 \\ \hline 6 \leftarrow 3\times2 \\ \square\square \leftarrow 20\times2 \\ \square\square\square\square \leftarrow 600\times2 \\ \hline \square\square\square\square \end{array}$$

| (몇십몇)×(몇십) |

03 다음 곱셈식에서 6×9=54의 4를 써야 하는 자리를 찾아 기호를 써 보세요.

$$\begin{array}{r} 6\ 0 \\ \times\ 9\ 0 \\ \hline ㉠㉡㉢㉣ \end{array}$$

(　　　　　　　　)

| (몇)×(몇십몇) |

04 계산해 보세요.

(1) $\begin{array}{r} 4 \\ \times\ 7\ 3 \\ \hline \end{array}$　　(2) $\begin{array}{r} 5 \\ \times\ 3\ 6 \\ \hline \end{array}$

| (세 자리 수)×(한 자리 수) (1) |

05 덧셈식을 곱셈식으로 나타내고, 계산해 보세요.

223+223+223

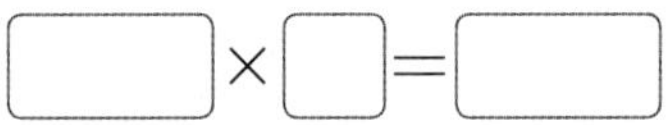

□×□=□

| (몇십몇)×(몇십몇) (1) |

06 빈칸에 알맞은 수를 써넣으세요.

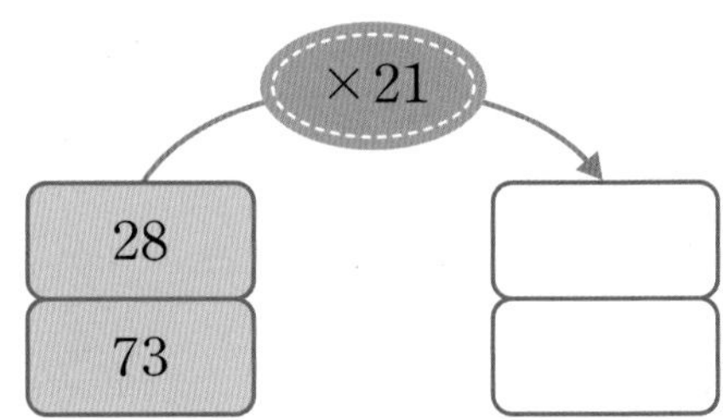

| (몇)×(몇십몇) |

07 계산 결과가 다른 하나를 찾아 ○표 하세요.

6×85	7×83	85×6
(　　)	(　　)	(　　)

평가한 날 월 일

점수

| (몇십몇)×(몇십몇) (2) |

08 계산 결과를 찾아 선으로 이어 보세요.

중

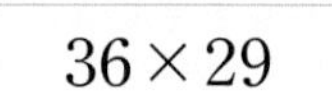

36×29 ·		· 1728
48×32 ·		· 1536
24×72 ·		· 1044

| (몇십몇)×(몇십몇) (2) |

09 계산 결과의 크기를 비교하여 ◯ 안에 >, =, <를 알맞게 써넣으세요.

중

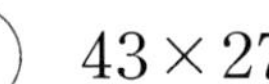

54×19 ◯ 43×27

| (세 자리 수)×(한 자리 수) (1) |

10 잘못 계산한 곳을 찾아 바르게 계산해 보세요.

중

$$\begin{array}{r} 901 \\ \times \quad 8 \\ \hline 728 \end{array} \rightarrow \square$$

| (세 자리 수)×(한 자리 수) (2) |

11 한 상자에 218개씩 들어 있는 초콜릿이 4상자 있습니다. 초콜릿은 모두 몇 개인지 식을 쓰고 답을 구해 보세요.

중

식

답

| (세 자리 수)×(한 자리 수) (3), (몇)×(몇십몇) |

12 빈칸에 알맞은 수를 써넣으세요.

중

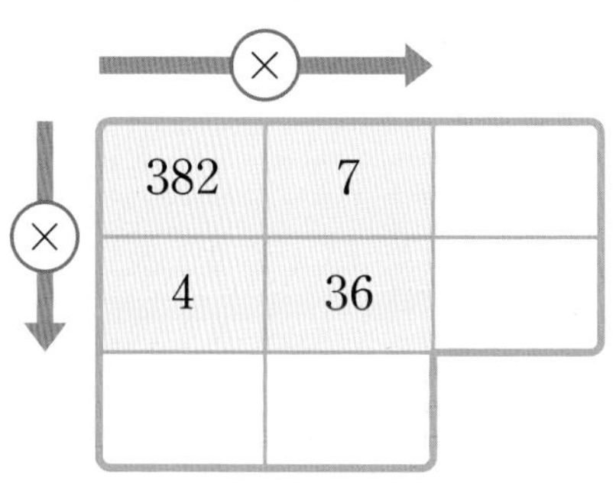

382	7	
4	36	

| (몇십몇)×(몇십몇) (1) |

13 동석이의 심장은 1분에 72번씩 뜁니다. 같은 빠르기로 심장이 뛴다면 14분 동안 몇 번을 뛸까요?

중

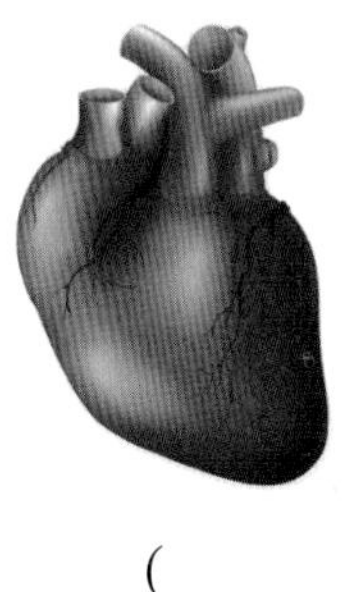

(   )

| (세 자리 수)×(한 자리 수) (2) | 서술형

14 두 식의 계산 결과의 차는 얼마인지 풀이 과정을 쓰고, 답을 구해 보세요.

중

119×5   216×4

풀이

답

| (몇십몇)×(몇십) |

15 안에 알맞은 수를 써넣으세요.

중

$$40 \times 40 = 20 \times \square$$

| (세 자리 수)×(한 자리 수) (3) |

16 계산 결과가 가장 큰 것부터 차례로 기호를 써 보세요.

중

㉠ 491×3　　㉡ 171×6
㉢ 639×2　　㉣ 357×4

(　　　　　　　　)

| (몇십몇)×(몇십) |　서술형

17 별 모양 한 개를 만드는 데 띠 종이가 16 cm 필요합니다. 똑같은 별 모양 50개를 만드는 데 필요한 띠 종이의 길이는 모두 몇 m인지 풀이 과정을 쓰고, 답을 구해 보세요.

중

풀이

답

| (세 자리 수)×(한 자리 수) (3) |

18 □안에 알맞은 수를 써넣으세요.

상

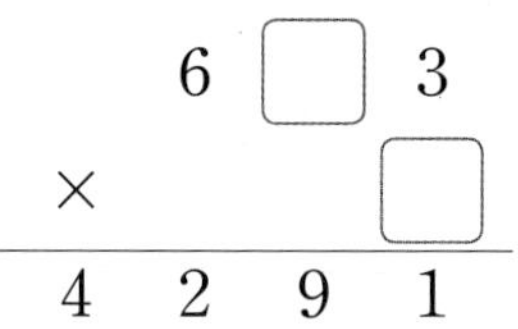

$$\begin{array}{r} 6\,\square\,3 \\ \times\quad\ \square \\ \hline 4\,2\,9\,1 \end{array}$$

| (몇십몇)×(몇십몇) (2) |　서술형

19 어떤 수에 68을 곱해야 할 것을 잘못하여 더하였더니 91이었습니다. 바르게 계산하면 얼마인지 풀이 과정을 쓰고, 답을 구해 보세요.

상

풀이

답

| (몇)×(몇십몇) |

20 3장의 수 카드를 □안에 한 번씩만 써넣어 곱이 가장 큰 곱셈을 만들고, 곱을 구해 보세요.

상

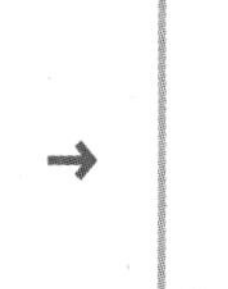

→

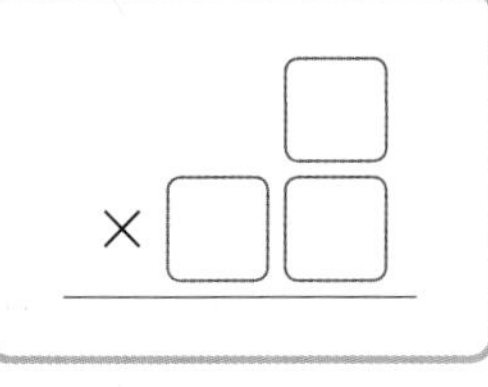

(　　　　　　　　)

단원 평가 | 1. 곱셈

정답 및 풀이 | 101쪽

평가한 날 월 일

점수

| (몇)×(몇십몇) |

01 □ 안에 알맞은 수를 써넣으세요.

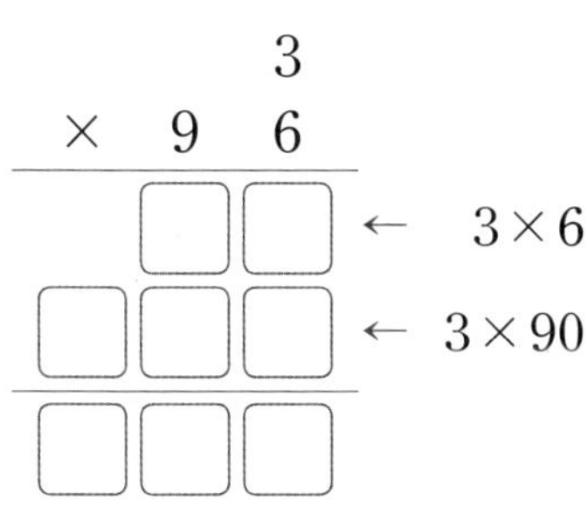

| (세 자리 수)×(한 자리 수) (1) |

02 □ 안에 알맞은 수를 써넣으세요.

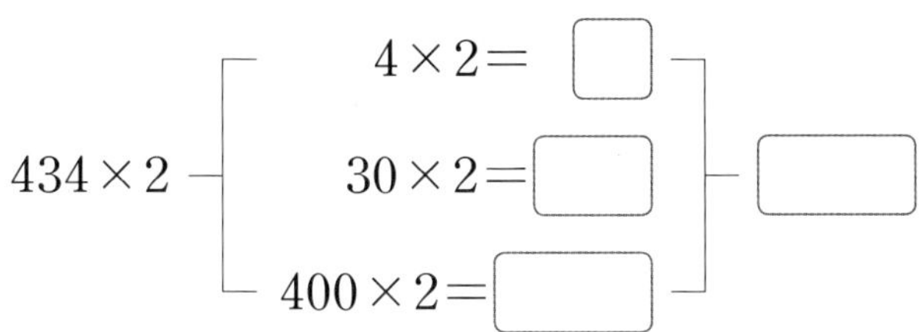

| (세 자리 수)×(한 자리 수) (2) |

03 계산에서 □ 안의 숫자 2는 실제로 얼마를 나타내는지 써 보세요.

하

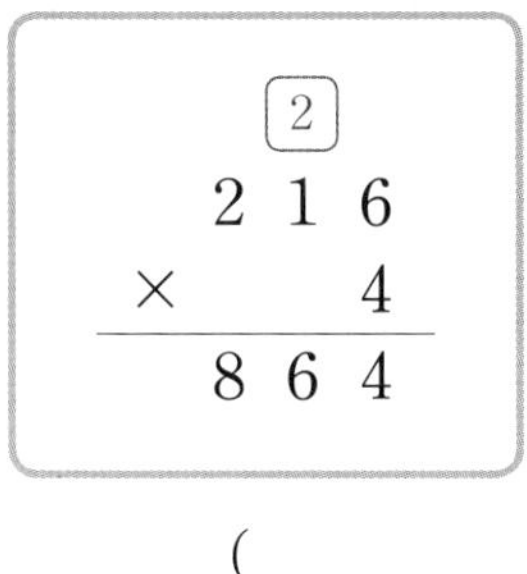

(   )

| (몇십몇)×(몇십) |

04 두 수의 곱을 구해 보세요.

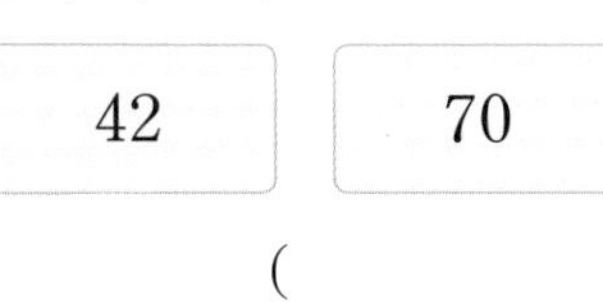

(   )

| (몇십몇)×(몇십몇) (1) |

05 보기 와 같은 방법으로 계산해 보세요.

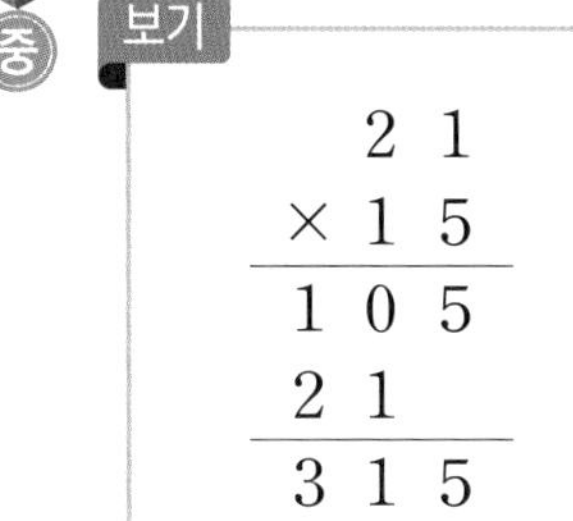

$$\begin{array}{r} 17 \\ \times\ 14 \\ \hline \end{array}$$

| (몇)×(몇십몇) |

06 빈칸에 알맞은 수를 써넣으세요.

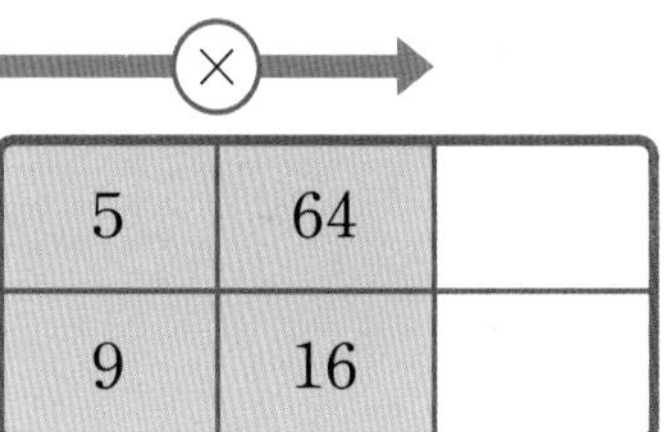

| (세 자리 수)×(한 자리 수) (3) |

07 잘못 계산한 것을 찾아 기호를 쓰고, 바르게 계산한 값을 구해 보세요.

중

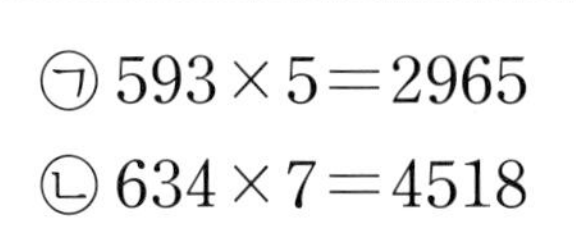

(   ), (   )

| (세 자리 수)×(한 자리 수) (2) |

08 가장 큰 수와 가장 작은 수의 곱을 구해 보세요.

6　　104　　79

(　　　　　　　　　　)

09~10 1분은 60초입니다. 물음에 답해 보세요.

| (몇십몇)×(몇십) |

09 20분은 몇 초인지 식을 쓰고 답을 구해 보세요.

답

| (몇십몇)×(몇십몇) (2) |

10 55분은 몇 초인지 식을 쓰고 답을 구해 보세요.

답

| (세 자리 수)×(한 자리 수) (3) |

11 한 상자에 135개씩 들어 있는 크림빵이 8상자 있습니다. 크림빵은 모두 몇 개일까요?

중

(　　　　　　　　　　)

| (몇십몇)×(몇십몇) (2) |

12 계산 결과가 1200보다 큰 것을 찾아 기호를 써 보세요.

중

㉠ 32×37　㉡ 53×22　㉢ 64×19

(　　　　　　　　　　)

| (세 자리 수)×(한 자리 수) (2) |

13 정사각형의 네 변의 길이의 합은 몇 cm일까요?

중

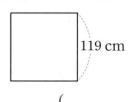

119 cm

(　　　　　　　　　　)

| (몇십몇)×(몇십) |　서술형

14 준서는 매일 줄넘기를 45개씩 합니다. 준서가 9월 한 달 동안 한 줄넘기는 모두 몇 개인지 풀이 과정을 쓰고, 답을 구해 보세요.

중

풀이

답

| (세 자리 수)×(한 자리 수) (1) |

15 4장의 숫자 카드 중 3장을 골라 한 번씩만 사용하여 만들 수 있는 가장 큰 세 자리 수와 남은 숫자 카드의 수의 곱을 구해 보세요.

중

4 2 7 3

(   )

| (몇십몇)×(몇십몇) (1) |

16 이현이는 책을 하루에 28쪽씩 13일 동안 읽었습니다. 몇 쪽을 더 읽으면 1000쪽이 될까요?

중

(   )

| (몇)×(몇십몇) | 서술형

17 ㉠과 ㉡ 사이에 있는 세 자리 수는 모두 몇 개인지 풀이 과정을 쓰고, 답을 구해 보세요.

상

㉠ 9×27 ㉡ 6×42

풀이

답

| (몇십몇)×(몇십몇) (2) |

18 □ 안에 알맞은 수를 써넣으세요.

상

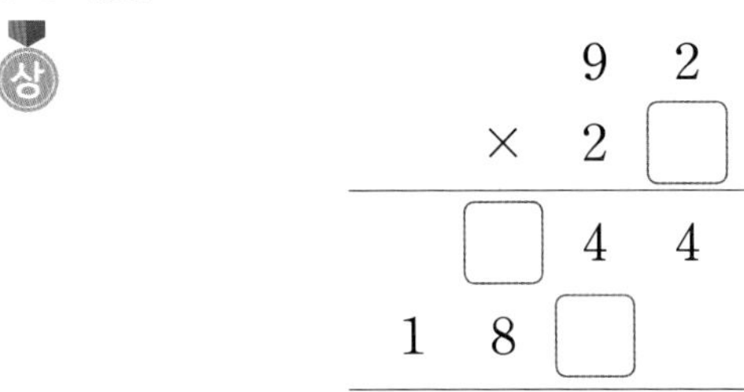

| (세 자리 수)×(한 자리 수) (3), (몇십몇)×(몇십) |

19 1부터 9까지의 수 중에서 □ 안에 들어갈 수 있는 수는 모두 몇 개일까요?

상

73×□0 < 452×6

(   )

| (몇십몇)×(몇십몇) (2) | 서술형

20 종이학을 효진이는 하루에 25개씩 36일 동안 접었고, 지은이는 하루에 29개씩 44일 동안 접었습니다. 종이학을 누가 몇 개 더 많이 접었는지 풀이 과정을 쓰고, 답을 구해 보세요.

상

풀이

답 ,

연습 서술형 평가 | 1. 곱셈

Tip

❶ 잘못 계산한 곳을 찾아 이유 쓰기

❷ 바르게 계산하기

01 잘못 계산한 곳을 찾아 이유를 쓰고, 바르게 계산해 보세요.

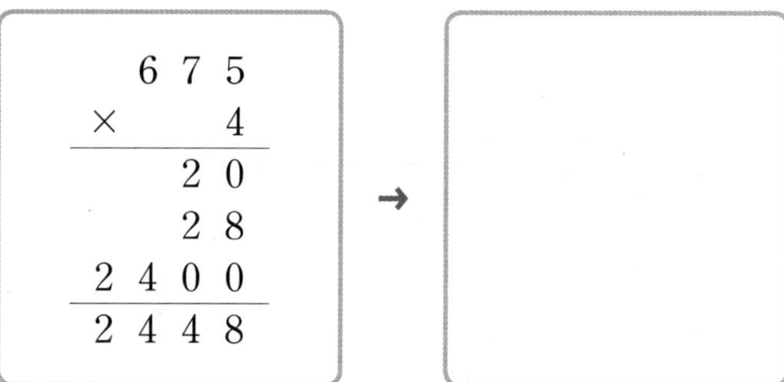

이유

Tip

❶ 문제에 알맞은 곱셈식 세우기

❷ 28상자에 들어 있는 소시지는 모두 몇 개인지 구하기

02 소시지가 한 상자에 54개씩 들어 있습니다. 28상자에 들어 있는 소시지는 모두 몇 개인지 풀이 과정을 쓰고, 답을 구해 보세요.

풀이

답

평가한 날 월 일

점수

❶ 산 물건의 값 구하기

❷ 받을 거스름돈은 얼마인지 구하기

03 준호는 문구점에서 450원짜리 공책 8권과 300원짜리 지우개 한 개를 사고 4000원을 냈습니다. 준호가 받을 거스름돈은 얼마인지 풀이 과정을 쓰고, 답을 구해 보세요.

풀이

답

❶ 곱이 가장 작으려면 십의 자리에 어떤 숫자가 놓여야 하는지 알아보기

❷ 만든 두 수의 곱 구하기

04 4장의 숫자 카드 [2], [3], [4], [6]을 한 번씩 모두 사용하여 곱이 가장 작게 되는 (두 자리 수)×(두 자리 수)를 만들었습니다. 만든 두 수의 곱은 얼마인지 풀이 과정을 쓰고, 답을 구해 보세요.

풀이

답

서술형 평가 | 1. 곱셈

❶ 공연장 한 곳에 놓여 있는 의자 수 구하기

❷ 공연장 8곳에 놓여 있는 의자 수 구하기

01 어느 공연장 한 곳의 좌석 배치도입니다. 이 공연장에는 의자가 한 줄에 15개씩 13줄로 놓여 있습니다. 좌석 배치가 똑같은 공연장이 8곳 있다면 공연장 8곳에 놓여 있는 의자는 모두 몇 개인지 풀이 과정을 쓰고, 답을 구해 보세요.

무대

A	1	2	3	4	5	6	7	8	9	10	11	12	13	14	15	A
B	1	2	3	4	5	6	7	8	9	10	11	12	13	14	15	B
C	1	2	3	4	5	6	7	8	9	10	11	12	13	14	15	C
D	1	2	3	4	5	6	7	8	9	10	11	12	13	14	15	D
E	1	2	3	4	5	6	7	8	9	10	11	12	13	14	15	E

⋮

풀이

답

❶ 비누, 물통, 딱지를 판매한 금액 각각 구하기

❷ 판매한 금액은 모두 얼마인지 구하기

02 호준이는 학교 알뜰 시장에서 다음과 같이 물건을 팔았습니다. 호준이가 알뜰 시장에서 판매한 금액은 모두 얼마인지 풀이 과정을 쓰고, 답을 구해 보세요.

물건	비누	물통	딱지
한 개당 가격	420원	950원	45원
판매한 개수	9개	2개	16개

풀이

답

평가한 날 월 일

점수

Tip

❶ 유준이와 길하가 저금한 금액 각각 구하기

❷ 누가 얼마를 더 저금했는지 구하기

03 유준이와 길하가 돼지 저금통에 동전을 저금했습니다. 유준이는 500원짜리 동전을 9개, 길하는 50원짜리 동전을 62개 저금했다면 누가 얼마를 더 저금했는지 풀이 과정을 쓰고, 답을 구해 보세요.

유준

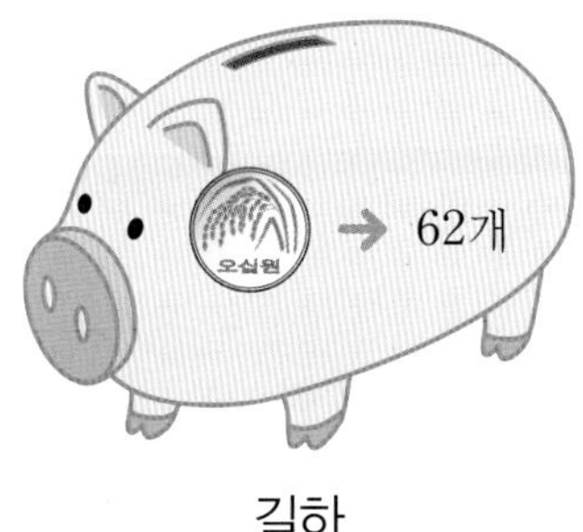

길하

풀이

 ,

Tip

❶ 3학년 전체 학생 수 구하기

❷ 나누어 주는 데 필요한 우유 수 구하기

❸ 처음에 있던 우유 수 구하기

04 승윤이네 학교 3학년의 반별 학생 수는 다음과 같습니다. 우유를 3학년 학생 모두에게 한 명당 4개씩 나누어 주려고 했더니 6개가 모자랐습니다. 처음에 있던 우유는 몇 개인지 풀이 과정을 쓰고, 답을 구해 보세요.

반	1반	2반	3반	4반
학생 수(명)	29	28	30	27

풀이

답

2 단원 교과서 핵심 개념

2 원

수학 36~59쪽 수학 익힘 23~32쪽

개념 1 원의 중심과 반지름

• 누름 못과 띠 종이를 이용하여 원 그리기

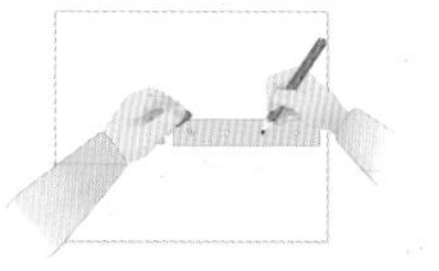

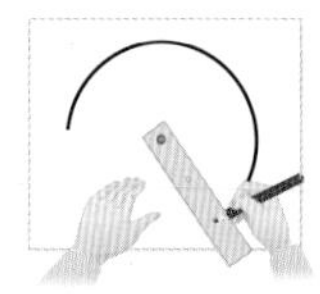

누름 못이 꽂힌 점에서 원 위의 한 점까지의 거리는 모두 같습니다.

• 원의 중심과 반지름

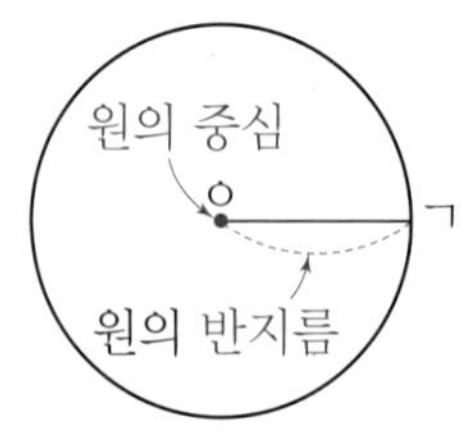

원의 중심: 원을 그릴 때에 누름 못이 꽂혔던 점 → 점 ㅇ

원의 반지름: 원의 중심과 원 위의 한 점을 이은 선분 → 선분 ㅇㄱ

• 한 원에서 원의 반지름은 모두 같습니다.

개념 2 원의 지름

• 원의 지름

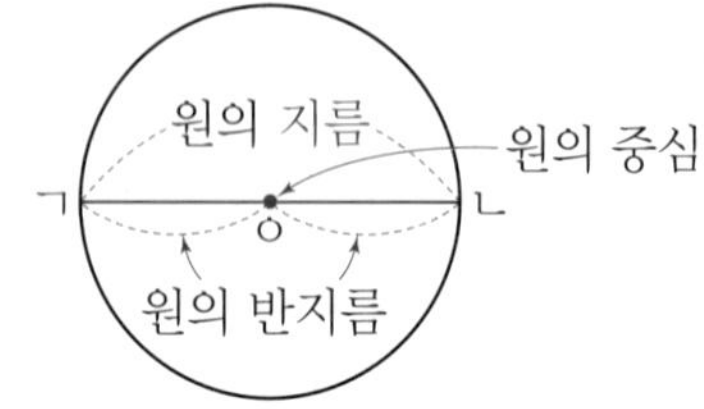

원의 지름: 원 위의 두 점을 이은 선분 중 원의 중심을 지나는 선분 → 선분 ㄱㄴ

• 원의 지름의 성질

① 지름은 한 원 위의 두 점을 이은 선분 중 길이가 가장 긴 선분입니다.

② 한 원에 그을 수 있는 지름은 무수히 많습니다.

③ 한 원에서 지름은 반지름의 2배입니다.

개념 3 컴퍼스를 이용하여 원 그리기

• 컴퍼스를 이용하여 원을 그리는 방법

	① 원의 중심이 되는 점 ㅇ을 정합니다.
	② 컴퍼스를 원의 반지름만큼 벌립니다.
	③ 원의 중심이 되는 점 ㅇ에 컴퍼스의 침을 꽂습니다.
	④ 손등이 내 쪽으로 향하게 합니다.
	⑤ 컴퍼스를 한 바퀴 돌려 원을 그립니다.

개념 4 원을 이용하여 여러 가지 모양 꾸미기

• 원을 이용하여 여러 가지 모양 꾸미는 방법

① 원이나 원의 일부분을 보고 원의 중심을 각각 찾습니다.

② 원의 반지름을 각각 알아봅니다.

③ 원의 중심과 반지름을 이용하여 주어진 모양과 똑같이 그립니다.

예

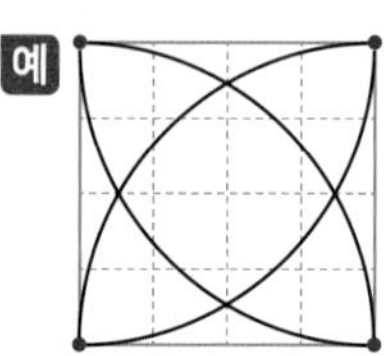

정사각형의 꼭짓점을 원의 중심으로 하는 원의 일부분을 4개 그립니다.

• 규칙을 찾아 원 그리기

예

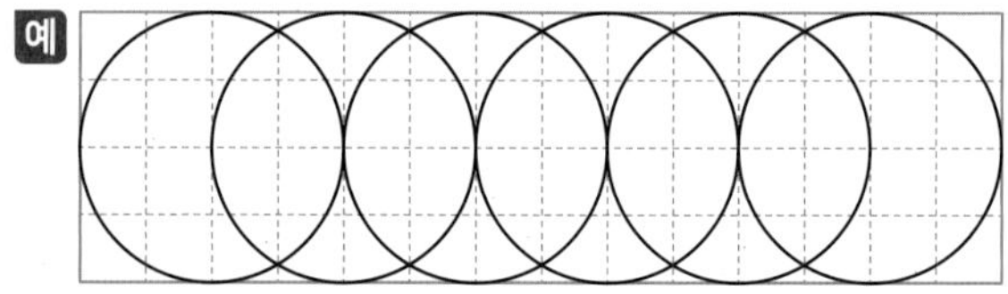

규칙 원의 반지름은 똑같고, 원의 중심이 오른쪽으로 2칸씩 옮겨 가는 규칙입니다.

2. 원 | 원의 중심과 반지름

평가한 날 월 일

점수

정답 및 풀이 | 103쪽

01~02 그림과 같이 누름 못과 띠 종이를 이용하여 원을 그렸습니다. 물음에 답해 보세요.

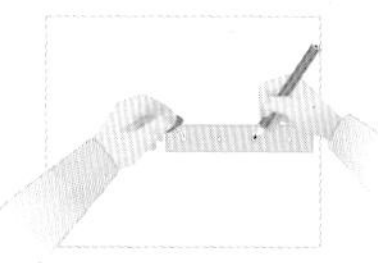

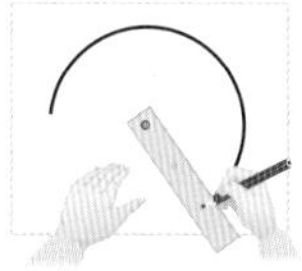

01 원을 그릴 때에 누름 못이 꽂혔던 점을 무엇이라고 할까요?

( )

02 알맞은 말에 ○표 하세요.

> 누름 못이 꽂힌 점에서 원 위의 한 점까지의 거리는 모두 (같습니다 , 다릅니다).

03 원의 중심을 찾아 써 보세요.

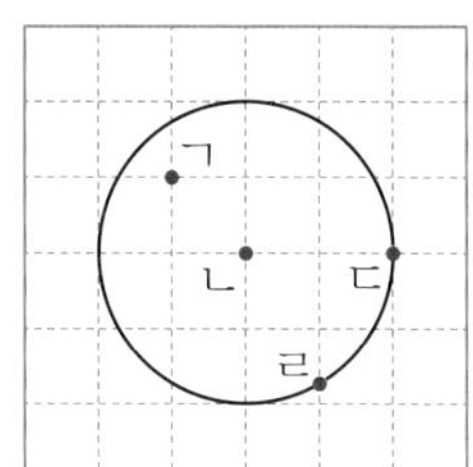

( )

04 원의 반지름을 찾아 기호를 써 보세요.

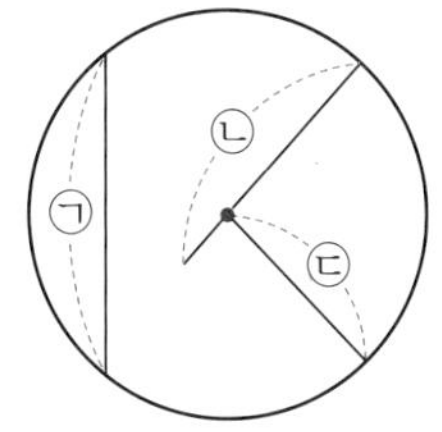

( )

05 원의 반지름을 3개 그어 보세요.

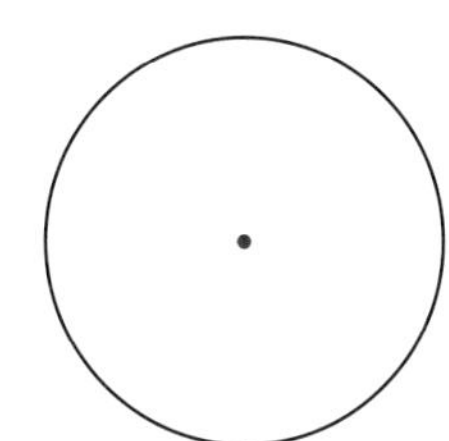

06~07 설명이 맞으면 ○표, 틀리면 ×표 하세요.

06

> 한 원에서 원의 중심은 1개입니다.

( )

07

> 한 원에 그을 수 있는 반지름은 1개입니다.

( )

08 가장 큰 원을 찾아 기호를 써 보세요.

> ㉠ 반지름이 8 cm인 원
> ㉡ 반지름이 5 cm인 원
> ㉢ 반지름이 7 cm인 원

( )

09 □ 안에 공통으로 들어갈 수를 구해 보세요.

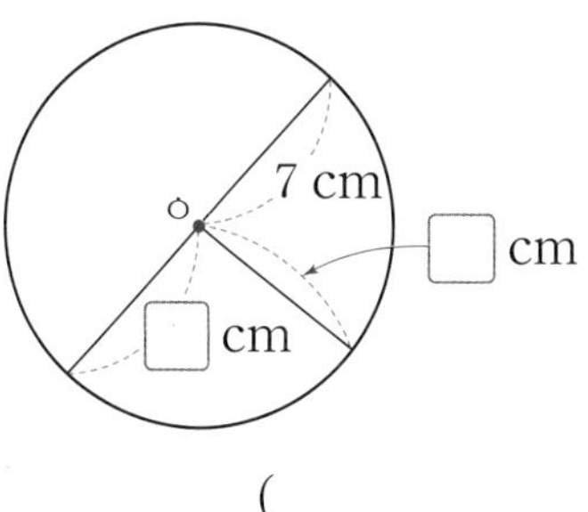

( )

10 점 ㄱ과 점 ㄴ이 각각 원의 중심일 때, 선분 ㄱㄴ의 길이를 구해 보세요.

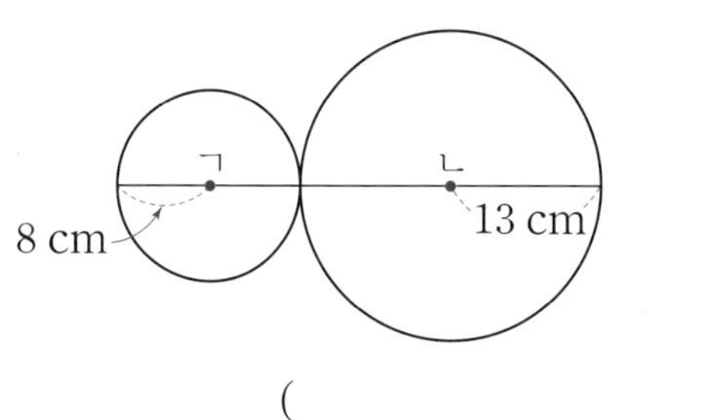

( )

2. 원 | 원의 지름

평가한 날 월 일

점수

정답 및 풀이 | 103쪽

01 원을 똑같이 둘로 나누는 선분은 어느 것일까요?

( )

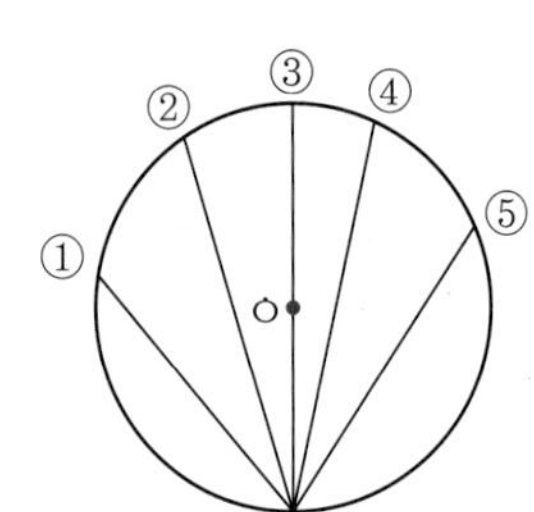

02 □ 안에 알맞은 말을 써넣으세요.

원의 □은 한 원 위의 두 점을 이은 선분 중 길이가 가장 긴 선분입니다.

03 원의 지름을 찾아 써 보세요.

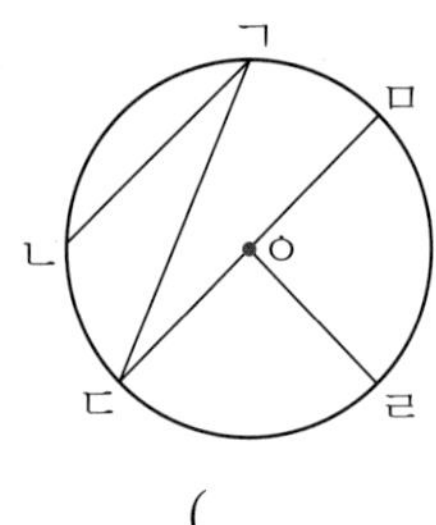

( )

04~05 원을 보고 □ 안에 알맞은 수를 써넣으세요.

04

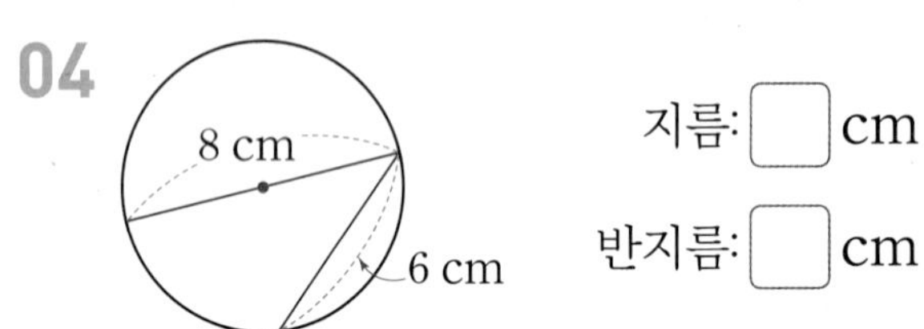

05

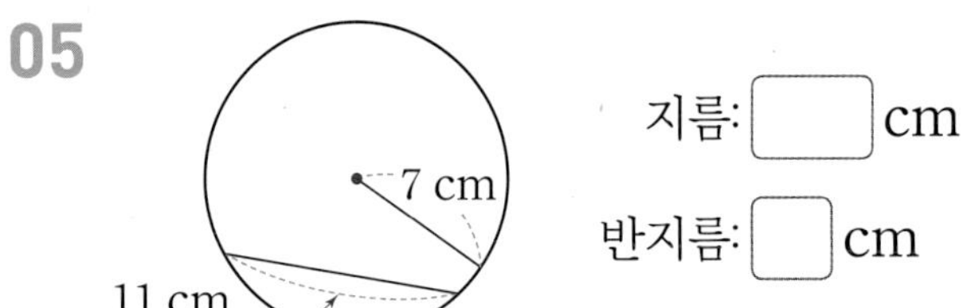

06 설명이 맞으면 ○표, 틀리면 ×표 하세요.

반지름이 6 cm인 원의 지름은 13 cm입니다.

( )

07 두 원의 지름의 차는 몇 cm일까요?

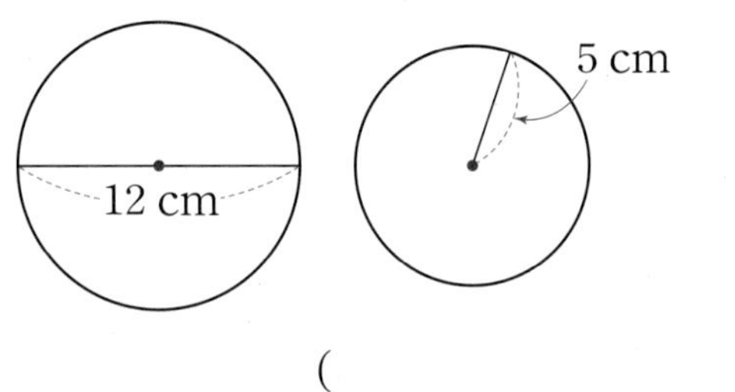

( )

08 지름이 18 cm인 원의 반지름은 몇 cm일까요?

( )

09 다음 그림에서 원의 지름을 나타내는 선분은 모두 몇 개일까요?

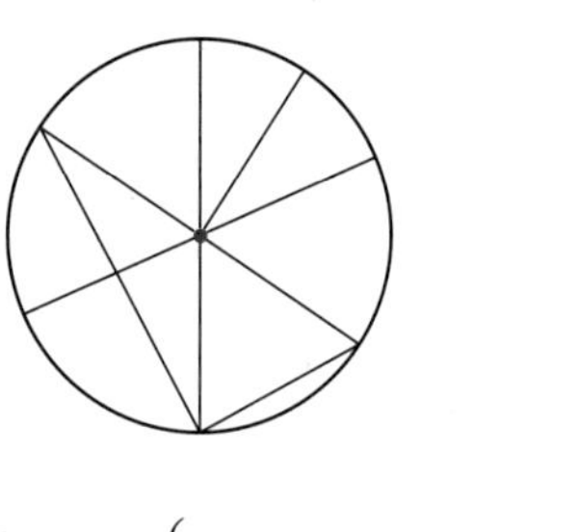

( )

10 가장 큰 원부터 차례로 기호를 써 보세요.

㉠ 반지름이 4 cm인 원
㉡ 지름이 5 cm인 원
㉢ 지름이 9 cm인 원

( )

2. 원 | 컴퍼스를 이용하여 원 그리기

정답 및 풀이 | 103쪽

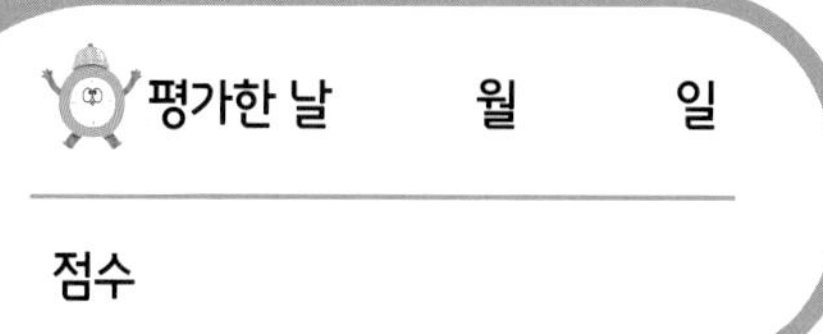

01 컴퍼스를 2 cm만큼 벌린 것을 찾아 ◯표 하세요.

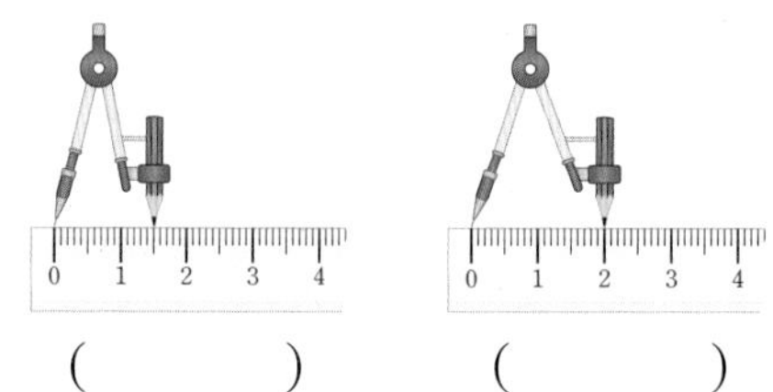

( ) ( )

02 ☐ 안에 알맞은 말을 써넣으세요.

컴퍼스를 이용하여 원을 그릴 때, 컴퍼스를 원의 ☐만큼 벌려야 합니다.

03 ☐ 안에 알맞은 말을 써넣으세요.

컴퍼스를 이용하여 원을 그릴 때, 컴퍼스의 침은 원의 ☐에 꽂아야 합니다.

04~05 오른쪽과 같이 컴퍼스를 벌려서 원을 그렸습니다. 물음에 답해 보세요.

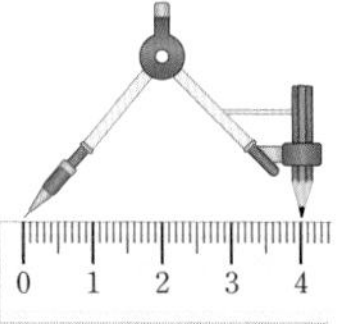

04 그린 원의 반지름은 몇 cm일까요?

( )

05 그린 원의 지름은 몇 cm일까요?

( )

06 점 ㅇ을 원의 중심으로 하여 주어진 선분을 반지름으로 하는 원을 그려 보세요.

07 점 ㅇ을 원의 중심으로 하여 반지름이 2 cm인 원을 그려 보세요.

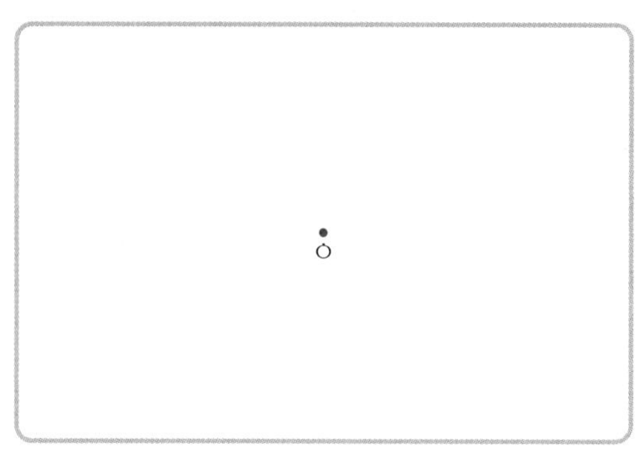

08 지름이 12 cm인 원을 그리려고 합니다. 컴퍼스를 몇 cm만큼 벌려야 할까요?

( )

09 지름이 6 cm인 원을 그려 보세요.

10 컴퍼스를 이용하여 지름이 2 cm인 원 2개를 서로 맞닿게 그려 보세요.

1 cm
1 cm

평가한 날 월 일

점수

정답 및 풀이 | 104쪽

01~02 컴퍼스를 이용하여 주어진 모양과 똑같이 그리려고 합니다. 물음에 답해 보세요.

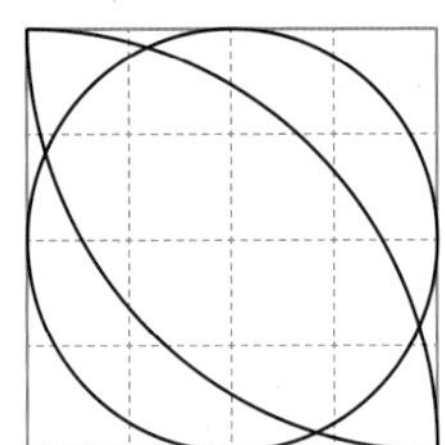

01 주어진 모양을 그릴 때 컴퍼스의 침이 꽂혔던 곳을 모두 찾아 표시해 보세요.

02 주어진 모양과 똑같이 그려 보세요.

03 주어진 모양과 똑같이 그리기 위하여 컴퍼스의 침을 꽂아야 할 곳은 모두 몇 군데일까요?

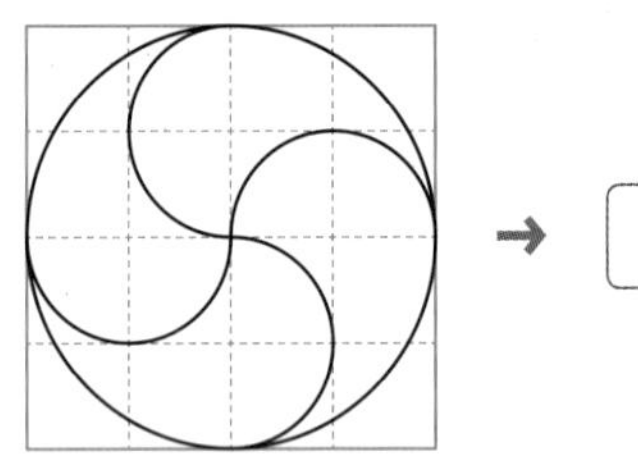

04~05 그림을 보고 물음에 답해 보세요.

㉠ 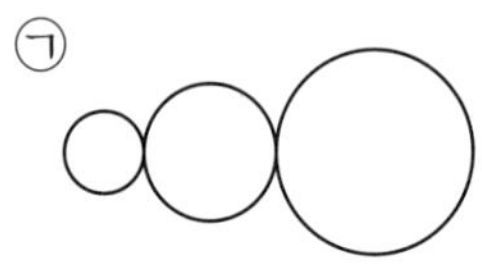 ㉡ 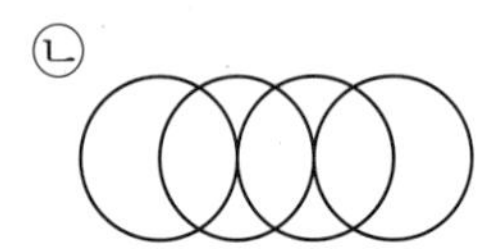

04 원의 반지름은 같고 원의 중심을 옮겨 가며 그린 모양을 찾아 기호를 써 보세요.

(　　　　　　　　　　)

05 원의 중심과 반지름을 모두 다르게 하여 그린 모양을 찾아 기호를 써 보세요.

(　　　　　　　　　　)

06~07 주어진 모양과 똑같이 그려 보세요.

06

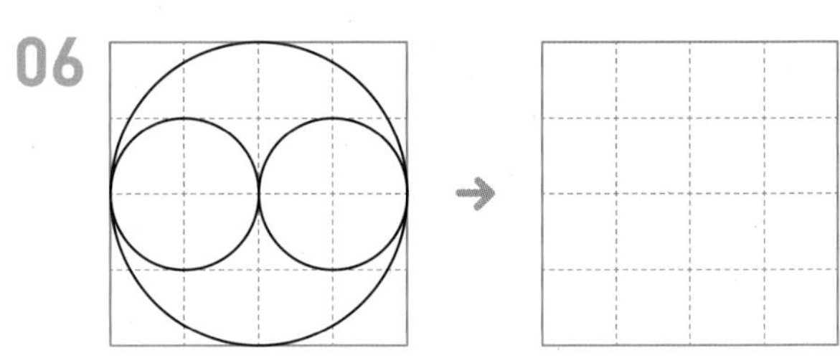

07

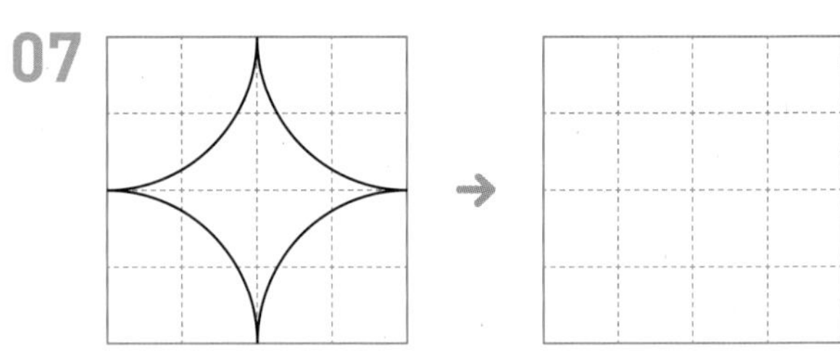

08~09 규칙에 따라 원을 1개 더 그려 보세요.

08

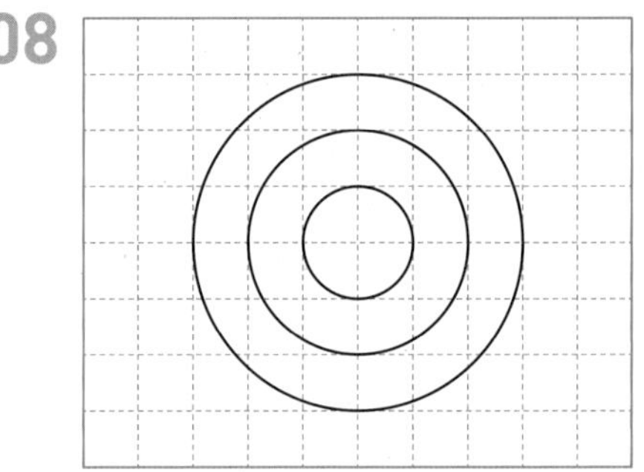

09

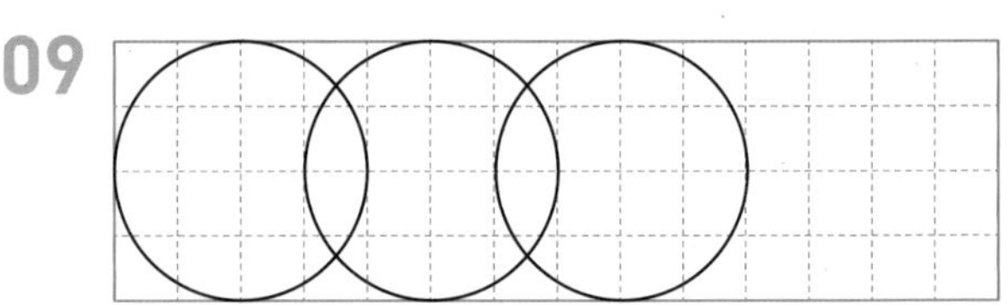

10 주어진 모양을 그릴 때, 컴퍼스의 침을 꽂아야 할 곳의 수가 더 많은 것을 찾아 기호를 써 보세요.

㉠ 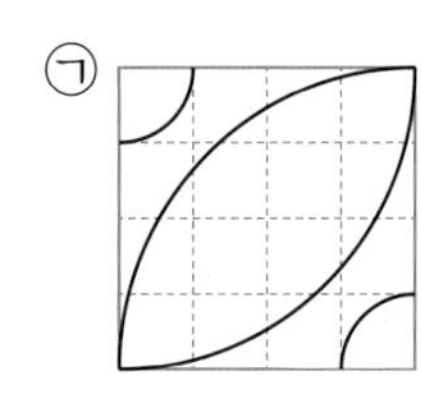 ㉡ 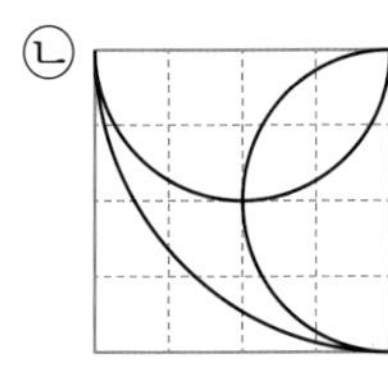

(　　　　　　　　　　)

단원 평가 | 2. 원

정답 및 풀이 | 105쪽

평가한 날 월 일

점수

| 원의 중심과 반지름 |

01 하 누름 못과 띠 종이를 이용하여 원을 그리려고 합니다. 원의 중심이 되는 곳을 찾아 기호를 써 보세요.

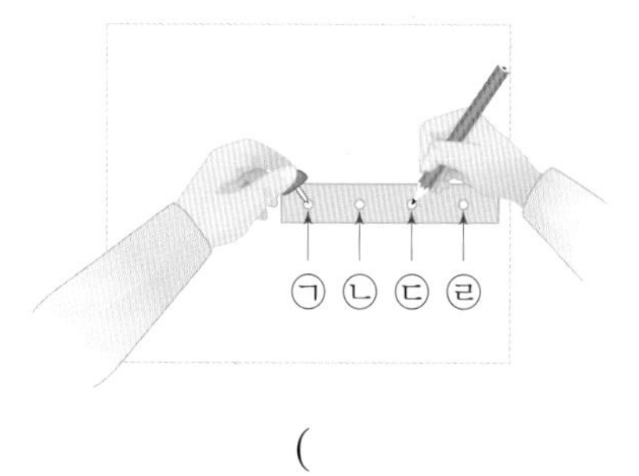

(　　　　　　　　　　)

02~03 점 ㅇ은 원의 중심입니다. 원의 반지름을 구해 보세요.

| 원의 중심과 반지름 |

02 하

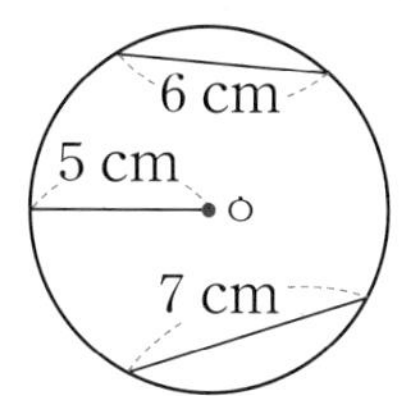

원의 반지름: ☐ cm

| 원의 중심과 반지름 |

03 하

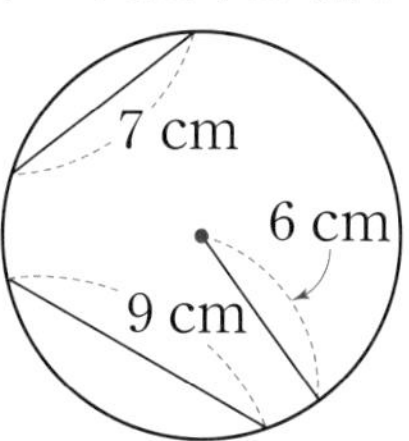

원의 반지름: ☐ cm

| 원의 중심과 반지름 |

04 중 한 원에는 원의 중심이 몇 개 있을까요?

(　　　　　　　　　　)

05~06 반지름이 3 cm인 원을 그리려고 합니다. 물음에 답해 보세요.

| 컴퍼스를 이용하여 원 그리기 |

05 하 ☐ 안에 알맞은 수를 써넣으세요.

> 반지름이 3 cm인 원을 그리려면 컴퍼스를 ☐cm만큼 벌려야 합니다.

| 컴퍼스를 이용하여 원 그리기 |

06 중 컴퍼스를 이용하여 반지름이 3 cm인 원을 그려 보세요.

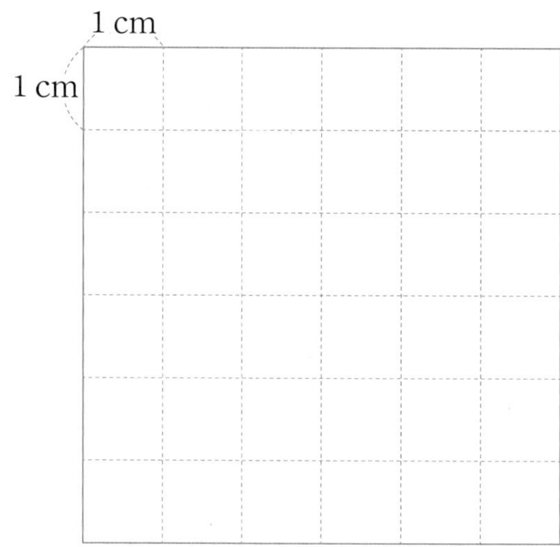

| 원을 이용하여 여러 가지 모양 꾸미기 |

07 중 주어진 모양과 똑같이 그리기 위하여 컴퍼스의 침을 꽂아야 할 곳에 모두 표시해 보세요.

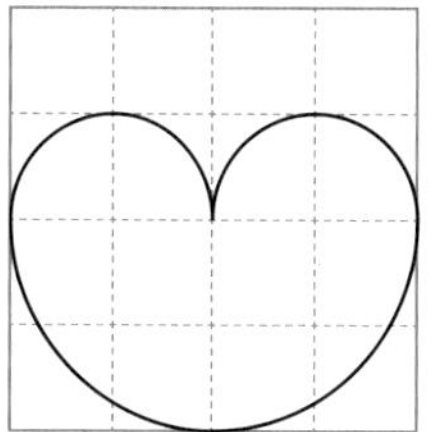

| 원의 지름 |

08 틀린 설명을 찾아 기호를 써 보세요.

㉠ 한 원에 그을 수 있는 지름은 무수히 많습니다.
㉡ 한 원에서 반지름은 지름의 2배입니다.

( )

| 컴퍼스를 이용하여 원 그리기 |

09 컴퍼스를 이용하여 주어진 원과 크기가 같은 원을 그려 보세요.

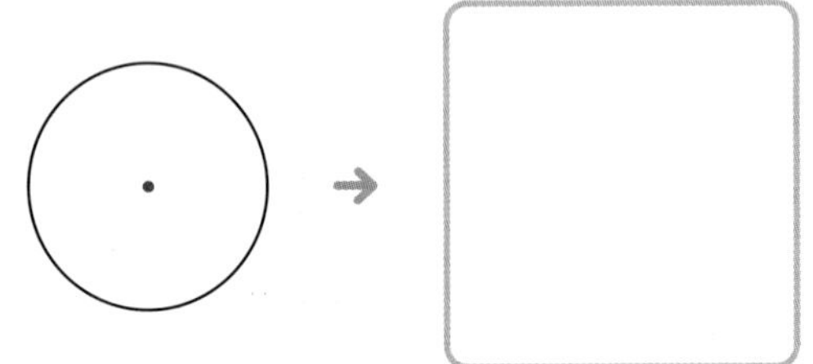

| 컴퍼스를 이용하여 원 그리기 |

10 소영이는 컴퍼스를 7 cm만큼 벌려서 원을 그렸습니다. 소영이가 그린 원의 지름은 몇 cm일까요?

( )

| 원의 지름 | 서술형

11 원의 지름을 바르게 나타냈으면 ○표, 잘못 나타냈으면 ×표 하고, 그 이유를 써 보세요.

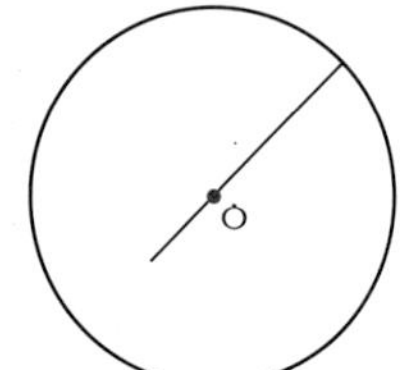

답

이유

| 원을 이용하여 여러 가지 모양 꾸미기 |

12 주어진 모양과 똑같이 그려 보세요.

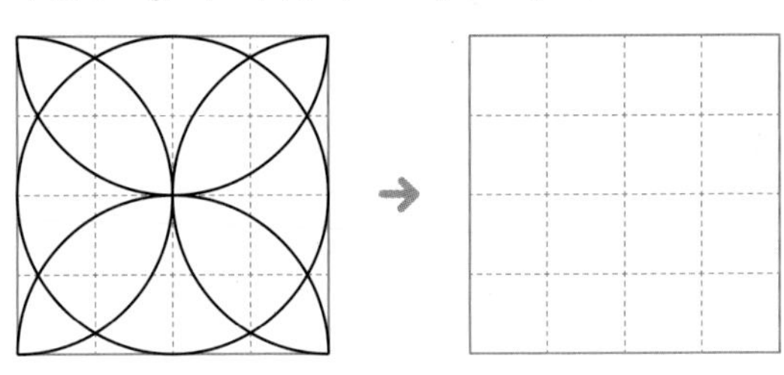

| 원의 지름 |

13 가장 큰 원을 찾아 기호를 써 보세요.

㉠ 지름이 8 cm인 원
㉡ 반지름이 6 cm인 원
㉢ 지름이 10 cm인 원

( )

| 컴퍼스를 이용하여 원 그리기 | 서술형

14 한 변이 16 cm인 정사각형 안에 그릴 수 있는 가장 큰 원을 그렸습니다. 그린 원의 반지름은 몇 cm인지 풀이 과정을 쓰고, 답을 구해 보세요.

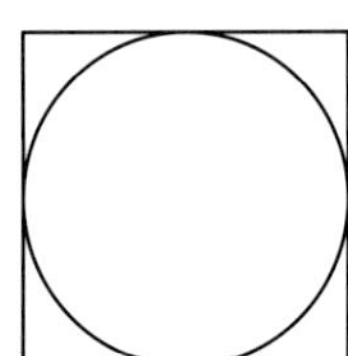

풀이

답

| 원의 지름 |

15 점 ㅇ은 원의 중심입니다. 가장 큰 원의 지름은 몇 cm일까요?

중

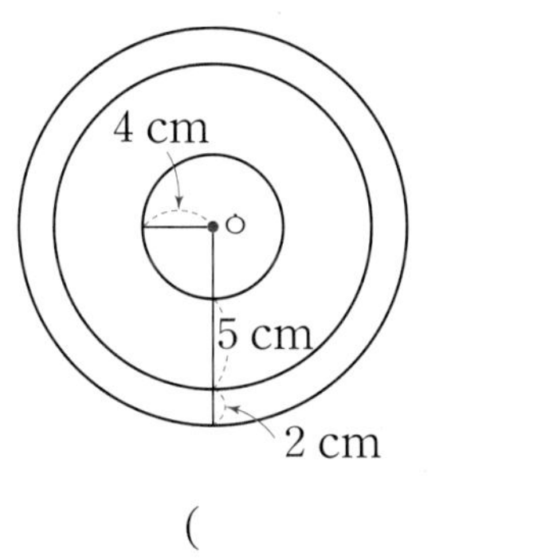

( )

16~17 규칙에 따라 원을 그린 것입니다. 물음에 답해 보세요.

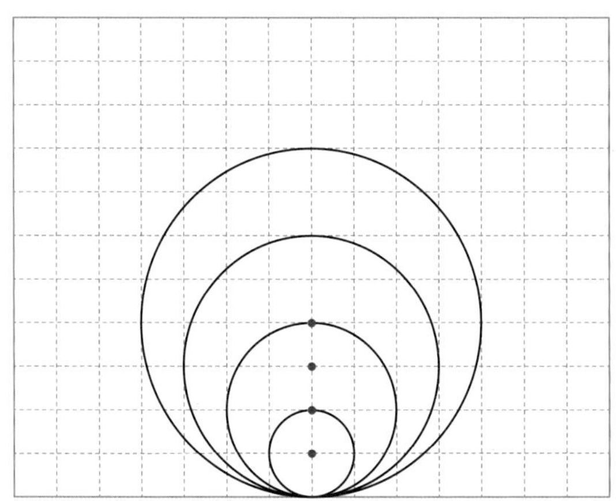

| 원을 이용하여 여러 가지 모양 꾸미기 |

16 규칙을 찾아 알맞은 것에 ○표 하세요.

규칙 원의 중심이 (아래쪽 , 위쪽)으로 모눈 1칸씩 옮겨 가고, 원의 반지름이 모눈 (1칸 , 2칸)씩 늘어나는 규칙입니다.

| 원을 이용하여 여러 가지 모양 꾸미기 |

17 규칙에 따라 원을 1개 더 그려 보세요.

| 원의 지름 |

18 점 ㄱ, 점 ㄴ, 점 ㄷ은 각각 원의 중심입니다. 선분 ㄱㄷ의 길이는 몇 cm일까요?

상

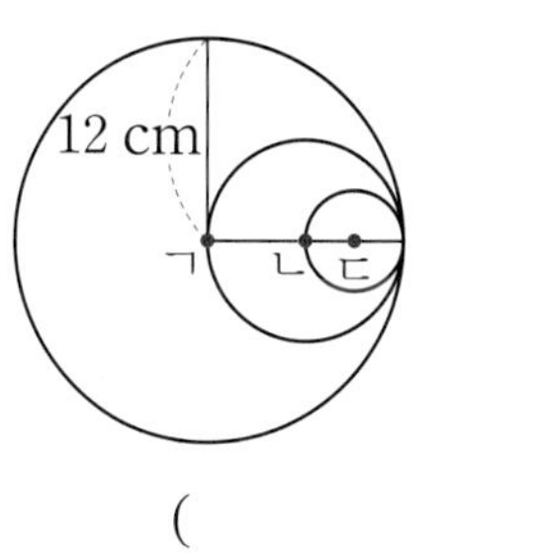

( )

| 원의 중심과 반지름 | 서술형

19 반지름이 9 cm인 원입니다. 원의 중심 ㅇ과 원 위의 두 점을 이어 그린 삼각형 ㄱㅇㄴ의 세 변의 길이의 합은 몇 cm인지 풀이 과정을 쓰고, 답을 구해 보세요.

상

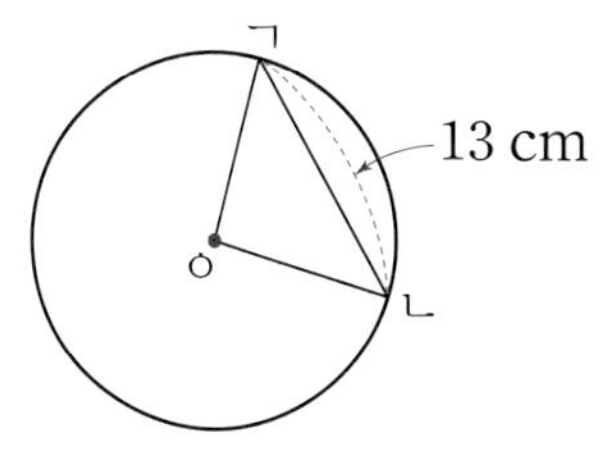

풀이

답

| 원의 지름 |

20 직사각형 안에 반지름이 3 cm인 원 3개를 맞닿게 그렸습니다. 직사각형의 네 변의 길이의 합은 몇 cm일까요?

상

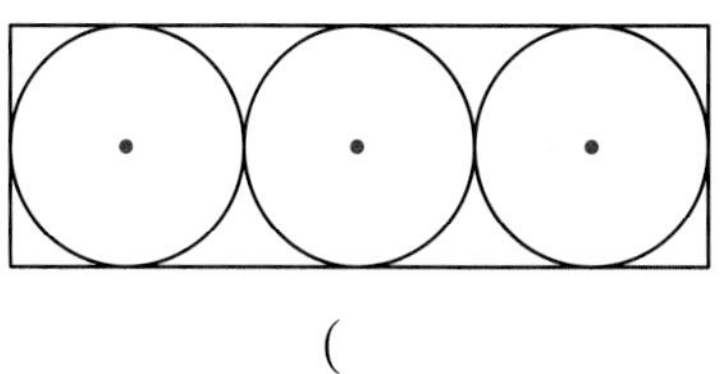

( )

| 원의 중심과 반지름 |

01 원의 중심을 찾아 점을 찍어 보세요.

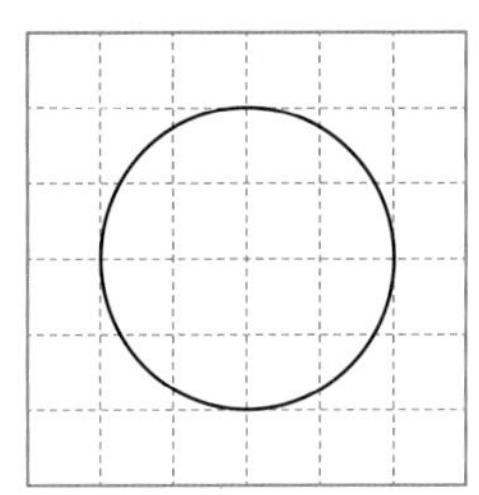

| 원의 중심과 반지름 |

02 □ 안에 알맞은 말을 써넣으세요.

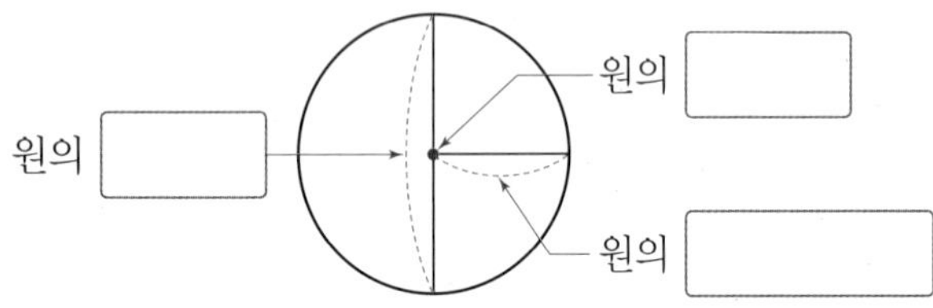

| 컴퍼스를 이용하여 원 그리기 |

03 반지름이 1 cm인 원을 그리려고 합니다. 컴퍼스를 바르게 벌린 것을 찾아 ○표 하세요.

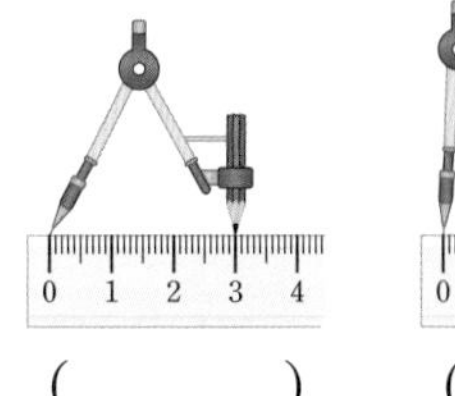

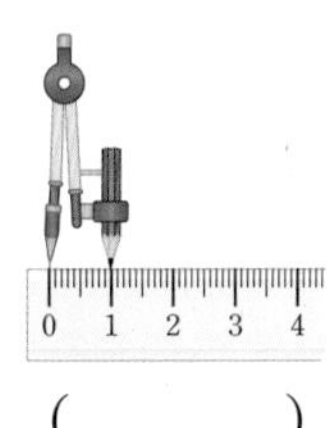

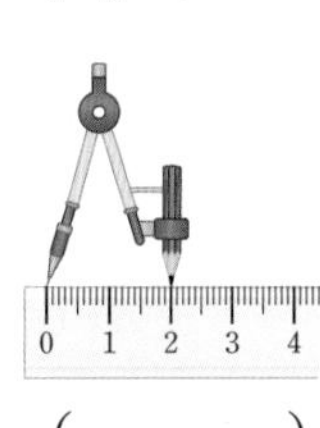

(　　　) (　　　) (　　　)

| 원의 중심과 반지름 |

04 원 모양의 접시에 원의 중심과 반지름을 바르게 표시한 사람을 찾아 이름을 써 보세요.

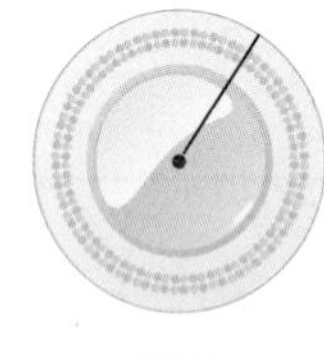

정호　　효선

(　　　　　　　　)

| 원의 지름 |

05 오른쪽 그림에서 점 ㅇ은 원의 중심입니다. 길이가 가장 긴 선분을 모두 찾아 써 보세요.

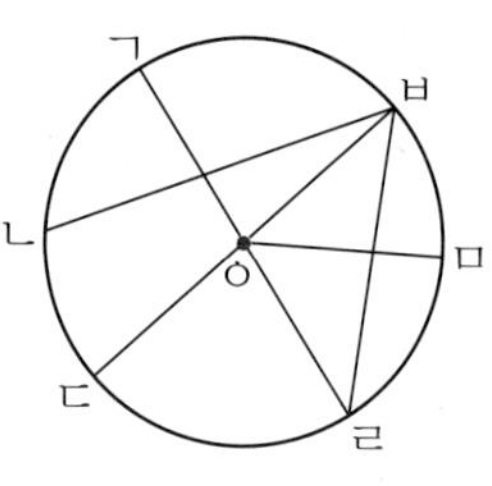

(　　　　　　　　)

| 원의 지름 |

06 □ 안에 알맞은 수를 써넣으세요.

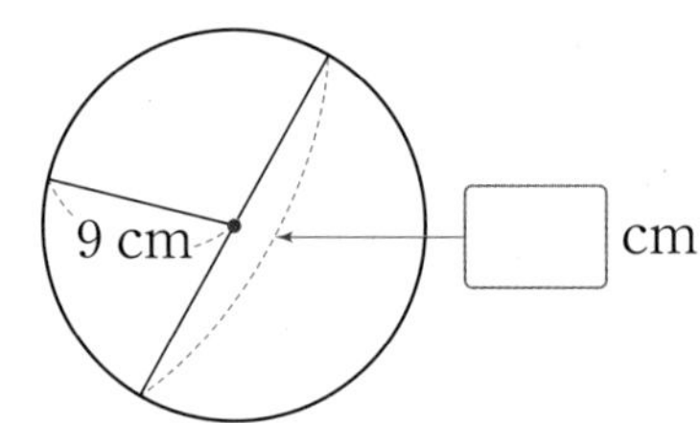

| 컴퍼스를 이용하여 원 그리기 |

07 점 ㅇ을 원의 중심으로 하여 반지름이 모눈 3칸인 원을 그려 보세요.

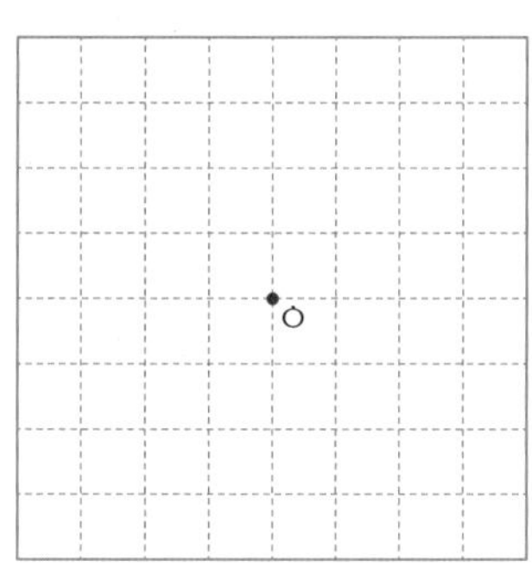

| 원의 중심과 반지름 |

08 점 ㅇ은 원의 중심입니다. 선분 ㄱㄴ의 길이는 몇 cm일까요?

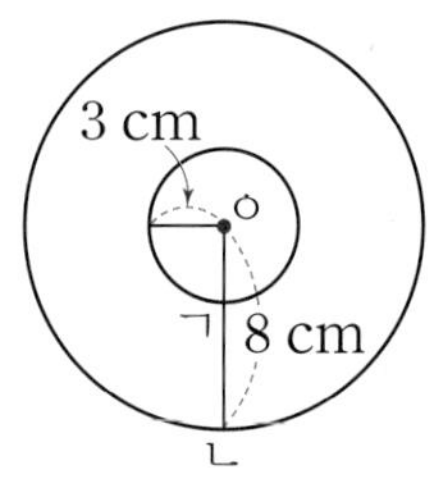

(　　　　　　　　)

| 원의 지름 |

09 원 가와 나의 지름의 차는 몇 cm일까요?

가 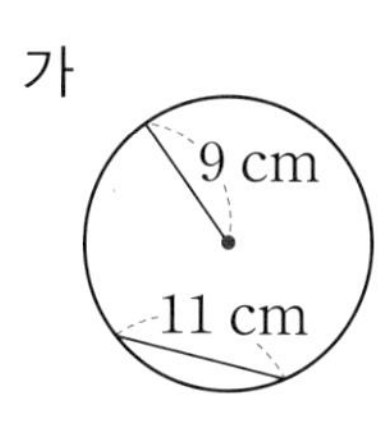

나 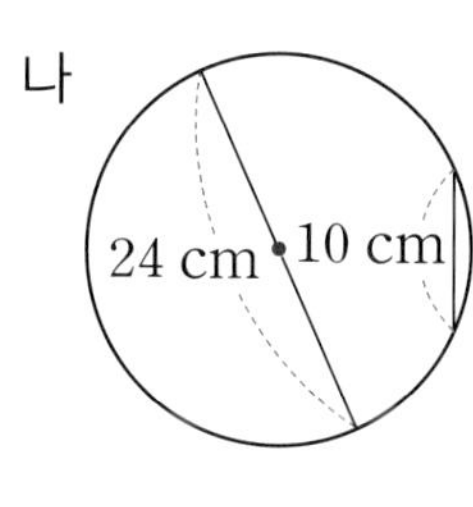

( )

| 원의 지름 | 

10 설명이 틀린 사람을 찾아 이름을 쓰고, 그 이유를 써 보세요.

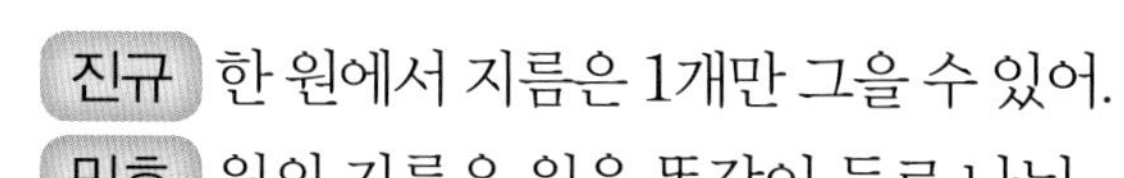

진규 한 원에서 지름은 1개만 그을 수 있어.

민호 원의 지름은 원을 똑같이 둘로 나눠.

답

이유

| 원을 이용하여 여러 가지 모양 꾸미기 |

11 주어진 모양과 똑같이 그려 보세요.

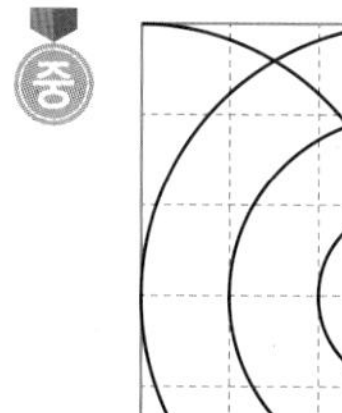

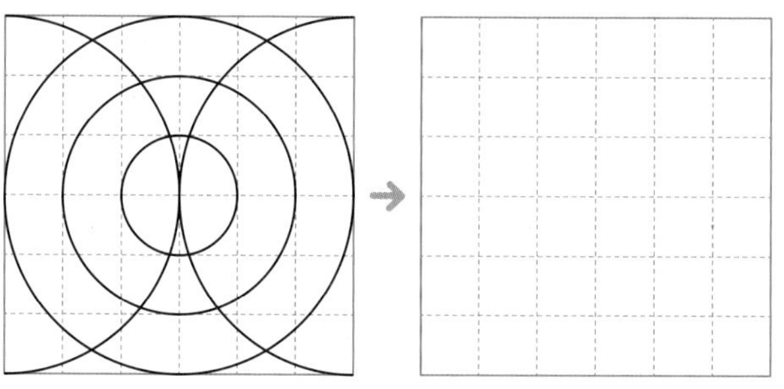

| 원을 이용하여 여러 가지 모양 꾸미기 |

12 원의 반지름은 같고 원의 중심을 옮겨 가며 그린 모양을 모두 찾아 기호를 써 보세요.

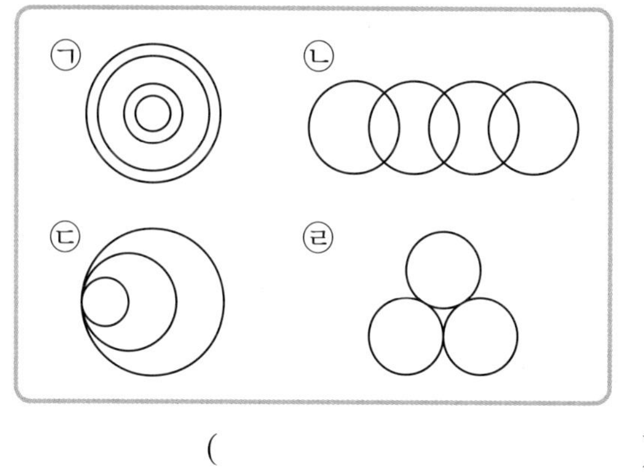

( )

| 컴퍼스를 이용하여 원 그리기 |

13 점 ㅇ을 원의 중심으로 하여 지름이 2 cm인 원과 4 cm인 원을 각각 그려 보세요.

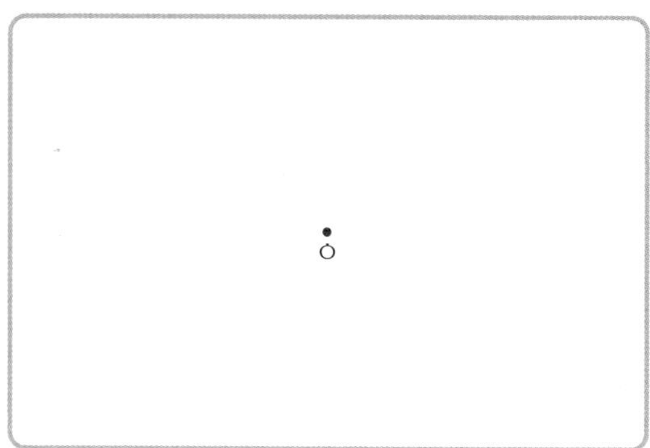

| 원의 지름 |

14 큰 원 안에 크기가 같은 작은 원 3개를 맞닿게 그렸습니다. 큰 원의 지름이 30 cm일 때, 작은 원의 반지름은 몇 cm일까요?

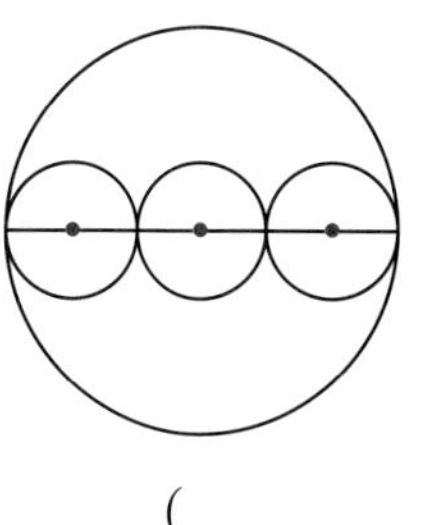

( )

| 원을 이용하여 여러 가지 모양 꾸미기 |

15 (중) 주어진 두 모양과 똑같이 그리기 위하여 컴퍼스의 침을 꽂아야 할 곳은 모두 몇 군데일까요?

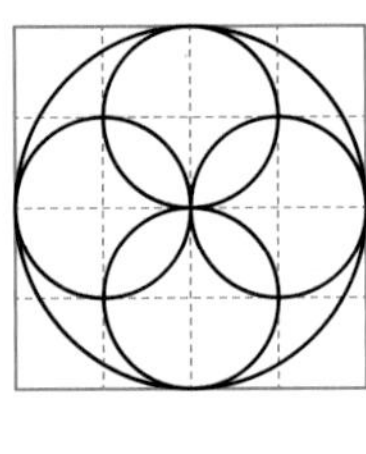

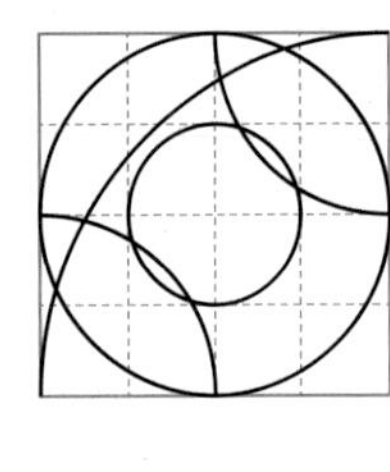

( )

| 원의 지름 | 서술형

16 (중) 점 ㄴ과 점 ㄹ은 각각 원의 중심입니다. 선분 ㄴㄹ의 길이는 몇 cm인지 풀이 과정을 쓰고, 답을 구해 보세요.

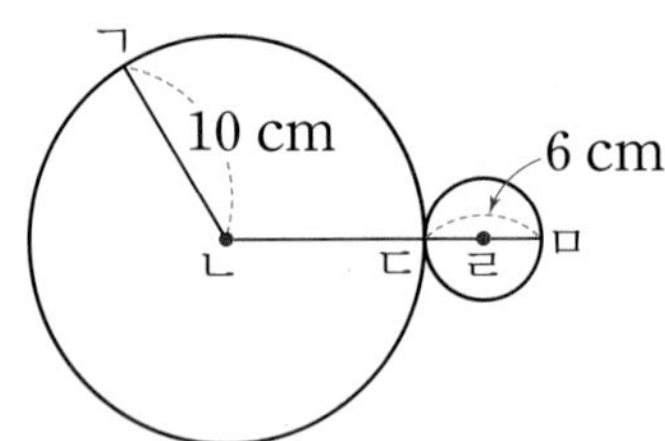

풀이

답

| 원의 지름 |

17 (상) 점 ㅇ은 원의 중심입니다. 삼각형 ㄱㅇㄴ의 세 변의 길이의 합이 33 cm일 때, 원의 지름은 몇 cm일까요?

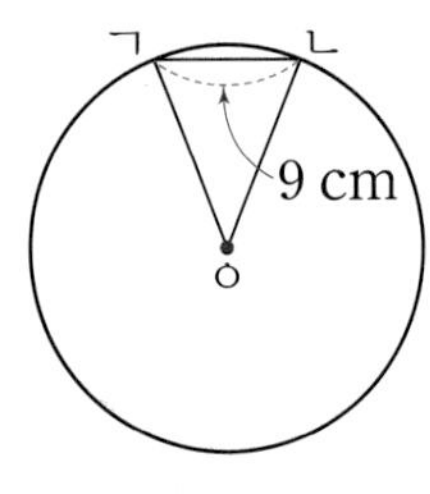

( )

| 원의 중심과 반지름 |

18 (상) 점 ㄱ과 점 ㄴ을 각각 원의 중심으로 하는 원 3개의 일부를 그린 것입니다. 선분 ㄱㄷ은 몇 cm일까요?

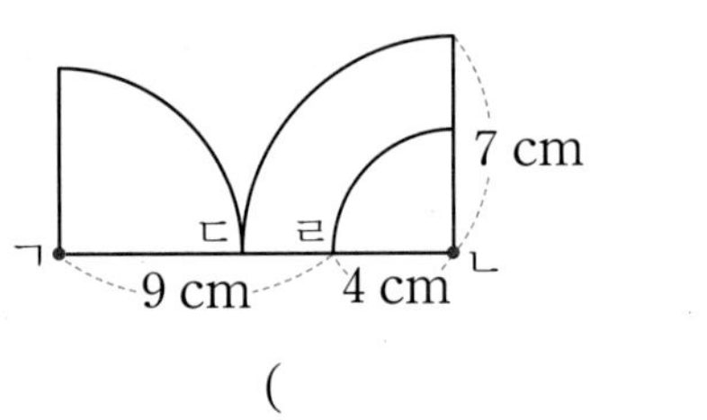

( )

| 원을 이용하여 여러 가지 모양 꾸미기 | 서술형

19 (상) 원을 그린 규칙을 설명하고, 규칙에 따라 원을 1개 더 그려 보세요.

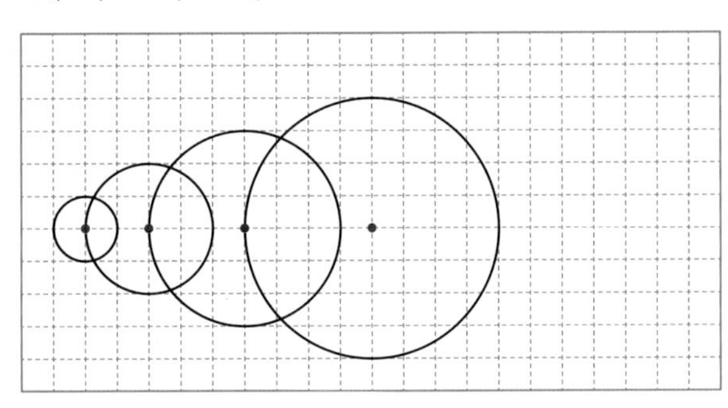

규칙

| 원의 중심과 반지름 |

20 (상) 점 ㄱ과 점 ㄴ은 각각 원의 중심이고, 선분 ㄱㄴ의 길이는 15 cm입니다. 선분 ㄹㅁ의 길이는 몇 cm일까요?

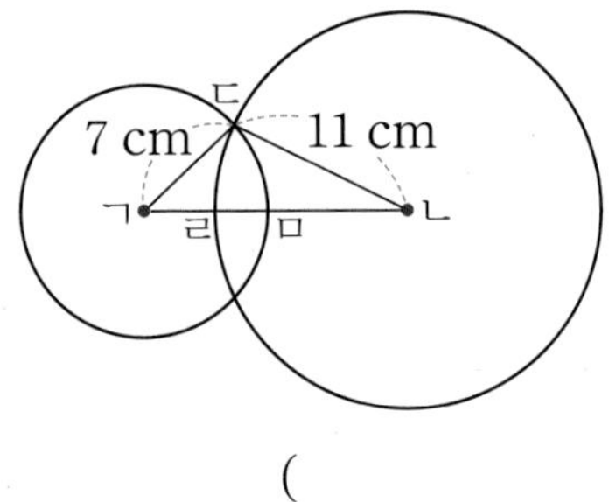

( )

연습 서술형 평가 | 2. 원

정답 및 풀이 | 107쪽

평가한 날 월 일

점수

① 표시한 선분이 반지름인지 아닌지 쓰기

② '반지름'의 뜻과 관련지어 이유를 설명하기

01 상현이는 원의 반지름을 그림과 같이 표시했습니다. 상현이가 표시한 선분이 반지름인지 아닌지 쓰고, 그렇게 생각한 이유를 '반지름'의 뜻과 관련지어 설명해 보세요.

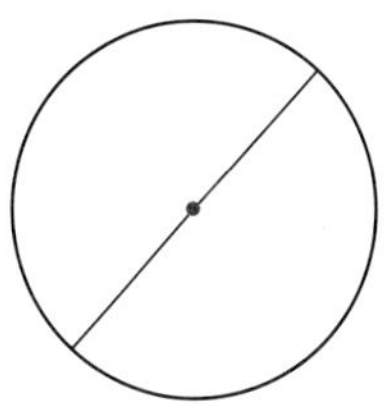

답

이유

① 큰 원의 반지름 구하기

② 작은 원의 반지름 구하기

02 점 ㄱ과 점 ㄴ은 각각 원의 중심입니다. 큰 원의 지름이 12 cm일 때, 작은 원의 반지름은 몇 cm인지 풀이 과정을 쓰고, 답을 구해 보세요.

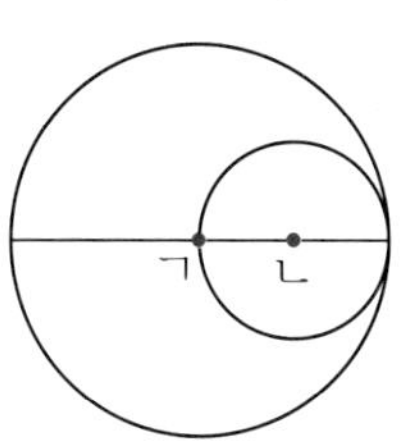

풀이

답

Tip

❶ 선분 ㄱㄴ의 길이 구하기

❷ 삼각형 ㄱㄷㄴ의 세 변의 길이의 합 구하기

03 점 ㄱ과 점 ㄴ은 각각 원의 중심입니다. 선분 ㄷㄴ의 길이가 8 cm일 때, 삼각형 ㄱㄷㄴ의 세 변의 길이의 합은 몇 cm인지 풀이 과정을 쓰고, 답을 구해 보세요.

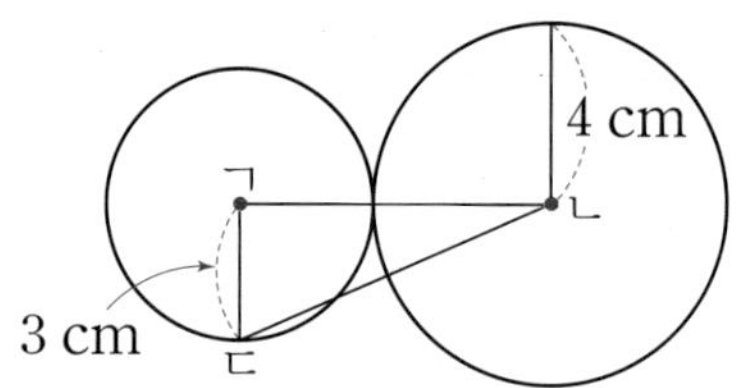

풀이

답

Tip

❶ 원의 지름이 늘어나는 규칙 알아보기

❷ 규칙에 따라 원을 2개 더 그렸을 때, 마지막에 그린 원의 지름은 모눈 몇 칸인지 구하기

❸ 마지막에 그린 원의 지름 구하기

04 규칙에 따라 원을 2개 더 그렸을 때 마지막에 그린 원의 지름은 몇 cm인지 풀이 과정을 쓰고, 답을 구해 보세요.

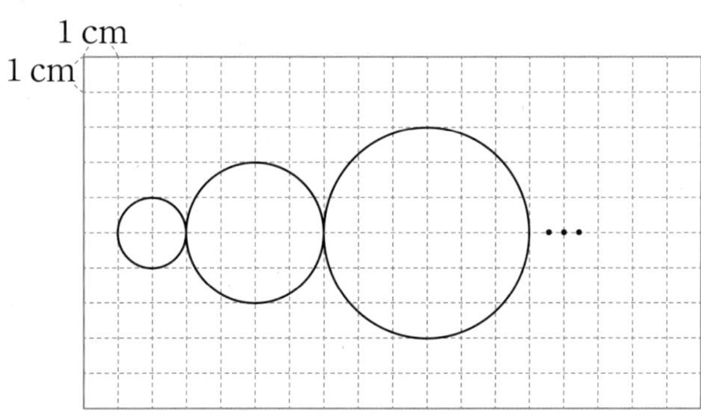

풀이

답

실전 서술형 평가 | 2. 원

정답 및 풀이 | 108쪽

평가한 날 월 일

점수

❶ 공평한 경기가 되기 위한 위치 조건 알아보기

❷ 더 공평한 경기의 모습은 어느 것인지 구하기

01 예슬이네 반 친구들이 서로 다른 위치에서 투호를 하고 있습니다. 가와 나 중 더 공평한 경기의 모습은 어느 것인지 풀이 과정을 쓰고, 답을 구해 보세요.

가

나

풀이

답

❶ 컴퍼스의 침을 꽂아야 할 곳 모두 찾기

❷ 컴퍼스의 침을 꽂아야 할 곳은 모두 몇 군데인지 구하기

02 희영이가 태극기의 태극 무늬를 컴퍼스를 이용하여 그리려고 합니다. 컴퍼스의 침을 꽂아야 할 곳은 모두 몇 군데인지 풀이 과정을 쓰고, 답을 구해 보세요.

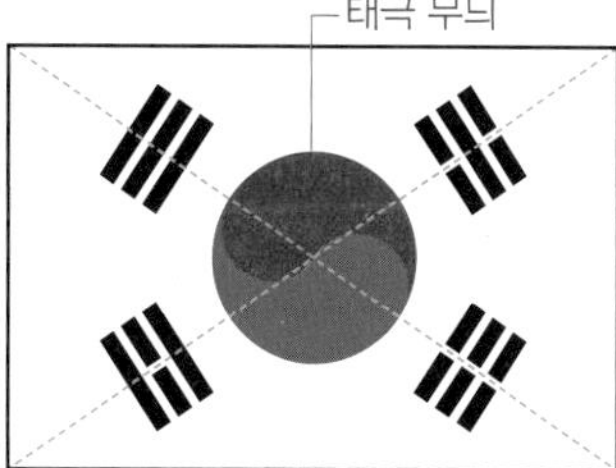

풀이

답

정답 및 풀이 | 108쪽

Tip

❶ 상자의 한 변의 길이 구하기

❷ 피자의 지름 구하기

❸ 피자의 반지름 구하기

03 정사각형 모양의 상자 안에 원 모양의 피자를 꼭 맞게 넣었습니다. 상자의 네 변의 길이의 합이 32 cm일 때, 피자의 반지름은 몇 cm인지 풀이 과정을 쓰고, 답을 구해 보세요. (상자의 두께는 생각하지 않습니다.)

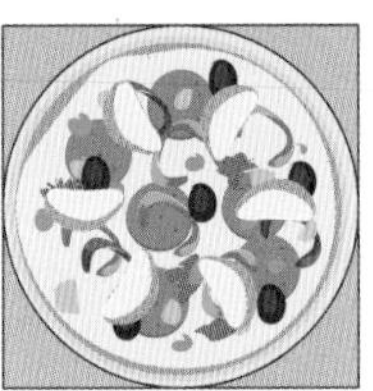

풀이

답

Tip

❶ 삼각형의 세 변의 길이의 합은 원의 반지름의 몇 배인지 구하기

❷ 원의 반지름 구하기

❸ 삼각형의 세 변의 길이의 합 구하기

04 정신이는 색의 혼합을 알아보기 위하여 셀로판지 3장을 지름이 12 cm인 원 모양으로 오려 각각 원의 중심을 지나도록 겹쳐 보았습니다. 세 원의 중심을 이어 그린 삼각형의 세 변의 길이의 합은 몇 cm인지 풀이 과정을 쓰고, 답을 구해 보세요.

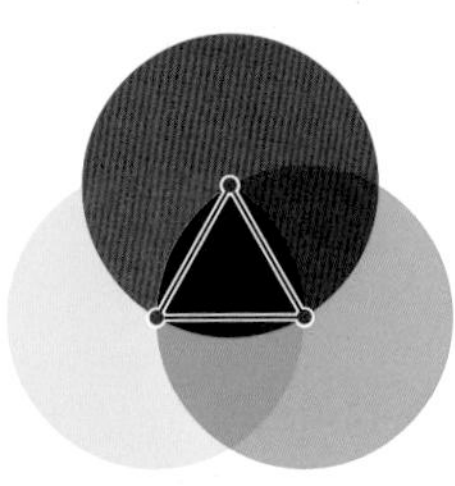

풀이

답

3 단원 교과서 핵심 개념

3 나눗셈

수학 60~91쪽 수학 익힘 33~50쪽

개념 1 (몇십)÷(몇)

예 80÷2의 계산

$80 \div 2 = 40$

$8 \div 2 = 4$

개념 2 (몇십몇)÷(몇) (1)

예 48÷2의 계산 — 내림이 없고 나머지가 없는 경우

```
     2 4
  2) 4 8
     4 0  ← 2×20
       8  ← 48−40
       8  ← 2×4
       0  ← 8−8
```

개념 3 (몇십몇)÷(몇) (2)

예 52÷4의 계산 — 내림이 있고 나머지가 없는 경우

```
     1 3
  4) 5 2
     4 0  ← 4×10
     1 2  ← 52−40
     1 2  ← 4×3
       0  ← 12−12
```

개념 4 나머지가 있는 (몇십몇)÷(몇) (1)

• 몫과 나머지 알아보기

```
       5  ← 몫
  3) 1 7
     1 5  ← 3×5
       2  ← 나머지
```

17	÷	3	=	5	…	2
나누어지는 수		나누는 수		몫		나머지

나머지가 0이면 나누어떨어진다라고 합니다. 나머지가 있을 때에는 **나누어떨어지지 않는다**라고 합니다.

개념 5 나머지가 있는 (몇십몇)÷(몇) (2)

예 71÷5의 계산 — 내림이 있고 나머지가 있는 경우

```
     1 4
  5) 7 1
     5 0  ← 5×10
     2 1  ← 71−50
     2 0  ← 5×4
       1  ← 21−20
```

$71 \div 5 = 14 \cdots 1$

몫 14

나머지 1

개념 6 (세 자리 수)÷(한 자리 수) (1)

예 586÷3의 계산 — 몫이 세 자리 수인 경우

```
     1 9 5
  3) 5 8 6
     3 0 0  ← 3×100
     2 8 6  ← 586−300
     2 7 0  ← 3×90
       1 6  ← 286−270
       1 5  ← 3×5
         1  ← 16−15
```

$586 \div 3 = 195 \cdots 1$

몫 195

나머지 1

개념 7 (세 자리 수)÷(한 자리 수) (2)

예 254÷6의 계산 — 몫이 두 자리 수인 경우

```
       4 2
  6) 2 5 4
     2 4 0  ← 6×40
       1 4  ← 254−240
       1 2  ← 6×2
         2  ← 14−12
```

$254 \div 6 = 42 \cdots 2$

몫 42

나머지 2

개념 8 (세 자리 수)÷(한 자리 수) (3)

예 413÷2의 계산 — 몫이 십의 자리가 0인 경우

```
     2 0 6
  2) 4 1 3
     4 0 0  ← 2×200
       1 3  ← 413−400
       1 2  ← 2×6
         1  ← 13−12
```

$413 \div 2 = 206 \cdots 1$

몫 206

나머지 1

3. 나눗셈 | (몇십)÷(몇) / (몇십몇)÷(몇) (1)

정답 및 풀이 | 108쪽

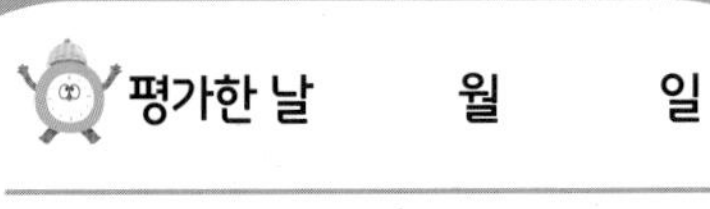

점수

01 90÷3을 수 모형으로 나타낸 그림입니다. □ 안에 알맞은 수를 써넣으세요.

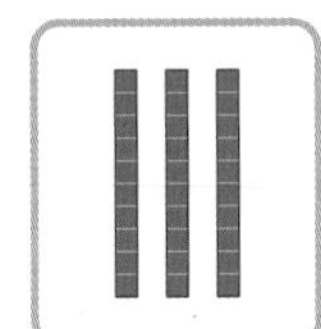 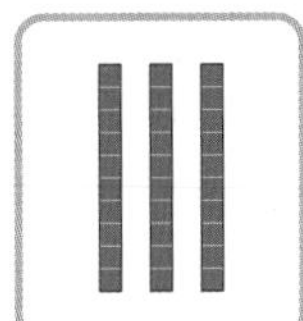 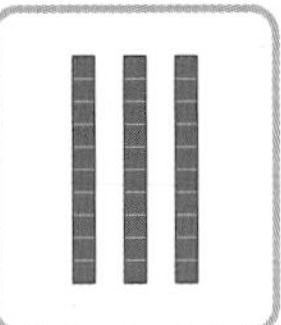

십 모형 9개를 똑같이 3묶음으로 나누면 한 묶음에 십 모형이 □개입니다.

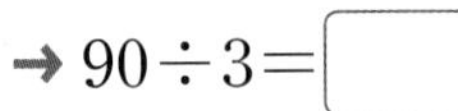

→ 90÷3=□

02 □ 안에 알맞은 수를 써넣으세요.

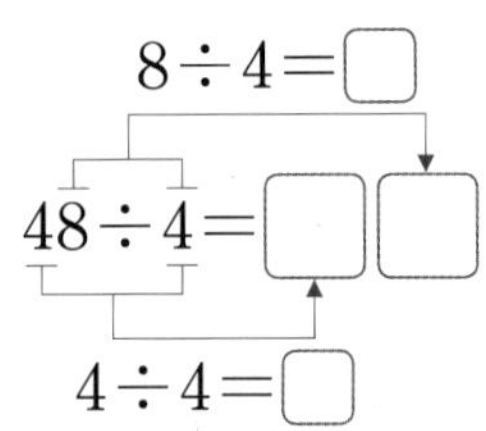

03 계산해 보세요.

(1) 60÷2　　　(2) 55÷5

04 큰 수를 작은 수로 나눈 몫을 구해 보세요.

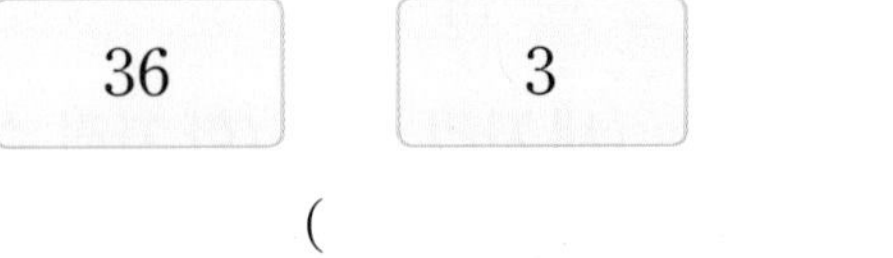

(　　　　　　)

05 빈칸에 알맞은 수를 써넣으세요.

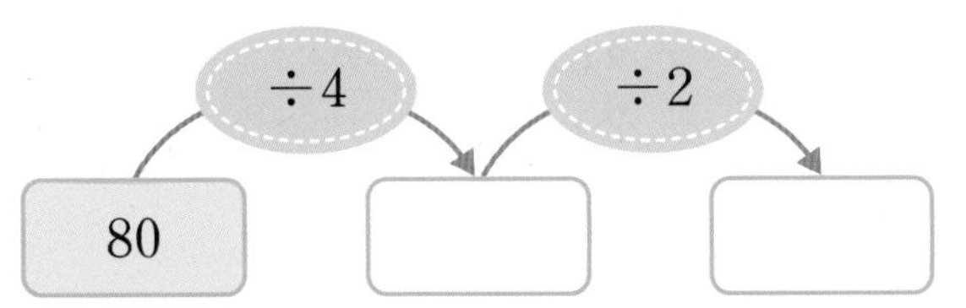

06 나눗셈의 몫을 찾아 이어 보세요.

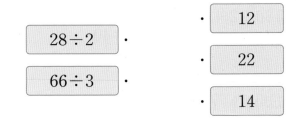

28÷2 ·		· 12
66÷3 ·		· 22
		· 14

07 잘못 계산한 곳을 찾아 바르게 계산해 보세요.

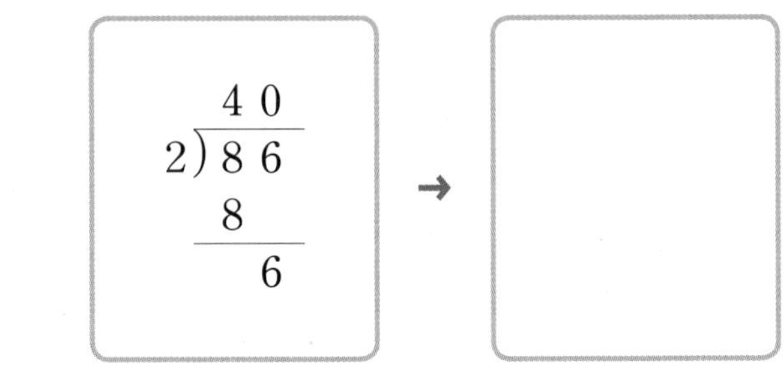

08 몫이 가장 큰 것을 찾아 ○표 하세요.

40÷2	99÷3	88÷2	70÷7

09 지수네 반 학생 30명이 3팀으로 똑같이 나누어 피구 경기를 하려고 합니다. 한 팀은 몇 명인지 식을 쓰고 답을 구해 보세요.

10 어떤 수에 3을 곱했더니 69가 되었습니다. 어떤 수를 구해 보세요.

(　　　　　　)

평가한 날 월 일

점수

정답 및 풀이 | 109쪽

01 □ 안에 알맞은 수를 써넣으세요.

(1)

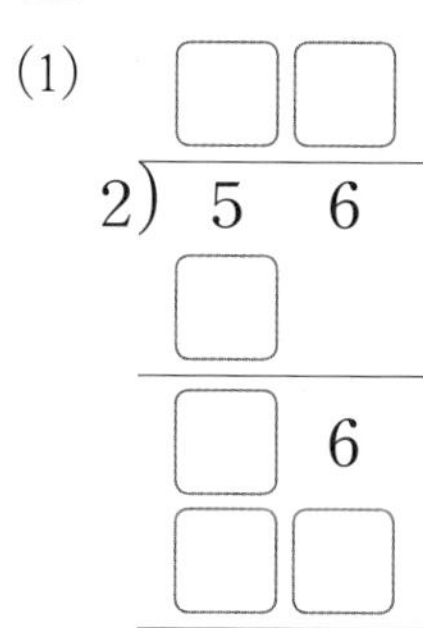

$$\begin{array}{r} \square\square \\ 2\overline{)\,5\;6} \\ \square\;\; \\ \hline \square\,6 \\ \square\square \\ \hline 0 \end{array}$$

(2)

$$\begin{array}{r} \square\square \\ 3\overline{)\,8\;7} \\ \square\;\; \\ \hline \square\,7 \\ \square\square \\ \hline 0 \end{array}$$

02 나눗셈을 보고 □ 안에 알맞은 수를 써넣으세요.

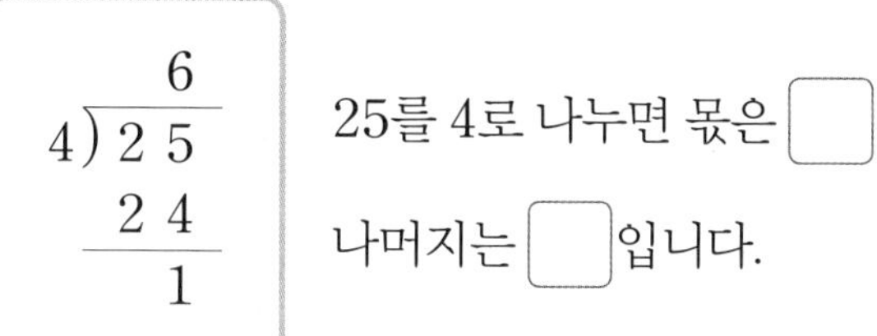

$$\begin{array}{r} 6 \\ 4\overline{)\,2\,5} \\ 2\,4 \\ \hline 1 \end{array}$$

25를 4로 나누면 몫은 □, 나머지는 □입니다.

03 20÷3의 계산 결과가 맞는지 확인해 보세요.

20÷3=6 ··· 2

확인 6×□=□, □+□=□

04 계산해 보세요.

(1) 70÷5 (2) 75÷8

05 나머지가 6인 것을 찾아 기호를 써 보세요.

㉠ 69÷7 ㉡ 43÷8

( )

06 몫의 크기를 비교하여 ○ 안에 >, =, <를 알맞게 써넣으세요.

92÷4 ○ 84÷3

07 다음 나눗셈의 나머지가 될 수 있는 가장 큰 수를 구해 보세요.

□÷6

( )

08 두 나눗셈의 몫의 차를 구해 보세요.

76÷4 51÷3

( )

09 공책 75권을 5명에게 똑같이 나누어 주려고 합니다. 공책을 한 명에게 몇 권씩 줄 수 있는지 식을 쓰고 답을 구해 보세요.

식

답

10 사과 83개를 한 봉지에 9개씩 나누어 담으려고 합니다. 사과를 몇 봉지에 담을 수 있고, 몇 개가 남을까요?

사과를 □봉지에 담을 수 있고, □개가 남습니다.

평가한 날 월 일

점수

정답 및 풀이 | 109쪽

01 □ 안에 알맞은 수를 써넣으세요.

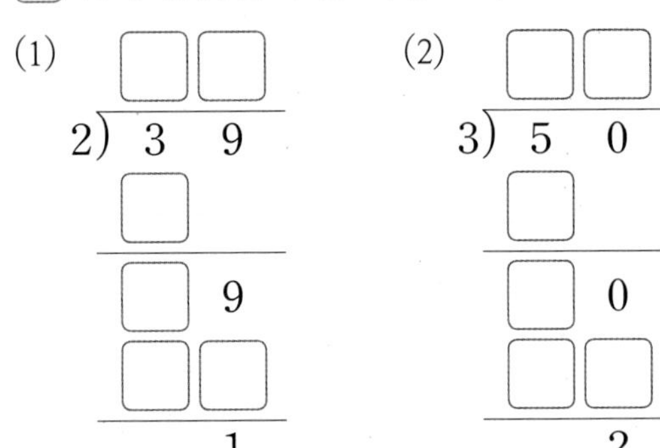

02 알맞은 말에 ○표 하세요.

549 ÷ 2의 몫은 300보다 (큽니다 , 작습니다).

03 나눗셈을 하고 계산 결과가 맞는지 확인해 보세요.

4) 9 7

확인 ________________

04 큰 수를 작은 수로 나눈 몫을 빈칸에 써넣으세요.

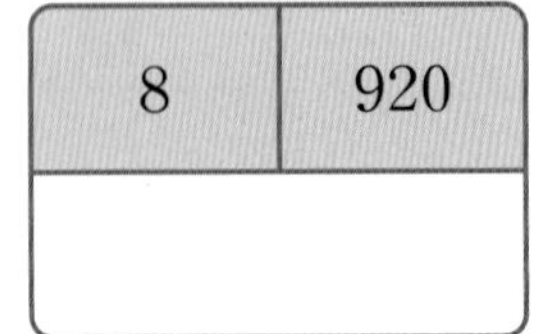

8	920

05 나눗셈을 하여 □ 안에는 몫을, ○ 안에는 나머지를 써넣으세요.

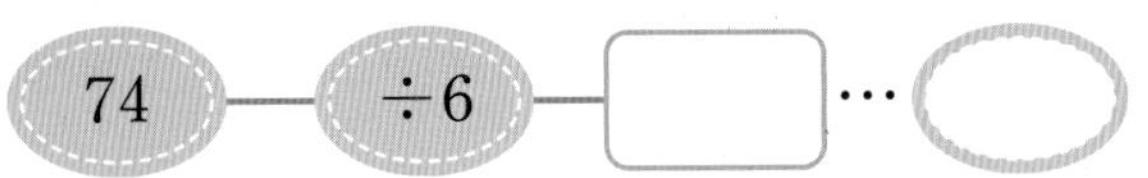

06 잘못 계산한 곳을 찾아 바르게 계산해 보세요.

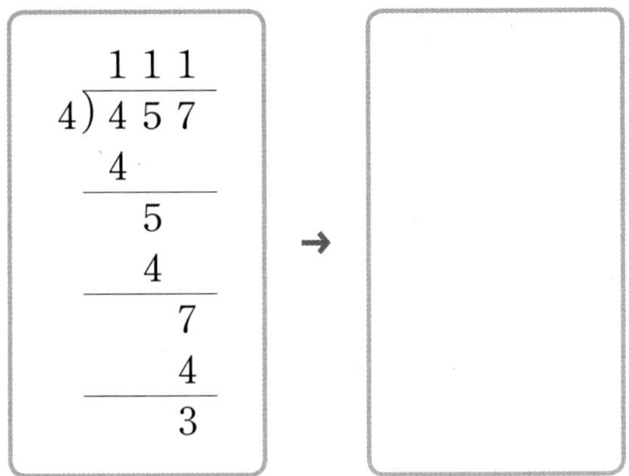

07 나머지가 가장 작은 것을 찾아 ○표 하세요.

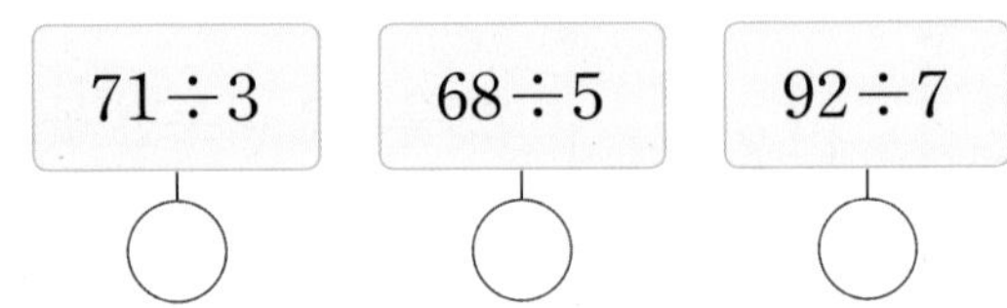

08 구슬 89개를 한 명에게 7개씩 나누어 주려고 합니다. 구슬을 몇 명에게 나누어 주고, 몇 개가 남을까요?

구슬을 □명에게 나누어 주고, □개가 남습니다.

09 정운이네 집에서 우체국까지의 왕복 거리는 674 m입니다. 정운이네 집에서 우체국까지의 거리는 몇 m일까요?

( )

10 현수 휴대전화의 비밀번호는 네 자리 수이고, 578 ÷ 4의 몫과 나머지를 차례로 누른 것입니다. 현수 휴대전화의 비밀번호를 완성해 보세요.

1 □ □ □

평가한 날 월 일

점수

정답 및 풀이 | 109쪽

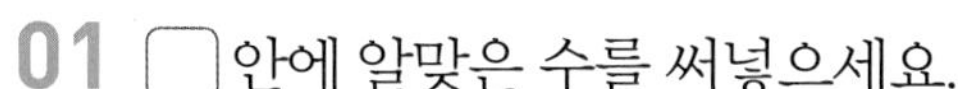

01 □ 안에 알맞은 수를 써넣으세요.

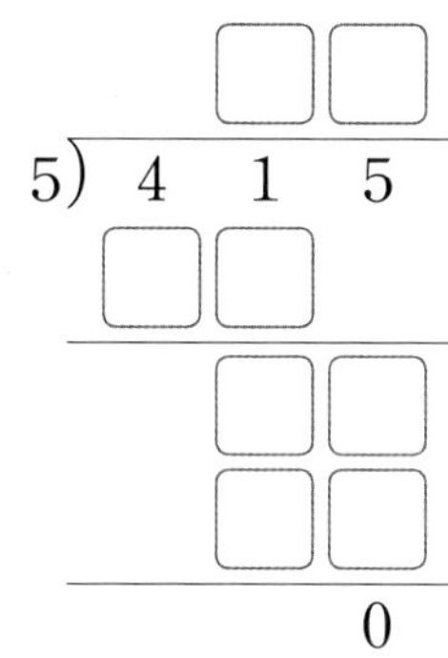

$$\begin{array}{r} \square\square \\ 5\overline{)\,4\;1\;5} \\ \square\square\;\; \\ \hline \square\square \\ \square\square \\ \hline 0 \end{array}$$

02 계산해 보세요.

(1) $6\overline{)178}$

(2) $3\overline{)311}$

03 나눗셈의 몫과 나머지를 각각 구해 보세요.

$835 \div 4$

몫 ______ 나머지 ______

04 나머지가 4인 것을 찾아 ○표 하세요.

$592 \div 7$ ( )

$740 \div 7$ ( )

05 몫이 같은 것끼리 선으로 이어 보세요.

$38 \div 2$ · · $119 \div 7$

$68 \div 4$ · · $114 \div 6$

06 몫의 크기를 비교하여 ○ 안에 >, =, <를 알맞게 써넣으세요.

$240 \div 3$ ○ $316 \div 4$

07 몫이 두 자리 수인 나눗셈을 모두 찾아 기호를 써 보세요.

㉠ $546 \div 8$ ㉡ $739 \div 7$

㉢ $717 \div 9$ ㉣ $409 \div 4$

( )

08 같은 모양은 같은 수를 나타냅니다. ▲에 알맞은 수를 구해 보세요.

· $828 \div 4 =$ ■ · ■ $\div 3 =$ ▲

( )

09 도화지 408장을 8학급에 똑같이 나누어 주려고 합니다. 도화지를 한 학급에 몇 장씩 줄 수 있는지 식을 쓰고 답을 구해 보세요.

식 ______

답 ______

10 책 527권을 책꽂이 5개에 똑같이 나누어 꽂으려고 합니다. 책꽂이 한 개에 책을 몇 권씩 꽂을 수 있고, 몇 권이 남는지 차례로 구해 보세요.

( ), ( )

단원 평가 | 3. 나눗셈

| (몇십몇)÷(몇) (1) |

01 64÷2의 계산 과정을 수 모형으로 나타낸 그림입니다. □ 안에 알맞은 수를 써넣으세요.

하

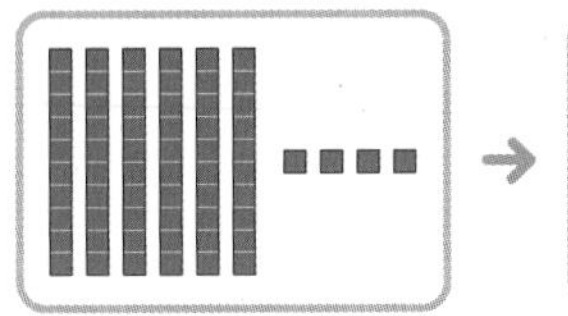 → 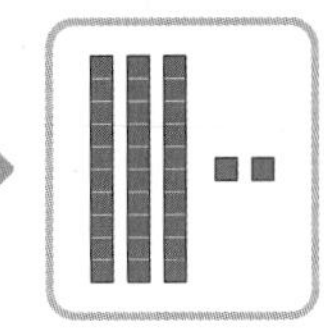 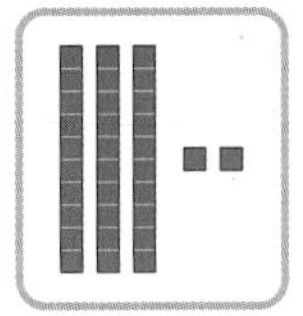

64÷2=□

| 나머지가 있는 (몇십몇)÷(몇) (2) |

02 □ 안에 알맞은 수를 써넣으세요.

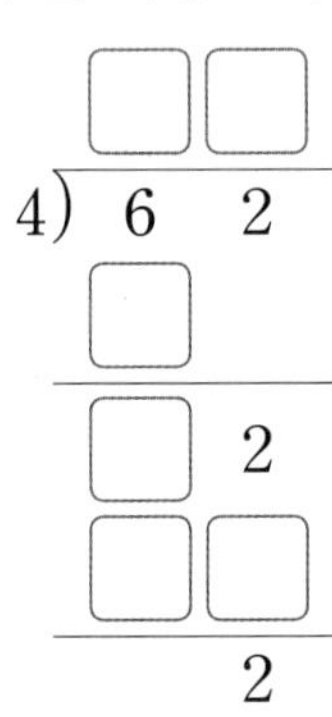

| (몇십)÷(몇) |

03 빈칸에 알맞은 수를 써넣으세요.

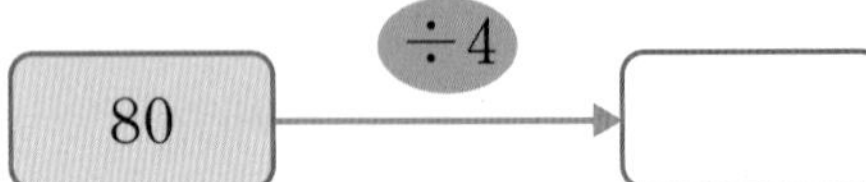

| (몇십몇)÷(몇) (1), (몇십몇)÷(몇) (2) |

04 계산해 보세요.

(1) $3\overline{)39}$

(2) $3\overline{)81}$

| (몇십몇)÷(몇) (2) |

05 몫이 16인 나눗셈을 찾아 기호를 써 보세요.

㉠ 96÷6 ㉡ 54÷3

( )

| (세 자리 수)÷(한 자리 수) (3) |

06 나눗셈을 하여 □ 안에는 몫을, ○ 안에는 나머지를 써넣으세요.

중

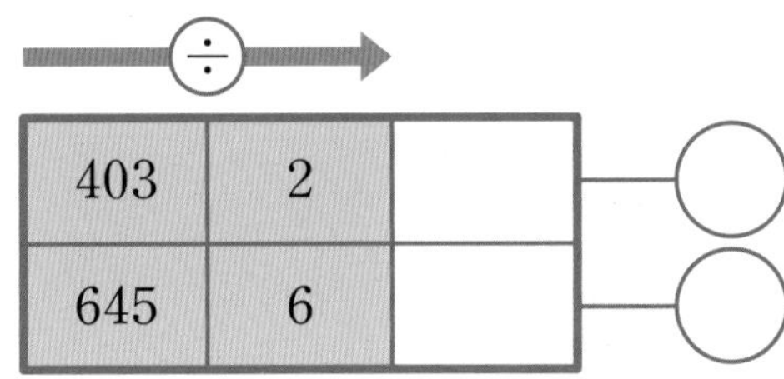

| (몇십)÷(몇), (몇십몇)÷(몇) (1) |

07 나눗셈의 몫을 찾아 선으로 이어 보세요.

88÷8 • • 10

60÷6 • • 11

40÷2 • • 20

평가한 날 월 일

점수

| 나머지가 있는 (몇십몇)÷(몇) (1) |

08 어떤 수를 7로 나누었을 때 나머지가 될 수 있는 수를 모두 찾아 ○표 하세요.

중

2 7 6 9 3

| (세 자리 수)÷(한 자리 수) (1) |

09 가장 큰 수를 가장 작은 수로 나눈 몫과 나머지를 각각 구해 보세요.

중

280 5 566

몫 ____________ 나머지 ____________

| 나머지가 있는 (몇십몇)÷(몇) (1) |

10 5로 나누었을 때 나누어떨어지는 수를 찾아 기호를 써 보세요.

중

㉠ 12 ㉡ 23
㉢ 41 ㉣ 45

( )

| (세 자리 수)÷(한 자리 수) (3) |

11 감자 412개를 4상자에 똑같이 나누어 담으려고 합니다. 감자를 한 상자에 몇 개씩 담을 수 있는지 식을 쓰고 답을 구해 보세요.

중

식 ____________

답 ____________

| 나머지가 있는 (몇십몇)÷(몇) (1) |

12 나눗셈식을 보고 바르게 설명한 사람을 찾아 이름을 써 보세요.

중

$54 \div 7 = \square \cdots \square$

설아 몫이 8보다 크구나.
유현 나누어떨어지는 나눗셈식이야.
지호 나머지가 4보다 커.

( )

| 나머지가 있는 (몇십몇)÷(몇) (2) |

13 나머지가 가장 큰 것을 찾아 기호를 써 보세요.

중

㉠ $89 \div 5$
㉡ $70 \div 4$
㉢ $99 \div 6$

( )

| (몇십몇)÷(몇) (2) | 서술형

14 남학생 34명과 여학생 38명이 있습니다. 이 학생들을 한 줄에 3명씩 세우면 몇 줄이 되는지 풀이 과정을 쓰고, 답을 구해 보세요.

중

풀이

답 ____________

| (세 자리 수)÷(한 자리 수) (2) |

15 중 오늘은 정훈이 동생이 태어난 지 250일째 되는 날입니다. 오늘은 정훈이 동생이 태어난 지 몇 주 며칠째 되는 날인가요?

(　　　　　　)주 (　　　　　　)일

| 나머지가 있는 (몇십몇)÷(몇) (2) |

16 중 상자에 구슬을 각각 다음과 같이 담았을 때, 남은 구슬이 있는 것을 찾아 기호를 써 보세요.

㉠ 구슬 52개를 한 상자에 4개씩 담기
㉡ 구슬 62개를 한 상자에 5개씩 담기
㉢ 구슬 66개를 한 상자에 3개씩 담기

(　　　　　　)

| 나머지가 있는 (몇십몇)÷(몇) (2) | 서술형

17 중 어떤 수를 4로 나누었더니 몫이 13이고, 나머지가 2였습니다. 어떤 수를 구하는 풀이 과정을 쓰고, 답을 구해 보세요.

풀이

답

| (세 자리 수)÷(한 자리 수) (1) |

18 상 다음 나눗셈은 나누어떨어집니다. 0부터 9까지의 수 중에서 □ 안에 들어갈 수 있는 수를 모두 구해 보세요.

57□÷4

(　　　　　　)

| (세 자리 수)÷(한 자리 수) (2) | 서술형

19 상 선우는 동화책을 하루에 31쪽씩 5일 동안 모두 읽었습니다. 이 동화책을 하루에 9쪽씩 다시 읽는다면 모두 읽는 데 며칠이 걸리는지 풀이 과정을 쓰고, 답을 구해 보세요.

풀이

답

| (세 자리 수)÷(한 자리 수) (2) |

20 상 4장의 숫자 카드를 한 번씩 모두 사용하여 몫이 가장 작게 되는 (세 자리 수)÷(한 자리 수)를 만들었습니다. 만든 나눗셈의 몫과 나머지를 각각 구해 보세요.

3　9　5　4

몫 ________ 나머지 ________

단원 평가 | 3. 나눗셈

평가한 날 월 일

점수

정답 및 풀이 | 111쪽

| (몇십)÷(몇) |

01 □ 안에 알맞은 수를 써넣으세요.

(1) $4\div2=\square$ → $40\div2=\square$

(2) $7\div7=\square$ → $70\div7=\square$

| (몇십몇)÷(몇) (2) |

02 □ 안에 들어갈 수를 구하는 식으로 알맞은 것은 어느 것일까요? ············ (   )

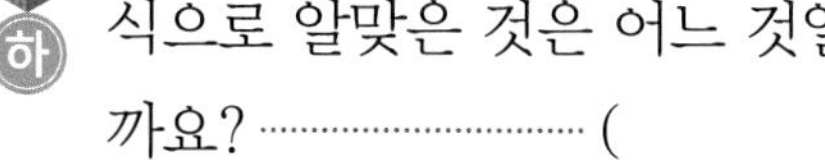

① 4×4 ② 4×6

③ 4×10 ④ 4×16

⑤ 4×20

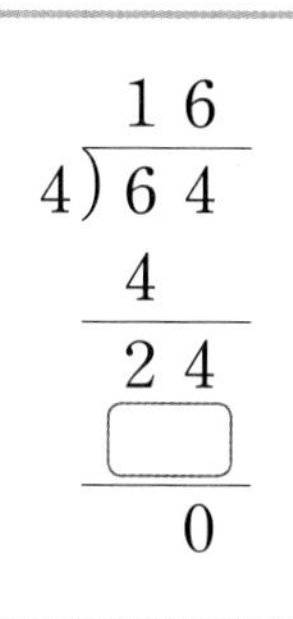

| 나머지가 있는 (몇십몇)÷(몇) (1) |

03 나눗셈을 하고 계산 결과가 맞는지 확인해 보세요.

9)7 9

확인

| (몇십몇)÷(몇) (1) |

04 나눗셈의 몫을 찾아 선으로 이어 보세요.

$66\div2$ ·	· 32
$96\div3$ ·	· 33

| (세 자리 수)÷(한 자리 수) (1) |

05 ㉠과 ㉡에 알맞은 수의 합을 구해 보세요.

$653\div4=$㉠ ··· ㉡

(   )

| (몇십)÷(몇) |

06 몫이 다른 하나를 찾아 ○표 하세요.

$90\div3$	$60\div2$	$30\div3$
( )	( )	( )

| (몇십몇)÷(몇) (2) |

07 □ 안에 들어갈 수 있는 수를 알아보려고 합니다. 물음에 답해 보세요.

중

$\square<85\div5$

(1) $85\div5$의 몫은 얼마인가요?

(   )

(2) □ 안에 들어갈 수 있는 수를 모두 찾아 ○표 하세요.

(15, 16, 17, 18, 19)

| (몇십몇)÷(몇) (1) |

08 구슬 99개를 한 명에게 3개씩 나누어 주려고 합니다. 몇 명에게 나누어 줄 수 있을까요?

중

$99\div\square=\square$(명)

| 나머지가 있는 (몇십몇)÷(몇) (1) |

09 나머지가 5가 될 수 없는 나눗셈식을 찾아 기호를 써 보세요.

중

㉠ □÷8　㉡ □÷6
㉢ □÷9　㉣ □÷5

(　　　　　　)

| (세 자리 수)÷(한 자리 수) (1), (세 자리 수)÷(한 자리 수) (3) |

10 몫의 크기를 비교하여 ○ 안에 >, =, <를 알맞게 써넣으세요.

중

816÷6 ○ 714÷7

| (세 자리 수)÷(한 자리 수) (2) |

11 학생 177명이 운동장에서 짝 짓기 놀이를 하고 있습니다. 6명씩 짝을 지으면 짝을 짓지 못하는 학생은 몇 명인지 알아보세요.

중

(1) 177÷6의 몫과 나머지를 각각 구해 보세요.

몫 ________ 나머지 ________

(2) 6명씩 짝을 지으면 짝을 짓지 못하는 학생은 몇 명일까요?

(　　　　　　)

| 나머지가 있는 (몇십몇)÷(몇) (2) | 서술형

12 잘못 계산한 곳을 찾아 이유를 쓰고, 바르게 계산해 보세요.

중

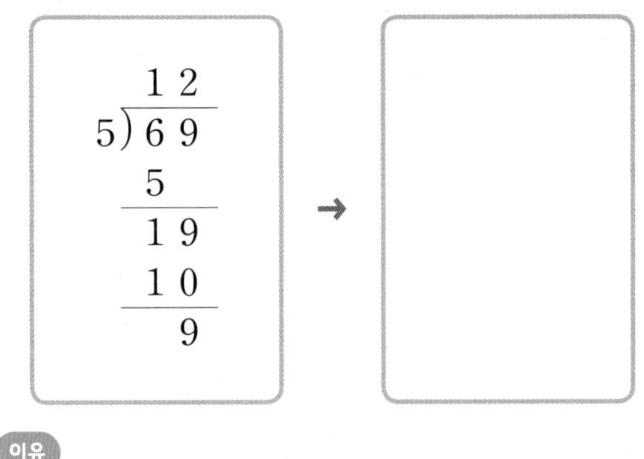

이유 ....

....

| (세 자리 수)÷(한 자리 수) (3) |

13 정사각형 모양의 액자가 있습니다. 이 액자의 네 변의 길이의 합이 432 cm일 때 한 변의 길이는 몇 cm일까요?

중

(　　　　　　)

| (몇십)÷(몇), (몇십몇)÷(몇) (2) |

14 두 식의 계산 결과는 같습니다. □ 안에 알맞은 수를 써넣으세요.

중

90÷3　　2×

| 나머지가 있는 (몇십몇)÷(몇) (2) |

15 중 은호는 한 상자에 28개씩 들어 있는 구슬을 3상자 샀습니다. 구슬을 친구 한 명에게 5개씩 나누어 준다면 몇 명까지 나누어 줄 수 있을까요?

(　　　　　　　)

| 나머지가 있는 (몇십몇)÷(몇) (1) |

16 중 나눗셈의 나머지를 모를 때, □ 안에 들어갈 수 있는 자연수 중에서 가장 큰 수를 구해 보세요.

□÷5=8 ··· ▲

(　　　　　　　)

| (세 자리 수)÷(한 자리 수) (2) | 서술형

17 상 사탕 158개를 한 봉지에 9개씩 나누어 담으려고 합니다. 남김없이 모두 담으려면 적어도 몇 개의 사탕이 더 필요한지 풀이 과정을 쓰고, 답을 구해 보세요.

풀이

답

| (세 자리 수)÷(한 자리 수) (2), (세 자리 수)÷(한 자리 수) (3) | 서술형

18 상 어떤 수를 8로 나누어야 할 것을 잘못하여 8을 곱했더니 840이었습니다. 바르게 계산한 몫과 나머지는 각각 얼마인지 풀이 과정을 쓰고, 답을 구해 보세요.

풀이

답 몫:　　　　, 나머지:

| (세 자리 수)÷(한 자리 수) (2) |

19 상 복숭아가 212개 있습니다. 그중에서 104개는 한 상자에 8개씩 나누어 담고, 나머지는 한 상자에 9개씩 나누어 담았습니다. 복숭아를 담은 상자는 모두 몇 개일까요?

(　　　　　　　)

| 나머지가 있는 (몇십몇)÷(몇) (2) |

20 상 조건 을 모두 만족하는 ★을 구해 보세요.

조건

- ★은 80보다 크고 90보다 작은 두 자리 수입니다.
- ★을 6으로 나누면 나머지가 3입니다.
- ★을 5로 나누면 나머지가 2입니다.

(　　　　　　　)

서술형 평가 | 3. 나눗셈

① 전체 초콜릿 수 구하기

② 한 명이 먹는 초콜릿 수 구하기

01 초콜릿이 한 봉지에 7개씩 18봉지 있습니다. 이 초콜릿을 6명이 똑같이 나누어 먹으려고 합니다. 한 명이 몇 개씩 먹으면 되는지 풀이 과정을 쓰고, 답을 구해 보세요.

풀이

답

① 몫이 가장 크게 되는 나눗셈 만들기

② 만든 나눗셈의 몫과 나머지 구하기

02 3장의 숫자 카드 3, 6, 7 을 한 번씩 모두 사용하여 몫이 가장 크게 되는 (두 자리 수)÷(한 자리 수)를 만들었습니다. 만든 나눗셈의 몫과 나머지는 각각 얼마인지 풀이 과정을 쓰고, 답을 구해 보세요.

풀이

답 몫: , 나머지:

정답 및 풀이 | 112쪽

평가한 날 월 일

점수

Tip

❶ 탁구공을 7개씩 나누어 담으면 몇 상자에 담을 수 있고, 몇 개가 남는지 구하기

❷ 탁구공을 모두 담는 데 필요한 상자 수 구하기

03 탁구공 348개를 한 상자에 7개씩 나누어 담으려고 합니다. 탁구공을 모두 담으려면 상자 몇 개가 필요한지 풀이 과정을 쓰고, 답을 구해 보세요.

풀이

답

Tip

❶ 어떤 수가 될 수 있는 가장 큰 수 구하기

❷ 어떤 수가 될 수 있는 가장 작은 수 구하기

❸ 어떤 수가 될 수 있는 가장 큰 수와 가장 작은 수의 합 구하기

04 어떤 수는 6으로 나누었을 때 몫이 58인 세 자리 수입니다. 어떤 수가 될 수 있는 가장 큰 수와 가장 작은 수의 합은 얼마인지 풀이 과정을 쓰고, 답을 구해 보세요.

(어떤 수) $\div 6 = 58 \cdots \square$

풀이

답

❶ 문제에 알맞은 식 세우기

❷ 고체 세탁 세제 한 개의 값 구하기

01 쓰레기를 없애기 위해 상품을 포장없이 알맹이만 덜어서 판매하는 가게가 있습니다. 진아는 이 가게에서 친환경 고체 세탁 세제를 7개 사고 840원을 냈습니다. 진아가 산 고체 세탁 세제 한 개의 값은 얼마인지 풀이 과정을 쓰고, 답을 구해 보세요.

풀이

답

❶ 나무와 나무 사이의 간격 수 구하기

❷ 심어야 할 나무 수 구하기

02 길이가 176 m인 도로의 한쪽에 처음부터 끝까지 8 m 간격으로 나무를 심으려고 합니다. 심어야 할 나무는 몇 그루인지 풀이 과정을 쓰고, 답을 구해 보세요. (나무의 굵기는 생각하지 않습니다.)

풀이

답

평가한 날 월 일

점수

Tip

❶ 아프리카 코끼리의 임신 기간은 몇 주 며칠인지 구하기

❷ 아프리카 코끼리의 임신 기간은 몇 개월 며칠인지 구하기

03 어미 동물이 새끼를 낳아 젖을 먹여 키우는 동물을 포유류라고 합니다. 아프리카 코끼리는 포유류 중에서 긴 임신 기간을 가지고 있으며 무리를 지어 활동합니다. 어느 아프리카 코끼리의 임신 기간은 645일입니다. 이 아프리카 코끼리의 임신 기간은 몇 개월 며칠인지 풀이 과정을 쓰고, 답을 구해 보세요. (한 달은 4주로 계산합니다.)

답

Tip

❶ 여학생 수가 될 수 있는 수의 범위 구하기

❷ 여학생 수 구하기

❸ 3학년 전체 학생 수 구하기

04 다음은 ○○초등학교 3학년 학생 수에 대한 설명입니다. 3학년 학생은 모두 몇 명인지 풀이 과정을 쓰고, 답을 구해 보세요.

- 전체 학생 수는 80명보다 많고 90명보다 적습니다.
- 여학생 수와 남학생 수는 같습니다.
- 여학생 수를 6으로 나누면 나머지가 1입니다.

풀이

답

4 단원 교과서 핵심 개념

개념 1 들이 비교하기

- 들이를 비교하려면 같은 단위를 사용해야 합니다.
- 같은 단위로 들이를 비교할 때 단위가 많이 사용된 것이 들이가 더 많습니다.

개념 2 들이의 단위

- 들이의 단위: L, mL 등

쓰기	1 L	1 mL
읽기	1 리터	1 밀리리터

1 L = 1000 mL

- 1 L보다 500 mL 더 많은 들이

쓰기 1 L 500 mL

읽기 1 리터 500 밀리리터

1 L 500 mL = 1500 mL

개념 3 들이를 어림하고 재어 보기

- 들이를 어림하는 방법
  ① 알고 있는 물건의 들이와 비교하여 어림하기
  ② 작은 그릇으로 몇 번 정도 옮겨 담을 수 있는지 생각하여 어림하기
- 어림한 들이 나타내기 → 약 □L 또는 약 □mL

개념 4 들이의 덧셈과 뺄셈

L 단위의 수끼리, mL 단위의 수끼리 계산합니다.

예

$$\begin{array}{r} 5\text{ L } 700\text{ mL} \\ +\ 1\text{ L } 200\text{ mL} \\ \hline 6\text{ L } 900\text{ mL} \end{array} \qquad \begin{array}{r} 5\text{ L } 700\text{ mL} \\ -\ 1\text{ L } 200\text{ mL} \\ \hline 4\text{ L } 500\text{ mL} \end{array}$$

참고 mL 단위의 수끼리 더하였을 때 1000과 같거나 1000보다 크면 1000 mL를 1 L로 받아올림합니다.

개념 5 무게 비교하기

- 무게를 비교하려면 같은 단위를 사용해야 합니다.
- 같은 단위로 무게를 비교할 때 단위가 많이 사용된 것이 무게가 더 무겁습니다.

개념 6 무게의 단위

- 무게의 단위: kg, g, t 등

쓰기	1 kg	1 g	1 t
읽기	1 킬로그램	1 그램	1 톤

1 kg = 1000 g

1 t = 1000 kg

- 1 kg보다 200 g 더 무거운 무게

쓰기 1 kg 200 g

읽기 1 킬로그램 200 그램

1 kg 200 g = 1200 g

개념 7 무게를 어림하고 재어 보기

- 무게를 어림하는 방법
  ① 알고 있는 물건의 무게와 비교하여 어림하기
  ② 작은 물건으로 몇 개 정도 되는지 생각하여 어림하기
- 어림한 무게 나타내기 → 약 □kg 또는 약 □g

개념 8 무게의 덧셈과 뺄셈

kg 단위의 수끼리, g 단위의 수끼리 계산합니다.

예

$$\begin{array}{r} 6\text{ kg } 500\text{ g} \\ +\ 1\text{ kg } 300\text{ g} \\ \hline 7\text{ kg } 800\text{ g} \end{array} \qquad \begin{array}{r} 6\text{ kg } 500\text{ g} \\ -\ 1\text{ kg } 300\text{ g} \\ \hline 5\text{ kg } 200\text{ g} \end{array}$$

참고 g 단위의 수끼리 더하였을 때 1000과 같거나 1000보다 크면 1000 g을 1 kg으로 받아올림합니다.

4. 들이와 무게 | 들이 비교하기 / 들이의 단위

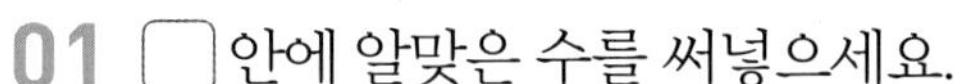

정답 및 풀이 | 113쪽

평가한 날 월 일

점수

01 □ 안에 알맞은 수를 써넣으세요.

1 리터는 □ 밀리리터와 같습니다.

02~03 물병에 각각 물을 가득 채워 모양과 크기가 같은 컵에 각각 모두 옮겨 담았습니다. 물병의 들이를 비교해 보세요.

02

물병 □가 물병 □보다 컵 □개만큼 물을 더 많이 담을 수 있습니다.

03

물병 □가 물병 □보다 컵 □개만큼 물을 더 많이 담을 수 있습니다.

04 물의 양을 나타내어 보세요.

□ mL

05 □ 안에 알맞은 수를 써넣으세요.

(1) 6 L = □ mL

(2) 3520 mL = □ L □ mL

06~07 들이를 비교하여 ○ 안에 >, =, <를 알맞게 써넣으세요.

06 7 L 960 mL ○ 8200 mL

07 4050 mL ○ 4 L 100 mL

08 물병 ㉮, ㉯, ㉰에 물을 가득 채워 모양과 크기가 같은 큰 그릇에 각각 모두 옮겨 담았습니다. 들이가 가장 적은 물병부터 차례로 기호를 써 보세요.

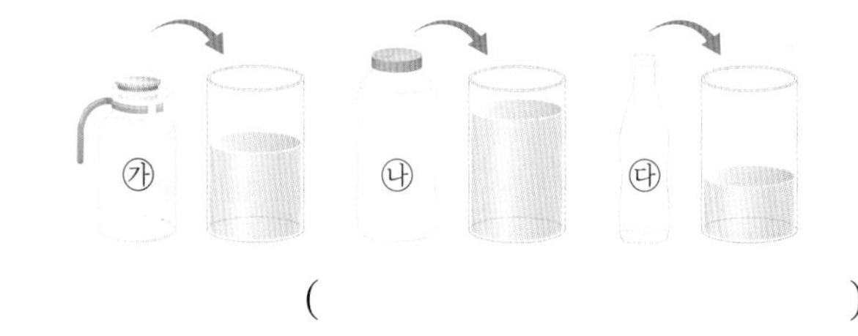

(　　　　　　　　　　)

09 3 L의 물이 들어 있는 양동이에 650 mL의 물을 더 부었습니다. 양동이에 들어 있는 물의 양을 단위에 맞게 나타내어 보세요.

□ L □ mL = □ mL

10 들이가 2 L보다 많은 것을 모두 찾아 기호를 써 보세요.

㉠ 1500 mL	㉡ 1 L 900 mL
㉢ 3000 mL	㉣ 11 L

(　　　　　　　　　　)

4. 들이와 무게 | 들이를 어림하고 재어 보기 / 들이의 덧셈과 뺄셈

정답 및 풀이 | 113쪽

평가한 날 월 일

점수

01 요구르트병의 들이를 나타내는 데 알맞은 단위를 찾아 ○표 하세요.

mL L

02 보기 의 우유갑은 들이가 1 L입니다. 우유갑을 이용하여 들이가 약 1 L인 것을 찾아 ○표 하세요.

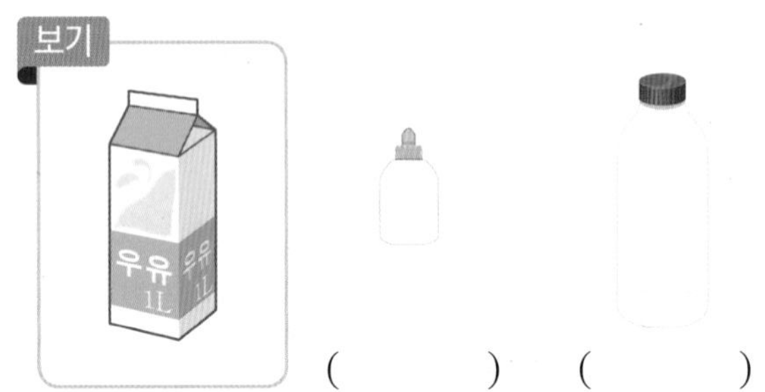

( ) ( )

03~04 □ 안에 알맞은 수를 써넣으세요.

03

		L		mL
	6	L	300	mL
+	1	L	300	mL
	□	L	□	mL

04

		L		mL
	8	L	900	mL
−	3	L	100	mL
	□	L	□	mL

05 □ 안에 알맞은 물건을 보기 에서 찾아 써넣으세요.

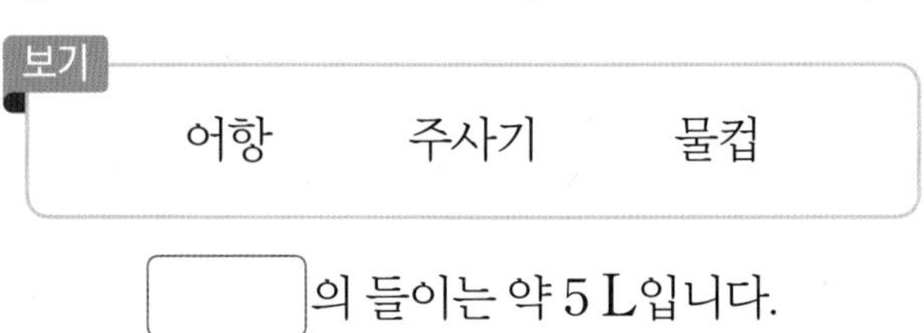

□의 들이는 약 5 L입니다.

06~07 □ 안에 알맞은 수를 써넣으세요.

06

		L		mL
	□	L	200	mL
+	3	L	□	mL
	6	L	700	mL

07

		L		mL
	□	L	700	mL
−	2	L	□	mL
	3	L	400	mL

08 들이가 더 많은 것을 찾아 ○표 하세요.

5 L 200 mL + 1 L 700 mL	8 L 600 mL − 2 L 500 mL

09 소은이와 하진이가 각각 물 1 L를 어림하여 담은 후, 계량컵을 사용하여 1 L를 덜어 내고 남은 것입니다. 1 L에 더 가깝게 어림한 사람은 누구일까요?

( )

10 물 2 L 500 mL가 들어 있는 주전자에 물 1 L 700 mL를 더 넣었습니다. 이 주전자에 들어 있는 물의 양은 모두 몇 L 몇 mL일까요?

( )

평가한 날 월 일

점수

정답 및 풀이 | 114쪽

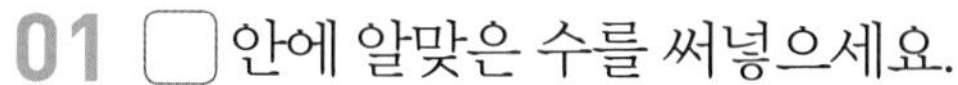

01 □ 안에 알맞은 수를 써넣으세요.

1 킬로그램은 □ 그램과 같습니다.

02~03 어느 물건이 얼마만큼 더 무거운지 비교해 보세요.

02

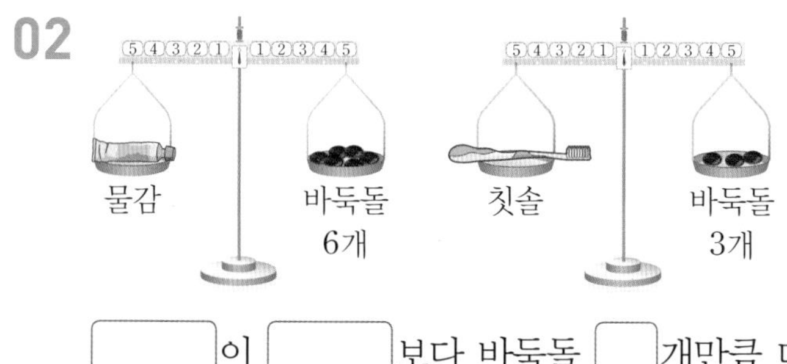

□이 □보다 바둑돌 □개만큼 더 무겁습니다.

03

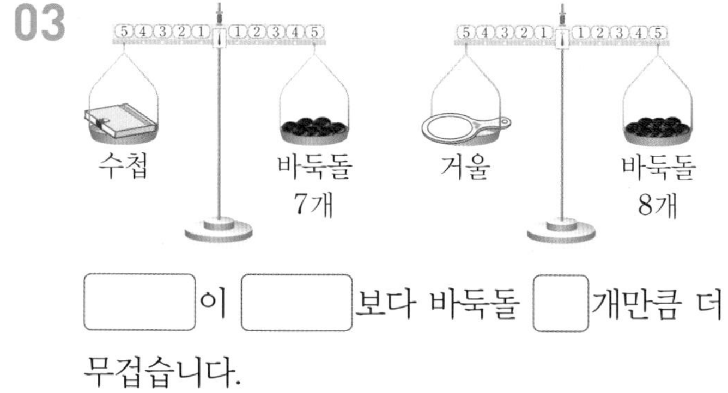

□이 □보다 바둑돌 □개만큼 더 무겁습니다.

04 동화책의 무게를 나타내어 보세요.

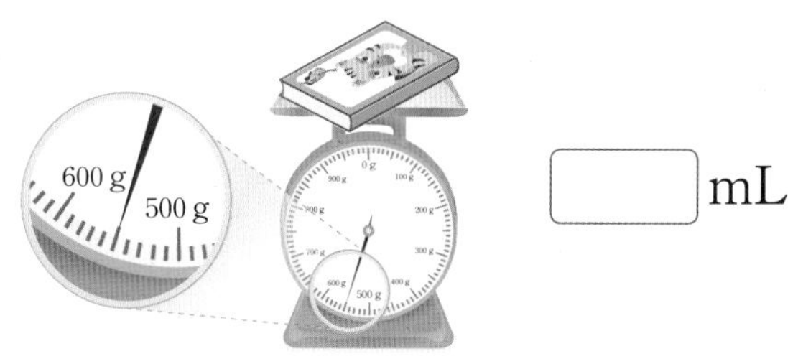

□ mL

05 어느 하마의 무게는 약 2000 kg입니다. 이 하마의 무게는 약 몇 t일까요?

(　　　　　　　)

06~07 무게를 비교하여 ○ 안에 >, =, <를 알맞게 써넣으세요.

06 1200 g ○ 1 kg 400 g

07 3 kg 100 g ○ 3060 g

08 무게가 같은 것끼리 선으로 이어 보세요.

2 kg 170 g ·	· 2170 g
1 kg 500 g ·	· 2017 g
2 kg 17 g ·	· 1500 g

09 4 kg의 감자가 들어 있는 상자에 무게가 350 g인 감자 한 개를 더 넣었습니다. 상자에 들어 있는 감자의 무게를 단위에 맞게 나타내어 보세요.

□ kg □ g = □ g

10 양팔저울과 공깃돌을 사용하여 물건의 무게를 재었습니다. 가벼운 것부터 차례로 써 보세요.

물건	지우개	연필	가위
공깃돌 수(개)	5	3	9

(　　　　　　　)

4. 들이와 무게 | 무게를 어림하고 재어 보기 / 무게의 덧셈과 뺄셈

정답 및 풀이 | 114쪽

평가한 날 월 일

점수

01~02 알맞은 단위에 ○표 하세요.

01 

골프공의 무게는 약 46 (g , kg , t)입니다.

02

자전거의 무게는 약 10 (g , kg , t)입니다.

03~04 □ 안에 알맞은 수를 써넣으세요.

03

	3	kg	600	g
+	2	kg	150	g
	□	kg	□	g

04

	7	kg	900	g
−	1	kg	400	g
	□	kg	□	g

05 물건의 무게를 잘못 어림한 것을 찾아 ×표 하세요.

연필 한 자루의 무게: 약 50 g ( )

책가방 한 개의 무게: 약 1 kg ( )

책상 한 개의 무게: 약 3 t ( )

06~07 □ 안에 알맞은 수를 써넣으세요.

06

	□	kg	830	g
+	3	kg	□	g
	7	kg	900	g

07

	□	kg	200	g
−	4	kg	□	g
	5	kg	100	g

08 파인애플과 포도의 무게는 모두 몇 kg 몇 g일까요?

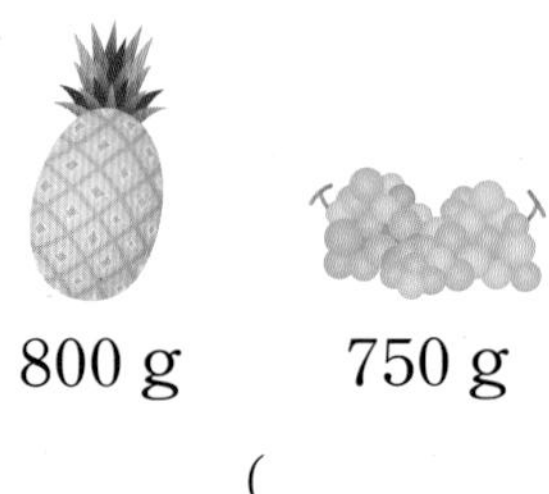

( )

09 밀가루 1 kg 800 g 중에서 파전을 만드는 데 1200 g을 사용했습니다. 남은 밀가루의 무게는 몇 g일까요?

( )

10 무게가 1 kg인 가방의 무게를 어림한 것입니다. 실제 무게에 더 가깝게 어림한 사람은 누구일까요?

이름	연주	지승
어림한 무게	1 kg 150 g	1 kg 90 g

( )

단원 평가 | 4. 들이와 무게

정답 및 풀이 | 115쪽

평가한 날 월 일

점수

| 무게 비교하기 |

01 곰 인형과 토끼 인형 중 더 무거운 것을 찾아 ○표 하세요.

하

( ) ( )

| 들이 비교하기 |

02 가 컵에 가득 차 있던 우유를 나 컵에 모두 부었더니 가득 차지 않았습니다. 가 컵과 나 컵 중에서 들이가 더 많은 것은 어느 것일까요?

하

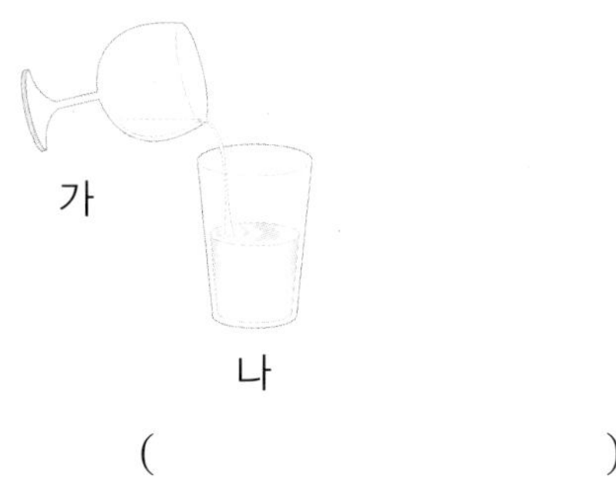

( )

| 무게의 단위 |

03 다음이 나타내는 무게를 쓰고 읽어 보세요.

2 kg보다 850 g 더 무거운 무게

쓰기 ____________________

읽기 ____________________

| 들이의 단위 |

04 □ 안에 알맞은 수를 써넣으세요.

하

(1) 5 L 600 mL = □ mL

(2) 7400 mL = □ L □ mL

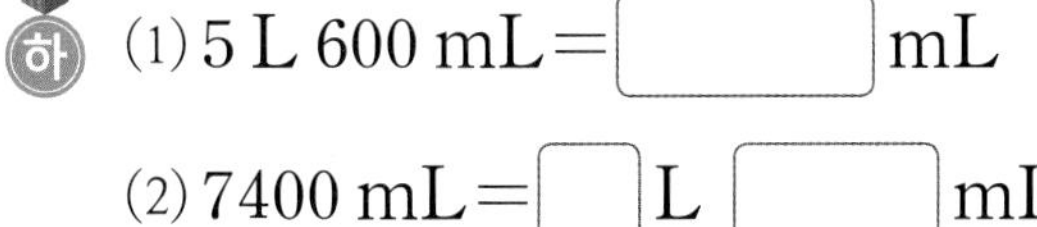

| 무게의 단위 |

05 다리미의 무게를 단위에 맞게 나타내어 보세요.

중

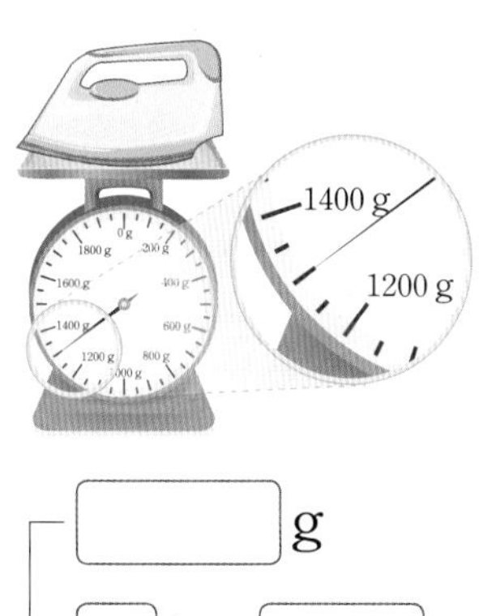

□ g

□ kg □ g

| 들이의 단위 |

06 들이가 같은 것끼리 선으로 이어 보세요.

중

4 L 200 mL ·	· 4020 mL
4 L 2 mL ·	· 4002 mL
4 L 20 mL ·	· 4200 mL

| 들이를 어림하고 재어 보기 |

07 물병에 물을 가득 채워 컵에 모두 옮겨 담았습니다. 컵 한 개의 들이가 500 mL일 때, 물병의 들이는 약 몇 L인지 어림해 보세요.

중

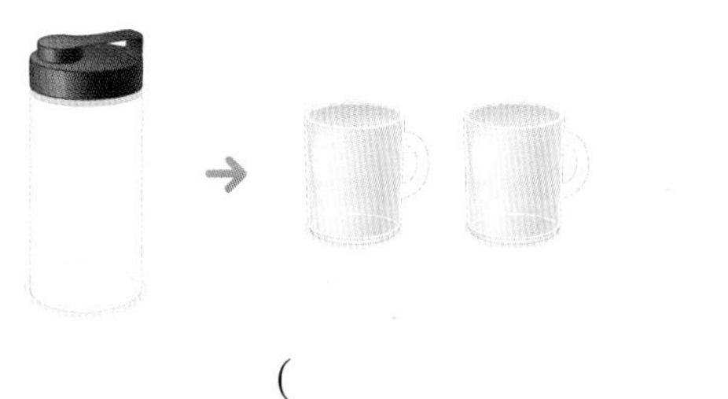

( )

| 들이의 덧셈과 뺄셈 |

08 ☐ 안에 알맞은 수를 써넣으세요. (중)

2300 mL+1600 mL

=☐mL=☐L ☐mL

| 무게의 덧셈과 뺄셈 |

09 무게를 비교하여 ○ 안에 >, =, <를 알맞게 써넣으세요. (중)

3 kg 200 g+4 kg 700 g ○ 8 kg

| 무게를 어림하고 재어 보기 |

10 ☐ 안에 알맞은 물건을 보기 에서 찾아 써넣으세요. (중)

보기

달걀 코끼리 유모차

(1) ☐의 무게는 약 60 g입니다.

(2) ☐의 무게는 약 5 t입니다.

| 무게의 단위 |

11 수박의 무게는 4 kg 500 g이고, 호박의 무게는 5200 g입니다. 수박과 호박 중에서 어느 것이 더 가벼울까요? (중)

( )

| 무게 비교하기 |

12 무게가 각각 같은 지우개와 구슬을 사용하여 수첩의 무게를 재었습니다. 지우개와 구슬 중 한 개의 무게가 더 무거운 것은 어느 것일까요? (중)

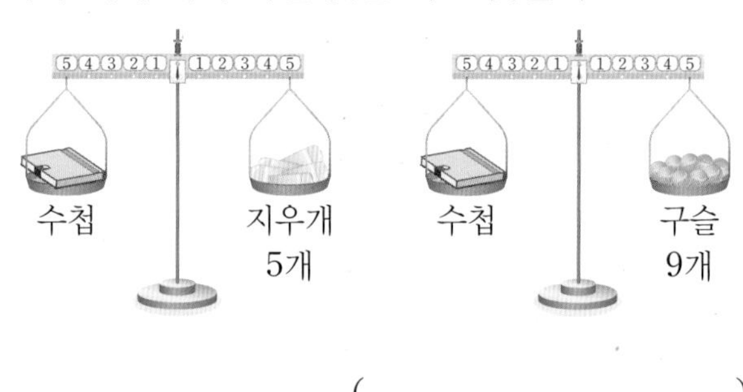

( )

| 들이를 어림하고 재어 보기 | 서술형

13 잘못 말한 친구를 찾아 이름을 쓰고, 바르게 고쳐 보세요. (중)

윤수 나는 어제 우유를 200 mL 마셨어.
찬호 내 보온병 들이는 350 L야.
시현 화분에 500 mL의 물을 줬어.

이름

고치기

| 들이의 덧셈과 뺄셈 |

14 물통의 들이는 1 L 500 mL이고 주전자의 들이는 2 L 300 mL입니다. 물통과 주전자의 들이의 합은 몇 L 몇 mL일까요? (중)

( )

| 들이 비교하기 |

15 중 왼쪽 수조에 물을 가득 채우려면 컵 ㉮와 ㉯에 물을 가득 채워 각각 다음 횟수만큼 부어야 합니다. 컵 ㉮의 들이는 컵 ㉯의 들이의 몇 배일까요?

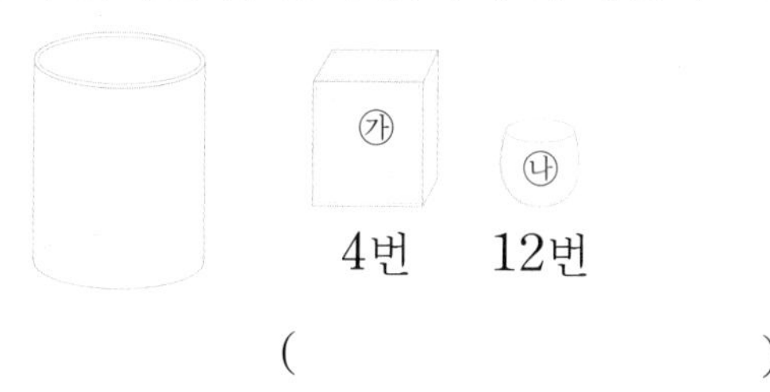

( )

| 무게의 덧셈과 뺄셈 |

16  안에 알맞은 수를 써넣으세요.

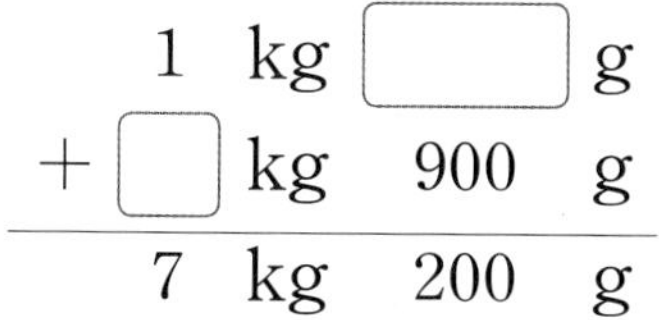

$$\begin{array}{rrrr} & 1\ \text{kg} & \square & \text{g} \\ + & \square\ \text{kg} & 900 & \text{g} \\ \hline & 7\ \text{kg} & 200 & \text{g} \end{array}$$

| 들이의 덧셈과 뺄셈 | 서술형

17 중 세수를 하는 데 세호는 4 L 700 mL의 물을 사용했고, 지안이는 3 L 400 mL의 물을 사용했습니다. 누가 물을 몇 L 몇 mL 더 많이 사용했는지 풀이 과정을 쓰고, 답을 구해 보세요.

답 ,

| 무게의 덧셈과 뺄셈 |

18 상 가장 무거운 무게와 가장 가벼운 무게의 합은 몇 kg 몇 g일까요?

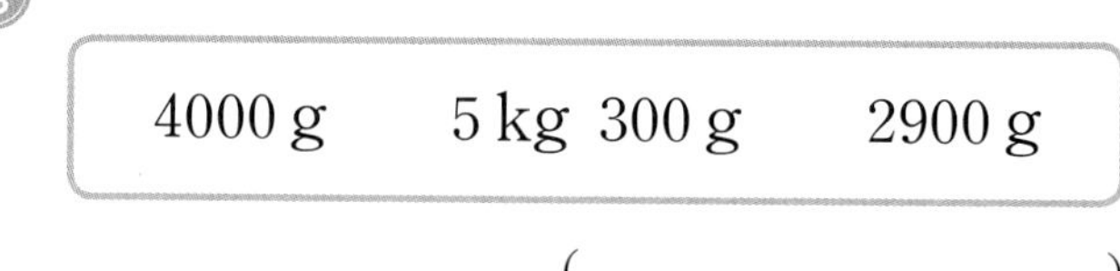

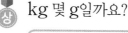

4000 g	5 kg 300 g	2900 g

( )

| 무게 비교하기 | 서술형

19 상 밤과 대추의 무게를 비교한 것입니다. 바르게 비교했는지 잘못 비교했는지 쓰고, 그 이유를 써 보세요.

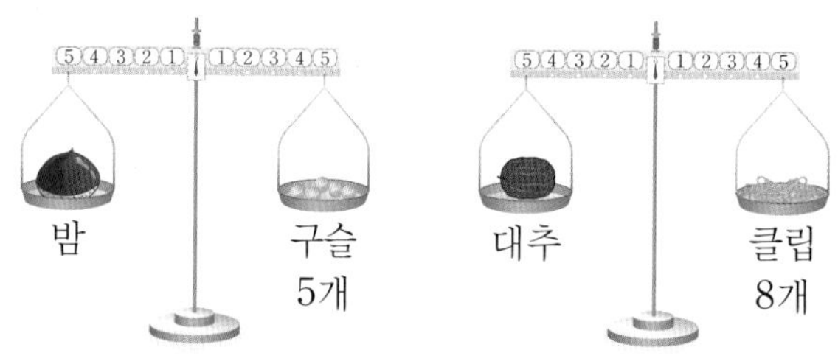

클립이 구슬보다 3개 더 많으므로 대추가 밤보다 더 무겁습니다.

답

이유

| 들이의 덧셈과 뺄셈 |

20 상 지영이 어머니께서 3 L 700 mL의 식용유를 사려고 합니다. 다음과 같이 식용유를 샀다면 몇 mL를 더 사야 할까요?

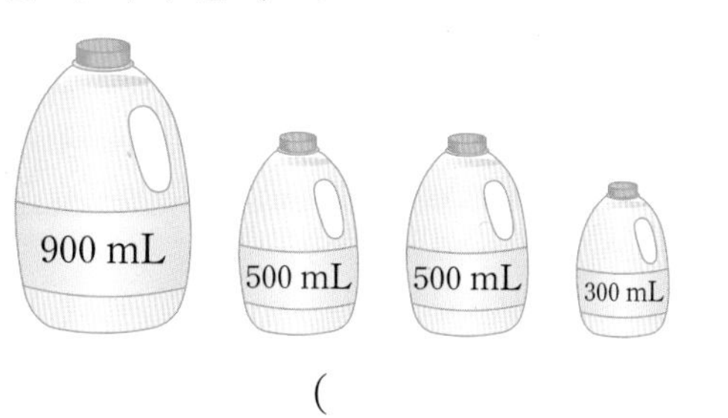

( )

| 들이 비교하기 |

01 물병과 주스병에 물을 가득 채워 모양과 크기가 같은 컵에 각각 모두 옮겨 담았습니다. 알맞은 말에 ○표 하세요.

하

(물병 , 주스병)의 들이가 더 많습니다.

| 무게의 단위 |

02 □ 안에 알맞은 수를 써넣으세요.

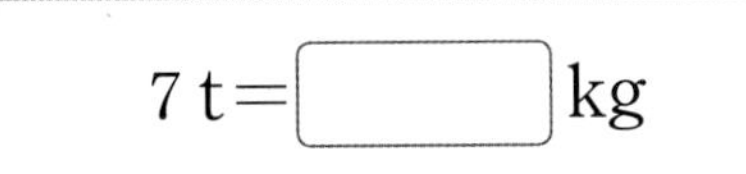

| 들이의 단위 |

03 물의 양을 나타내어 보세요.

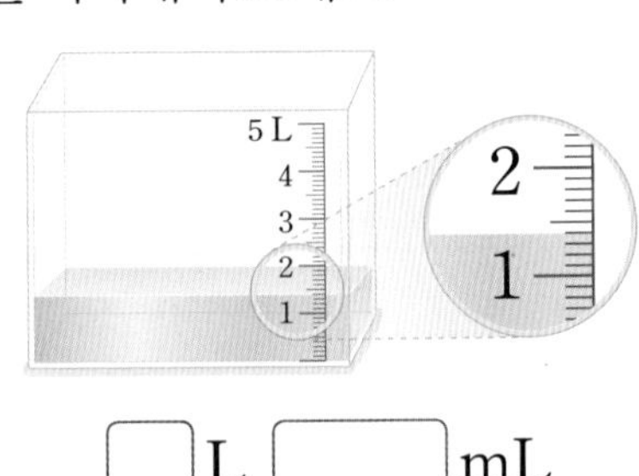

□L □mL

| 들이를 어림하고 재어 보기 |

04 L와 mL 중에서 알맞은 들이의 단위를 골라 □ 안에 써넣으세요.

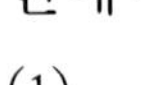

(1)

200□

(2)

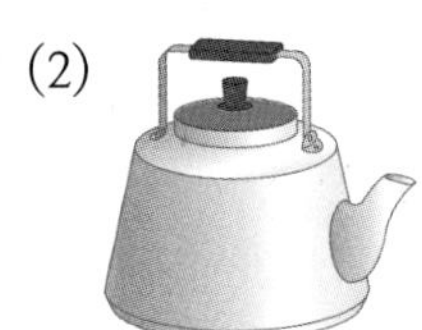

4□

| 무게의 덧셈과 뺄셈 |

05 □ 안에 알맞은 수를 써넣으세요.

4 kg 800 g

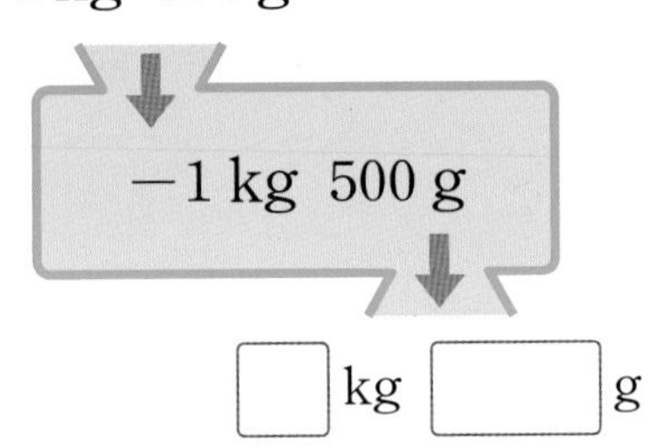

□kg □g

| 무게를 어림하고 재어 보기 |

06 양배추 한 통의 무게가 다음과 같습니다. 이 양배추와 크기가 비슷한 양배추 2통의 무게는 약 몇 kg일까요?

중

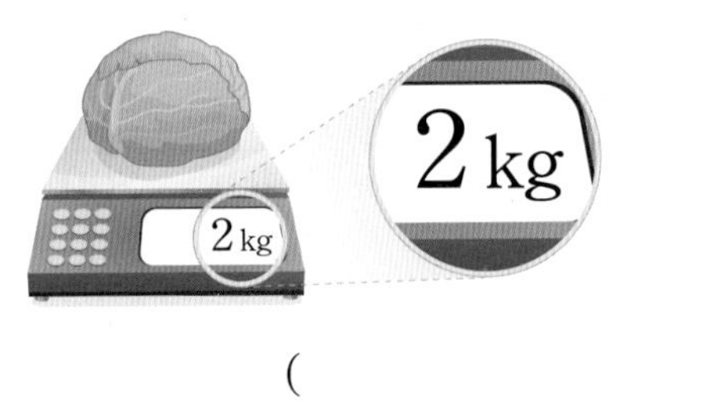

( )

| 무게의 단위 |

07 물건의 무게를 잰 것입니다. □ 안에 알맞은 수를 써넣으세요.

중

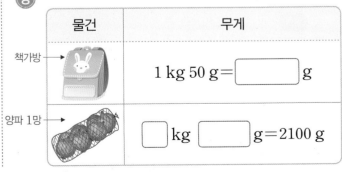

물건	무게
책가방	1 kg 50 g=□g
양파 1망	□kg □g=2100 g

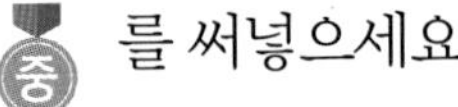

평가한 날 월 일

점수

| 들이를 어림하고 재어 보기 |

08 들이를 나타낼 때 L와 mL 중 사용하기에 알맞은 단위가 다른 것은 어느 것일까요? ( )

중

① 물 한 모금의 양
② 주스 한 컵의 양
③ 주사기에 들어 있는 약의 양
④ 욕조에 가득 채운 물의 양
⑤ 종이컵 커피 한 잔의 양

| 들이의 덧셈과 뺄셈 |

09 들이를 비교하여 ○ 안에 >, =, <를 알맞게 써넣으세요.

중

1 L 400 mL+4 L 200 mL ○ 8 L 900 mL−3 L 700 mL

| 들이의 단위 |

10 다음 중 들이가 가장 적은 것은 어느 것일까요? ( )

① 2050 mL ② 2 L 500 mL
③ 2 L 50 mL ④ 20 L 5 mL
⑤ 2 L 5 mL

| 무게 비교하기 |

11 양팔저울과 바둑돌을 사용하여 채소의 무게를 재었더니 다음과 같았습니다. 무게가 가장 무거운 채소를 찾아 써 보세요.

중

채소	당근	오이	감자
바둑돌 수(개)	55	45	53

( )

| 무게를 어림하고 재어 보기 |

12 무게의 단위를 알맞게 사용한 것을 찾아 기호를 써 보세요.

중

㉠ 책상의 무게는 약 20 g입니다.
㉡ 연필의 무게는 약 8 kg입니다.
㉢ 필통의 무게는 약 200 g입니다.
㉣ 컵의 무게는 약 80 kg입니다.

( )

| 들이의 덧셈과 뺄셈 | 서술형

13 두 냄비의 들이의 합은 몇 mL인지 풀이 과정을 쓰고, 답을 구해 보세요.

중

7 L 300 mL

1 L 600 mL

풀이

답

| 들이 비교하기 |

14 오른쪽 물통에 물을 가득 채우려면 컵 ㉮, ㉯, ㉰로 각각 다음과 같은 횟수만큼 부어야 합니다. 들이가 가장 많은 컵부터 차례로 기호를 써 보세요.

중

컵	㉮	㉯	㉰
부은 횟수(번)	4	6	5

( )

15~16 혁주와 지유는 사과 상자의 무게를 어림하였습니다. 그림을 보고 물음에 답해 보세요.

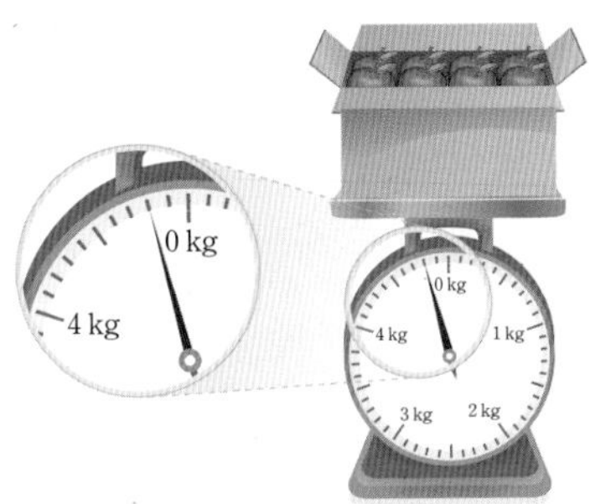

| 무게의 단위 |

15 사과 상자의 무게는 몇 kg 몇 g일까요?

( )

| 무게를 어림하고 재어 보기 | 서술형

16 혁주와 지유가 사과 상자의 무게를 어림한 것입니다. 실제 무게에 더 가깝게 어림한 사람은 누구인지 풀이 과정을 쓰고, 답을 구해 보세요.

혁주: 약 4 kg 500 g 지유: 약 5 kg

풀이

답

| 들이의 덧셈과 뺄셈 |

17 지후는 통에 들어 있던 페인트 중 1 L 600 mL를 사용하였습니다. 통에 남아 있는 페인트가 2 L 500 mL일 때, 처음 통에 들어 있던 페인트는 몇 L 몇 mL일까요?

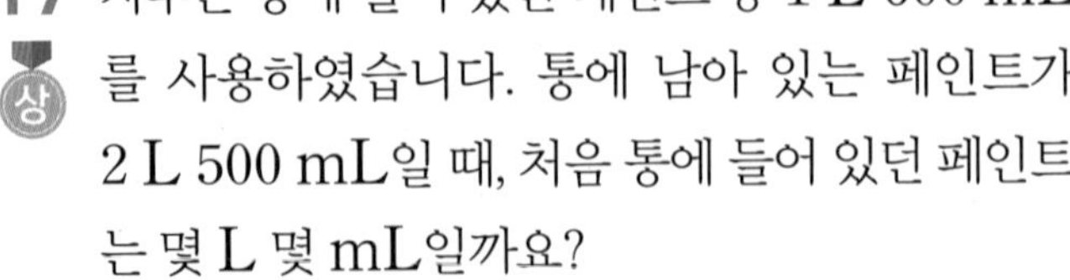

( )

| 무게 비교하기 |

18 같은 학용품끼리의 무게는 서로 같습니다. 집게 한 개, 구슬 한 개, 클립 한 개의 무게를 비교하여 가장 가벼운 것부터 차례로 써 보세요.

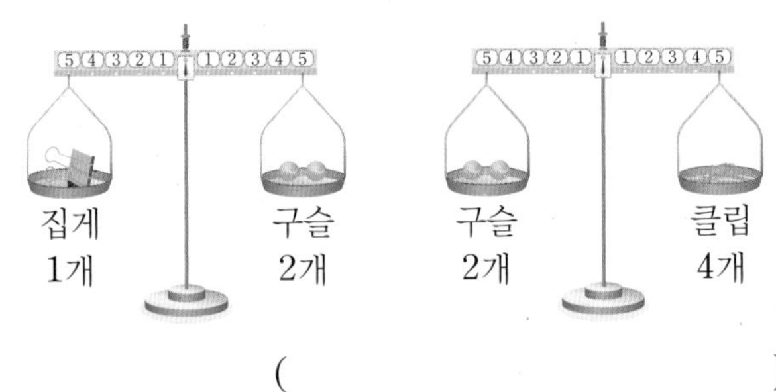

( )

| 들이의 덧셈과 뺄셈 | 서술형

19 5 L 들이의 빈 물통이 있습니다. 여기에 가영이가 물을 1 L 350 mL 붓고, 나영이가 2 L 650 mL 더 부었습니다. 이 물통에 물을 가득 채우려면 물을 얼마나 더 부어야 하는지 풀이 과정을 쓰고, 답을 구해 보세요.

풀이

답

| 무게의 덧셈과 뺄셈 |

20 무게가 같은 음료수 3병을 상자에 담아 무게를 재어 보니 2 kg 900 g이었습니다. 빈 상자의 무게가 600 g이라면 음료수 6병의 무게는 몇 g일까요?

( )

연습 서술형 평가 | 4. 들이와 무게

평가한 날 월 일

점수

정답 및 풀이 | 117쪽

Tip

❶ 못 8개의 무게와 구슬 5개의 무게 비교하기

❷ 한 개의 무게가 더 가벼운 것 구하기

01 무게가 각각 같은 못과 구슬을 사용하여 똑같은 막대자석의 무게를 재었습니다. 못 한 개와 구슬 한 개 중 어느 것의 무게가 더 가벼운지 풀이 과정을 쓰고, 답을 구해 보세요.

풀이

답

Tip

❶ 전체 우유의 양 구하기

❷ 우유를 모두 마시는 데 며칠이 걸리는지 구하기

02 냉장고에 1 L짜리 우유가 2통 있습니다. 민상이가 매일 우유를 400 mL씩 마신다고 할 때, 우유를 모두 마시는 데 며칠이 걸리는지 풀이 과정을 쓰고, 답을 구해 보세요.

풀이

답

Tip

❶ 실제 들이와 어림한 들이의 차이 알아보기

❷ 가장 가깝게 어림한 사람 구하기

03 지아, 민호, 소희는 들이가 1 L인 간장병의 들이를 다음과 같이 어림하였습니다. 실제 들이에 가장 가깝게 어림한 사람은 누구인지 풀이 과정을 쓰고, 답을 구해 보세요.

이름	지아	민호	소희
어림한 들이	약 1030 mL	약 1 L 100 mL	약 960 mL

❶ 겉옷과 가방 무게의 합 구하기

❷ 가방의 무게 구하기

04 가영이가 겉옷을 입고 가방을 맨 채로 무게를 재어 보니 36 kg 800 g이었고, 겉옷과 가방을 벗고 잰 무게는 32 kg 500 g이었습니다. 겉옷의 무게가 1 kg 200 g이라면 가방의 무게는 몇 kg 몇 g인지 풀이 과정을 쓰고, 답을 구해 보세요.

답

실전 서술형 평가 | 4. 들이와 무게

평가한 날 월 일

점수

정답 및 풀이 | 117쪽

Tip

❶ 쇠고기 1근의 무게 알아보기

❷ 쇠고기 4근의 무게 구하기

01 우리나라의 전통 무게 단위인 '근'에 대한 설명입니다. 쇠고기 4근의 무게는 몇 kg 몇 g인지 풀이 과정을 쓰고, 답을 구해 보세요.

> 우리나라에는 옛날부터 물건에 따라 달리 사용해 온 고유의 무게 단위들이 있습니다. '근'은 육류, 채소, 과일 등의 무게를 재는 단위인데 육류의 경우에는 1근이 600 g이고, 채소나 과일의 경우에는 1근이 375 g입니다.

풀이

답

Tip

❶ 2000원으로 살 수 있는 토마토 주스의 양 구하기

❷ 2000원으로 살 수 있는 포도 주스의 양 구하기

❸ 더 많은 양의 주스를 사려면 어떤 주스를 사야 할지 구하기

02 두 가지 주스 1병의 가격과 양을 나타낸 것입니다. 2000원으로 더 많은 양의 주스를 사려면 어떤 주스를 사야 할지 풀이 과정을 쓰고, 답을 구해 보세요.

종류	가격	양
토마토 주스	2000원	1 L 500 mL
포도 주스	1000원	800 mL

풀이

답

❶ 5 L의 물을 담는 방법을 한 가지 설명하기

❷ 5 L의 물을 담는 또 다른 방법을 한 가지 설명하기

03 가영이가 대야에 5 L의 물을 담으려고 합니다. 그림과 같이 눈금이 없는 8 L, 4 L, 3 L 들이 그릇을 사용하여 대야에 5 L의 물을 담을 수 있는 방법을 두 가지로 설명해 보세요. (그릇에 물을 여러 번 담고 버릴 수 있습니다.)

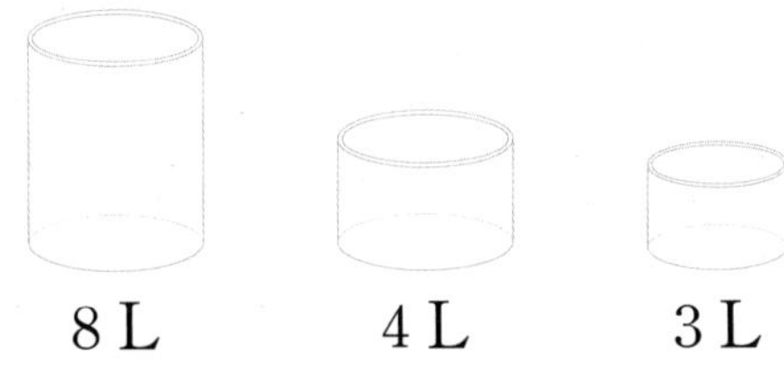

❶ 가방에 물건을 모두 넣었을 때의 무게 구하기

❷ 가방에 더 넣을 수 있는 물건의 무게 구하기

04 여행 가방의 무게가 10 kg보다 무거우면 비행기에 직접 가지고 탈 수 없다고 합니다. 빈 여행 가방의 무게가 2 kg이고, 다음 물건을 모두 가방에 넣었습니다. 가방을 직접 가지고 비행기에 타려고 할 때, 가방에 더 넣을 수 있는 물건의 무게를 구하는 풀이 과정을 쓰고, 답을 구해 보세요.

물건	겉옷	슬리퍼	장난감	세면도구
무게	1200 g	500 g	1 kg 700 g	600 g

풀이

답

5 단원 교과서 핵심 개념

5 분수

수학 122~149쪽 수학 익힘 69~84쪽

개념 1 분수로 나타내기 (1)

• 전체에 대한 색칠한 부분을 분수로 나타내기

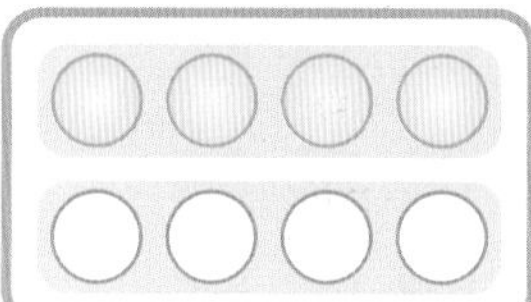

전체를 똑같이 2묶음으로 나눈 것 중의 1묶음

→ 전체의 $\frac{1}{2}$

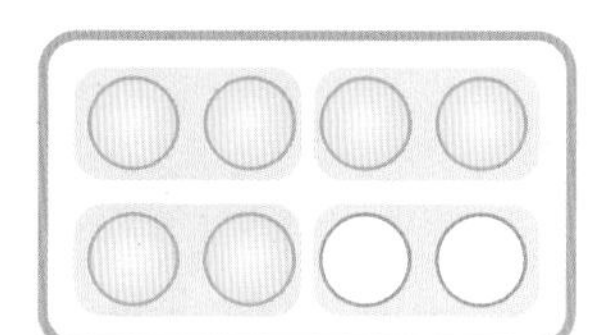

전체를 똑같이 4묶음으로 나눈 것 중의 3묶음

→ 전체의 $\frac{3}{4}$

개념 2 분수로 나타내기 (2)

• 전체에 대한 부분을 분수로 나타내기

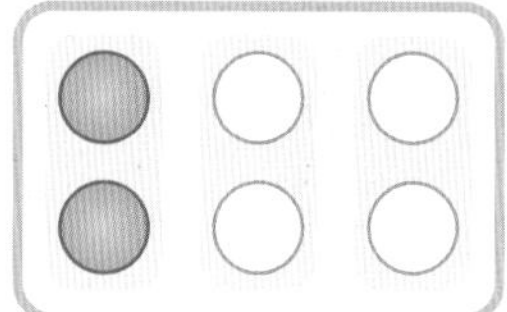

6을 2씩 묶으면 3묶음
2는 3묶음 중의 1묶음

→ 2는 6의 $\frac{1}{3}$

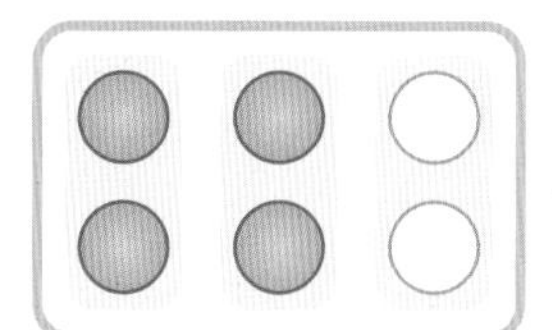

6을 2씩 묶으면 3묶음
4는 3묶음 중의 2묶음

→ 4는 6의 $\frac{2}{3}$

개념 3 전체의 분수만큼 알아보기 (1)

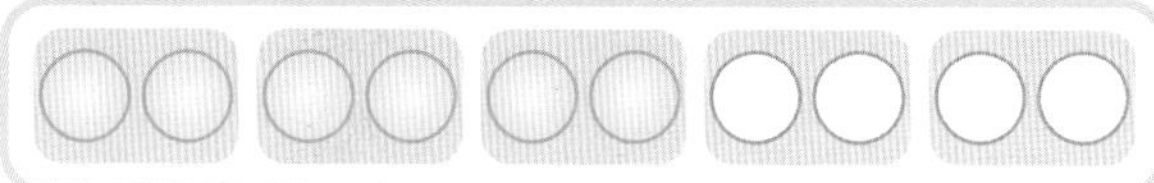

10의 $\frac{3}{5}$은 전체 10개를 똑같이 5묶음으로 나눈 것 중의 3묶음 → 10의 $\frac{3}{5}$은 6

개념 4 전체의 분수만큼 알아보기 (2)

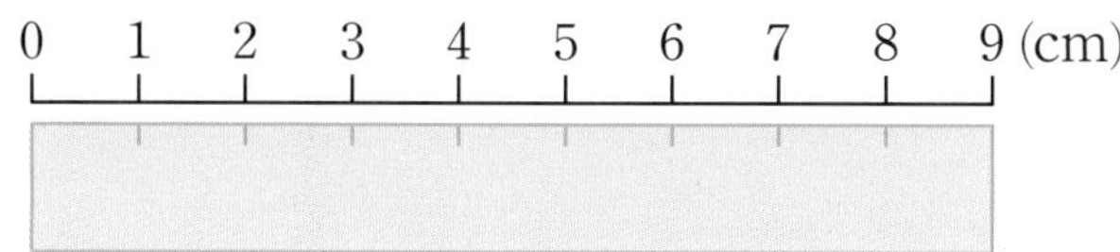

9 cm의 $\frac{2}{3}$는 전체 9 cm를 똑같이 3부분으로 나눈 것 중의 2부분 → 9 cm의 $\frac{2}{3}$는 6 cm

개념 5 여러 가지 분수 (1)

진분수: 분자가 분모보다 작은 분수

가분수: 분자가 분모와 같거나 분모보다 큰 분수

자연수: 1, 2, 3과 같은 수

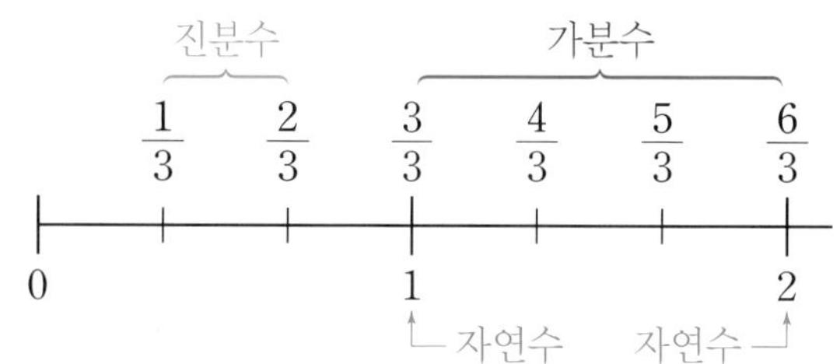

개념 6 여러 가지 분수 (2)

• 대분수: 자연수와 진분수로 이루어진 분수

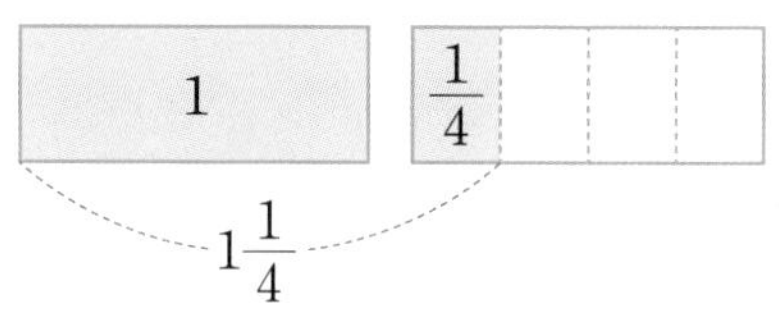

• 대분수를 가분수로 나타내기

예 $1\frac{1}{4}$ → 단위분수 $\frac{1}{4}$이 5개 → $\frac{5}{4}$

• 가분수를 대분수로 나타내기

예 $\frac{5}{4}$ → 자연수 1과 진분수 $\frac{1}{4}$ → $1\frac{1}{4}$

개념 7 분모가 같은 분수의 크기 비교

• 분모가 같은 가분수의 크기 비교 방법

분자가 클수록 더 큽니다. 예 $\frac{8}{5}<\frac{9}{5}$

• 분모가 같은 대분수의 크기 비교 방법

자연수 부분이 클수록 더 큽니다.

자연수 부분이 같으면 분자가 클수록 더 큽니다.

예 $3\frac{1}{6}>1\frac{5}{6}$, $4\frac{3}{8}<4\frac{7}{8}$

• 분모가 같은 가분수와 대분수의 크기 비교 방법

방법 1 가분수를 대분수로 나타내어 비교하기

방법 2 대분수를 가분수로 나타내어 비교하기

5. 분수 | 분수로 나타내기 (1) / (2)

정답 및 풀이 | 118쪽

평가한 날 월 일

점수

01~02 그림을 보고 물음에 답해 보세요.

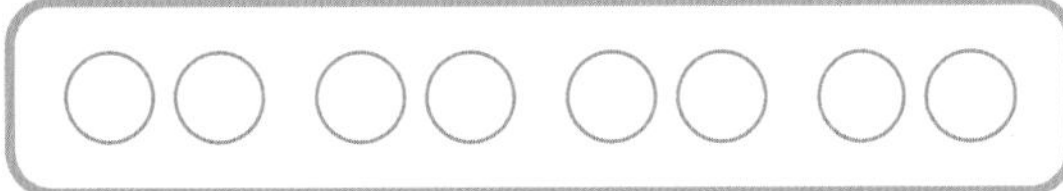

01 전체를 똑같이 4묶음으로 나누고 2묶음에 색칠해 보세요.

02 □ 안에 알맞은 수를 써넣으세요.

색칠한 부분은 전체의 $\frac{\square}{4}$입니다.

03 그림을 보고 □ 안에 알맞은 수를 써넣으세요.

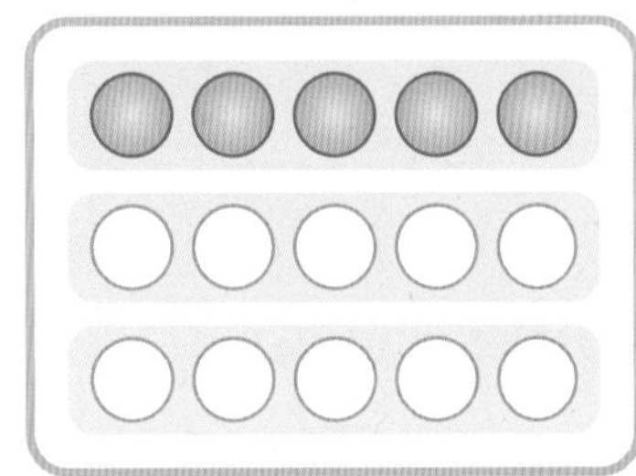

15를 5씩 묶으면 □묶음이므로

5는 15의 $\frac{\square}{\square}$입니다.

04~05 색칠한 부분을 분수로 나타내어 보세요.

04

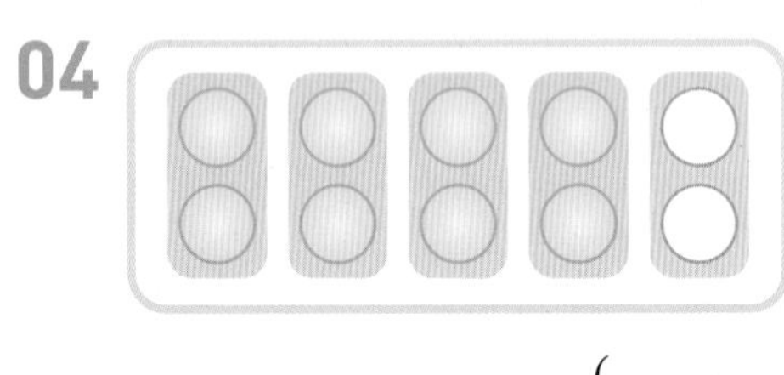

( )

05

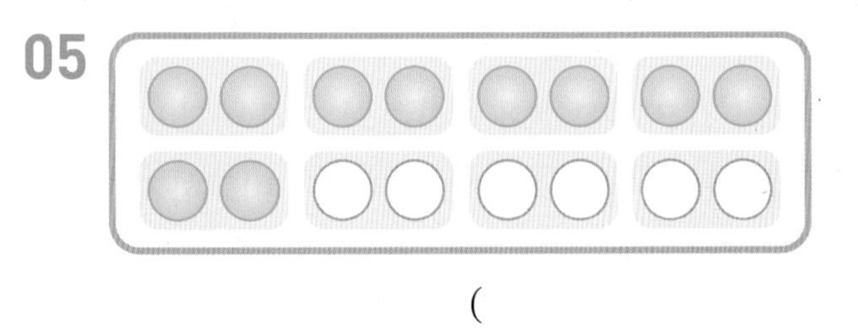

( )

06~07 그림을 보고 □ 안에 알맞은 수를 써넣으세요.

06 21을 3씩 묶으면 9는 21의 $\frac{\square}{\square}$입니다.

07 21을 7씩 묶으면 14는 21의 $\frac{\square}{\square}$입니다.

08 색칠한 부분이 전체의 $\frac{4}{6}$가 되도록 색칠해 보세요.

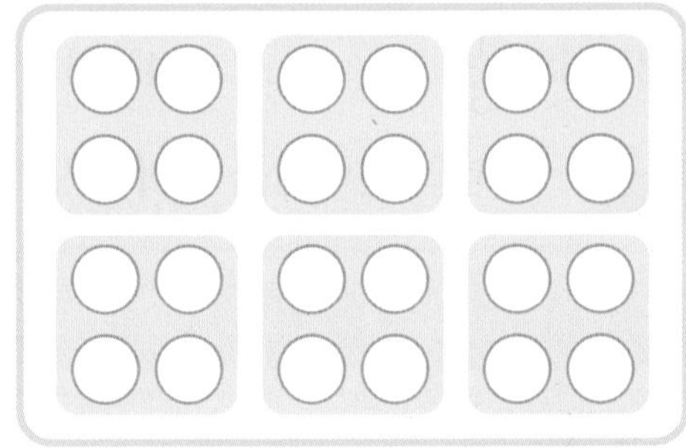

09 27을 3씩 묶으면 12는 27의 얼마인지 분수로 나타내어 보세요.

( )

10 귤 64개 중에서 24개를 이웃집에 주었습니다. 귤을 8개씩 묶었을 때, 이웃집에 준 귤은 전체의 얼마인지 분수로 나타내어 보세요.

( )

5. 분수 | 전체의 분수만큼 알아보기 (1) / (2)

평가한 날 월 일

점수

정답 및 풀이 | 119쪽

01 6의 $\frac{1}{3}$만큼 색칠해 보세요.

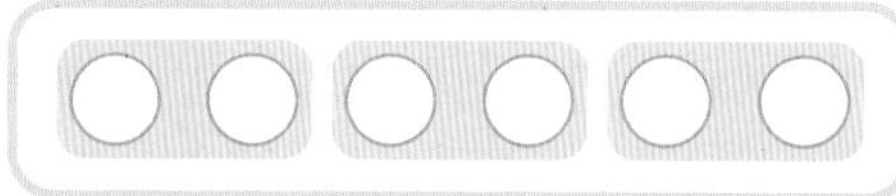

02~03 그림을 보고 □ 안에 알맞은 수를 써넣으세요.

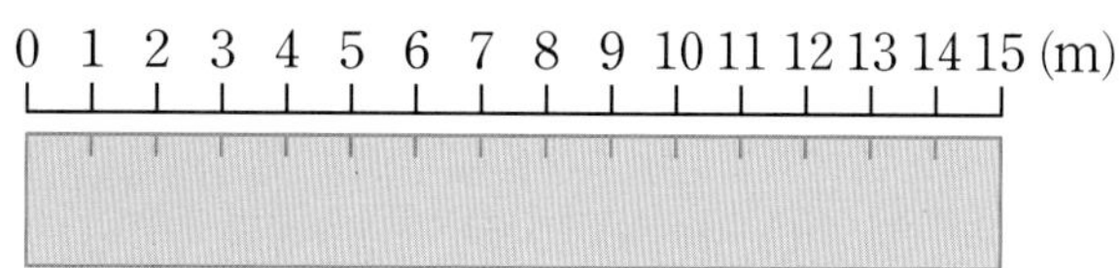

02 15 m의 $\frac{1}{5}$은 □ m입니다.

03 15 m의 $\frac{2}{3}$는 □ m입니다.

04 그림을 보고 □ 안에 알맞은 수를 써넣으세요.

· 10의 $\frac{1}{2}$은 □입니다.

· 10의 $\frac{3}{5}$은 □입니다.

05 14 cm의 $\frac{2}{7}$만큼 색칠하고, 몇 cm인지 구해 보세요.

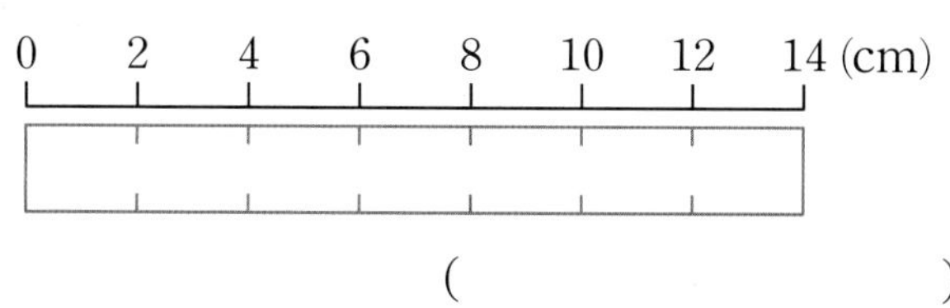

(　　　　　　　　)

06~07 설명이 맞으면 ○표, 틀리면 ×표 하세요.

06

16의 $\frac{2}{4}$는 10입니다.

(　　　　　　　　)

07

35의 $\frac{4}{5}$는 28입니다.

(　　　　　　　　)

08 □ 안에 알맞은 수를 써넣으세요.

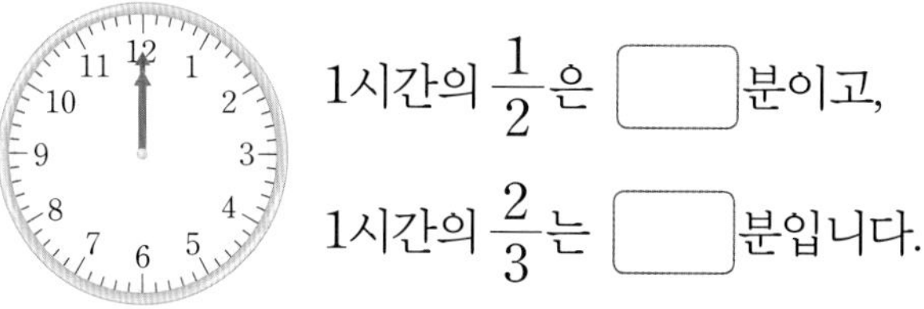

1시간의 $\frac{1}{2}$은 □분이고,

1시간의 $\frac{2}{3}$는 □분입니다.

09 정현이는 젤리 24개 중 $\frac{3}{4}$을 먹었습니다. 정현이가 먹은 젤리는 몇 개일까요?

(　　　　　　　　)

10 진선이가 만든 로봇 자동차가 길이가 18 m인 트랙의 $\frac{4}{9}$를 이동했습니다. 로봇 자동차가 이동한 거리는 몇 m일까요?

(　　　　　　　　)

5. 분수 | 여러 가지 분수 (1) / (2)

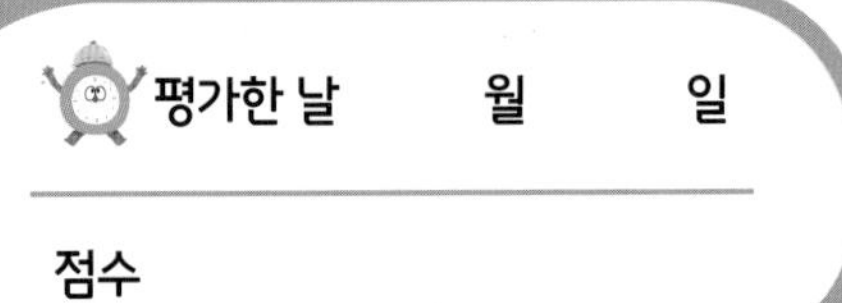

정답 및 풀이 | 119쪽

01~02 설명에 맞는 분수만큼 색칠하고, 분수로 나타내어 보세요.

01

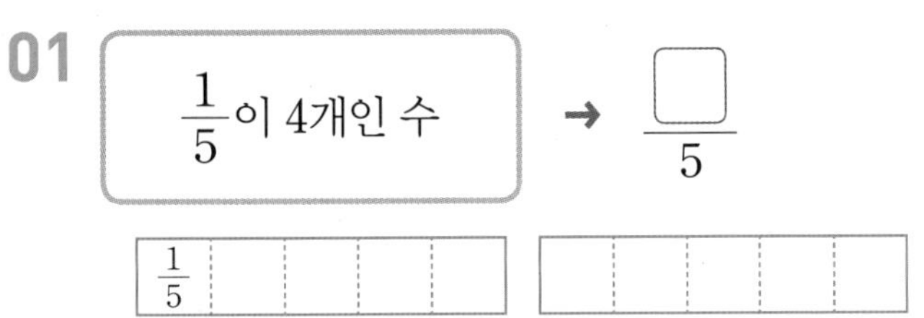

02

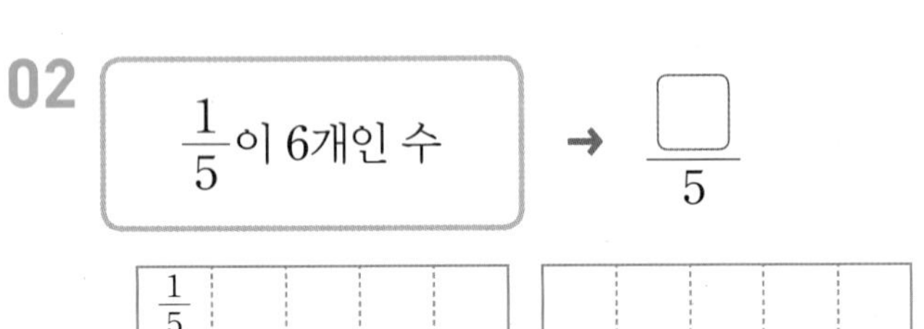

03 그림을 대분수로 나타내어 보세요.

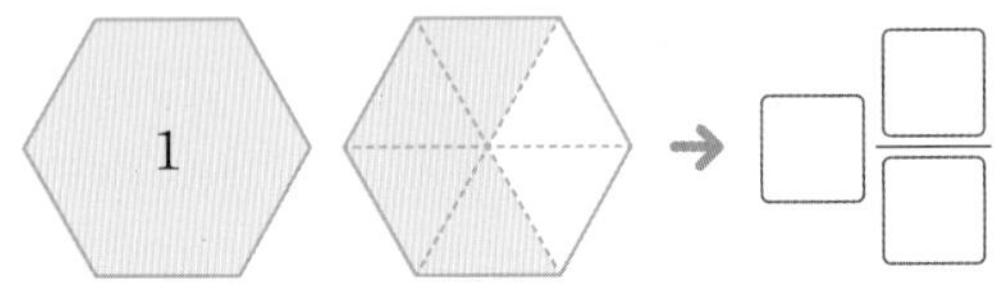

04 다음 중 진분수가 아닌 것은 어느 것일까요? ( )

① $\frac{2}{6}$ ② $\frac{3}{6}$ ③ $\frac{4}{6}$ ④ $\frac{5}{6}$ ⑤ $\frac{6}{6}$

05 자연수 1을 분모가 7인 분수로 나타내어 보세요.

( )

06 진분수에 ○표, 가분수에 △표, 대분수에 □표 하세요.

$\frac{5}{4}$	$\frac{7}{8}$	$\frac{13}{13}$	$\frac{15}{20}$
$1\frac{5}{7}$	$\frac{9}{19}$	$3\frac{4}{5}$	$\frac{11}{9}$

07 가분수를 대분수로 나타내어 보세요.

(1) $\frac{29}{4}=\square\frac{\square}{\square}$ (2) $\frac{43}{8}=\square\frac{\square}{\square}$

08 대분수를 가분수로 나타내어 보세요.

(1) $2\frac{2}{5}=\frac{\square}{\square}$ (2) $3\frac{1}{4}=\frac{\square}{\square}$

09 분모가 9인 진분수는 모두 몇 개일까요?

( )

10 3장의 숫자 카드 중 2장을 골라 한 번씩만 사용하여 만들 수 있는 가분수를 모두 써 보세요.

( )

5. 분수 | 분모가 같은 분수의 크기 비교

정답 및 풀이 | 120쪽

평가한 날 월 일

점수

01~02 분수만큼 색칠하고, 분수의 크기를 비교하여 ◯ 안에 >, =, <를 알맞게 써넣으세요.

01

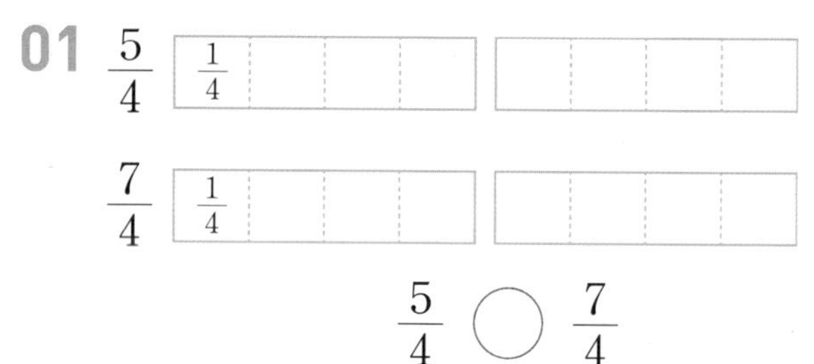

$\frac{5}{4}$ ◯ $\frac{7}{4}$

02

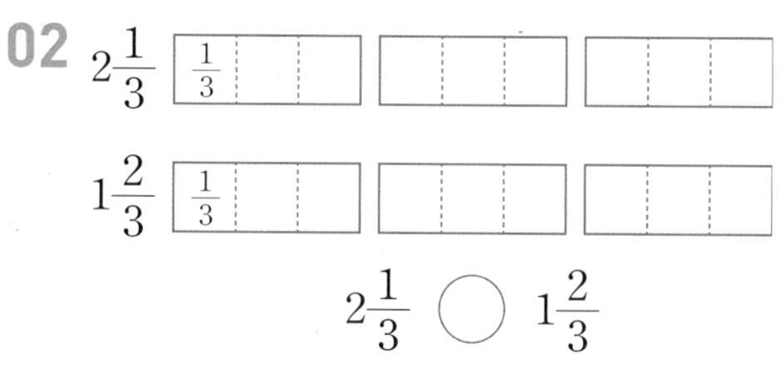

$2\frac{1}{3}$ ◯ $1\frac{2}{3}$

03 더 큰 분수를 찾아 ◯표 하세요.

$4\frac{5}{9}$ $4\frac{7}{9}$

04 분수의 크기를 비교하여 ◯ 안에 >, =, <를 알맞게 써넣으세요.

(1) $\frac{8}{7}$ ◯ $\frac{15}{7}$ (2) $\frac{17}{12}$ ◯ $\frac{9}{12}$

05 분수의 크기를 비교하여 ◯ 안에 >, =, <를 알맞게 써넣으세요.

(1) $2\frac{2}{4}$ ◯ $\frac{10}{4}$ (2) $\frac{17}{5}$ ◯ $3\frac{1}{5}$

06 왼쪽의 대분수보다 큰 분수를 찾아 ◯표 하세요.

$2\frac{3}{8}$ ($2\frac{1}{8}$, $3\frac{1}{8}$, $1\frac{7}{8}$)

07 하루 동안 물을 민아는 $\frac{3}{2}$ L 마셨고, 재희는 $\frac{5}{2}$ L 마셨습니다. 누가 물을 더 많이 마셨을까요?

( )

08 감자를 슬기는 $3\frac{4}{5}$ kg 캤고, 유경이는 $3\frac{2}{5}$ kg 캤습니다. 감자를 더 많이 캔 사람은 누구일까요?

( )

09 가장 큰 분수부터 차례로 써 보세요.

$\frac{4}{6}$ $1\frac{5}{6}$ $\frac{9}{6}$

( )

10 □ 안에 들어갈 수 있는 자연수를 모두 구해 보세요.

$1\frac{2}{3} > \frac{\square}{3}$

( )

| 분수로 나타내기 (1) |

01 그림을 보고 □ 안에 알맞은 수를 써넣으세요.

하

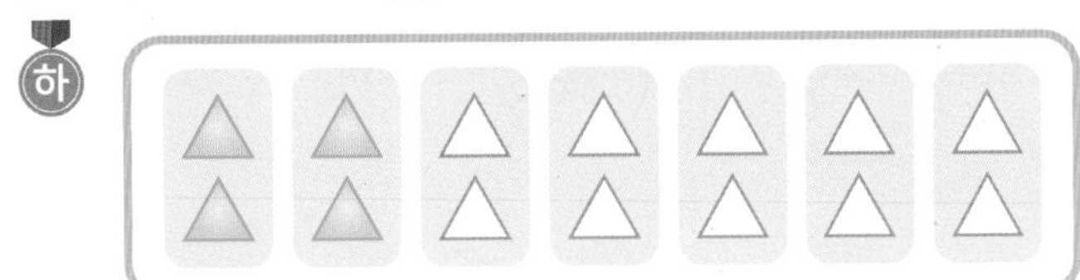

색칠한 부분은 7묶음 중의 □묶음이므로

전체의 $\frac{\square}{7}$입니다.

| 분수로 나타내기 (2) |

02 그림을 보고 □ 안에 알맞은 수를 써넣으세요.

12를 3씩 묶으면 □묶음이므로

9는 12의 $\frac{\square}{\square}$입니다.

| 여러 가지 분수 (2) |

03 그림을 대분수로 나타내어 보세요.

하

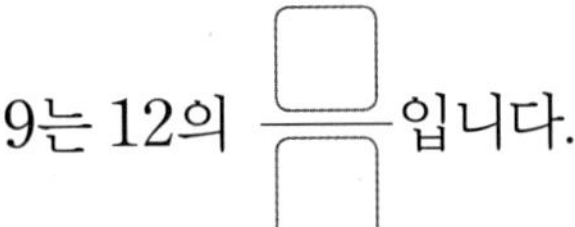

→ $\square\frac{\square}{\square}$

| 여러 가지 분수 (1) |

04 진분수를 모두 찾아 ○표 하세요.

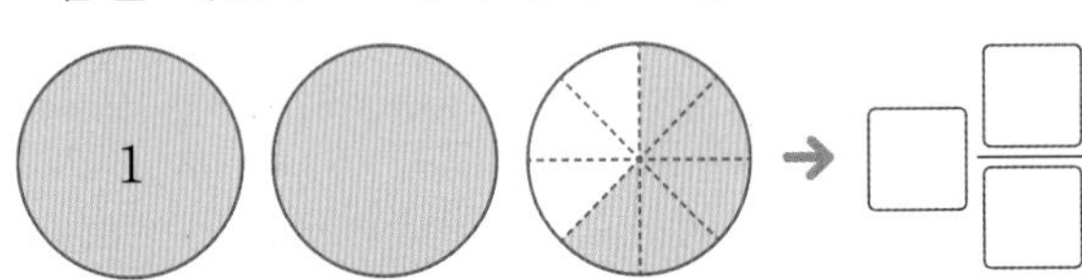

$\frac{5}{7}$ $\frac{17}{3}$ $\frac{5}{5}$ $\frac{9}{12}$

| 여러 가지 분수 (1) |

05 다음은 가분수입니다. □ 안에 들어갈 수 없는 수는 어느 것일까요? ( )

중

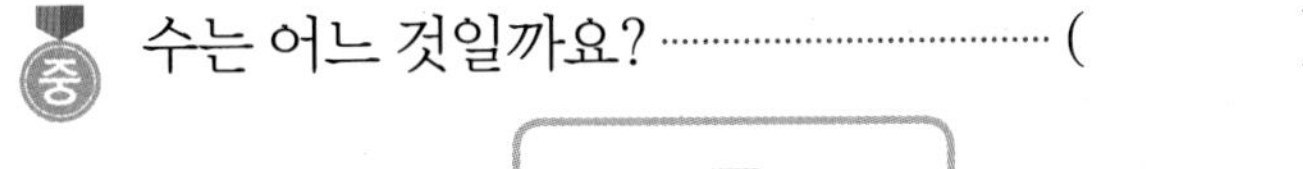

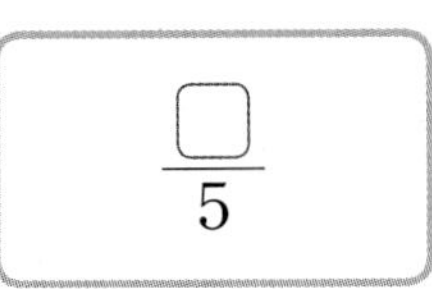

$\frac{\square}{5}$

① 3 ② 5 ③ 7
④ 9 ⑤ 11

| 전체의 분수만큼 알아보기 (2) |

06 그림을 보고 □ 안에 알맞은 수를 써넣으세요.

중

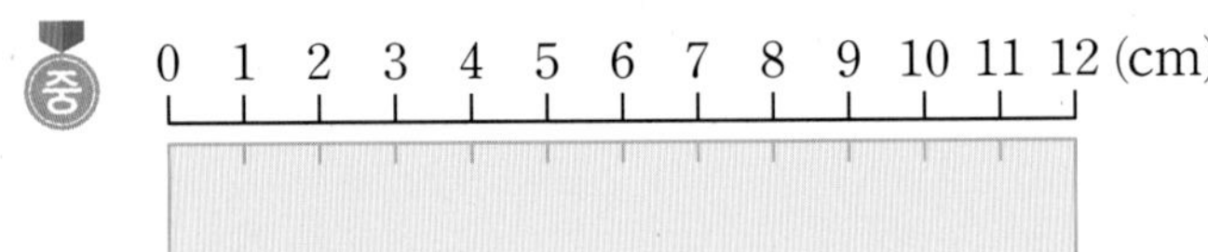

(1) 12 cm의 $\frac{1}{6}$은 □cm입니다.

(2) 12 cm의 $\frac{5}{6}$는 □cm입니다.

| 분모가 같은 분수의 크기 비교 |

07 $\frac{5}{8}$와 $\frac{9}{8}$를 수직선에 ↑로 나타내고, 더 큰 수를 써 보세요.

중

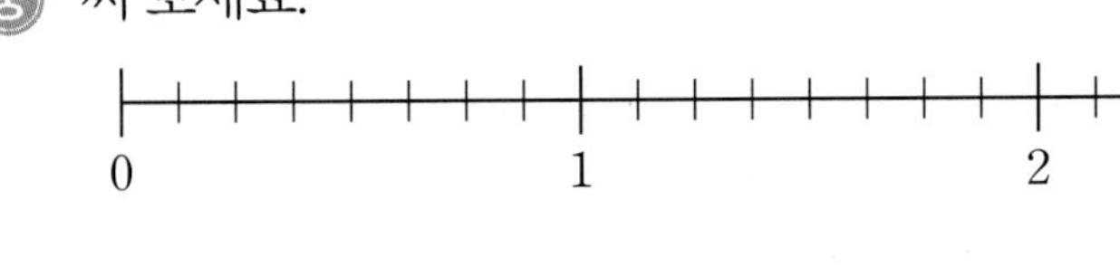

( )

평가한 날 월 일

점수

| 분모가 같은 분수의 크기 비교 |

08 $3\frac{6}{9}$보다 큰 분수를 찾아 색칠해 보세요.

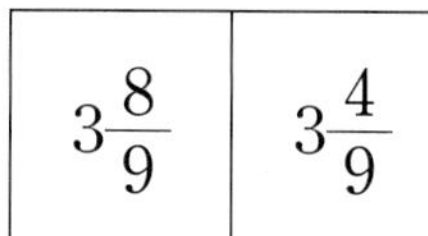

$3\frac{8}{9}$	$3\frac{4}{9}$

| 전체의 분수만큼 알아보기 (2) |

09 ㉠에 알맞은 수를 구해 보세요.

28 cm의 $\frac{4}{7}$는 ㉠ cm입니다.

( )

| 여러 가지 분수 (2) | 서술형

10 $3\frac{3}{5}$을 가분수로 나타내려고 합니다. 풀이 과정을 쓰고, 답을 구해 보세요.

풀이

답

| 전체의 분수만큼 알아보기 (1) |

11 미림이는 가지고 있던 사탕 24개 중 $\frac{2}{3}$를 친구에게 주었습니다. 친구에게 준 사탕은 몇 개일까요?

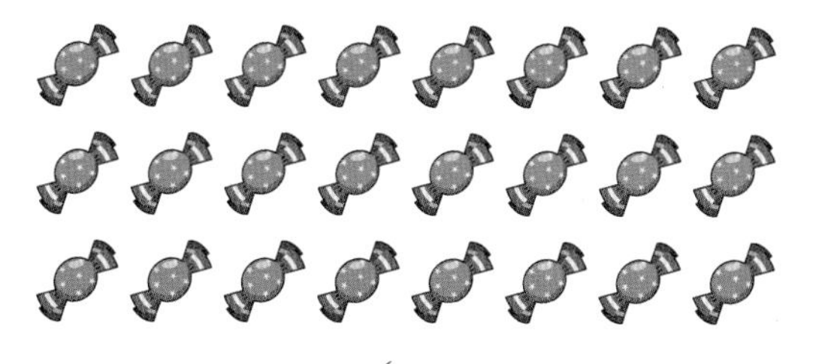

( )

| 분수로 나타내기 (2) |

12 □ 안에 알맞은 수를 써넣으세요.

(1) 16을 4씩 묶으면 8은 16의 $\frac{\square}{\square}$입니다.

(2) 16을 2씩 묶으면 10은 16의 $\frac{\square}{\square}$입니다.

| 전체의 분수만큼 알아보기 (2) |

13 수지는 수학 공부를 1시간의 $\frac{5}{6}$ 동안 했습니다. 수지가 수학 공부를 한 시간은 몇 분일까요?

( )

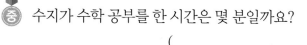

| 분수로 나타내기 (1) |

14 딸기를 똑같이 나누어 봉지에 담았습니다. 노란색 봉지에 담은 딸기는 전체의 $\frac{㉠}{㉡}$입니다. ㉠+㉡을 구해 보세요.

( )

| 여러 가지 분수 (2) |

15 3장의 숫자 카드를 한 번씩 모두 사용하여 분모가 7인 대분수를 만들어 보세요.

중

7 2 9

( )

| 분모가 같은 분수의 크기 비교 | 서술형

16 서연이와 건우 중 집에서 학교까지의 거리가 더 먼 사람은 누구인지 풀이 과정을 쓰고, 답을 구해 보세요.

중

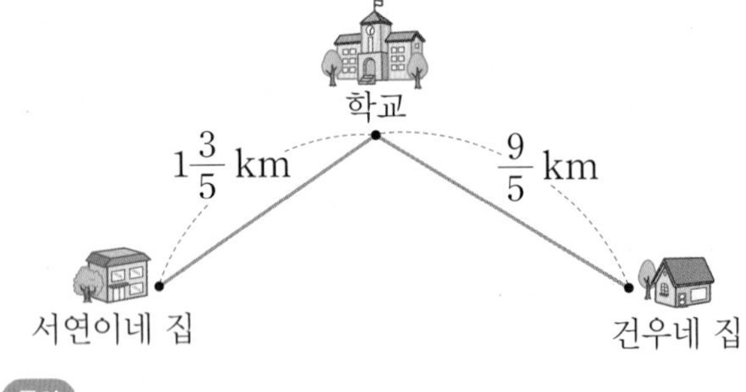

풀이

답

| 분모가 같은 분수의 크기 비교 |

17 가장 큰 수부터 차례로 써 보세요.

중

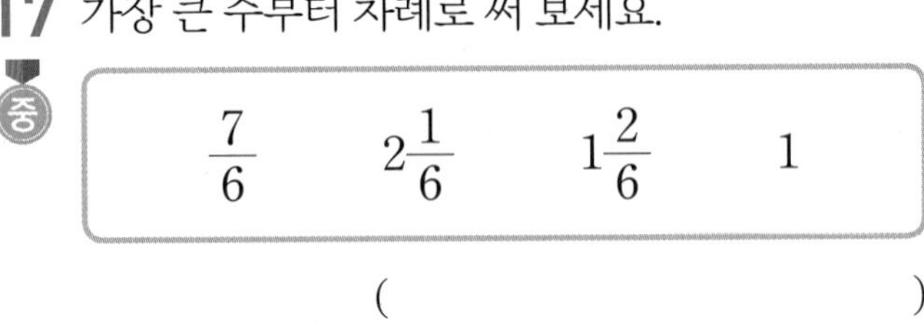

$\frac{7}{6}$ $2\frac{1}{6}$ $1\frac{2}{6}$ 1

( )

| 여러 가지 분수 (2) | 서술형

18 어떤 대분수의 자연수와 분자를 바꾼 수를 가분수로 나타내었더니 $\frac{14}{5}$였습니다. 어떤 대분수를 구하는 풀이 과정을 쓰고, 답을 구해 보세요.

상

풀이

답

| 전체의 분수만큼 알아보기 (1) |

19 한결이의 일기를 읽고 남은 토마토는 몇 개인지 구해 보세요.

상

○월 ○일 ○요일

엄마가 토마토를 18개 사 오셨다. 그중에서 전체의 $\frac{5}{9}$는 주스를 만들고, 전체의 $\frac{1}{6}$은 샐러드를 만들었다. 그래서 ( )개가 남았다.

( )

| 여러 가지 분수 (1) |

20 조건 에 모두 알맞은 분수를 구해 보세요.

상

조건

- 분모와 분자의 합은 9입니다.
- 분모와 분자의 차는 1입니다.
- 가분수입니다.

( )

단원 평가 | 5. 분수

평가한 날 월 일

점수

정답 및 풀이 | 121쪽

| 분수로 나타내기 (1) |

01 전체에 대한 색칠한 부분을 분수로 나타낸 것을 찾아 ○표 하세요.

하

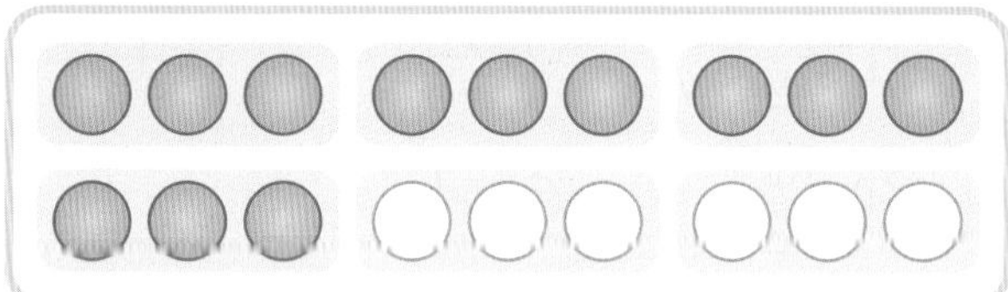

($\frac{2}{4}$, $\frac{4}{6}$)

| 전체의 분수만큼 알아보기 (1) |

02 그림을 보고 □ 안에 알맞은 수를 써넣으세요.

12의 $\frac{1}{6}$은 □입니다.

| 분모가 같은 분수의 크기 비교 |

03 분수의 크기를 비교하여 ○ 안에 >, =, <를 알맞게 써넣으세요.

(1) $\frac{13}{5}$ ○ $\frac{20}{5}$　　(2) $4\frac{2}{9}$ ○ $3\frac{8}{9}$

| 분수로 나타내기 (1) |

04 색칠한 부분이 전체의 $\frac{3}{4}$이 되도록 색칠해 보세요.

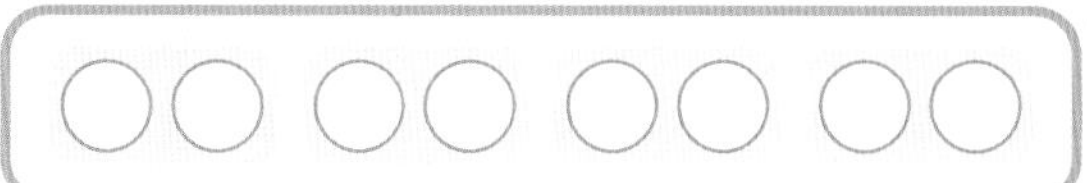

| 여러 가지 분수 (1) |

05 가분수는 모두 몇 개일까요?

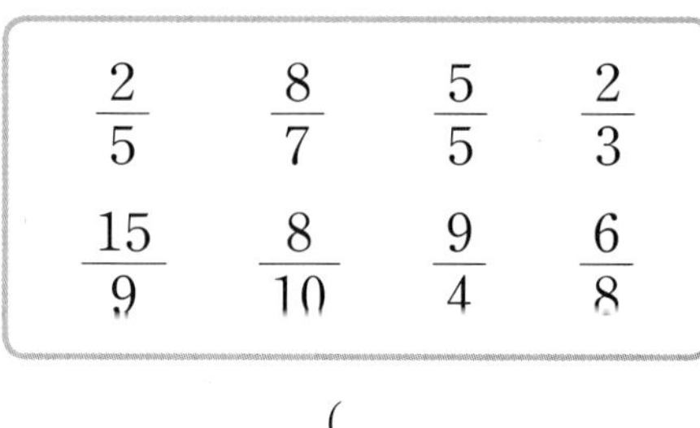

$\frac{2}{5}$	$\frac{8}{7}$	$\frac{5}{5}$	$\frac{2}{3}$
$\frac{15}{9}$	$\frac{8}{10}$	$\frac{9}{4}$	$\frac{6}{8}$

( )

| 전체의 분수만큼 알아보기 (2) |

06 그림을 보고 □ 안에 알맞은 수를 써넣으세요.

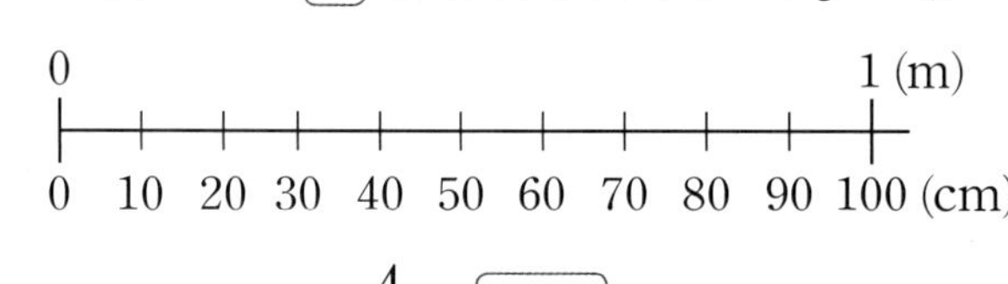

1 m의 $\frac{4}{5}$는 □cm입니다.

| 여러 가지 분수 (2) |

07 대분수는 가분수로, 가분수는 대분수로 나타내어 보세요.

중

(1) $\frac{10}{3}$ = □$\frac{□}{□}$　　(2) $3\frac{5}{6}$ = $\frac{□}{□}$

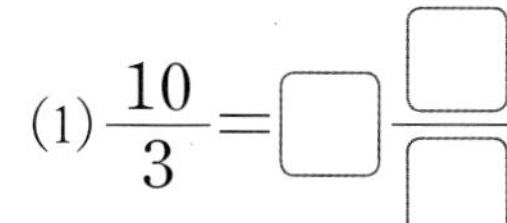

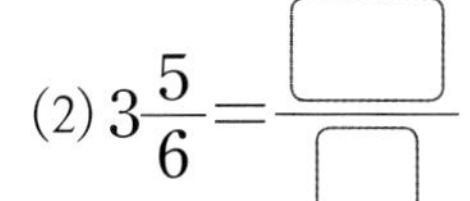

| 여러 가지 분수 (1) |

08 자연수 1을 분모가 5인 분수로 나타내어 보세요.

중

(　　　　　　　　　　)

| 여러 가지 분수 (1) | 서술형

09 진분수가 아닌 분수를 찾아 쓰고, 그 이유를 써 보세요.

중

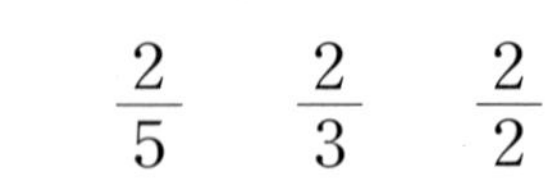

$\frac{2}{5}$　$\frac{2}{3}$　$\frac{2}{2}$

답

이유

| 전체의 분수만큼 알아보기 (1) |

10 나타내는 수가 다른 하나에 ○표 하세요.

15의 $\frac{3}{5}$	21의 $\frac{3}{7}$	27의 $\frac{4}{9}$
(　　)	(　　)	(　　)

| 분수로 나타내기 (2) |

11 공책 20권을 4권씩 묶었을 때, 16권은 20권의 얼마인지 분수로 나타내어 보세요.

중

(　　　　　　　　　　)

| 여러 가지 분수 (2) |

12 대분수를 가분수로 나타내었을 때 분자가 가장 큰 수는 어느 것일까요? ·········· (　　　)

중

① $2\frac{1}{2}$　② $2\frac{2}{5}$　③ $1\frac{4}{6}$

④ $3\frac{1}{2}$　⑤ $4\frac{1}{3}$

| 전체의 분수만큼 알아보기 (1) |

13 □ 안에 들어갈 수의 합을 구해 보세요.

- 18의 $\frac{4}{9}$는 □입니다.
- 24의 $\frac{3}{8}$은 □입니다.

(　　　　　　　　　　)

| 분모가 같은 분수의 크기 비교 |

14 텃밭에서 소혜는 토마토를 $1\frac{3}{5}$ kg 땄고, 태현이는 $\frac{7}{5}$ kg 땄습니다. 딴 토마토의 무게가 더 무거운 사람은 누구일까요?

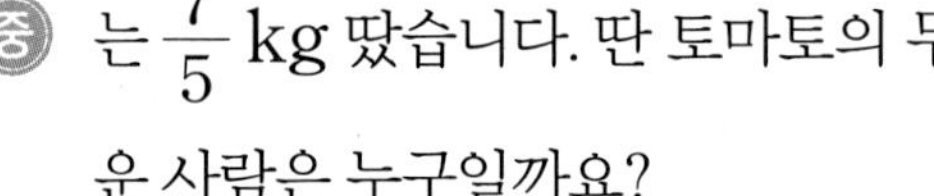

중

(　　　　　　　　　　)

| 분모가 같은 분수의 크기 비교 |

15 두 분수의 크기를 비교하여 더 큰 분수를 아래의 빈칸에 써넣으세요.
중

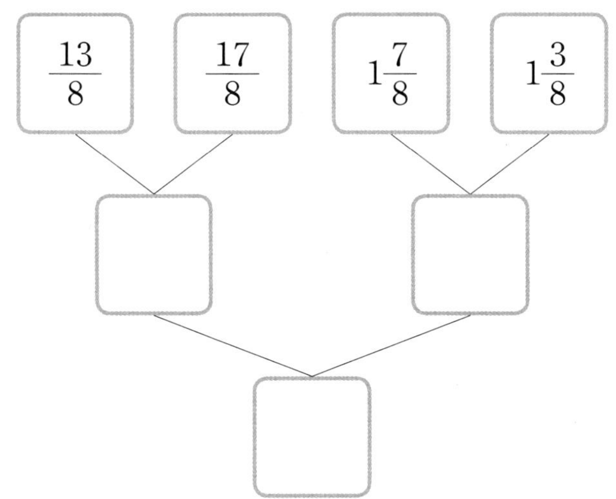

| 전체의 분수만큼 알아보기 (2) |

16 진구와 서우가 마라톤 대회에서 각각 달린 거리입니다. 더 멀리 달린 사람을 찾아 이름을 써 보세요.
중

진구	서우
15 km의 $\frac{4}{5}$	15 km의 $\frac{2}{3}$

(　　　　　　　　　　)

| 분모가 같은 분수의 크기 비교 |

17 3장의 숫자 카드를 한 번씩 모두 사용하여 만들 수 있는 가장 작은 대분수를 가분수로 나타내어 보세요.
상

(　　　　　　　　　　)

| 전체의 분수만큼 알아보기 (2) | 서술형

18 길이가 36 cm인 끈의 $\frac{4}{6}$를 사용하여 리본을 만들었습니다. 사용하고 남은 끈의 길이는 몇 cm인지 풀이 과정을 쓰고, 답을 구해 보세요.
상

풀이

답

| 분모가 같은 분수의 크기 비교 |

19 분모가 4인 가분수 중 $\frac{7}{4}$보다 크고 $2\frac{2}{4}$보다 작은 분수는 모두 몇 개일까요?
상

(　　　　　　　　　　)

| 여러 가지 분수 (2) | 서술형

20 딸기 주스 한 컵을 만드는 데 딸기 $\frac{1}{5}$ kg이 필요합니다. 딸기 $4\frac{3}{5}$ kg으로 딸기 주스를 모두 몇 컵 만들 수 있는지 풀이 과정을 쓰고, 답을 구해 보세요.
상

풀이

답

연습 서술형 평가 | 5. 분수

Tip

① 한 상자에 9자루씩 나누어 담으면 몇 상자가 되는지 구하기

② 선물한 색연필은 전체의 얼마인지 분수로 나타내기

01 은혁이는 색연필 72자루를 한 상자에 9자루씩 나누어 담았습니다. 그중 7상자를 친구들에게 선물했다면 선물한 색연필은 전체의 얼마인지 분수로 나타내는 풀이 과정을 쓰고, 답을 구해 보세요.

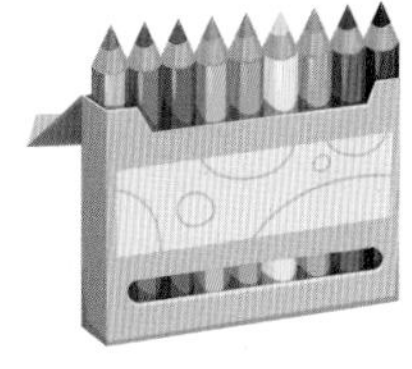

풀이

답

Tip

① 가분수를 대분수로 또는 대분수를 가분수로 나타내기

② 어느 리본의 길이가 더 긴지 구하기

02 빨간 리본의 길이는 $3\frac{1}{4}$ m이고, 파란 리본의 길이는 $\frac{9}{4}$ m입니다. 어느 리본의 길이가 더 긴지 풀이 과정을 쓰고, 답을 구해 보세요.

풀이

답

평가한 날 월 일

점수

Tip

❶ 시영이와 민석이가 읽은 동화책의 쪽수 각각 구하기

❷ 누가 동화책을 몇 쪽 더 많이 읽었는지 구하기

03 전체가 60쪽인 동화책을 시영이는 전체의 $\frac{5}{6}$만큼 읽었고, 민석이는 같은 동화책을 전체의 $\frac{3}{5}$만큼 읽었습니다. 누가 동화책을 몇 쪽 더 많이 읽었는지 풀이 과정을 쓰고, 답을 구해 보세요.

풀이

답 ,

Tip

❶ 조건에 알맞은 대분수의 자연수 부분 구하기

❷ 조건에 알맞은 대분수의 분수 부분 구하기

❸ 조건에 모두 알맞은 대분수 구하기

04 조건 에 모두 알맞은 대분수를 구하려고 합니다. 풀이 과정을 쓰고, 답을 구해 보세요.

조건
- 3보다 크고 4보다 작은 분수입니다.
- 분모는 7입니다.
- 분자와 분모의 차는 3입니다.

풀이

답

실전 서술형 평가 | 5. 분수

Tip

❶ 가분수 또는 대분수로 통일하여 나타내기

❷ 줄넘기 줄의 길이가 가장 짧은 사람 구하기

01 소연, 혜수, 진욱이의 줄넘기 줄의 길이를 각각 나타낸 것입니다. 줄넘기 줄의 길이가 가장 짧은 사람은 누구인지 풀이 과정을 쓰고, 답을 구해 보세요.

풀이

답

Tip

❶ 안경을 쓴 학생 수 구하기

❷ 안경을 쓰지 않은 학생 수 구하기

02 정윤이네 학교 3학년은 64명입니다. 그중 $\frac{3}{8}$이 안경을 썼다면 안경을 쓰지 않은 학생은 몇 명인지 풀이 과정을 쓰고, 답을 구해 보세요.

풀이

답

평가한 날 월 일

점수

❶ ㉠, ㉡, ㉢에 알맞은 수 각각 구하기

❷ 금고의 비밀번호 구하기

03 금고의 비밀번호는 네 자리 수인 3㉠㉡㉢입니다. 금고의 비밀번호는 무엇인지 풀이 과정을 쓰고, 답을 구해 보세요.

- 16을 4씩 묶으면 12는 16의 $\frac{㉠}{4}$입니다.
- 24를 3씩 묶으면 15는 24의 $\frac{㉡}{8}$입니다.
- 63을 9씩 묶으면 18은 63의 $\frac{㉢}{7}$입니다.

풀이

답

❶ 잠을 자는 시간은 몇 시간인지 구하기

❷ 운동을 하는 시간은 몇 시간인지 구하기

❸ 잠을 자는 시간과 운동을 하는 시간은 모두 몇 시간으로 나타내어야 하는지 구하기

04 형진이는 하루 생활 계획표를 만들려고 합니다. 하루의 $\frac{2}{6}$는 잠을 자고, 하루의 $\frac{1}{12}$은 운동을 하려고 합니다. 잠을 자는 시간과 운동을 하는 시간은 모두 몇 시간으로 나타내어야 하는지 풀이 과정을 쓰고, 답을 구해 보세요.

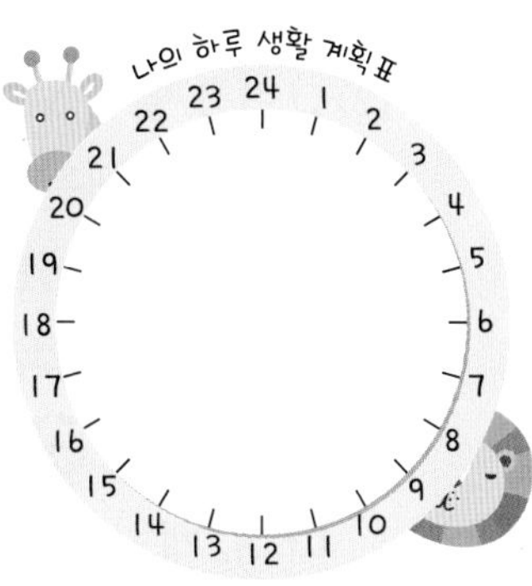

6 단원 교과서 핵심 개념

6 그림그래프

수학 150~173쪽 수학 익힘 85~94쪽

개념 1 그림그래프 알아보기

• 그림그래프: 조사한 수를 그림으로 나타낸 그래프
• 그림그래프는 그림의 크기와 개수로 나타냅니다.
• 그림그래프로 나타내었을 때 편리한 점
(1) 조사한 것이 무엇인지 그림을 보고 쉽게 알 수 있습니다.
(2) 자료의 수량을 한눈에 비교하기 쉽습니다.

개념 2 그림그래프 그리기

• 그림그래프 그리는 방법

예 축구 팀별 축구공 수

축구 팀	가	나	다	합계
축구공 수(개)	21	32	17	70

① 조사한 수를 어떤 그림으로 나타낼 것인지 정하기
축구공 그림(⚽)으로 나타냅니다.
② 그림을 몇 가지로 나타낼 것인지 정하고, 그림이 나타내는 수 표시하기
2가지 → ⚽ (10개), ⚽ (1개)
③ 조사한 수에 맞도록 그림 그리기
가: 21개 → ⚽ 2개, ⚽ 1개 그리기
나: 32개 → ⚽ 3개, ⚽ 2개 그리기
다: 17개 → ⚽ 1개, ⚽ 7개 그리기
④ 조사한 내용에 알맞은 제목 쓰기

축구 팀별 축구공 수

축구 팀	축구공 수
가	⚽⚽⚽
나	⚽⚽⚽⚽⚽
다	⚽⚽⚽⚽⚽⚽⚽⚽

⚽ 10개
⚽ 1개

개념 3 그림그래프 해석하기

• 그림그래프의 내용 알아보기
(1) 그림을 이용하여 각 항목의 수량을 알 수 있습니다.
(2) 그림의 크기와 개수를 이용하여 항목의 수량을 서로 비교할 수 있습니다.
(3) 그림의 크기와 개수를 이용하여 수량이 가장 많은 것과 가장 적은 것을 알 수 있습니다.

예 모은 칭찬 붙임딱지 수

이름	붙임딱지 수
은별	(10장) 3개, (1장) 4개
세영	(10장) 2개, (1장) 6개
지윤	(10장) 5개, (1장) 1개

10장
1장

① 은별이가 모은 칭찬 붙임딱지는 34장입니다.
② 칭찬 붙임딱지를 가장 많이 모은 사람은 지윤이입니다.

개념 4 자료를 조사하여 그림그래프로 나타내기

• 자료를 조사하여 그림그래프로 나타내는 방법

주제 정하기	조사할 주제 정하기
자료 수집하기	• 조사 항목, 방법, 대상, 시기 등 자료 수집을 위한 계획 세우기 • 선택한 조사 방법으로 자료 수집하기
자료 정리하기	목적에 알맞게 표나 그림그래프로 나타내기
결과 해석하기	표나 그림그래프를 보고 알 수 있는 내용 이야기하기

6. 그림그래프 | 그림그래프 알아보기

평가한 날 월 일

점수

정답 및 풀이 | 124쪽

01~03 성주네 학교 3학년 학생들이 좋아하는 운동을 조사하여 그래프로 나타내었습니다. 물음에 답해 보세요.

좋아하는 운동별 학생 수

운동	학생 수
축구	
농구	
야구	
배구	

10명

1명

01 위와 같이 조사한 수를 그림으로 나타낸 그래프를 무엇이라고 하나요?

( )

02 그래프에서 그림을 몇 가지로 나타내었나요?

( )

03 과 은 각각 몇 명을 나타낼까요?

( )

( )

04~05 표와 그림그래프 중에서 다음을 알아보기에 더 편리한 것을 찾아 ○표 하세요.

04 항목별 수량을 쉽게 확인할 수 있습니다.

(표 , 그림그래프)

05 자료의 수량이 많고 적음을 한눈에 비교하기 쉽습니다.

(표 , 그림그래프)

06~10 마을별 쓰레기 배출량을 조사하여 나타낸 표와 그림그래프입니다. 물음에 답해 보세요.

마을별 쓰레기 배출량

마을	가	나	다	합계
배출량(kg)	260	130	170	560

마을별 쓰레기 배출량

마을	배출량
가	
나	
다	

□ kg

10 kg

06 무엇을 조사하여 나타낸 것인가요?

( )

07 그림그래프에서 그림을 몇 가지로 나타내었나요?

( )

08 그림그래프의 □ 안에 알맞은 수를 구해 보세요.

( )

09 표에만 있고 그림그래프에는 없는 것을 찾아 기호를 써 보세요.

㉠ 제목 ㉡ 합계 ㉢ 그림

( )

10 표에도 있고 그림그래프에도 있는 것을 모두 찾아 기호를 써 보세요.

㉠ 제목 ㉡ 그림 ㉢ 마을 이름

( )

6. 그림그래프 | 그림그래프 그리기

정답 및 풀이 | 124쪽

평가한 날 월 일

점수

01~05 시경이네 학교 3학년 학생들이 좋아하는 민속놀이를 조사하여 나타낸 표를 보고 그림그래프로 나타내려고 합니다. 물음에 답해 보세요.

좋아하는 민속놀이별 학생 수

민속놀이	연날리기	팽이치기	제기차기	합계
학생 수(명)	25	23	42	90

좋아하는 민속놀이별 학생 수

민속놀이	학생 수
연날리기	☺☺ ☺☺☺☺☺
팽이치기	
제기차기	

☺ 10명
☺ 1명

01 그림그래프를 그릴 때 무엇을 그림으로 나타내어야 하는지 찾아 색칠해 보세요.

민속놀이 수 학생 수

02 그림그래프에서 ☺과 ☺은 각각 몇 명을 나타낼까요?

☺ (　　　), ☺ (　　　)

03 그림그래프를 그릴 때 팽이치기를 좋아하는 학생 수는 ☺과 ☺을 각각 몇 개 그려야 할까요?

☺: □개, ☺: □개

04 그림그래프를 그릴 때 제기차기를 좋아하는 학생 수는 ☺과 ☺을 각각 몇 개 그려야 할까요?

☺: □개, ☺: □개

05 표를 보고 그림그래프를 완성해 보세요.

06~10 어느 아이스크림 가게의 월별 판매량을 조사하여 나타낸 표입니다. 물음에 답해 보세요.

월별 아이스크림 판매량

월	5월	6월	7월	8월	합계
판매량(상자)	110	120	170	200	600

06 그림그래프를 그릴 때 어떤 그림으로 나타내면 좋을까요?

(　　　)

07 그림그래프를 그릴 때 그림을 몇 가지로 나타내는 것이 좋을까요?

(　　　)

08 그림그래프를 그릴 때 단위를 🍦과 🍦으로 나타낸다면 각각 몇 상자로 나타내는 것이 좋을까요?

🍦 (　　　), 🍦 (　　　)

09 그림그래프의 제목은 무엇이 좋을까요?

(　　　)

10 표를 보고 그림그래프로 나타내어 보세요.

월	판매량

🍦 □상자
🍦 □상자

6. 그림그래프 | 그림그래프 해석하기

정답 및 풀이 | 124쪽

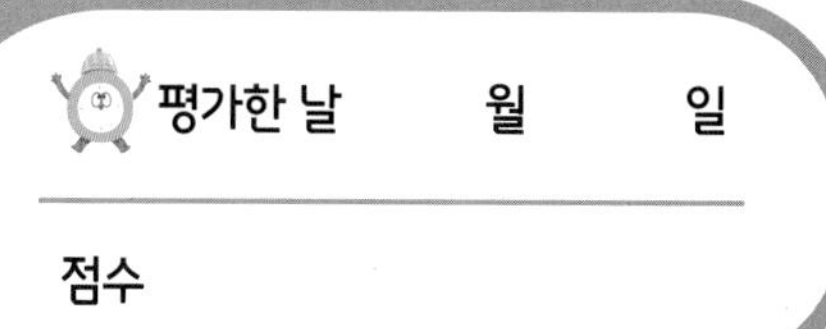

01~05 수정이네 반 학생들이 도서관에서 빌린 책의 수를 조사하여 나타낸 그림그래프입니다. 물음에 답해 보세요.

월별 빌린 책의 수

월	책의 수
3월	
4월	
5월	
6월	

10권
1권

01 3월에 빌린 책은 몇 권인가요?

( )

02 5월에 빌린 책은 몇 권인가요?

( )

03 빌린 책의 수가 가장 많은 달은 언제인가요?

( )

04 빌린 책의 수가 가장 적은 달은 언제인가요?

( )

05 3월부터 6월까지 빌린 책은 모두 몇 권인가요?

( )

06~10 도시별 고양이 수를 조사하여 나타낸 그림그래프입니다. 물음에 답해 보세요.

도시별 고양이 수

도시	고양이 수
가	
나	
다	
라	

100마리
10마리

06 가 도시의 고양이는 몇 마리인가요?

( )

07 고양이 수가 가장 많은 도시는 어느 도시이고, 몇 마리인가요?

( ), ( )

08 고양이 수가 가장 적은 도시는 어느 도시이고, 몇 마리인가요?

( ), ( )

09 고양이 수가 가장 많은 도시부터 차례로 써 보세요.

( )

10 고양이 수가 가장 많은 도시는 가장 적은 도시보다 몇 마리 더 많을까요?

( )

평가한 날 월 일

점수

정답 및 풀이 | 125쪽

01~05 지후네 반 학생들이 좋아하는 간식을 조사한 자료입니다. 물음에 답해 보세요.

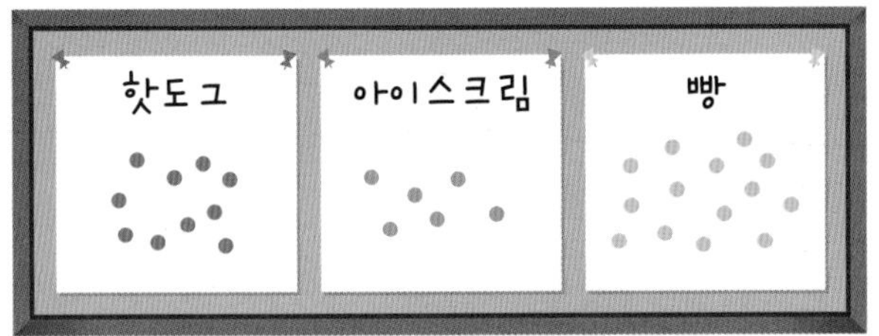

01 조사한 주제는 무엇인가요?

( )

02 조사한 자료를 보고 표로 나타내어 보세요.

좋아하는 간식별 학생 수

간식	핫도그	아이스크림	빵	합계
학생 수(명)	10			

03 조사한 자료를 보고 그림그래프로 나타내어 보세요.

좋아하는 간식별 학생 수

간식	학생 수
핫도그	☺
아이스크림	
빵	

☺ 10명
☺ 1명

04 가장 많은 학생들이 좋아하는 간식은 무엇인가요?

( )

05 핫도그를 좋아하는 학생은 아이스크림을 좋아하는 학생보다 몇 명 더 많은가요?

( )

06~10 어느 가게에서 한 달 동안 판매한 채소 수를 조사한 자료입니다. 물음에 답해 보세요. (/는 1상자, ////는 5상자입니다.)

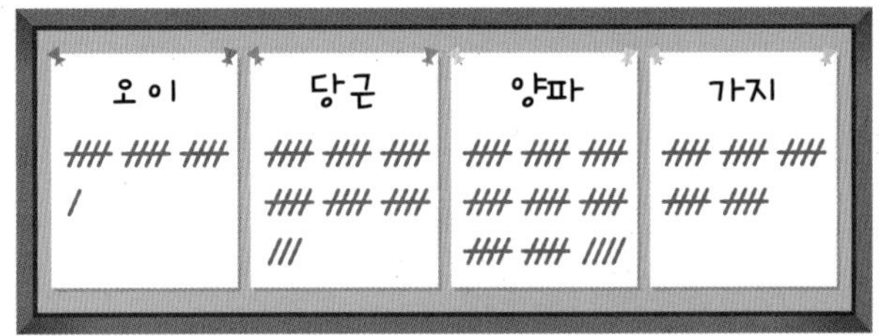

06 한 달 동안 판매한 오이는 몇 상자인가요?

( )

07 조사한 자료를 보고 표로 나타내어 보세요.

판매한 채소 수

채소	오이	당근	양파	가지	합계
채소 수(상자)	16	33			

08 조사한 자료를 보고 그림그래프로 나타내어 보세요.

판매한 채소 수

채소	채소 수
오이	
당근	
양파	
가지	

10상자
1상자

09 가장 많이 판매한 채소부터 차례로 써 보세요.

( )

10 한 달 동안 판매한 당근과 가지는 모두 몇 상자인가요?

( )

기본 단원 평가 | 6. 그림그래프

정답 및 풀이 | 125쪽

평가한 날 월 일

점수

01~04 수영이네 학교 3학년 학생들이 좋아하는 과목을 조사하여 나타낸 그림그래프입니다. 물음에 답해 보세요.

좋아하는 과목별 학생 수

과목	학생 수
국어	☺ ☺ ☺
수학	☺ ☺ ☺ ☺ ☺ ☺ ☺
영어	☺ ☺ ☺
과학	☺ ☺ ☺ ☺ ☺

(큰 그림) 10명, (작은 그림) 1명

| 그림그래프 알아보기 |

01 알맞은 말에 ○표 하세요.

그림그래프는 그림의 크기와 (개수 , 색깔)로 나타냅니다.

| 그림그래프 알아보기 |

02 그림그래프에서 그림을 몇 가지로 나타내었나요?

( )

| 그림그래프 알아보기 |

03 (큰 그림)과 (작은 그림)은 각각 몇 명을 나타낼까요?

하

(큰 그림) ( )

(작은 그림) ( )

| 그림그래프 알아보기 | 서술형

04 그림을 이용하여 그래프로 나타내었을 때 편리한 점을 써 보세요.

편리한 점

05~07 시준이네 반 학생들이 좋아하는 음식을 조사하여 나타낸 표입니다. 물음에 답해 보세요.

좋아하는 음식별 학생 수

음식	떡볶이	치킨	돈가스	피자	합계
학생 수(명)	5	15	9	13	42

| 그림그래프 그리기 |

05 그림그래프를 그릴 때 그림을 몇 가지로 나타내는 것이 좋을까요?

( )

| 그림그래프 그리기 |

06 표를 보고 그림그래프로 나타내어 보세요.

좋아하는 음식별 학생 수

음식	학생 수
떡볶이	☺ ☺ ☺ ☺ ☺
치킨	
돈가스	
피자	

(큰 그림) 10명, (작은 그림) 1명

| 그림그래프 그리기 |

07 좋아하는 음식별 학생 수의 많고 적음을 한눈에 비교하기 편리한 것은 표와 그림그래프 중 어느 것인가요?

( )

08~11 윤재네 반 학생들이 좋아하는 과일을 조사하였습니다. 물음에 답해 보세요.

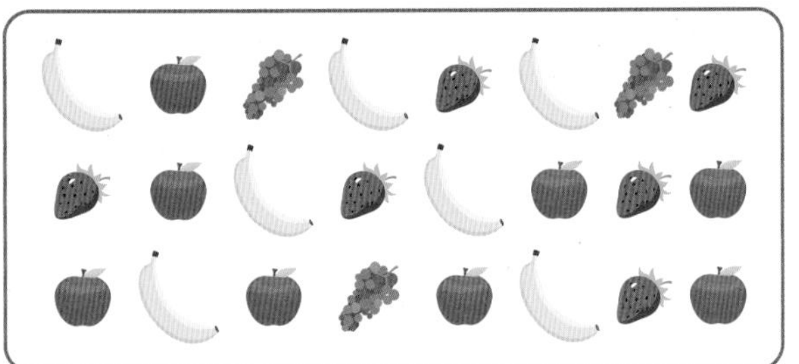

| 자료를 조사하여 그림그래프로 나타내기 |

08 조사한 주제는 무엇인가요?

( )

| 자료를 조사하여 그림그래프로 나타내기 |

09 조사한 자료를 보고 표로 나타내어 보세요.

좋아하는 과일별 학생 수

과일	바나나	사과	포도	딸기	합계
학생 수(명)	7	8			

| 자료를 조사하여 그림그래프로 나타내기 |

10 조사한 자료를 보고 그림그래프로 나타내어 보세요.

중

좋아하는 과일별 학생 수

과일	학생 수
바나나	
사과	
포도	
딸기	

5명
1명

| 자료를 조사하여 그림그래프로 나타내기 |

11 가장 많은 학생들이 좋아하는 과일은 무엇인가요?

( )

12~15 어느 분식집에서 오늘 하루 동안 판매한 김밥 수를 조사하여 나타낸 그림그래프입니다. 물음에 답해 보세요.

하루 동안 판매한 김밥 수

야채	치즈	참치	불고기

10줄
1줄

| 그림그래프 해석하기 |

12 하루 동안 판매한 불고기 김밥은 몇 줄인가요?

중

( )

| 그림그래프 해석하기 |

13 야채 김밥은 치즈 김밥보다 몇 줄 더 많이 팔았나요?

중

( )

| 그림그래프 해석하기 |

14 판매한 김밥의 수가 불고기 김밥의 2배인 김밥은 무엇인가요?

중

( )

| 그림그래프 해석하기 | 서술형

15 내가 이 분식집의 주인이라면 내일은 어떤 김밥 재료를 가장 많이 준비할지 쓰고, 그 이유를 써 보세요.

상

답

이유

16~18 일주일 동안 목장별 우유 생산량을 조사하여 나타낸 그림그래프입니다. 물음에 답해 보세요.

목장별 우유 생산량

목장	생산량
산들	큰 병 3개, 작은 병 2개
높새	큰 병 5개
남실	큰 병 4개, 작은 병 3개
하늬	큰 병 1개, 작은 병 6개

큰 병: 100병, 작은 병: 10병

| 그림그래프 해석하기 |

16 (중) 우유 생산량이 가장 적은 목장부터 차례로 써 보세요.

( )

| 그림그래프 해석하기 |

17 (중) 우유 생산량이 400병보다 많은 목장을 모두 찾아 써 보세요.

( )

| 그림그래프 해석하기 | 서술형

18 (중) 네 목장의 우유 생산량은 모두 몇 병인지 풀이 과정을 쓰고, 답을 구해 보세요.

풀이

답

| 그림그래프 알아보기, 그림그래프 해석하기 |

19 (상) 수호네 반 학생들이 가고 싶어 하는 체험 학습 장소를 조사하여 나타낸 그림그래프입니다. 박물관에 가고 싶어 하는 학생이 12명일 때, 가장 많은 학생들이 가고 싶어 하는 장소와 가장 적은 학생들이 가고 싶어 하는 장소의 학생 수의 차는 몇 명인가요?

체험 학습 장소별 학생 수

장소	학생 수
과학관	큰 그림 1개, 작은 그림 9개
박물관	큰 그림 1개, 작은 그림 2개
생태공원	큰 그림 1개, 작은 그림 1개
민속촌	큰 그림 1개, 작은 그림 7개

큰 그림: □명, 작은 그림: □명

( )

| 그림그래프 그리기 |

20 (상) 우주네 학교 3학년 학생들이 좋아하는 계절을 조사하여 나타낸 그림그래프입니다. 조건 에 모두 알맞은 그림그래프를 완성해 보세요.

조건

- 3학년 학생은 전체 100명입니다.
- 여름을 좋아하는 학생은 가을을 좋아하는 학생의 2배입니다.

좋아하는 계절별 학생 수

계절	학생 수
봄	◎◎○○○○○○○○
여름	
가을	◎○○○○○○
겨울	

◎ 10명, ○ 1명

01~04 어느 가게의 날짜별 음료수 판매량을 조사하여 나타낸 그림그래프입니다. 물음에 답해 보세요.

날짜별 음료수 판매량

날짜	판매량
1일	
2일	
3일	
4일	

 100병, 10병

| 그림그래프 알아보기 |

01 무엇을 조사하여 나타낸 그림그래프인가요?

하

( )

| 그림그래프 알아보기 |

02 큰 병과 작은 병은 각각 몇 병을 나타낼까요?

하

큰 병 ( )
작은 병 ( )

| 그림그래프 해석하기 |

03 음료수 판매량이 가장 많은 날은 언제이고, 몇 병일까요?

중

( ), ( )

| 그림그래프 해석하기 |

04 음료수 판매량이 가장 적은 날은 언제이고, 몇 병일까요?

중

( ), ( )

05~08 영서네 학교 3학년 학생들이 배우고 싶어 하는 악기를 조사하여 나타낸 표입니다. 물음에 답해 보세요.

배우고 싶어 하는 악기별 학생 수

악기	피아노	바이올린	첼로	플루트	합계
학생 수(명)	16	12		19	60

| 그림그래프 그리기 |

05 위 표를 완성해 보세요.

중

| 그림그래프 그리기 |

06 그림그래프를 그릴 때 단위를 큰 얼굴과 작은 얼굴으로 나타낸다면 각각 몇 명으로 나타내는 것이 좋을까요?

중

큰 얼굴 ( ), 작은 얼굴 ( )

| 그림그래프 그리기 |

07 표를 보고 그림그래프로 나타내어 보세요.

중

악기	학생 수
피아노	
바이올린	
첼로	
플루트	

큰 얼굴 □명
작은 얼굴 □명

| 그림그래프 알아보기 | 서술형

08 표와 그림그래프의 편리한 점을 각각 써 보세요.

중

표	그림그래프

평가한 날 월 일

점수

09~12 민하네 모둠 학생들이 만든 송편 수를 조사하여 나타낸 그림그래프입니다. 물음에 답해 보세요.

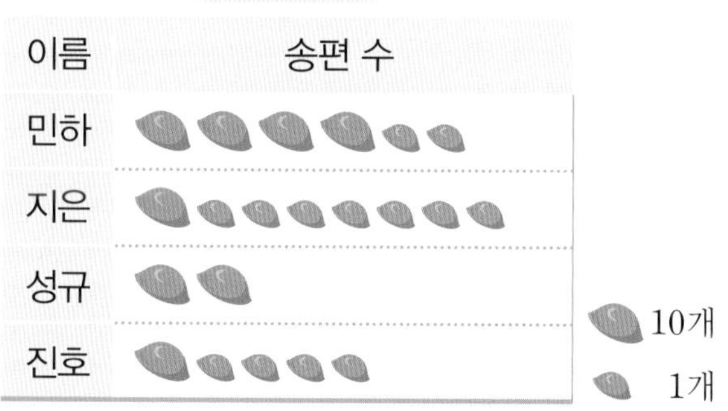

| 그림그래프 해석하기 |

09 민하가 만든 송편은 몇 개인가요?

( )

| 그림그래프 해석하기 |

10 송편을 가장 많이 만든 사람부터 차례로 이름을 써 보세요.

중

( )

| 그림그래프 해석하기 |

11 성규는 지은이보다 송편을 몇 개 더 만들었나요?

중

( )

| 그림그래프 해석하기 |

12 민하가 만든 송편 수는 진호가 만든 송편 수의 몇 배인가요?

( )

13~15 소미네 학교 3학년 학생들이 좋아하는 면 요리를 조사하였습니다. 물음에 답해 보세요. (/는 1명, ##는 5명입니다.)

| 자료를 조사하여 그림그래프로 나타내기 |

13 조사한 자료를 보고 표로 나타내어 보세요.

좋아하는 면 요리별 학생 수

면 요리	국수	우동	스파게티	쫄면	합계
학생 수(명)					

| 자료를 조사하여 그림그래프로 나타내기 |

14 위 13의 표를 보고 그림그래프로 나타내어 보세요.

중

좋아하는 면 요리별 학생 수

면 요리	학생 수

| 자료를 조사하여 그림그래프로 나타내기 | 서술형

15 위 14의 그림그래프를 보고 알 수 있는 내용을 2가지 써 보세요.

중

알 수 있는 내용

16~17 세영이네 학교 3학년부터 5학년까지 학년별 휴대 전화를 가지고 있는 학생 수를 조사하여 나타낸 그림그래프입니다. 물음에 답해 보세요.

학년별 휴대 전화를 가지고 있는 학생 수

학년	학생 수
3학년	◎◎△○
4학년	
5학년	◎◎◎◎◎◎◎◎◎△

◎10명 △ 5명 ○ 1명

| 그림그래프 그리기 |

16 (상) 휴대 전화를 가지고 있는 4학년 학생 수는 3학년 학생 수의 2배입니다. 그림그래프를 완성해 보세요.

| 그림그래프 해석하기 |

17 (중) 3학년부터 5학년까지 휴대 전화를 가지고 있는 학생은 모두 몇 명인가요?

( )

| 그림그래프 해석하기 | 서술형

18 (상) 수목원별 나무 수를 조사하여 나타낸 그림그래프입니다. 전체 나무가 890그루일 때, 힘찬 수목원의 나무는 몇 그루인지 풀이 과정을 쓰고, 답을 구해 보세요.

수목원별 나무 수

수목원	나무 수
튼튼	(큰 나무 3, 작은 나무 6)
힘찬	
기쁨	(큰 나무 3, 작은 나무 9)

큰 나무 100그루, 작은 나무 10그루

풀이

답

| 그림그래프 알아보기, 그림그래프 해석하기 |

19 (상) 지역별 병원 수를 조사하여 표와 그림그래프로 나타내었습니다. 세 지역에 있는 병원은 모두 몇 개인가요?

지역별 병원 수

지역	가	나	다	합계
병원 수(개)		30	21	

지역별 병원 수

지역	병원 수
가	(큰 그림 1, 작은 그림 9)
나	
다	(큰 그림 2, 작은 그림 1)

큰 그림 □개, 작은 그림 □개

( )

| 그림그래프 해석하기 |

20 (상) 과수원별 귤 생산량을 조사하여 나타낸 그림그래프입니다. 각 과수원에서는 생산한 귤을 100 kg씩 상자에 담아 팔고, 남은 것은 10 kg씩 봉지에 담아 보관하려고 합니다. 봉지 한 개의 가격이 140원이라면 라 과수원에서 봉지를 사는 데 필요한 금액은 얼마인가요?

과수원별 귤 생산량

과수원	생산량
가	(큰 귤 2, 작은 귤 4)
나	(큰 귤 1, 작은 귤 7)
다	(큰 귤 2)
라	(큰 귤 2, 작은 귤 6)

큰 귤 100 kg, 작은 귤 10 kg

( )

서술형 평가 | 6. 그림그래프

평가한 날 월 일

점수

정답 및 풀이 | 127쪽

Tip

❶ 그림을 몇 가지로 나타내는 것이 좋을지 쓰기

❷ 이유 쓰기

01 과수원별 복숭아나무 수를 조사하여 나타낸 표입니다. 표를 보고 그림그래프를 그릴 때 그림을 몇 가지로 나타내는 것이 좋을지 쓰고, 그 이유를 써 보세요.

과수원별 복숭아나무 수

과수원	푸른	한빛	싱싱	새빛	합계
나무 수(그루)	215	260	321	245	1041

답

이유

Tip

❶ 설명이 잘못된 이유 쓰기

❷ 바르게 고치기

02 보미네 학교 3학년 학생들이 좋아하는 동물을 조사하여 나타낸 그림그래프를 보고 설명한 것입니다. 설명이 잘못된 이유를 쓰고, 바르게 고쳐 보세요.

좋아하는 동물별 학생 수

동물	학생 수
강아지	(10명 그림 1개, 1명 그림 3개)
고양이	(10명 그림 3개, 1명 그림 3개)
햄스터	(10명 그림 2개, 1명 그림 6개)

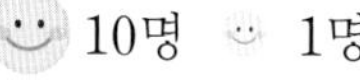

10명 1명

그림의 수를 살펴보면 강아지는 4명, 고양이는 6명, 햄스터는 8명이 좋아하므로 가장 많은 학생들이 좋아하는 동물은 햄스터입니다.

이유

바르게 고치기

Tip

❶ 6월과 8월에 판매한 칫솔 수 각각 구하기

❷ 8월은 6월보다 칫솔을 몇 개 더 많이 팔았는지 구하기

03 어느 편의점에서 월별 판매한 칫솔 수를 조사하여 나타낸 그림그래프입니다. 8월은 6월보다 칫솔을 몇 개 더 많이 팔았는지 풀이 과정을 쓰고, 답을 구해 보세요.

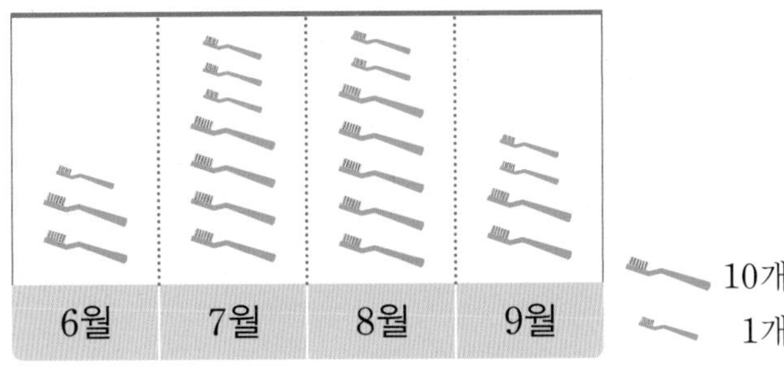

풀이

답

Tip

❶ 연우, 우현, 승아가 마신 물의 양 각각 구하기

❷ 성준이가 마신 물의 양 구하기

❸ 물을 가장 적게 마신 사람 구하기

04 연우네 모둠 학생들이 한 달 동안 마신 물의 양을 조사하여 나타낸 그림그래프입니다. 네 사람이 마신 물의 전체 양이 125 L일 때, 물을 가장 적게 마신 사람은 누구인지 풀이 과정을 쓰고, 답을 구해 보세요.

한 달 동안 마신 물의 양

이름	마신 물의 양
연우	
성준	
우현	
승아	

10 L
1 L

풀이

답

실전 서술형 평가 | 6. 그림그래프

평가한 날 월 일

점수

정답 및 풀이 | 128쪽

Tip

❶ 심부름을 큰 그림과 작은 그림 몇 개로 나타냈는지 알아보기

❷ ㉠과 ㉡에 알맞은 수 각각 구하기

01 지아가 한 달 동안 엄마를 도와드리며 받은 용돈을 그림그래프로 나타내었습니다. 심부름을 해서 받은 용돈이 1600원이라면 ㉠과 ㉡에 알맞은 수는 각각 얼마인지 풀이 과정을 쓰고, 답을 구해 보세요.

한 달 동안 받은 용돈

종류	용돈
심부름하기	● ○○○○○○
방 청소	●●
빨래 개기	○○○○○○○○
동생 돌보기	● ○○○

● ㉠원
○ ㉡원

풀이

답 ㉠ , ㉡

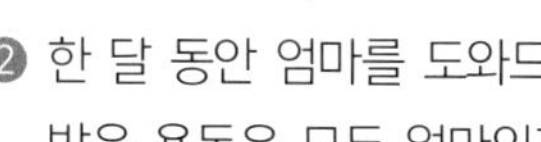

Tip

❶ 종류별 받은 용돈은 각각 얼마인지 구하기

❷ 한 달 동안 엄마를 도와드리며 받은 용돈은 모두 얼마인지 구하기

02 01의 그림그래프를 보고 지아가 한 달 동안 엄마를 도와드리며 받은 용돈은 모두 얼마인지 풀이 과정을 쓰고, 답을 구해 보세요.

풀이

답

Tip

❶ 알 수 있는 내용을 한 가지 쓰기

❷ 알 수 있는 다른 내용을 한 가지 쓰기

❸ 알 수 있는 또 다른 내용을 한 가지 쓰기

03 모건이네 반 학생들이 배우고 싶어 하는 운동별 학생 수를 조사하여 나타낸 그림그래프입니다. 그림그래프를 보고 알 수 있는 내용을 3가지 써 보세요.

배우고 싶어 하는 운동별 학생 수

운동	학생 수
유도	☺☺☺☺☺☺☺☺☺
수영	☻☺☺☺☺☺
검도	☺☺
태권도	☺☺☺☺☺

☻ 10명
☺ 1명

알 수 있는 내용

Tip

❶ 각 마을의 노인 인구수 비교하기

❷ 어느 마을에 노인복지시설을 세우면 좋을지 구하기

04 어느 지역의 마을별 노인 인구 수를 조사하여 나타낸 그림그래프입니다. 네 마을 중 한 마을에 노인복지시설을 세우려고 할 때 어느 마을에 세우면 좋을지 풀이 과정을 쓰고, 답을 구해 보세요.

마을별 노인 인구수

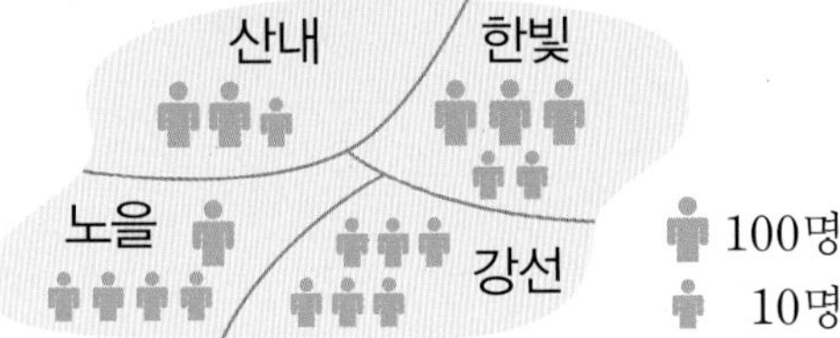

풀이

답

Memo

3~4학년군

수학 3-2

평가 문제 다잡기

정답 및 풀이

1 곱셈

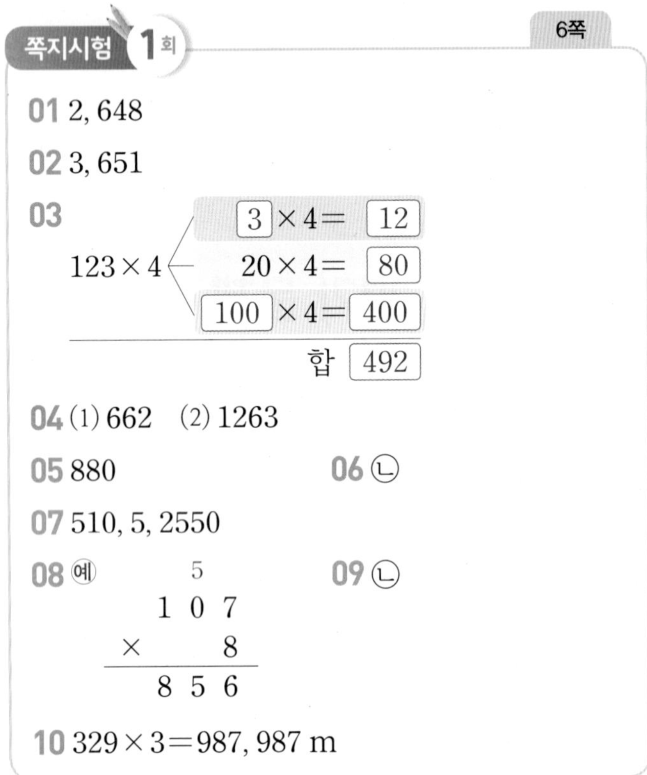

쪽지시험 1회 6쪽

01 2, 648

02 3, 651

03 123×4 → $\boxed{3} \times 4 = \boxed{12}$, $20 \times 4 = \boxed{80}$, $\boxed{100} \times 4 = \boxed{400}$, 합 $\boxed{492}$

04 (1) 662 (2) 1263

05 880

06 ㉡

07 510, 5, 2550

08 예

$$\begin{array}{r} {\scriptstyle 5}\;\; \\ 1\;0\;7 \\ \times\quad\;\; 8 \\ \hline 8\;5\;6 \end{array}$$

09 ㉡

10 $329 \times 3 = 987$, 987 m

풀이

01 324가 2번 있으므로 324×2이고, 백 모형이 6개, 십 모형이 4개, 일 모형이 8개이므로 648입니다.

02 217이 3번 있으므로 217×3이고, 백 모형이 6개, 십 모형이 3개, 일 모형이 21개이므로 651입니다.

03 3, 20, 100에 각각 4를 곱한 다음, 곱을 모두 더합니다.

04 (1)
$$\begin{array}{r} 3\;3\;1 \\ \times\quad\;\; 2 \\ \hline 6\;6\;2 \end{array}$$
(2)
$$\begin{array}{r} 4\;2\;1 \\ \times\quad\;\; 3 \\ \hline 1\;2\;6\;3 \end{array}$$

05 $220 \times 4 = 880$

06 ㉠ $425 \times 2 = 850$
㉡ $112 \times 7 = 784$
⇨ 계산 결과가 800보다 작은 것은 ㉡입니다.

07 510을 5번 더하면 $510 \times 5 = 2550$입니다.

08 일의 자리 계산 $7 \times 8 = 56$에서 올림한 수인 5를 십의 자리 계산에 더하지 않았습니다.

09 ㉠ $311 \times 5 = 1555$
㉡ $421 \times 4 = 1684$
㉢ $413 \times 3 = 1239$
⇨ ㉡ $1684 >$ ㉠ $1555 >$ ㉢ 1239

10 (3일 동안 달린 거리)$= 329 \times 3 = 987$ (m)

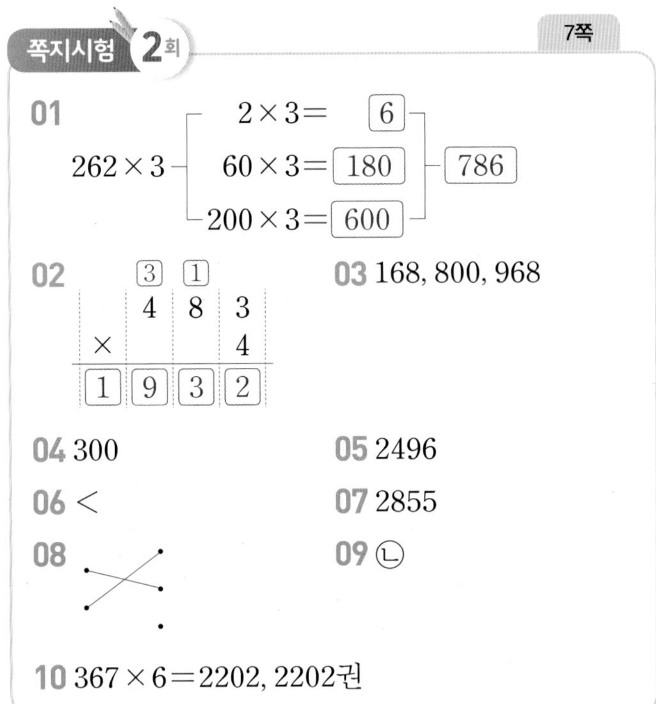

쪽지시험 2회 7쪽

01 262×3 → $2 \times 3 = \boxed{6}$, $60 \times 3 = \boxed{180}$, $200 \times 3 = \boxed{600}$ → $\boxed{786}$

02
$$\begin{array}{r} {\scriptstyle \boxed{3}\;\boxed{1}}\;\; \\ 4\;8\;3 \\ \times\quad\;\; 4 \\ \hline \boxed{1}\;\boxed{9}\;\boxed{3}\;\boxed{2} \end{array}$$

03 168, 800, 968

04 300

05 2496

06 <

07 2855

08 (선 잇기)

09 ㉡

10 $367 \times 6 = 2202$, 2202권

풀이

01 $2 \times 3 = 6$, $60 \times 3 = 180$, $200 \times 3 = 600$을 더하면 $6 + 180 + 600 = 786$입니다.

02 올림한 수를 빠뜨리지 않도록 주의하여 계산합니다.

03 21×8, 100×8, 121×8을 차례로 계산해 봅니다.

$$\begin{array}{r} 2\;1 \\ \times\quad 8 \\ \hline 1\;6\;8 \end{array} \Rightarrow \begin{array}{r} 1\;0\;0 \\ \times\quad\;\; 8 \\ \hline 8\;0\;0 \end{array} \Rightarrow \begin{array}{r} 1\;2\;1 \\ \times\quad\;\; 8 \\ \hline 9\;6\;8 \end{array}$$

04 □ 안의 숫자 3은 $60 \times 5 = 300$을 의미하므로 300을 나타냅니다.

05 $624 \times 4 = 2496$

06 $192 \times 5 = 960$ ⇨ $960 < 1000$

07 571의 5배 ⇨ $571 \times 5 = 2855$

08 823 × 4 = 3292, 656 × 8 = 5248

09 ㉠ 593 × 5 = 2965   ㉡ 278 × 4 = 1112
㉢ 808 × 3 = 2424
⇨ ㉡ 1112 < ㉢ 2424 < ㉠ 2965

10 (책장 6개에 꽂혀 있는 책 수) = 367 × 6
= 2202(권)

쪽지시험 3회 8쪽

01 70, 42	02 112
03 135, 1350	04 (1) 1800 (2) 2100
05 =	06 1380, 3680
07 ㉠	08 2610
09 3 × 43 = 129, 129개	10 1, 2, 3, 4, 5에 ○표

풀이

01 초록색 모눈: 7칸씩 10줄
파란색 모눈: 7칸씩 6줄

02 7 × 16은 7 × 10과 7 × 6을 더한 70 + 42 = 112입니다.

03 27 × 50은 27 × 5의 10배이므로 27 × 5 = 135의 10배인 1350입니다.

04 (1) 20 × 9 = 180이므로 20 × 90 = 1800입니다.
(2) 30 × 7 = 210이므로 30 × 70 = 2100입니다.

05 3 × 24 = 72, 24 × 3 = 72 ⇨ 72 = 72
참고 곱셈에서 곱해지는 수와 곱하는 수의 순서를 바꾸어 곱해도 계산 결과는 같습니다.

06 46 × 30 = 1380, 46 × 80 = 3680

07 ㉠ 5 × 18 = 90 ㉡ 4 × 15 = 60 ㉢ 5 × 12 = 60
⇨ 곱이 다른 하나는 ㉠입니다.

08 가장 큰 수: 87, 가장 작은 수: 30
⇨ 87 × 30 = 2610

09 (43일 동안 먹은 아몬드 수) = 3 × 43 = 129(개)

10 18 × 50 = 900, 18 × 60 = 1080이므로 □ 안에 들어갈 수 있는 숫자는 6보다 작은 1, 2, 3, 4, 5입니다.

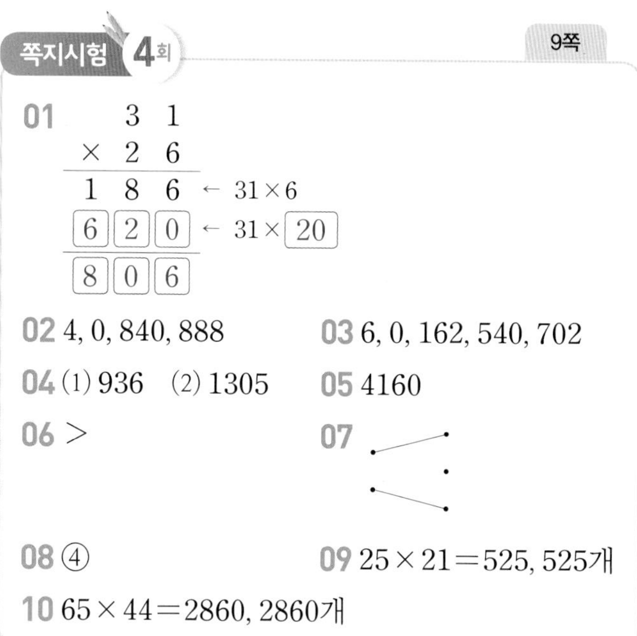

쪽지시험 4회 9쪽

01
```
      3 1
  ×   2 6
  -------
    1 8 6  ← 31×6
    6 2 0  ← 31×20
  -------
    8 0 6
```

02 4, 0, 840, 888	03 6, 0, 162, 540, 702
04 (1) 936 (2) 1305	05 4160
06 >	07
08 ④	09 25 × 21 = 525, 525개
10 65 × 44 = 2860, 2860개	

풀이

02 12 × 74는 12 × 4 = 48과 12 × 70 = 840을 더한 48 + 840 = 888입니다.

03 27 × 26은 27 × 6 = 162와 27 × 20 = 540을 더한 162 + 540 = 702입니다.

04 (1)
```
    7 2
  × 1 3
  -----
  2 1 6
  7 2
  -----
  9 3 6
```
(2)
```
      2 9
    × 4 5
  -------
    1 4 5
  1 1 6
  -------
  1 3 0 5
```

05 80 × 52 = 4160

06 36 × 12 = 432 ⇨ 432 > 400

07 47 × 22 = 1034, 71 × 19 = 1349

08 ① 1968 ② 1820 ③ 1924 ④ 2187 ⑤ 1885
⇨ 계산 결과가 2000보다 큰 것은 ④입니다.

09 (21상자에 들어 있는 크림빵 수) = 25 × 21
= 525(개)

10 (44일 동안 한 줄넘기 수) = 65 × 44 = 2860(개)

기본 단원 평가

10~12쪽

01 16, 476

02

$$\begin{array}{r} 6\ 2\ 3 \\ \times \quad\ \ 2 \\ \hline 6 \leftarrow 3\times 2 \\ \boxed{4}\boxed{0} \leftarrow 20\times 2 \\ \boxed{1}\boxed{2}\boxed{0}\boxed{0} \leftarrow 600\times 2 \\ \hline \boxed{1}\boxed{2}\boxed{4}\boxed{6} \end{array}$$

03 ㉡

04 (1) 292 (2) 180

05 223, 3, 669

06 588, 1533

07 (　)(○)(　)

08

09 $<$

10 예

$$\begin{array}{r} 9\ 0\ 1 \\ \times \quad\ \ 8 \\ \hline 7\ 2\ 0\ 8 \end{array}$$

11 $218\times 4=872$, 872개

12 (위에서부터) 2674, 144, 1528, 252

13 1008번

14 예 ❶ $119\times 5=595$, $216\times 4=864$
❷ 계산 결과의 차는 $864-595=269$입니다.
/ 269

15 80

16 ㉠, ㉣, ㉢, ㉡

17 예 ❶ (별 모양 50개를 만드는 데 필요한 띠 종이의 길이)$=16\times 50=800$ (cm)
❷ 800 cm$=$8 m이므로 필요한 띠 종이의 길이는 모두 8 m입니다. / 8 m

18 (위에서부터) 1, 7

19 예 ❶ 어떤 수를 □라 하면 □$+68=91$이므로 $91-68=$□, □$=23$입니다.
❷ 바르게 계산하면 $23\times 68=1564$입니다.
/ 1564

20

$$\begin{array}{r} \boxed{6} \\ \times\ \boxed{3}\boxed{2} \\ \hline \end{array}$$

/ 192

풀이

05 223을 3번 더하면 $223\times 3=669$입니다.

06 $28\times 21=588$, $73\times 21=1533$

07 곱셈에서 곱해지는 수와 곱하는 수의 순서를 바꾸어 곱해도 계산 결과는 같습니다.
$6\times 85=85\times 6=510$, $7\times 83=581$

08 $36\times 29=1044$, $48\times 32=1536$, $24\times 72=1728$

09 $54\times 19=1026$, $43\times 27=1161$ ⇨ $1026<1161$

10 백의 자리 계산을 자리에 맞추어 쓰지 않았습니다.

11 (4상자에 들어 있는 초콜릿 수)$=218\times 4$
$=872$(개)

12 $382\times 7=2674$, $4\times 36=144$,
$382\times 4=1528$, $7\times 36=252$

13 (14분 동안 뛰는 심장의 횟수)$=72\times 14=1008$(번)

14

채점 기준		
	❶ 두 식의 계산 결과 각각 구하기	3점
	❷ 두 식의 계산 결과의 차 구하기	2점

15 $40\times 40=1600$이므로 $20\times$□$=1600$입니다.
$20\times 80=1600$이므로 □ 안에 알맞은 수는 80입니다.

16 ㉠ $491\times 3=1473$ ㉡ $171\times 6=1026$
㉢ $639\times 2=1278$ ㉣ $357\times 4=1428$
⇨ ㉠ $1473>$ ㉣ $1428>$ ㉢ $1278>$ ㉡ 1026

17

채점 기준		
	❶ 필요한 띠 종이의 길이를 cm 단위로 구하기	3점
	❷ 필요한 띠 종이의 길이를 m 단위로 나타내기	2점

18

$$\begin{array}{r} 6\ \boxed{㉠}\ 3 \\ \times \quad\ \ \boxed{㉡} \\ \hline 4\ 2\ 9\ 1 \end{array}$$

• $3\times$㉡의 일의 자리 숫자가 1이고, $3\times 7=21$이므로 ㉡$=7$입니다.
• ㉠$\times 7$에 2를 더한 값이 9이므로 ㉠$\times 7=7$, ㉠$=1$입니다.

19

채점 기준		
	❶ 어떤 수 구하기	3점
	❷ 바르게 계산하면 얼마인지 구하기	2점

20 곱이 가장 크려면 가장 큰 수를 한 자리 수에 놓아야 하고, 두 번째로 큰 수를 두 자리 수의 십의 자리에 놓아야 합니다.
⇨ $6>3>2$이므로 $6\times 32=192$입니다.

실력 단원 평가 13~15쪽

01
$$\begin{array}{r} 3 \\ \times\ 9\ 6 \\ \hline \boxed{1}\boxed{8} \leftarrow 3\times6 \\ \boxed{2}\boxed{7}\boxed{0} \leftarrow 3\times90 \\ \hline \boxed{2}\boxed{8}\boxed{8} \end{array}$$

02 434×2 — $4\times2=\boxed{8}$, $30\times2=\boxed{60}$, $400\times2=\boxed{800}$ → $\boxed{868}$

03 20

04 2940

05
$$\begin{array}{r} 1\ 7 \\ \times\ 1\ 4 \\ \hline 6\ 8 \\ 1\ 7\ \ \\ \hline 2\ 3\ 8 \end{array}$$

06 320, 144

07 ㉡, 4438

08 624

09 $60\times20=1200$, 1200초

10 $60\times55=3300$, 3300초

11 1080개

12 ㉢

13 476 cm

14 예 ❶ 9월은 30일까지 있습니다.
❷ (9월 한 달 동안 한 줄넘기 수)
$=45\times30=1350$(개) / 1350개

15 1486

16 636쪽

17 예 ❶ ㉠ $9\times27=243$ ㉡ $6\times42=252$
❷ 243과 252 사이에 있는 세 자리 수는 244, 245, 246, 247, 248, 249, 250, 251로 모두 8개입니다. / 8개

18 (위에서부터) 7, 6, 4, 4

19 3개

20 예 ❶ (효진이가 접은 종이학 수)$=25\times36$
$=900$(개)
(지은이가 접은 종이학 수)$=29\times44$
$=1276$(개)
❷ $1276>900$이므로 지은이가
$1276-900=376$(개) 더 많이 접었습니다.
/ 지은, 376개

풀이

07 ㉠ $593\times5=2965$ ㉡ $634\times7=4438$

08 가장 큰 수: 104, 가장 작은 수: 6 ⇨ $104\times6=624$

11 (8상자에 들어 있는 크림빵 수)$=135\times8$
$=1080$(개)

12 ㉠ $32\times37=1184$ ㉡ $53\times22=1166$
㉢ $64\times19=1216$
⇨ 계산 결과가 1200보다 큰 것은 ㉢입니다.

13 정사각형은 네 변의 길이가 모두 같으므로
(네 변의 길이의 합)$=119\times4=476$ (cm)입니다.

14

채점 기준	
❶ 9월의 날수 구하기	2점
❷ 9월 한 달 동안 한 줄넘기 수 구하기	3점

15 $7>4>3>2$이므로 만들 수 있는 가장 큰 세 자리 수는 743입니다. ⇨ $743\times2=1486$

16 (읽은 쪽수)$=28\times13=364$(쪽)
따라서 $1000-364=636$(쪽)을 더 읽으면 1000쪽이 됩니다.

17

채점 기준	
❶ ㉠과 ㉡ 각각 계산하기	3점
❷ ㉠과 ㉡ 사이에 있는 세 자리 수는 모두 몇 개인지 구하기	2점

18
$$\begin{array}{r} 9\ 2 \\ \times\ 2\ \boxed{㉠} \\ \hline \boxed{㉡}\ 4\ 4 \\ 1\ 8\ \boxed{㉢}\ \ \\ \hline 2\ \boxed{㉣}\ 8\ 4 \end{array}$$

• $2\times$㉠의 일의 자리 숫자가 4이므로 ㉠은 2 또는 7입니다.
• $92\times2=184$, $92\times7=644$이므로 ㉠$=7$, ㉡$=6$입니다.
• $92\times2=184$이므로 ㉢$=4$입니다.
• $644+1840=2484$이므로 ㉣$=4$입니다.

19 $452\times6=2712$이므로 $73\times\square0$이 2712보다 작아야 합니다.
$\square=3$일 때, $73\times30=2190<2712$ (○)
$\square=4$일 때, $73\times40=2920>2712$ (×)
따라서 □ 안에 들어갈 수 있는 수는 4보다 작아야 하므로 1, 2, 3으로 모두 3개입니다.

20

채점 기준	
❶ 효진이와 지은이가 접은 종이학 수 각각 구하기	3점
❷ 종이학을 누가 몇 개 더 많이 접었는지 구하기	2점

연습 서술형 평가

16~17쪽

01 예 ❶ 십의 자리 계산에서 $70\times4=280$을 쓸 때 자리를 맞추어 쓰지 않았습니다.

❷
$$\begin{array}{r} 6\ 7\ 5 \\ \times\quad\ \ 4 \\ \hline 2\ 0 \\ 2\ 8\ 0 \\ 2\ 4\ 0\ 0 \\ \hline 2\ 7\ 0\ 0 \end{array}$$

02 예 ❶ 한 상자에 들어 있는 소시지 수와 상자 수를 곱하면 되므로 54×28을 계산합니다.

❷ 28상자에 들어 있는 소시지는 모두 $54\times28=1512$(개)입니다. / 1512개

03 예 ❶ 공책 8권의 값은 $450\times8=3600$(원)이므로 준호가 산 물건의 값은 $3600+300=3900$(원)입니다.

❷ 준호는 4000원을 냈으므로 거스름돈으로 $4000-3900=100$(원)을 받아야 합니다. / 100원

04 예 ❶ 곱이 가장 작으려면 십의 자리 수끼리의 곱이 작아야 하므로 십의 자리에는 2와 3이 놓여야 합니다.

❷ $24\times36=864$, $26\times34=884$에서 $864<884$이므로 곱이 가장 작게 되는 식은 24×36(또는 36×24)이고, 만든 두 수의 곱은 864입니다. / 864

풀이

01

채점 기준		
	❶ 잘못 계산한 곳을 찾아 이유 쓰기	15점
	❷ 바르게 계산하기	10점

02

채점 기준		
	❶ 문제에 알맞은 곱셈식 세우기	10점
	❷ 28상자에 들어 있는 소시지는 모두 몇 개인지 구하기	15점

03

채점 기준		
	❶ 산 물건의 값 구하기	15점
	❷ 받을 거스름돈은 얼마인지 구하기	10점

04

채점 기준		
	❶ 곱이 가장 작으려면 십의 자리에 어떤 숫자가 놓여야 하는지 알아보기	10점
	❷ 만든 두 수의 곱 구하기	15점

실전 서술형 평가

18~19쪽

01 예 ❶ 공연장 한 곳에 놓여 있는 의자는 $15\times13=195$(개)입니다.

❷ 따라서 공연장 8곳에 놓여 있는 의자는 모두 $195\times8=1560$(개)입니다. / 1560개

02 예 ❶ 비누를 판매한 금액은 $420\times9=3780$(원), 물통을 판매한 금액은 $950\times2=1900$(원), 딱지를 판매한 금액은 $45\times16=720$(원)입니다.

❷ 호준이가 알뜰 시장에서 판매한 금액은 모두 $3780+1900+720=6400$(원)입니다. / 6400원

03 예 ❶ 유준이는 $500\times9=4500$(원)을 저금했고, 길하는 $50\times62=3100$(원)을 저금했습니다.

❷ $4500>3100$이므로 유준이가 $4500-3100=1400$(원)을 더 저금했습니다. / 유준, 1400원

04 예 ❶ (3학년 전체 학생 수) $=29+28+30+27=114$(명)

❷ (나누어 주는 데 필요한 우유 수) $=114\times4=456$(개)

❸ (처음에 있던 우유 수)$=456-6=450$(개) / 450개

풀이

01

채점 기준		
	❶ 공연장 한 곳에 놓여 있는 의자 수 구하기	10점
	❷ 공연장 8곳에 놓여 있는 의자 수 구하기	15점

02

채점 기준		
	❶ 비누, 물통, 딱지를 판매한 금액 각각 구하기	15점
	❷ 판매한 금액은 모두 얼마인지 구하기	10점

03

채점 기준		
	❶ 유준이와 길하가 저금한 금액 각각 구하기	15점
	❷ 누가 얼마를 더 저금했는지 구하기	10점

04

채점 기준		
	❶ 3학년 전체 학생 수 구하기	8점
	❷ 나누어 주는 데 필요한 우유 수 구하기	8점
	❸ 처음에 있던 우유 수 구하기	9점

2 원

쪽지시험 1회 21쪽

01 원의 중심　　02 같습니다에 ○표

03 점 ㄴ　　04 ㉢

05 예

06 ○

07 ×

08 ㉠

09 7　　10 21 cm

풀이

03 원의 중심은 원의 가장 안쪽에 있는 점입니다.

04 원의 중심과 원 위의 한 점을 이은 선분은 ㉢입니다.

05 원의 중심과 원 위의 한 점을 이은 선분을 3개 긋습니다.

06 한 원에서 원의 중심은 1개입니다.

07 한 원에 그을 수 있는 반지름은 무수히 많습니다.

08 반지름의 길이가 길수록 원의 크기는 커지므로 가장 큰 원은 ㉠입니다.

09 한 원에서 원의 반지름은 모두 같으므로 □ 안에 공통으로 들어갈 수는 7입니다.

10 한 원에서 원의 반지름은 모두 같으므로 선분 ㄱㄴ의 길이는 작은 원의 반지름과 큰 원의 반지름의 길이의 합입니다.

⇨ (선분 ㄱㄴ)$=8+13=21$ (cm)

쪽지시험 2회 22쪽

01 ③　　02 지름

03 선분 ㄷㅁ(또는 선분 ㅁㄷ)

04 8, 4　　05 14, 7

06 ×　　07 2 cm

08 9 cm　　09 3개

10 ㉢, ㉠, ㉡

풀이

04 (원의 지름)$=8$ cm

(원의 반지름)$=8\div2=4$ (cm)

05 (원의 반지름)$=7$ cm

(원의 지름)$=7\times2=14$ (cm)

06 한 원에서 지름은 반지름의 2배이므로

(원의 지름)$=6\times2=12$ (cm)입니다.

07 오른쪽 원의 지름은 $5\times2=10$ (cm)입니다.

⇨ (지름의 차)$=12-10=2$ (cm)

08 한 원에서 반지름은 지름의 반이므로

(원의 반지름)$=18\div2=9$ (cm)입니다.

09

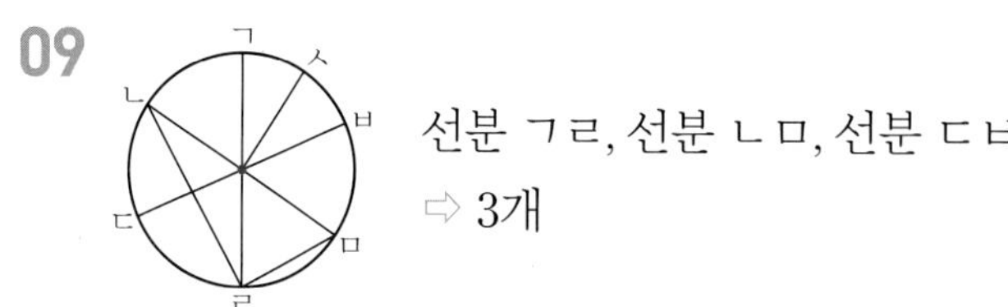

선분 ㄱㄹ, 선분 ㄴㅁ, 선분 ㄷㅂ

⇨ 3개

10 ㉠ (원의 지름)$=4\times2=8$ (cm)

⇨ 원의 지름을 비교하면

㉢ 9 cm > ㉠ 8 cm > ㉡ 5 cm입니다.

쪽지시험 3회 23쪽

01 (　　)(○)　　02 반지름

03 중심　　04 4 cm

05 8 cm

06

07

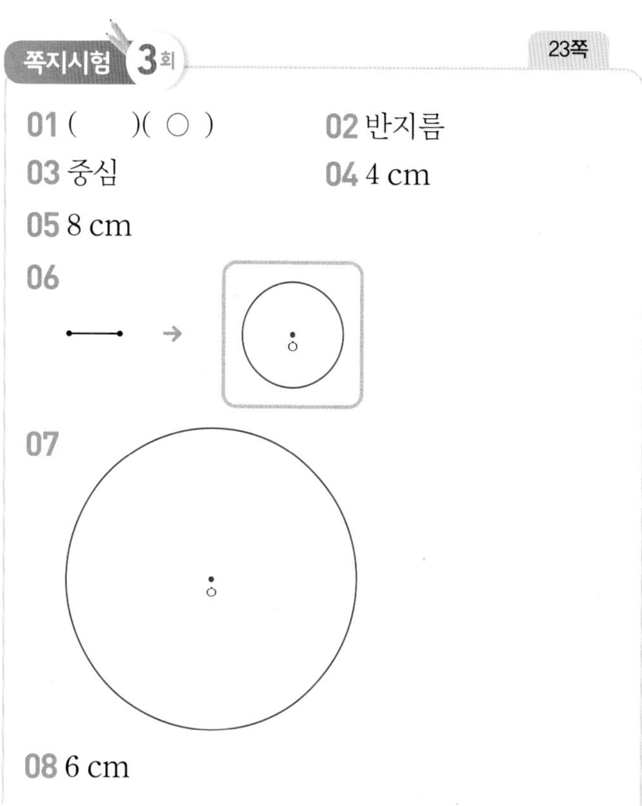

08 6 cm

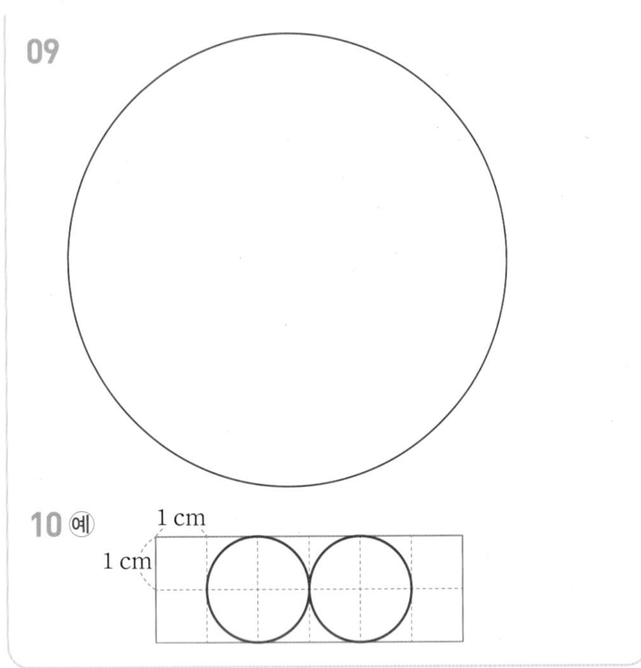

풀이

05 그린 원의 반지름이 4 cm이므로 지름은 $4\times2=8$ (cm)입니다.

06 컴퍼스를 주어진 선분만큼 벌리고, 원의 중심에 컴퍼스의 침을 꽂아 원을 그립니다.

07 컴퍼스를 2 cm만큼 벌린 다음, 원의 중심에 컴퍼스의 침을 꽂아 원을 그립니다.

08 컴퍼스를 그리려는 원의 반지름인 $12\div2=6$ (cm)만큼 벌려야 합니다.

09 지름이 6 cm인 원의 반지름은 $6\div2=3$ (cm)이므로 반지름이 3 cm인 원을 그립니다.

10 지름이 2 cm인 원의 반지름은 $2\div2=1$ (cm)입니다. 컴퍼스를 모눈 한 칸만큼 벌린 뒤 원 2개를 서로 맞닿게 그립니다.

쪽지시험 4회 24쪽

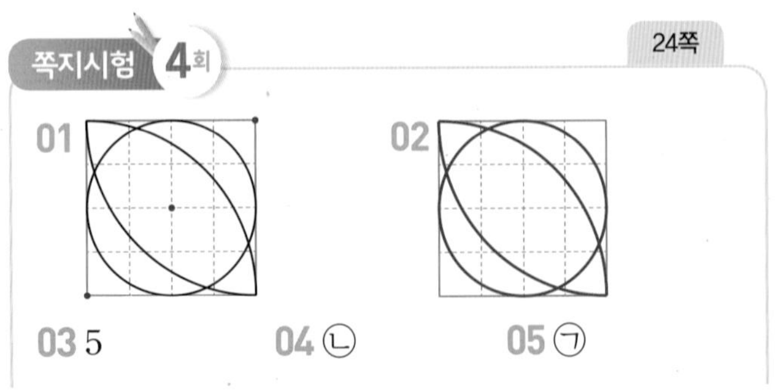

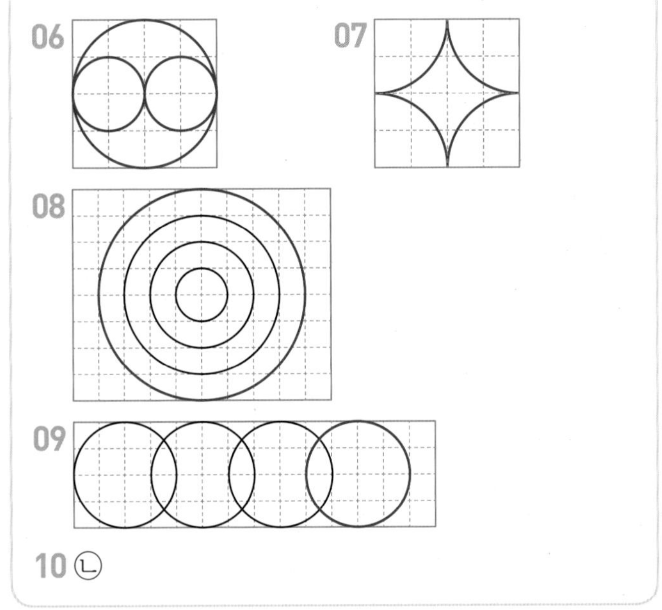

풀이

02 정사각형의 가운데 점을 원의 중심으로 하고 반지름이 모눈 2칸인 원을 그리고, 정사각형의 꼭짓점을 원의 중심으로 하는 원의 일부분을 2개 그립니다.

03 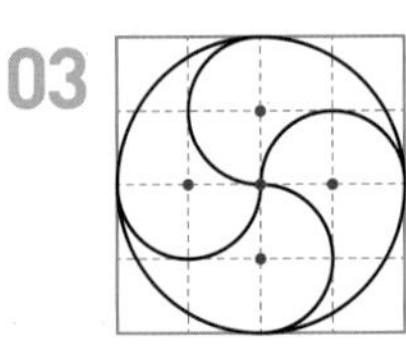 원의 중심을 찾아 표시해 보면 모두 5군데입니다.

06 정사각형의 가운데 점을 원의 중심으로 하고 반지름이 모눈 2칸인 원을 그리고, 그린 원 안에 반지름이 모눈 1칸인 원을 2개 그립니다.

07 정사각형의 꼭짓점을 원의 중심으로 하는 원의 일부분을 4개 그립니다.

08 원의 중심은 같고 원의 반지름이 모눈 1칸씩 커지는 규칙입니다.

09 원의 반지름은 같고 원의 중심이 오른쪽으로 모눈 3칸씩 옮겨 가는 규칙입니다.

10 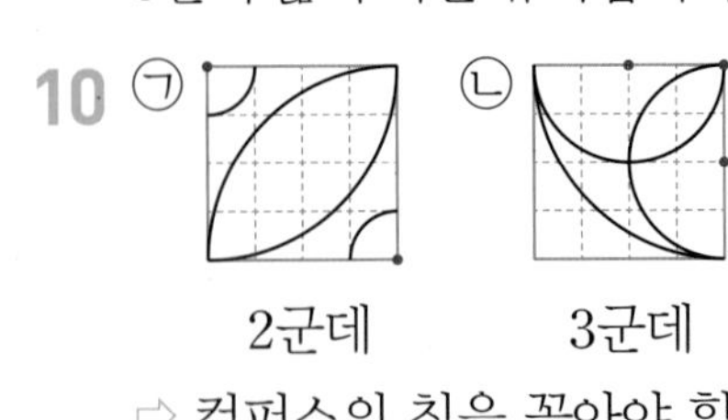

⇨ 컴퍼스의 침을 꽂아야 할 곳의 수가 더 많은 것은 ㉡입니다.

기본 단원 평가

25~27쪽

01 ㉠

02 5

03 6

04 1개

05 3

06

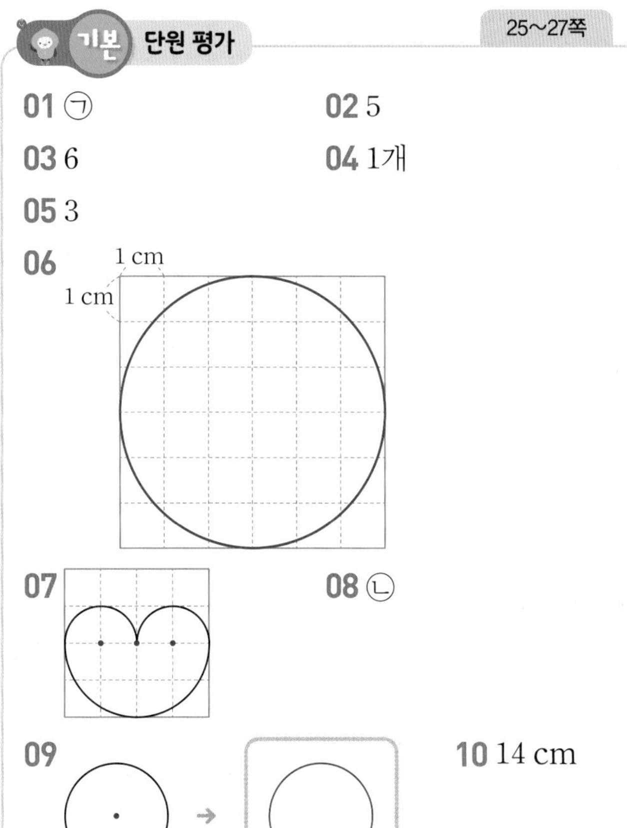

07

08 ㉡

09

10 14 cm

11 ❶ ×

❷ 예 원의 지름은 원 위의 두 점을 이은 선분 중 원의 중심을 지나는 선분인데 원 위의 두 점을 잇지 않았기 때문입니다.

12

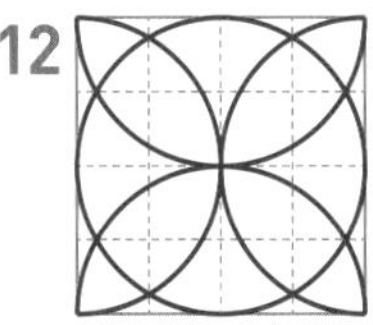

13 ㉡

14 예 ❶ 그릴 수 있는 가장 큰 원의 지름은 16 cm 입니다.

❷ 그린 원의 반지름은 $16\div2=8$ (cm) 입니다.

/ 8 cm

15 22 cm

16 위쪽, 1칸에 ○표

17

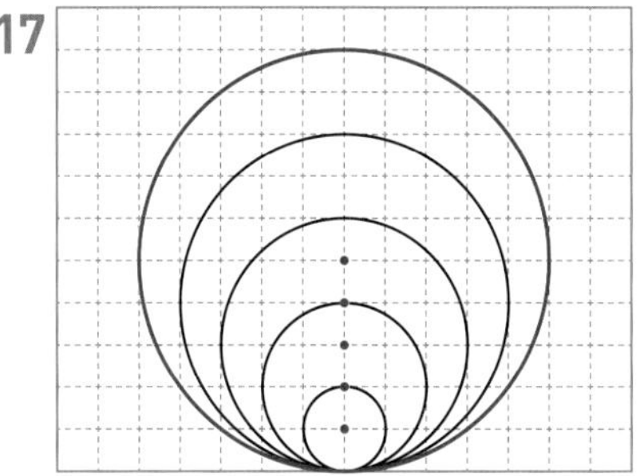

18 9 cm

19 예 ❶ 원의 중심과 원 위의 한 점을 이은 선분은 원의 반지름이므로

(선분 ㅇㄱ)=(선분 ㅇㄴ)=9 cm입니다.

❷ (삼각형 ㄱㅇㄴ의 세 변의 길이의 합)

$=9+9+13=31$ (cm) / 31 cm

20 48 cm

풀이

06 컴퍼스를 3 cm만큼 벌린 다음, 원의 중심에 컴퍼스의 침을 꽂아 원을 그립니다.

07 원의 일부분을 보고 원 전체를 그렸을 때 원의 중심을 찾습니다.

08 ㉡ 한 원에서 지름은 반지름의 2배입니다.

09 컴퍼스를 주어진 원의 반지름만큼 벌려서 원을 그립니다.

10 (원의 지름)$=7\times2=14$ (cm)

11

채점 기준		
	❶ 바르게 나타냈는지 잘못 나타냈는지 표시하기	2점
	❷ 이유 쓰기	3점

12 정사각형의 네 변의 가운데 점을 원의 중심으로 하는 원의 일부분을 4개 그리고, 정사각형의 가운데 점을 원의 중심으로 하는 원을 1개 그립니다.

13 ㉡ (원의 지름)$=6\times2=12$ (cm)

원의 지름을 비교하면

㉡ 12 cm > ㉢ 10 cm > ㉠ 8 cm입니다.

14

채점 기준		
	❶ 그릴 수 있는 가장 큰 원의 지름 구하기	2점
	❷ 그린 원의 반지름 구하기	3점

15 (가장 큰 원의 반지름)$=4+5+2=11$ (cm)

(가장 큰 원의 지름)$=11\times2=22$ (cm)

16 원의 중심이 위쪽으로 모눈 1칸씩 옮겨 가고, 원의 반지름이 1칸, 2칸, 3칸, 4칸으로 모눈 1칸씩 늘어나는 규칙입니다.

17 원의 중심을 위쪽으로 모눈 1칸 옮겨 가고, 원의 반지름을 모눈 5칸으로 하여 원을 그립니다.

18 (선분 ㄱㄴ)$=12\div2=6$ (cm)

(선분 ㄴㄷ)$=6\div2=3$ (cm)

⇨ (선분 ㄱㄷ)$=6+3=9$ (cm)

19

채점 기준		
	❶ 선분 ㅇㄱ과 선분 ㅇㄴ의 길이 각각 구하기	3점
	❷ 삼각형 ㄱㅇㄴ의 세 변의 길이의 합 구하기	2점

20 (직사각형의 짧은 변의 길이)$=3\times2=6$ (cm)

(직사각형의 긴 변의 길이)$=6\times3=18$ (cm)

⇨ (직사각형의 네 변의 길이의 합)

$=18+6+18+6=48$ (cm)

참고 직사각형의 긴 변의 길이는 원의 지름의 3배와 같고, 짧은 변의 길이는 원의 지름과 같습니다.

실력 단원 평가

28~30쪽

01

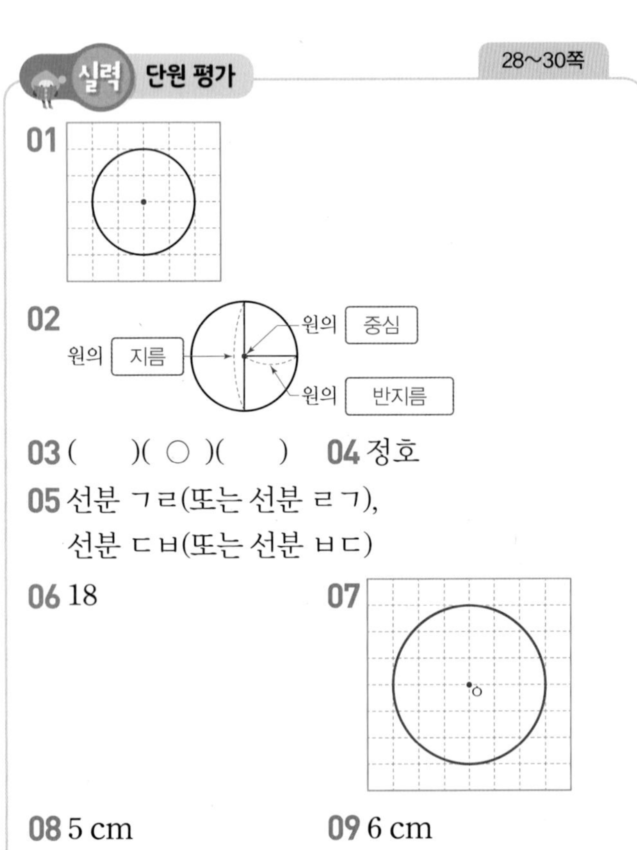

02

03 ( )(○)( ) **04** 정호

05 선분 ㄱㄹ(또는 선분 ㄹㄱ), 선분 ㄷㅂ(또는 선분 ㅂㄷ)

06 18

07

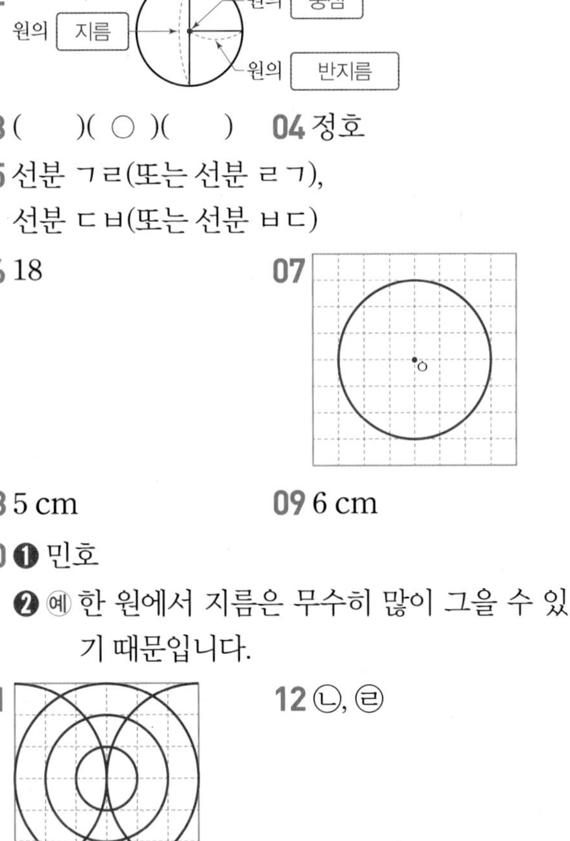

08 5 cm **09** 6 cm

10 ❶ 민호

❷ 예 한 원에서 지름은 무수히 많이 그을 수 있기 때문입니다.

11

12 ㉡, ㉣

13

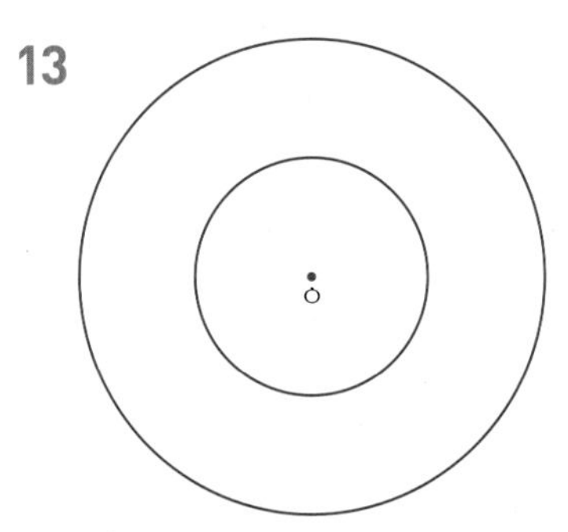

14 5 cm

15 9군데

16 예 ❶ 선분 ㄴㄷ은 큰 원의 반지름이므로 10 cm입니다.

❷ 선분 ㄷㄹ은 작은 원의 반지름이므로 $6\div2=3$ (cm)입니다.

❸ (선분 ㄴㄹ)$=10+3=13$ (cm) / 13 cm

17 24 cm **18** 6 cm

19 예 ❶ 원의 중심이 오른쪽으로 모눈 2칸, 3칸, 4칸, ...씩 옮겨 가고, 원의 반지름이 모눈 1칸씩 늘어나는 규칙입니다.

❷

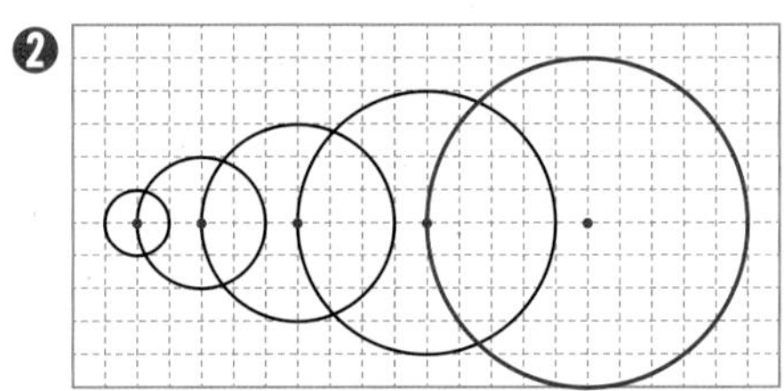

20 3 cm

풀이

04 효선이는 원의 중심과 지름을 표시했습니다.

05 원 위의 두 점을 이은 선분 중 원의 중심을 지나는 선분의 길이가 가장 깁니다.

06 (원의 지름)$=9\times2=18$ (cm)

07 컴퍼스를 모눈 3칸만큼 벌린 다음, 원의 중심에 컴퍼스의 침을 꽂아 원을 그립니다.

08 선분 ㄱㄴ의 길이는 큰 원의 반지름에서 작은 원의 반지름을 뺀 길이와 같습니다.

(선분 ㄱㄴ)$=8-3=5$ (cm)

09 (원 가의 지름)$=9\times2=18$ (cm)

(원 나의 지름)$=24$ cm

⇨ (지름의 차)$=24-18=6$ (cm)

10

채점 기준		
	❶ 설명이 틀린 사람 찾아 이름 쓰기	2점
	❷ 이유 쓰기	3점

11 정사각형의 가운데 점을 원의 중심으로 하는 반지름이 모눈 1칸, 2칸, 3칸인 원을 각각 그리고, 정사각형의 양쪽 변의 가운데 점을 원의 중심으로 하는 원의 일부분을 2개 그립니다.

12 ㉠ 원의 중심을 같게 하고 반지름을 다르게 하여 그린 모양입니다.
㉢ 원의 중심과 반지름을 모두 다르게 하여 그린 모양입니다.

13 지름이 2 cm인 원의 반지름은 1 cm,
지름이 4 cm인 원의 반지름은 2 cm이므로
반지름이 1 cm, 2 cm인 원을 각각 그립니다.

14 큰 원의 지름은 작은 원의 반지름의 6배입니다.
따라서 작은 원의 반지름은 $30 \div 6 = 5$ (cm)입니다.

15

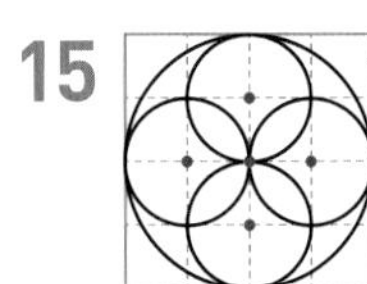

5군데

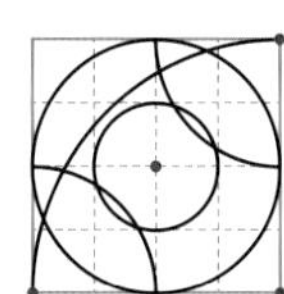

4군데

⇨ $5+4=9$(군데)

16

채점 기준		
	❶ 선분 ㄴㄷ의 길이 구하기	2점
	❷ 선분 ㄷㄹ의 길이 구하기	2점
	❸ 선분 ㄴㄹ의 길이 구하기	1점

17 원의 반지름을 □ cm라 하면 □+□+9=33, □+□=24, □=12입니다. 따라서 원의 반지름이 12 cm이므로 지름은 $12 \times 2 = 24$ (cm)입니다.

18 (선분 ㄱㄴ)$=9+4=13$ (cm)
선분 ㄷㄴ의 길이는 원의 반지름과 같은 7 cm이므로 (선분 ㄱㄷ)$=13-7=6$ (cm)입니다.

19

채점 기준		
	❶ 원을 그린 규칙 설명하기	3점
	❷ 규칙에 따라 원을 1개 더 그리기	2점

20 선분 ㄱㅁ은 작은 원의 반지름이므로 7 cm이고, 선분 ㄹㄴ은 큰 원의 반지름이므로 11 cm입니다.
(선분 ㄱㅁ)+(선분 ㄹㄴ)−(선분 ㄹㅁ)=(선분 ㄱㄴ)이므로 $7+11-$(선분 ㄹㅁ)$=15$,
(선분 ㄹㅁ)=3 cm입니다.

연습 서술형 평가

31~32쪽

01 ❶ 반지름이 아닙니다.
❷ 예 반지름은 원의 중심과 원 위의 한 점을 이은 선분인데 상현이가 표시한 선분은 원 위의 두 점을 이은 선분이기 때문입니다.

02 예 ❶ 큰 원의 반지름은 $12 \div 2 = 6$ (cm)입니다.
❷ 큰 원의 반지름과 작은 원의 지름은 같으므로 작은 원의 지름은 6 cm입니다.
따라서 작은 원의 반지름은 $6 \div 2 = 3$ (cm)입니다. / 3 cm

03 예 ❶ 선분 ㄱㄴ의 길이는 두 원의 반지름의 길이의 합과 같으므로 $3+4=7$ (cm)입니다.
❷ 삼각형 ㄱㄷㄴ의 세 변의 길이의 합은 $7+3+8=18$ (cm)입니다. / 18 cm

04 예 ❶ 원의 지름이 2칸, 4칸, 6칸, ...으로 모눈 2칸씩 늘어나는 규칙입니다.
❷ 규칙에 따라 원을 2개 더 그리면 그린 두 원의 지름은 모눈 8칸, 모눈 10칸이 되므로 마지막에 그린 원의 지름은 모눈 10칸입니다.
❸ 모눈 한 칸의 길이가 1 cm이므로 마지막에 그린 원의 지름은 10 cm입니다. / 10 cm

풀이

01

채점 기준		
	❶ 표시한 선분이 반지름인지 아닌지 쓰기	10점
	❷ '반지름'의 뜻과 관련지어 이유를 설명하기	15점

02

채점 기준		
	❶ 큰 원의 반지름 구하기	10점
	❷ 작은 원의 반지름 구하기	15점

03

채점 기준		
	❶ 선분 ㄱㄴ의 길이 구하기	15점
	❷ 삼각형 ㄱㄷㄴ의 세 변의 길이의 합 구하기	10점

04

채점 기준		
	❶ 원의 지름이 늘어나는 규칙 알아보기	8점
	❷ 규칙에 따라 원을 2개 더 그렸을 때, 마지막에 그린 원의 지름은 모눈 몇 칸인지 구하기	8점
	❸ 마지막에 그린 원의 지름 구하기	9점

실전 서술형 평가

33~34쪽

01 예 ❶ 공평한 경기가 이루어지려면 모든 친구들이 일정한 거리에서 고리를 던져야 합니다.
❷ 나에서 고리던지기를 하는 친구들의 위치를 이으면 원에 가까우므로 더 공평한 경기의 모습은 나입니다. / 나

02 예 ❶ 태극 무늬를 그리는 데 컴퍼스의 침을 꽂아야 할 곳을 모두 찾아 표시하면 다음과 같습니다.

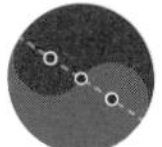

❷ 컴퍼스의 침을 꽂아야 할 곳은 모두 3군데입니다. / 3군데

03 예 ❶ 정사각형은 네 변의 길이가 모두 같으므로 상자의 한 변의 길이는 $32 \div 4 = 8$ (cm)입니다.
❷ 피자의 지름은 상자의 한 변의 길이와 같으므로 8 cm입니다.
❸ 피자의 반지름은 $8 \div 2 = 4$ (cm)입니다.
/ 4 cm

04 예 ❶ 세 원의 중심을 이어 그린 삼각형의 세 변의 길이의 합은 원의 반지름의 3배입니다.
❷ 원의 지름이 12 cm이므로 반지름은 $12 \div 2 = 6$ (cm)입니다.
❸ 삼각형의 세 변의 길이의 합은 $6 \times 3 = 18$ (cm)입니다. / 18 cm

풀이

01

채점 기준		
	❶ 공평한 경기가 되기 위한 위치 조건 알아보기	10점
	❷ 더 공평한 경기의 모습은 어느 것인지 구하기	15점

02

채점 기준		
	❶ 컴퍼스의 침을 꽂아야 할 곳 모두 찾기	15점
	❷ 컴퍼스의 침을 꽂아야 할 곳은 모두 몇 군데인지 구하기	10점

03

채점 기준		
	❶ 상자의 한 변의 길이 구하기	8점
	❷ 피자의 지름 구하기	8점
	❸ 피자의 반지름 구하기	9점

04

채점 기준		
	❶ 삼각형의 세 변의 길이의 합은 원의 반지름의 몇 배인지 구하기	8점
	❷ 원의 반지름 구하기	8점
	❸ 삼각형의 세 변의 길이의 합 구하기	9점

3 나눗셈

쪽지시험 1회

36쪽

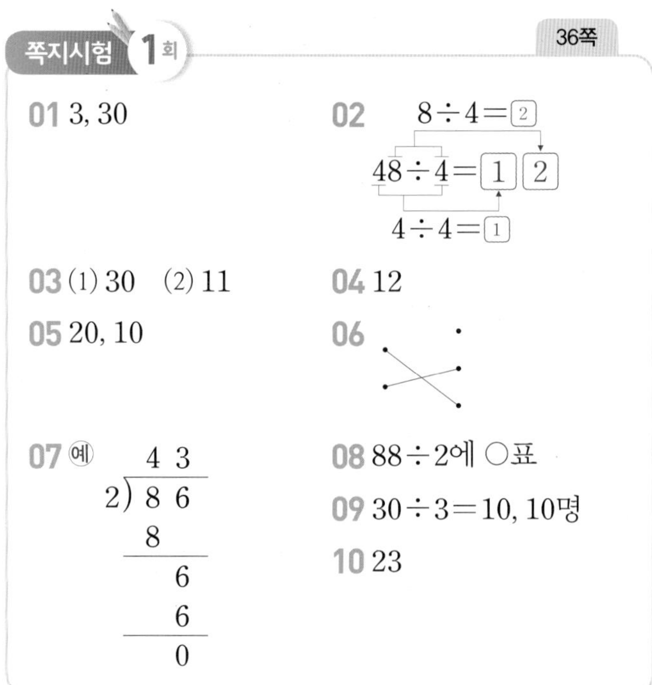

01 3, 30

02 $8 \div 4 = 2$, $48 \div 4 = 12$, $4 \div 4 = 1$

03 (1) 30 (2) 11

04 12

05 20, 10

06 (선 잇기)

07 예
$$\begin{array}{r} 43 \\ 2\overline{)86} \\ 8 \\ \hline 6 \\ 6 \\ \hline 0 \end{array}$$

08 $88 \div 2$에 ○표

09 $30 \div 3 = 10$, 10명

10 23

풀이

04 $36 \div 3 = 12$

05 $80 \div 4 = 20$, $20 \div 2 = 10$

06 $28 \div 2 = 14$, $66 \div 3 = 22$

07 일의 자리 수 6을 2로 나누어야 하는데 나누지 않았습니다.

08 $40 \div 2 = 20$, $99 \div 3 = 33$, $88 \div 2 = 44$, $70 \div 7 = 10$
⇨ $44 > 33 > 20 > 10$이므로 몫이 가장 큰 것은 $88 \div 2$입니다.

09 (한 팀의 학생 수)$= 30 \div 3 = 10$(명)

10 어떤 수를 □라고 하면 $\square \times 3 = 69$입니다.
⇨ $\square = 69 \div 3 = 23$

쪽지시험 2회 (37쪽)

01 (1) 2)56 → 몫 [2][8]; [4], [1]6, [1][6], 0 (2) 3)87 → 몫 [2][9]; [6], [2]7, [2][7], 0

02 6, 1

03 3, 18, 18, 2, 20

04 (1) 14 (2) 9…3

05 ㉠

06 <

07 5

08 2

09 75÷5=15, 15권

10 9, 2

풀이

05 ㉠ 69÷7=9…6 ㉡ 43÷8=5…3

06 92÷4=23, 84÷3=28 ⇨ 23<28

07 나머지는 나누는 수보다 작아야 하므로 나머지가 될 수 있는 가장 큰 수는 5입니다.

08 76÷4=19, 51÷3=17 ⇨ 19−17=2

09 (한 명에게 줄 수 있는 공책 수)=75÷5=15(권)

10 83÷9=9…2이므로 사과를 9봉지에 담을 수 있고, 2개가 남습니다.

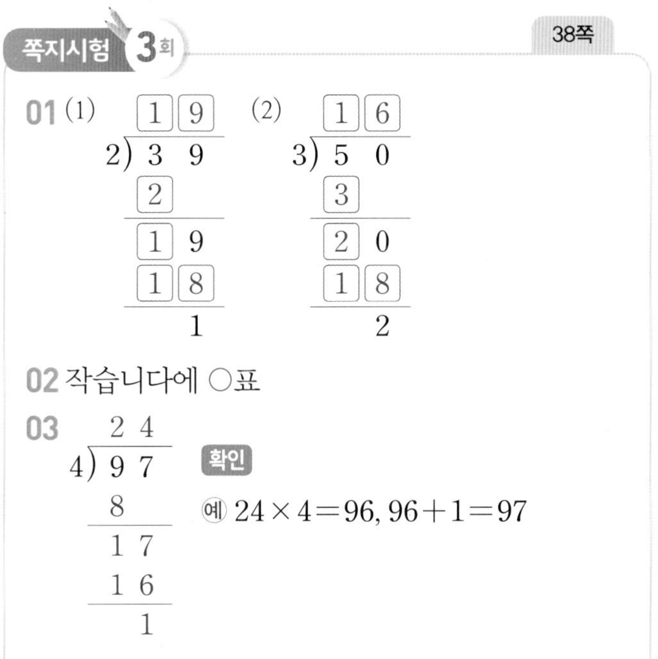

쪽지시험 3회 (38쪽)

01 (1) 2)39 → 몫 [1][9]; [2], [1]9, [1][8], 1 (2) 3)50 → 몫 [1][6]; [3], [2]0, [1][8], 2

02 작습니다에 ○표

03 4)97 → 몫 24; 8, 17, 16, 1

확인 예 24×4=96, 96+1=97

04 115

05 12, 2

06 예 4)457 → 몫 114; 4, 5, 4, 17, 16, 1

07 92÷7에 ○표

08 12, 5

09 337 m

10 [1][4][4][2]

풀이

04 920÷8=115

05 74÷6=12…2

06 십의 자리 수를 계산하고 남은 수를 내림하지 않았습니다.

07 71÷3=23…2, 68÷5=13…3, 92÷7=13…1

08 89÷7=12…5이므로 구슬을 12명에게 나누어 주고, 5개가 남습니다.

09 (정운이네 집에서 우체국까지의 거리)
=674÷2=337 (m)

10 578÷4=144…2이므로 비밀번호는 1442입니다.

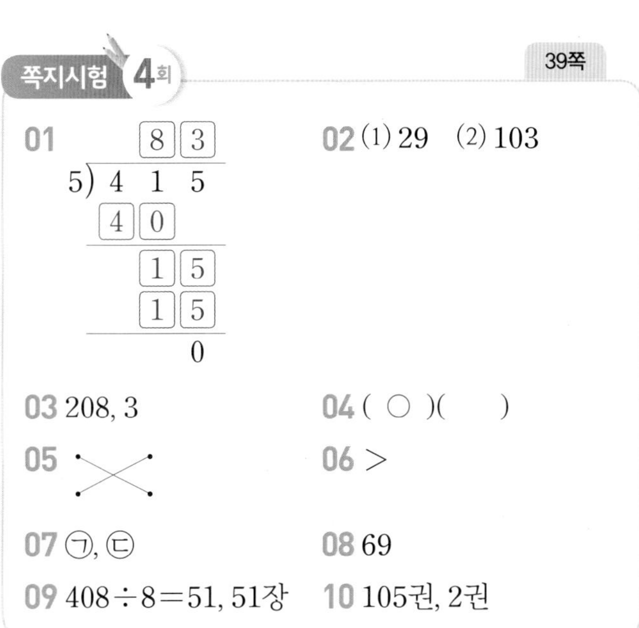

쪽지시험 4회 (39쪽)

01 5)415 → 몫 [8][3]; [4][0], [1][5], [1][5], 0

02 (1) 29 (2) 103

03 208, 3

04 (○)( )

05 (선 잇기)

06 >

07 ㉠, ㉢

08 69

09 408÷8=51, 51장

10 105권, 2권

풀이

04 592÷7=84···4, 740÷7=105···5

05 38÷2=19　119÷7=17
68÷4=17　114÷6=19

06 240÷3=80, 316÷4=79 ⇨ 80>79

07 ㉠ 546÷8=68···2　㉡ 739÷7=105···4
㉢ 717÷9=79···6　㉣ 409÷4=102···1
⇨ 몫이 두 자리 수인 나눗셈은 ㉠, ㉢입니다.

08 • 828÷4=207이므로 ■=207입니다.
• ■÷3=207÷3=69이므로 ▲=69입니다.

09 (한 학급에 줄 수 있는 도화지 수)
=408÷8=51(장)

10 527÷5=105···2이므로 책꽂이 한 개에 책을 105권씩 꽂을 수 있고, 2권이 남습니다.

기본 단원 평가　40~42쪽

01 32

02
```
    1 5
4 ) 6 2
    4
    ---
    2 2
    2 0
    ---
      2
```

03 20

04 (1) 13　(2) 27

05 ㉠

06 (위에서부터) 201, 1 / 107, 3

07 (선 잇기)

08 2, 6, 3에 ○표

09 113, 1

10 ㉣

11 412÷4=103, 103개

12 지호

13 ㉠

14 예 ❶ 남학생과 여학생은 모두 34+38=72(명)입니다.
❷ 한 줄에 3명씩 세우면 72÷3=24(줄)이 됩니다. / 24줄

15 35, 5

16 ㉡

17 예 ❶ 어떤 수를 □라고 하여 나눗셈식을 세우면 □÷4=13···2입니다.
❷ 13×4=52, 52+2=54이므로 어떤 수는 54입니다. / 54

18 2, 6

19 예 ❶ (동화책의 전체 쪽수)=31×5=155(쪽)
❷ 155÷9=17···2이므로 하루에 9쪽씩 다시 읽으면 17일 동안 읽고 2쪽이 남습니다.
❸ 남은 2쪽도 읽어야 하므로 모두 읽는 데 18일이 걸립니다. / 18일

20 38, 3

풀이

06 403÷2=201···1　645÷6=107···3

08 어떤 수를 7로 나누었을 때 나머지가 될 수 있는 수는 7보다 작은 수입니다.

09 가장 큰 수: 566, 가장 작은 수: 5
⇨ 566÷5=113···1

10 ㉠ 12÷5=2···2　㉡ 23÷5=4···3
㉢ 41÷5=8···1
㉣ 45÷5=9(나누어떨어집니다.)

11 (한 상자에 담을 수 있는 감자 수)
=412÷4=103(개)

12 54÷7=7···5
설아: 몫이 8보다 작습니다.
유현: 나머지가 5이므로 나누어떨어지지 않습니다.

13 ㉠ 89÷5=17···4　㉡ 70÷4=17···2
㉢ 99÷6=16···3
⇨ 나머지가 가장 큰 것은 ㉠입니다.

14

채점 기준		
	❶ 남학생과 여학생 수의 합 구하기	2점
	❷ 한 줄에 3명씩 세우면 몇 줄이 되는지 구하기	3점

15 1주일은 7일입니다. 250÷7=35···5이므로 정훈이 동생이 태어난지 35주 5일째 되는 날입니다.

16 ㉠ $52 \div 4 = 13$이므로 남은 구슬이 없습니다.
㉡ $62 \div 5 = 12 \cdots 2$이므로 남은 구슬은 2개입니다.
㉢ $66 \div 3 = 22$이므로 남은 구슬이 없습니다.
⇨ 남은 구슬이 있는 것은 ㉡입니다.

17

채점 기준		
	❶ 어떤 수를 □라고 하여 나눗셈식 세우기	2점
	❷ 어떤 수 구하기	3점

18

```
    1 4 ○
4) 5 7 □
   4
   1 7
   1 6
     1 □
     1 □
       0
```

57□÷4가 나누어떨어지려면 $4 \times ○ = 1□$가 되어야 합니다. $4 \times 3 = 12$, $4 \times 4 = 16$이므로 □ 안에 들어갈 수 있는 수는 2, 6입니다.

19

채점 기준		
	❶ 동화책의 전체 쪽수 구하기	2점
	❷ 하루에 9쪽씩 며칠 동안 읽고 몇 쪽이 남는지 구하기	2점
	❸ 모두 읽는 데 며칠이 걸리는지 구하기	1점

20 몫이 가장 작으려면 만들 수 있는 가장 작은 세 자리 수 345를 가장 큰 한 자리 수 9로 나누어야 합니다.
⇨ $345 \div 9 = 38 \cdots 3$

실력 단원 평가

43~45쪽

01 (1) 2, 20 (2) 1, 70 02 ②

03

```
     8
9) 7 9
   7 2
     7
```

확인 예 $8 \times 9 = 72$, $72 + 7 = 79$

04 (선 잇기) 05 164

06 ( )( )(○)

07 (1) 17 (2) 15, 16에 ○표

08 3, 33 09 ㉣

10 > 11 (1) 29, 3 (2) 3명

12 예 ❶ 나머지가 나누는 수보다 크므로 잘못 계산하였습니다.
❷

```
     1 3
5) 6 9
   5
   1 9
   1 5
     4
```

13 108 cm 14 15

15 16명 16 44

17 예 ❶ $158 \div 9 = 17 \cdots 5$에서 9개씩 17봉지에 담고, 5개가 남습니다.
❷ 남은 5개도 봉지에 담으려면 적어도 $9 - 5 = 4$(개)의 사탕이 더 필요합니다. / 4개

18 예 ❶ 어떤 수를 □라고 하면 $□ \times 8 = 840$, $840 \div 8 = 105$이므로 어떤 수는 105입니다.
❷ 바르게 계산하면 $105 \div 8 = 13 \cdots 1$이므로 몫은 13, 나머지는 1입니다. / 13, 1

19 25개 20 87

풀이

09 나머지가 5가 되려면 나누는 수가 5보다 커야 하므로 나머지가 5가 될 수 없는 나눗셈식은 ㉣입니다.

10 $816 \div 6 = 136$, $714 \div 7 = 102$ ⇨ $136 > 102$

11 (1) $177 \div 6 = 29 \cdots 3$
(2) $177 \div 6$의 나머지가 3이므로 짝을 짓지 못하는 학생은 3명입니다.

주의 짝을 짓지 못하는 학생 수이므로 나머지로 답해야 합니다. 몫으로 답하지 않도록 주의합니다.

12

채점 기준		
	❶ 잘못 계산한 곳을 찾아 이유 쓰기	3점
	❷ 바르게 계산하기	2점

13 정사각형은 네 변의 길이가 모두 같으므로 한 변의 길이는 $432 \div 4 = 108$ (cm)입니다.

14 $90 \div 3 = 30$이므로 $2 \times □ = 30$입니다.
⇨ $30 \div 2 = 15$이므로 □ = 15입니다.

15 (전체 구슬 수) $= 28 \times 3 = 84$(개)
$84 \div 5 = 16 \cdots 4$이므로 16명까지 나누어 줄 수 있습니다.

16 나머지는 나누는 수보다 작아야 하므로 ▲가 될 수 있는 가장 큰 수는 4입니다.
$□ \div 5 = 8 \cdots 4$ ⇨ $8 \times 5 = 40$, $40 + 4 = 44$이므로 □ 안에 들어갈 수 있는 자연수 중에서 가장 큰 수는 44입니다.

17

채점 기준		
	❶ 9개씩 몇 봉지에 담고, 몇 개가 남는지 구하기	3점
	❷ 적어도 몇 개의 사탕이 더 필요한지 구하기	2점

18

채점 기준		
	❶ 어떤 수 구하기	3점
	❷ 바르게 계산한 몫과 나머지 각각 구하기	2점

19 한 상자에 8개씩 담은 상자는 $104\div8=13$(개)입니다.
한 상자에 8개씩 담고 남은 복숭아는 $212-104=108$(개)이므로 한 상자에 9개씩 담은 상자는 $108\div9=12$(개)입니다.
따라서 복숭아를 담은 상자는 모두 $13+12=25$(개)입니다.

20 80보다 크고 90보다 작은 두 자리 수는 81, 82, ⋯, 88, 89입니다. 이 중에서 6으로 나누면 나머지가 3인 수는 81, 87입니다. 81, 87 중에서 5로 나누면 나머지가 2인 수는 87입니다.
따라서 조건을 모두 만족하는 ★은 87입니다.

연습 서술형 평가 46~47쪽

01 예 ❶ 초콜릿은 7개씩 18봉지이므로 모두 $7\times18=126$(개)입니다.
❷ 6명이 똑같이 나누어 먹으려면 한 명이 $126\div6=21$(개)씩 먹으면 됩니다. / 21개

02 예 ❶ $7>6>3$이므로 가장 큰 두 자리 수 76을 나누어지는 수, 가장 작은 한 자리 수 3을 나누는 수로 하여 나눗셈을 만들면 $76\div3$입니다.
❷ $76\div3=25\cdots1$이므로 몫은 25, 나머지는 1입니다. / 25, 1

03 예 ❶ $348\div7=49\cdots5$이므로 탁구공을 7개씩 나누어 담으면 49상자에 담을 수 있고, 5개가 남습니다.
❷ 남은 탁구공 5개도 상자에 담아야 하므로 필요한 상자는 모두 $49+1=50$(개)입니다.
/ 50개

04 예 ❶ 어떤 수가 가장 큰 경우는 □가 5일 때입니다.
(어떤 수)$\div6=58\cdots5$
⇨ $58\times6=348$, $348+5=353$이므로 어떤 수는 353입니다.
❷ 어떤 수가 가장 작은 경우는 □가 0일 때입니다.
(어떤 수)$\div6=58$ ⇨ $58\times6=348$이므로 어떤 수는 348입니다.
❸ 어떤 수가 될 수 있는 가장 큰 수와 가장 작은 수의 합은 $353+348=701$입니다.
/ 701

풀이

01

채점 기준		
	❶ 전체 초콜릿 수 구하기	10점
	❷ 한 명이 먹는 초콜릿 수 구하기	15점

02

채점 기준		
	❶ 몫이 가장 크게 되는 나눗셈 만들기	15점
	❷ 만든 나눗셈의 몫과 나머지 구하기	10점

03

채점 기준		
	❶ 탁구공을 7개씩 나누어 담으면 몇 상자에 담을 수 있고, 몇 개가 남는지 구하기	15점
	❷ 탁구공을 모두 담는 데 필요한 상자 수 구하기	10점

04

채점 기준		
	❶ 어떤 수가 될 수 있는 가장 큰 수 구하기	8점
	❷ 어떤 수가 될 수 있는 가장 작은 수 구하기	8점
	❸ 어떤 수가 될 수 있는 가장 큰 수와 가장 작은 수의 합 구하기	9점

실전 서술형 평가 48~49쪽

01 예 ❶ 고체 세탁 세제 한 개의 값을 구하는 식은 $840\div7$입니다.
❷ $840\div7=120$이므로 고체 세탁 세제 한 개는 120원입니다. / 120원

02 예 ❶ 나무와 나무 사이의 간격 수는 $176\div8=22$(군데)입니다.

❷ 도로의 처음과 끝에도 나무를 심어야 하므로 심어야 할 나무는 $22+1=23$(그루)입니다. / 23그루

03 예 ❶ 1주일은 7일입니다.
$645 \div 7 = 92 \cdots 1$이므로 아프리카 코끼리의 임신 기간은 92주 1일입니다.
❷ 한 달을 4주로 계산하면 $92 \div 4 = 23$이므로 92주 1일$=$23개월 1일입니다.
따라서 아프리카 코끼리의 임신 기간은 23개월 1일입니다. / 23개월 1일

04 예 ❶ 여학생 수와 남학생 수가 같으므로 3학년 전체 학생 수는 짝수입니다. 80보다 크고 90보다 작은 수 중에서 짝수는 82, 84, 86, 88이므로 3학년 여학생 수가 될 수 있는 수는 $82 \div 2 = 41$, $84 \div 2 = 42$, $86 \div 2 = 43$, $88 \div 2 = 44$입니다.
❷ 41, 42, 43, 44 중에서 6으로 나누었을 때 나머지가 1인 수는 43이므로 여학생 수는 43명입니다.
❸ 남학생 수도 43명이므로 3학년 학생은 모두 $43+43=86$(명)입니다. / 86명

풀이

01	채점 기준	❶ 문제에 알맞은 식 세우기	10점
		❷ 고체 세탁 세제 한 개의 값 구하기	15점

02	채점 기준	❶ 나무와 나무 사이의 간격 수 구하기	15점
		❷ 심어야 할 나무 수 구하기	10점

03	채점 기준	❶ 아프리카 코끼리의 임신 기간은 몇 주 며칠인지 구하기	15점
		❷ 아프리카 코끼리의 임신 기간은 몇 개월 며칠인지 구하기	10점

04	채점 기준	❶ 여학생 수가 될 수 있는 수의 범위 구하기	8점
		❷ 여학생 수 구하기	8점
		❸ 3학년 전체 학생 수 구하기	9점

4 들이와 무게

쪽지시험 1회

51쪽

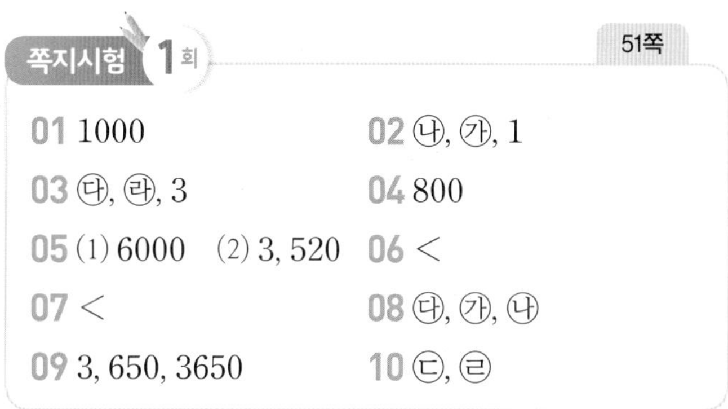

01 1000　02 ㉯, ㉮, 1
03 ㉰, ㉱, 3　04 800
05 (1) 6000　(2) 3, 520　06 <
07 <　08 ㉰, ㉮, ㉯
09 3, 650, 3650　10 ㉢, ㉣

풀이

04 작은 눈금 한 칸은 100 mL이므로 물의 양은 800 mL입니다.

05 1 L$=$1000 mL임을 이용합니다.

06 7 L 960 mL$=$7960 mL
⇨ 7960 mL$<$8200 mL

07 4050 mL$=$4 L 50 mL
⇨ 4 L 50 mL$<$4 L 100 mL

08 그릇에 담긴 물의 높이가 낮을수록 들이가 더 적습니다.

09 양동이에 들어 있는 물은 3 L보다 650 mL 더 많은 들이이므로 3 L 650 mL$=$3650 mL입니다.

10 ㉠ 1500 mL$<$2 L　㉡ 1 L 900 mL$<$2 L
㉢ 3000 mL$>$2 L　㉣ 11 L$>$2 L

쪽지시험 2회

52쪽

01 mL에 ○표　02 (　)(○)
03 7, 600　04 5, 800
05 어항　06 (위에서부터) 3, 500
07 (위에서부터) 5, 300　08 | ○ | |
09 소은　10 4 L 200 mL

풀이

01 요구르트병의 들이는 mL로 나타내는 것이 알맞습니다.

02 들이가 약 1 L인 것은 오른쪽입니다.

05 L 단위로 나타내기에 알맞은 것은 어항입니다.

06 • mL끼리의 계산에서 200+□=700이므로 □=500입니다.
• L끼리의 계산에서 □+3=6이므로 □=3입니다.

07 • mL끼리의 계산에서 700−□=400이므로 □=300입니다.
• L끼리의 계산에서 □−2=3이므로 □=5입니다.

08

	5 L 200 mL			8 L 600 mL
+	1 L 700 mL	◯>	−	2 L 500 mL
	6 L 900 mL			6 L 100 mL

09 1 L를 덜어 내고 남은 물이 더 적은 소은이가 1 L에 더 가깝게 어림하였습니다.

10 (주전자에 들어 있는 물의 양)
=2 L 500 mL+1 L 700 mL
=3 L 1200 mL=4 L 200 mL

쪽지시험 3회 53쪽

01 1000　02 물감, 칫솔, 3
03 거울, 수첩, 1　04 550
05 약 2 t　06 <
07 >　08
09 4, 350, 4350　10 연필, 지우개, 가위

풀이

04 100 g을 10칸으로 똑같이 나눈 한 칸은 10 g이므로 동화책의 무게는 550 g입니다.

05 1000 kg=1 t이므로 2000 kg=2 t입니다.
⇨ 하마의 무게는 약 2 t입니다.

06 1200 g=1 kg 200 g
⇨ 1 kg 200 g<1 kg 400 g

07 3 kg 100 g=3100 g
⇨ 3100 g>3060 g

08 2 kg 170 g=2170 g,
1 kg 500 g=1500 g,
2 kg 17 g=2017 g

09 상자에 들어 있는 감자의 무게는 4 kg보다 350 g 더 무거운 무게이므로 4 kg 350 g=4350 g입니다.

10 공깃돌 수를 비교하면 3<5<9이므로 무게가 가벼운 것부터 차례로 쓰면 연필, 지우개, 가위입니다.

쪽지시험 4회 54쪽

01 g에 ○표　02 kg에 ○표
03 5, 750　04 6, 500
05 (　　)
(　　)
(×)　06 (위에서부터) 4, 70
07 (위에서부터) 9, 100　08 1 kg 550 g
09 600 g　10 지승

풀이

05 책상 한 개의 무게는 약 3 kg 정도 됩니다.

06 • g끼리의 계산에서 830+□=900이므로 □=70입니다.
• kg끼리의 계산에서 □+3=7이므로 □=4입니다.

07 • g끼리의 계산에서 200−□=100이므로 □=100입니다.
• kg끼리의 계산에서 □−4=5이므로 □=9입니다.

08 (파인애플과 포도의 무게)
$=800\text{ g}+750\text{ g}=1550\text{ g}$
$=1\text{ kg }550\text{ g}$

09 $1200\text{ g}=1\text{ kg }200\text{ g}$
(남은 밀가루의 무게)
$=1\text{ kg }800\text{ g}-1\text{ kg }200\text{ g}=600\text{ g}$

10 1 kg과의 차이가 더 적은 지승이가 무게를 더 가깝게 어림하였습니다.

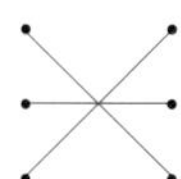

기본 단원 평가

55~57쪽

01 (　　)(○)
02 나 컵
03 2 kg 850 g, 2 킬로그램 850 그램
04 (1) 5600　(2) 7, 400
05 1300 / 1, 300
06 (선 잇기)
07 예 약 1 L
08 3900, 3, 900
09 <
10 (1) 달걀　(2) 코끼리
11 수박
12 지우개
13 ❶ 찬호
❷ 예 내 보온병의 들이는 350 mL야.
14 3 L 800 mL
15 3배
16 (위에서부터) 300, 5
17 예 ❶ 사용한 물의 양을 비교하면 $4\text{ L }700\text{ mL}>3\text{ L }400\text{ mL}$입니다.
❷ 세호가 물을 $4\text{ L }700\text{ mL}-3\text{ L }400\text{ mL}=1\text{ L }300\text{ mL}$ 더 많이 사용했습니다.
/ 세호, 1 L 300 mL
18 8 kg 200 g
19 ❶ 잘못 비교했습니다.
❷ 예 밤과 대추의 무게를 같은 단위로 비교하지 않았기 때문입니다.
20 1500 mL

풀이

01 토끼 인형이 있는 쪽이 아래로 내려갔으므로 토끼 인형이 더 무겁습니다.

02 가 컵에 가득 차 있던 우유를 나 컵에 옮겨 담았을 때 나 컵이 가득 차지 않았으므로 나 컵의 들이가 더 많습니다.

03 ■ kg보다 ▲ g 더 무거운 무게
⇨ [쓰기] ■ kg ▲ g　[읽기] ■ 킬로그램 ▲ 그램

04 $1\text{ L}=1000\text{ mL}$임을 이용합니다.

05 다리미의 무게는 1300 g입니다.
$1300\text{ g}=1\text{ kg }300\text{ g}$

06 $4\text{ L }200\text{ mL}=4200\text{ mL}$,
$4\text{ L }2\text{ mL}=4002\text{ mL}$,
$4\text{ L }20\text{ mL}=4020\text{ mL}$

07 물병에 가득 채운 물을 들이가 500 mL인 컵에 옮겨 담았더니 컵 2개가 가득 찼으므로 물병의 들이는 약 1 L입니다.

09 $3\text{ kg }200\text{ g}+4\text{ kg }700\text{ g}=7\text{ kg }900\text{ g}$
⇨ $7\text{ kg }900\text{ g}<8\text{ kg}$

10 (1) 무게가 약 60 g인 것은 달걀입니다.
(2) 무게가 약 5 t인 것은 코끼리입니다.

11 $4\text{ kg }500\text{ g}=4500\text{ g}$이고 $4500\text{ g}<5200\text{ g}$이므로 수박이 더 가볍습니다.
다른 풀이 $5200\text{ g}=5\text{ kg }200\text{ g}$이고
$4\text{ kg }500\text{ g}<5\text{ kg }200\text{ g}$이므로
수박이 더 가볍습니다.

12 (수첩의 무게)=(지우개 5개의 무게)
=(구슬 9개의 무게)
지우개 5개와 구슬 9개의 무게가 같으므로
(지우개 1개의 무게)>(구슬 1개의 무게)입니다.

13

채점 기준		
	❶ 잘못 말한 친구의 이름 쓰기	2점
	❷ 바르게 고치기	3점

14 (물통과 주전자의 들이의 합)
$=1\text{ L }500\text{ mL}+2\text{ L }300\text{ mL}=3\text{ L }800\text{ mL}$

15 ㉮: 4번, ㉯: 12번

⇨ $12 \div 4 = 3$이므로 컵 ㉮의 들이는 컵 ㉯의 들이의 3배입니다.

16 · g끼리의 계산에서 □+900=1200이므로 □=300입니다.

· kg끼리의 계산에서 1+1+□=7이므로 □=5입니다.

17

채점 기준		
	❶ 사용한 물의 양 비교하기	2점
	❷ 누가 물을 몇 L 몇 mL 더 많이 사용했는지 구하기	3점

18 4000 g=4 kg, 2900 g=2 kg 900 g이므로
5 kg 300 g>4 kg>2 kg 900 g입니다.

⇨ 5 kg 300 g+2 kg 900 g=7 kg+1200 g
=8 kg 200 g

19

채점 기준		
	❶ 바르게 비교했는지 잘못 비교했는지 쓰기	2점
	❷ 이유 쓰기	3점

20 (산 식용유의 양)
=900 mL+500 mL+500 mL+300 mL
=2200 mL=2 L 200 mL

⇨ (더 사야 하는 식용유의 양)
=3 L 700 mL−2 L 200 mL
=1 L 500 mL=1500 mL

실력 단원 평가

58~60쪽

01 주스병에 ○표 **02** 7000
03 1, 400 **04** (1) mL (2) L
05 3, 300 **06** 약 4 kg
07 (위에서부터) 1050 / 2, 100
08 ④ **09** >
10 ⑤ **11** 당근
12 ㉢
13 예 ❶ 7 L 300 mL+1 L 600 mL=8 L 900 mL입니다.
❷ 8 L 900 mL=8900 mL이므로 두 냄비의 들이의 합은 8900 mL입니다. / 8900 mL

14 ㉮, ㉰, ㉯ **15** 4 kg 800 g
16 예 ❶ 실제 무게와 어림한 무게의 차이를 알아보면 혁주는 300 g, 지유는 200 g입니다.
❷ 더 가깝게 어림한 사람은 차이가 더 적은 지유입니다. / 지유
17 4 L 100 mL **18** 클립, 구슬, 집게
19 예 ❶ (가영이와 나영이가 부은 물의 양)
=1 L 350 mL+2 L 650 mL
=3 L+1000 mL=4 L
❷ (더 부어야 하는 물의 양)=5 L−4 L=1 L
/ 1 L(또는 1000 mL)
20 4 kg 600 g

풀이

02 1 t=1000 kg이므로 7 t=7000 kg입니다.

03 작은 눈금 한 칸은 100 mL를 나타내므로 물의 양은 1 L 400 mL입니다.

04 (1) 찻잔의 들이는 mL로 나타내기에 알맞습니다.
(2) 주전자의 들이는 L로 나타내기에 알맞습니다.

05 4 kg 800 g−1 kg 500 g=3 kg 300 g

06 양배추 한 통의 무게가 2 kg이므로 크기가 비슷한 양배추 2통의 무게는 약 4 kg입니다.

07 책가방의 무게: 1 kg 50 g=1050 g
양파 한 망의 무게: 2100 g=2 kg 100 g

08 ①, ②, ③, ⑤: mL ④: L

09 1 L 400 mL+4 L 200 mL=5 L 600 mL
8 L 900 mL−3 L 700 mL=5 L 200 mL
⇨ 5 L 600 mL>5 L 200 mL

10 ① 2050 mL=2 L 50 mL
L끼리의 수가 같은 ①, ②, ③, ⑤의 mL끼리의 수를 비교해 보면 들이가 가장 적은 것은 ⑤입니다.

11 바둑돌의 수를 비교하면 55>53>45이므로 바둑돌이 가장 많이 사용된 당근의 무게가 가장 무겁습니다.

12 책상의 무게는 kg, 연필의 무게는 g, 컵의 무게는 g을 사용하는 것이 알맞습니다.

13

채점 기준		
	❶ 두 냄비의 들이의 합은 몇 L 몇 mL인지 구하기	3점
	❷ mL 단위로 나타내기	2점

14 들이가 서로 다른 컵으로 같은 물통에 각각 물을 채울 때 컵으로 부은 횟수가 적을수록 컵의 들이가 더 많습니다.
부은 횟수를 비교하면 $4<5<6$이므로 들이는 ㉮>㉰>㉯입니다.

15 1 kg을 10칸으로 똑같이 나눈 한 칸은 100 g이므로 사과 상자의 무게는 4 kg 800 g입니다.

16

채점 기준		
	❶ 실제 무게와 어림한 무게의 차이 구하기	3점
	❷ 더 가깝게 어림한 사람 구하기	2점

17 (처음 통에 들어 있던 페인트의 양)
$=2$ L 500 mL$+1$ L 600 mL
$=3$ L$+1100$ mL$=4$ L 100 mL

18 (집게 1개의 무게)=(구슬 2개의 무게)
=(클립 4개의 무게)
집게 1개, 구슬 2개, 클립 4개의 무게가 같으므로 한 개의 무게가 가장 가벼운 것부터 차례로 쓰면 클립, 구슬, 집게입니다.

19

채점 기준		
	❶ 가영이와 나영이가 부은 물의 양 구하기	3점
	❷ 더 부어야 하는 물의 양 구하기	2점

20 (음료수 3병의 무게)$=2$ kg 900 g-600 g
$=2$ kg 300 g
⇨ (음료수 6병의 무게)$=2$ kg 300 g$+2$ kg 300 g
$=4$ kg 600 g

연습 서술형 평가 61~62쪽

01 예 ❶ 막대자석의 무게는 못 8개의 무게와 같고 구슬 5개의 무게와 같으므로 못 8개의 무게와 구슬 5개의 무게는 같습니다.
❷ 한 개의 무게가 더 가벼운 것은 개수가 더 많은 못입니다. / 못

02 예 ❶ 1 L짜리 우유가 2통 있으므로 우유는 모두 2 L입니다.
❷ 2 L$=2000$ mL이고 400 mL$+400$ mL$+400$ mL$+400$ mL$+400$ mL$=2000$ mL이므로 우유를 모두 마시는 데 5일이 걸립니다. / 5일

03 예 ❶ 실제 들이와 어림한 들이의 차이를 알아보면 지아는 30 mL, 민호는 100 mL, 소희는 40 mL입니다.
❷ 가장 가깝게 어림한 사람은 차이가 가장 적은 지아입니다. / 지아

04 예 ❶ (겉옷과 가방 무게의 합)
$=36$ kg 800 g-32 kg 500 g
$=4$ kg 300 g
❷ (가방의 무게)$=4$ kg 300 g-1 kg 200 g
$=3$ kg 100 g
/ 3 kg 100 g

풀이

01

채점 기준		
	❶ 못 8개의 무게와 구슬 5개의 무게 비교하기	15점
	❷ 한 개의 무게가 더 가벼운 것 구하기	10점

02

채점 기준		
	❶ 전체 우유의 양 구하기	10점
	❷ 우유를 모두 마시는 데 며칠이 걸리는지 구하기	15점

03

채점 기준		
	❶ 실제 들이와 어림한 들이의 차이 알아보기	15점
	❷ 가장 가깝게 어림한 사람 구하기	10점

04

채점 기준		
	❶ 겉옷과 가방 무게의 합 구하기	10점
	❷ 가방의 무게 구하기	15점

실전 서술형 평가 63~64쪽

01 예 ❶ 쇠고기는 육류이므로 1근에 600 g입니다.
❷ 쇠고기 4근의 무게는
600 g$+600$ g$+600$ g$+600$ g$=2400$ g
$=2$ kg 400 g입니다. / 2 kg 400 g

02 예 ❶ 2000원으로 살 수 있는 토마토 주스의 양은 1 L 500 mL입니다.

❷ 2000원으로 포도 주스를 2병 살 수 있으므로 살 수 있는 포도 주스의 양은
$800\text{ mL}+800\text{ mL}=1600\text{ mL}$
$=1\text{ L }600\text{ mL}$입니다.

❸ $1\text{ L }500\text{ mL}<1\text{ L }600\text{ mL}$이므로 2000원으로 더 많은 양의 주스를 사려면 포도 주스를 사야 합니다. / 포도 주스

03 예 ❶ 8 L 들이 그릇에 물을 가득 채워 대야에 붓고 3 L 들이 그릇으로 한 번 퍼내면 남은 물이 $8\text{ L}-3\text{ L}=5\text{ L}$가 됩니다.

❷ 4 L 들이 그릇에 물을 가득 채워 3 L 들이 그릇에 한 번 옮겨 담으면 남은 물이 $4\text{ L}-3\text{ L}=1\text{ L}$가 됩니다. 이것을 대야에 붓는 것을 5번 반복합니다.

04 예 ❶ 가방에 물건을 모두 넣었을 때의 무게는
$2\text{ kg}+1200\text{ g}+500\text{ g}+1\text{ kg }700\text{ g}$
$+600\text{ g}=3\text{ kg}+3000\text{ g}=3\text{ kg}+3\text{ kg}$
$=6\text{ kg}$입니다.

❷ 가방에 더 넣을 수 있는 물건의 무게는
$10\text{ kg}-6\text{ kg}=4\text{ kg}$입니다.
/ 4 kg(또는 4000 g)

풀이

01

채점 기준		
	❶ 쇠고기 1근의 무게 알아보기	10점
	❷ 쇠고기 4근의 무게 구하기	15점

02

채점 기준		
	❶ 2000원으로 살 수 있는 토마토 주스의 양 구하기	8점
	❷ 2000원으로 살 수 있는 포도 주스의 양 구하기	8점
	❸ 더 많은 양의 주스를 사려면 어떤 주스를 사야 할지 구하기	9점

03

채점 기준		
	❶ 5 L의 물을 담는 방법을 한 가지 설명하기	15점
	❷ 5 L의 물을 담는 또 다른 방법을 한 가지 설명하기	10점

04

채점 기준		
	❶ 가방에 물건을 모두 넣었을 때의 무게 구하기	15점
	❷ 가방에 더 넣을 수 있는 물건의 무게 구하기	10점

5 분수

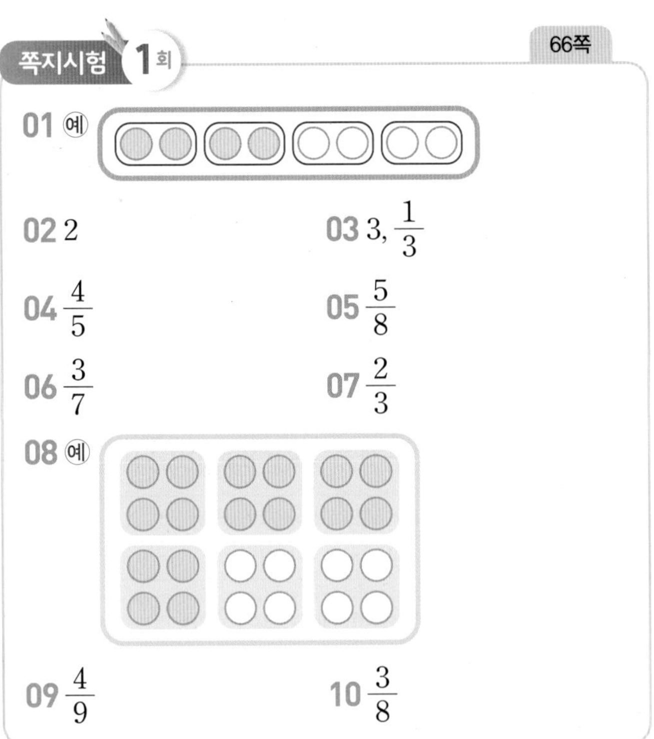

풀이

04 전체를 똑같이 5묶음으로 나눈 것 중의 4묶음
⇨ $\frac{4}{5}$

05 전체를 똑같이 8묶음으로 나눈 것 중의 5묶음
⇨ $\frac{5}{8}$

06 21을 3씩 묶으면 7묶음입니다.
9는 7묶음 중의 3묶음이므로 9는 21의 $\frac{3}{7}$입니다.

07 21을 7씩 묶으면 3묶음입니다.
14는 3묶음 중의 2묶음이므로 14는 21의 $\frac{2}{3}$입니다.

08 전체를 똑같이 6묶음으로 나눈 것 중의 4묶음에 색칠합니다.

09 27을 3씩 묶으면 9묶음입니다.
12는 9묶음 중의 4묶음이므로 12는 27의 $\frac{4}{9}$입니다.

10 64를 8씩 묶으면 8묶음입니다.
24는 8묶음 중의 3묶음이므로 24는 64의 $\frac{3}{8}$입니다.

쪽지시험 2회 (67쪽)

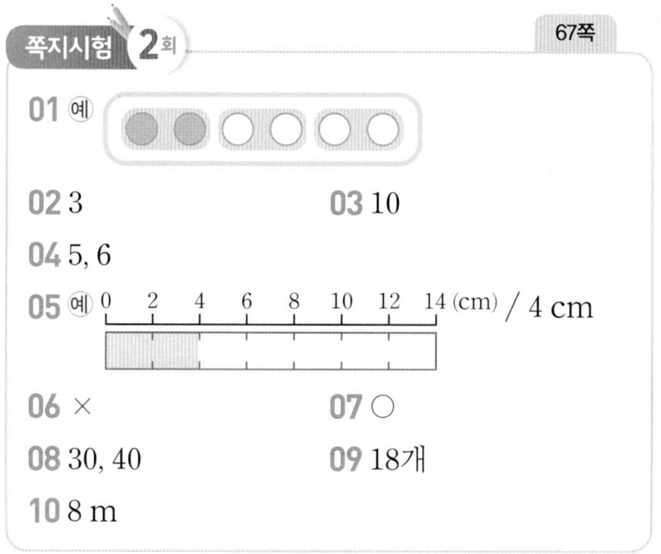

01 예 (○ 6개 중 2개 색칠)

02 3   03 10

04 5, 6

05 예 0 2 4 6 8 10 12 14 (cm) / 4 cm

06 ×   07 ○

08 30, 40   09 18개

10 8 m

풀이

04 · 10의 $\frac{1}{2}$은 10을 똑같이 2묶음으로 나눈 것 중의 1묶음이므로 5입니다.

· 10의 $\frac{3}{5}$은 10을 똑같이 5묶음으로 나눈 것 중의 3묶음이므로 6입니다.

05 14 cm의 $\frac{1}{7}$은 2 cm이므로 14 cm의 $\frac{2}{7}$는 4 cm입니다.

06 16의 $\frac{2}{4}$는 16을 똑같이 4묶음으로 나눈 것 중의 2묶음이므로 8입니다.

07 35의 $\frac{4}{5}$는 35를 똑같이 5묶음으로 나눈 것 중의 4묶음이므로 28입니다.

08 1시간은 60분입니다.
60분의 $\frac{1}{2}$은 30분이고, 60분의 $\frac{2}{3}$는 40분입니다.

09 24개의 $\frac{3}{4}$은 24개를 똑같이 4묶음으로 나눈 것 중의 3묶음이므로 18개입니다.
⇨ 정현이가 먹은 젤리는 18개입니다.

10 18 m의 $\frac{1}{9}$은 2 m이므로 18 m의 $\frac{4}{9}$는 8 m입니다.
⇨ 로봇 자동차가 이동한 거리는 8 m입니다.

쪽지시험 3회 (68쪽)

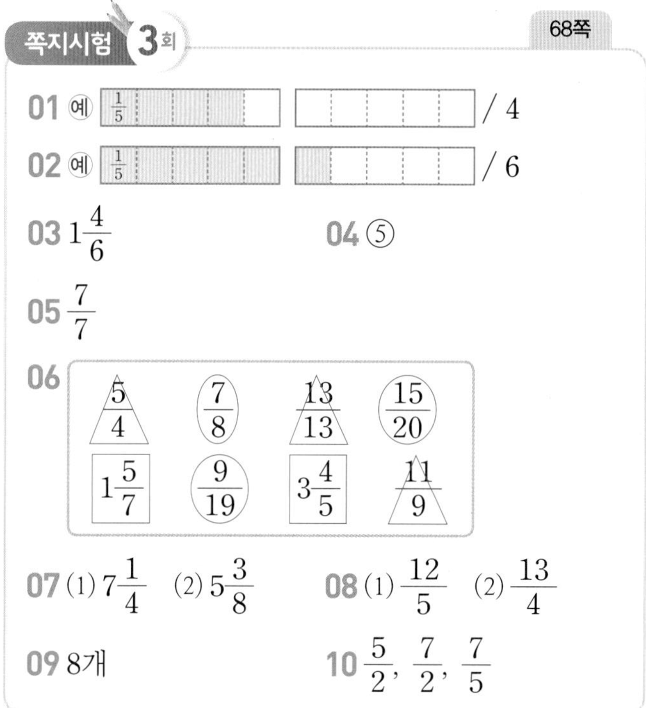

01 예 $\frac{1}{5}$ / 4

02 예 $\frac{1}{5}$ / 6

03 $1\frac{4}{6}$ 04 ⑤

05 $\frac{7}{7}$

06 $\frac{5}{4}$, $\frac{7}{8}$, $\frac{13}{13}$, $\frac{15}{20}$, $1\frac{5}{7}$, $\frac{9}{19}$, $3\frac{4}{5}$, $\frac{11}{9}$

07 (1) $7\frac{1}{4}$ (2) $5\frac{3}{8}$ 08 (1) $\frac{12}{5}$ (2) $\frac{13}{4}$

09 8개   10 $\frac{5}{2}$, $\frac{7}{2}$, $\frac{7}{5}$

풀이

01 $\frac{1}{5}$이 4개인 수이므로 4칸에 색칠합니다. ⇨ $\frac{4}{5}$

02 $\frac{1}{5}$이 6개인 수이므로 6칸에 색칠합니다. ⇨ $\frac{6}{5}$

03 1과 $\frac{4}{6}$이므로 대분수로 나타내면 $1\frac{4}{6}$입니다.

04 ⑤는 가분수입니다.

05 자연수 1을 분모가 ■인 분수로 나타내면 $\frac{■}{■}$입니다.

06 진분수: 분자가 분모보다 작은 분수
가분수: 분자가 분모와 같거나 분모보다 큰 분수
대분수: 자연수와 진분수로 이루어진 분수

07 (1) $\frac{29}{4}$는 7과 $\frac{1}{4}$이므로 $7\frac{1}{4}$입니다.

(2) $\frac{43}{8}$은 5와 $\frac{3}{8}$이므로 $5\frac{3}{8}$입니다.

08 (1) $2\frac{2}{5}$는 $\frac{1}{5}$이 12개인 수와 같으므로 $\frac{12}{5}$입니다.

(2) $3\frac{1}{4}$은 $\frac{1}{4}$이 13개인 수와 같으므로 $\frac{13}{4}$입니다.

09 $\frac{1}{9}$, $\frac{2}{9}$, $\frac{3}{9}$, $\frac{4}{9}$, $\frac{5}{9}$, $\frac{6}{9}$, $\frac{7}{9}$, $\frac{8}{9}$ ⇨ 8개

10 · 분모가 2일 때: $\frac{5}{2}$, $\frac{7}{2}$ · 분모가 5일 때: $\frac{7}{5}$

쪽지시험 4회 (69쪽)

01 예 $\frac{5}{4}$ 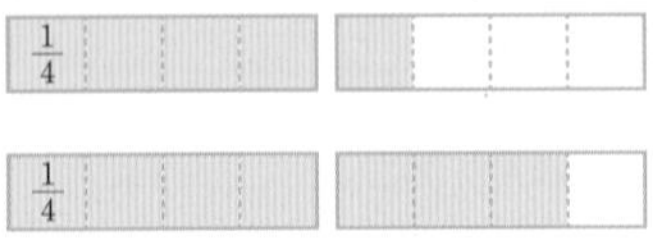 / <

$\frac{7}{4}$

02 예 $2\frac{1}{3}$ 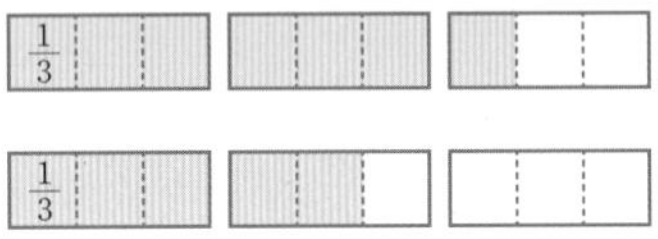 / >

$1\frac{2}{3}$

03 $4\frac{7}{9}$에 ○표

04 (1) < (2) >

05 (1) = (2) >

06 $3\frac{1}{8}$에 ○표

07 재희

08 슬기

09 $1\frac{5}{6}$, $\frac{9}{6}$, $\frac{4}{6}$

10 1, 2, 3, 4

풀이

03 분모가 같고 자연수 부분이 같으므로 분자의 크기를 비교하면 $4\frac{7}{9}$이 더 큽니다.

04 (1) $8<15$ ⇨ $\frac{8}{7}<\frac{15}{7}$ (2) $17>9$ ⇨ $\frac{17}{12}>\frac{9}{12}$

05 (1) $2\frac{2}{4}=\frac{10}{4}$ ⇨ $\frac{10}{4}=\frac{10}{4}$

(2) $\frac{17}{5}=3\frac{2}{5}$ ⇨ $3\frac{2}{5}>3\frac{1}{5}$

06 $2\frac{3}{8}>2\frac{1}{8}$, $2\frac{3}{8}<3\frac{1}{8}$, $2\frac{3}{8}>1\frac{7}{8}$

07 $\frac{3}{2}<\frac{5}{2}$이므로 물을 더 많이 마신 사람은 재희입니다.

08 $3\frac{4}{5}>3\frac{2}{5}$이므로 감자를 더 많이 캔 사람은 슬기입니다.

09 $1\frac{5}{6}=\frac{11}{6}$이고 분자의 크기를 비교하면 $11>9>4$입니다. ⇨ 가장 큰 분수부터 차례로 쓰면 $1\frac{5}{6}$, $\frac{9}{6}$, $\frac{4}{6}$입니다.

10 $1\frac{2}{3}=\frac{5}{3}$이므로 $\frac{5}{3}>\frac{□}{3}$입니다. ⇨ □ 안에 들어갈 수 있는 수는 5보다 작은 1, 2, 3, 4입니다.

기본 단원 평가 (70~72쪽)

01 2, 2

02 4, $\frac{3}{4}$

03 $2\frac{5}{8}$

04 $\frac{5}{7}$, $\frac{9}{12}$에 ○표

05 ①

06 (1) 2 (2) 10

07 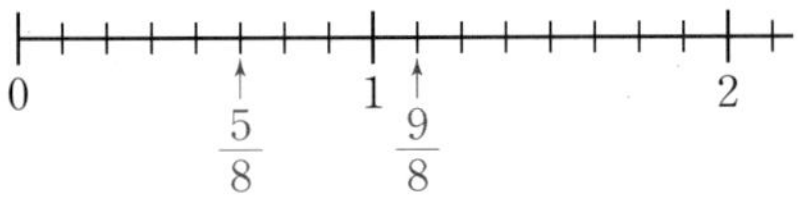 / $\frac{9}{8}$

08 $3\frac{8}{9}$에 색칠

09 16

10 예 ❶ $3\frac{3}{5}$은 $\frac{1}{5}$이 18개인 수와 같습니다.

❷ 가분수로 나타내면 $\frac{18}{5}$입니다.

/ $\frac{18}{5}$

11 16개

12 (1) $\frac{2}{4}$ (2) $\frac{5}{8}$

13 50분

14 11

15 $9\frac{2}{7}$

16 예 ❶ $1\frac{3}{5}$을 가분수로 나타내면 $\frac{8}{5}$입니다.

❷ $\frac{8}{5}<\frac{9}{5}$이므로 집에서 학교까지의 거리가 더 먼 사람은 건우입니다. / 건우

17 $2\frac{1}{6}$, $1\frac{2}{6}$, $\frac{7}{6}$, 1

18 예 ❶ 가분수 $\frac{14}{5}$를 대분수로 나타내면 $2\frac{4}{5}$입니다.

❷ $2\frac{4}{5}$는 어떤 대분수의 자연수와 분자를 바꾼 수이므로 어떤 대분수는 $4\frac{2}{5}$입니다.

/ $4\frac{2}{5}$

19 5개

20 $\frac{5}{4}$

풀이

04 진분수는 분자가 분모보다 작은 분수입니다.

09 28 cm의 $\frac{1}{7}$은 4 cm이므로 28 cm의 $\frac{4}{7}$는 16 cm 입니다.

10

채점 기준		
	❶ $3\frac{3}{5}$은 $\frac{1}{5}$이 몇 개인 수인지 구하기	2점
	❷ $3\frac{3}{5}$을 가분수로 나타내기	3점

11 24개의 $\frac{2}{3}$는 24개를 똑같이 3묶음으로 나눈 것 중의 2묶음이므로 16개입니다.
⇨ 친구에게 준 사탕은 16개입니다.

12 (1) 16을 4씩 묶으면 4묶음입니다. 8은 4묶음 중의 2묶음이므로 8은 16의 $\frac{2}{4}$입니다.
(2) 16을 2씩 묶으면 8묶음입니다. 10은 8묶음 중의 5묶음이므로 10은 16의 $\frac{5}{8}$입니다.

13 1시간은 60분입니다. 60분의 $\frac{5}{6}$는 50분이므로 수지가 수학 공부를 한 시간은 50분입니다.

14 노란색 봉지에 담은 딸기는 전체를 똑같이 7봉지로 나눈 것 중의 4봉지이므로 전체의 $\frac{4}{7}$입니다.
⇨ $\frac{㉠}{㉡}=\frac{4}{7}$이므로 ㉠+㉡$=4+7=11$입니다.

15 분모가 7인 대분수를 만들려면 분자는 7보다 작은 수여야 하므로 분자에는 2를 놓아야 합니다.
⇨ 만들 수 있는 대분수는 $9\frac{2}{7}$입니다.

16

채점 기준		
	❶ 가분수를 대분수로 또는 대분수를 가분수로 나타내기	2점
	❷ 집에서 학교까지의 거리가 더 먼 사람 구하기	3점

17 $2\frac{1}{6}=\frac{13}{6}$, $1\frac{2}{6}=\frac{8}{6}$, $1=\frac{6}{6}$이므로 $\frac{7}{6}$, $\frac{13}{6}$, $\frac{8}{6}$, $\frac{6}{6}$의 크기를 비교합니다.
분자의 크기를 비교하면 $13>8>7>6$이므로 가장 큰 수부터 차례로 쓰면 $2\frac{1}{6}$, $1\frac{2}{6}$, $\frac{7}{6}$, 1입니다.

18

채점 기준		
	❶ $\frac{14}{5}$를 대분수로 나타내기	2점
	❷ 어떤 대분수 구하기	3점

19 18개의 $\frac{5}{9}$는 10개이고, 18개의 $\frac{1}{6}$은 3개입니다.
(남은 토마토 수)$=18-10-3=5$(개)

20 합이 9인 두 수는 1과 8, 2와 7, 3과 6, 4와 5입니다. 이 중에서 차가 1인 수는 4와 5입니다.
⇨ 조건에 모두 알맞은 분수는 $\frac{5}{4}$입니다.

실력 단원 평가

73~75쪽

01 $\frac{4}{6}$에 ○표 **02** 2
03 (1) $<$ (2) $>$
04 예 ●● ●● ●● ○○
05 4개 **06** 80
07 (1) $3\frac{1}{3}$ (2) $\frac{23}{6}$ **08** $\frac{5}{5}$
09 ❶ $\frac{2}{2}$
❷ 예 진분수는 분자가 분모보다 작아야 하는데 $\frac{2}{2}$는 분모와 분자가 같기 때문입니다.
10 ( )( )(○) **11** $\frac{4}{5}$
12 ⑤ **13** 17
14 소혜
15 (위에서부터) $\frac{17}{8}$, $1\frac{7}{8}$, $\frac{17}{8}$
16 진구 **17** $\frac{33}{9}$
18 예 ❶ 36 cm의 $\frac{4}{6}$는 24 cm이므로 사용한 끈의 길이는 24 cm입니다.
❷ 사용하고 남은 끈의 길이는 $36-24=12$ (cm)입니다. / 12 cm
19 2개
20 예 ❶ $4\frac{3}{5}$을 가분수로 나타내면 $\frac{23}{5}$입니다.
❷ $\frac{23}{5}$은 $\frac{1}{5}$이 23개인 수이므로 딸기 주스를 모두 23컵 만들 수 있습니다. / 23컵

풀이

03 (1) 분자를 비교하면 $13<20$이므로 $\frac{13}{5}<\frac{20}{5}$입니다.

(2) 자연수 부분을 비교하면 $4>3$이므로 $4\frac{2}{9}>3\frac{8}{9}$입니다.

04 전체를 똑같이 4묶음으로 나눈 것 중의 3묶음에 색칠합니다.

05 $\frac{8}{7}, \frac{5}{5}, \frac{15}{9}, \frac{9}{4}$ ⇨ 4개

06 1 m의 $\frac{1}{5}$은 20 cm ⇨ 1 m의 $\frac{4}{5}$는 80 cm

07 (1) $\frac{10}{3}$은 3과 $\frac{1}{3}$이므로 $3\frac{1}{3}$입니다.

(2) $3\frac{5}{6}$는 $\frac{1}{6}$이 23개인 수와 같으므로 $\frac{23}{6}$입니다.

08 자연수 1을 분모가 5인 분수로 나타내면 $\frac{5}{5}$입니다.

09

채점 기준		
	❶ 진분수가 아닌 분수 찾아 쓰기	2점
	❷ 이유 쓰기	3점

10 15의 $\frac{3}{5}$은 9, 21의 $\frac{3}{7}$은 9, 27의 $\frac{4}{9}$는 12입니다.

⇨ 나타내는 수가 다른 하나는 27의 $\frac{4}{9}$입니다.

11 공책 20권을 4권씩 묶으면 5묶음입니다. 16권은 5묶음 중의 4묶음이므로 16권은 20권의 $\frac{4}{5}$입니다.

12 ① $\frac{5}{2}$ ② $\frac{12}{5}$ ③ $\frac{10}{6}$ ④ $\frac{7}{2}$ ⑤ $\frac{13}{3}$

분자를 비교하면 $13>12>10>7>5$이므로 분자가 가장 큰 수는 ⑤ $\frac{13}{3}$입니다.

13 • 18의 $\frac{4}{9}$는 8이므로 □=8입니다.

• 24의 $\frac{3}{8}$은 9이므로 □=9입니다.

⇨ $8+9=17$

14 $1\frac{3}{5}$을 대분수로 나타내면 $\frac{8}{5}$입니다.

⇨ $\frac{8}{5}>\frac{7}{5}$이므로 딴 토마토의 무게가 더 무거운 사람은 소혜입니다.

15 $\frac{13}{8}<\frac{17}{8}$, $1\frac{7}{8}>1\frac{3}{8}$, $\frac{17}{8}\left(=2\frac{1}{8}\right)>1\frac{7}{8}$

16 15 km의 $\frac{4}{5}$는 12 km이므로 진구는 12 km를 달렸고, 15 km의 $\frac{2}{3}$는 10 km이므로 서우는 10 km를 달렸습니다.

⇨ 더 멀리 달린 사람은 진구입니다.

17 가장 작은 수를 자연수 부분에 놓고 나머지 숫자 카드의 수로 진분수를 만들면 $3\frac{6}{9}$입니다.

$3\frac{6}{9}$을 가분수로 나타내면 $\frac{33}{9}$입니다.

18

채점 기준		
	❶ 사용한 끈의 길이 구하기	3점
	❷ 사용하고 남은 끈의 길이 구하기	2점

19 $2\frac{2}{4}$를 가분수로 나타내면 $\frac{10}{4}$입니다.

분모가 4인 가분수 중에서 $\frac{7}{4}$보다 크고 $\frac{10}{4}$보다 작은 분수는 $\frac{8}{4}$, $\frac{9}{4}$로 모두 2개입니다.

20

채점 기준		
	❶ $4\frac{3}{5}$을 가분수로 나타내기	2점
	❷ 딸기 주스를 모두 몇 컵 만들 수 있는지 구하기	3점

연습 서술형 평가 76~77쪽

01 예 ❶ 색연필 72자루를 한 상자에 9자루씩 나누어 담으면 8상자가 됩니다.

❷ 그중 7상자를 선물했으므로 선물한 색연필은 전체의 $\frac{7}{8}$입니다. / $\frac{7}{8}$

02 예 ❶ $3\frac{1}{4}$을 가분수로 나타내면 $\frac{13}{4}$입니다.

❷ $\frac{13}{4}$과 $\frac{9}{4}$의 크기를 비교하면 $\frac{13}{4}>\frac{9}{4}$이므로 $3\frac{1}{4}>\frac{9}{4}$입니다.

따라서 빨간 리본의 길이가 더 깁니다.

/ 빨간 리본

03 예 ❶ 60의 $\frac{5}{6}$는 50이므로 시영이는 50쪽을 읽었고, 60의 $\frac{3}{5}$은 36이므로 민석이는 36쪽을 읽었습니다.

❷ 시영이가 동화책을 50－36＝14(쪽) 더 많이 읽었습니다. / 시영, 14쪽

04 예 ❶ 3보다 크고 4보다 작은 분수이므로 자연수 부분은 3입니다.

❷ 분모가 7이고 분자와 분모의 차가 3인 진분수는 $\frac{4}{7}$입니다.

❸ 조건에 모두 알맞은 대분수는 $3\frac{4}{7}$입니다.

/ $3\frac{4}{7}$

풀이

01

채점 기준		
	❶ 한 상자에 9자루씩 나누어 담으면 몇 상자가 되는지 구하기	10점
	❷ 선물한 색연필은 전체의 얼마인지 분수로 나타내기	15점

02

채점 기준		
	❶ 가분수를 대분수로 또는 대분수를 가분수로 나타내기	10점
	❷ 어느 리본의 길이가 더 긴지 구하기	15점

03

채점 기준		
	❶ 시영이와 민석이가 읽은 동화책의 쪽수 각각 구하기	15점
	❷ 누가 동화책을 몇 쪽 더 많이 읽었는지 구하기	10점

04

채점 기준		
	❶ 조건에 알맞은 대분수의 자연수 부분 구하기	8점
	❷ 조건에 알맞은 대분수의 분수 부분 구하기	8점
	❸ 조건에 모두 알맞은 대분수 구하기	9점

실전 서술형 평가

78~79쪽

01 예 ❶ $\frac{17}{9}$을 대분수로 나타내면 $1\frac{8}{9}$이므로 $2\frac{1}{9}$, $1\frac{7}{9}$, $1\frac{8}{9}$의 크기를 비교합니다.

❷ $1\frac{7}{9}<1\frac{8}{9}<2\frac{1}{9}$이므로 줄넘기 줄의 길이가 가장 짧은 사람은 혜수입니다. / 혜수

02 예 ❶ 64의 $\frac{3}{8}$은 24이므로 안경을 쓴 학생은 24명입니다.

❷ 안경을 쓰지 않은 학생은 64－24＝40(명)입니다. / 40명

03 예 ❶ • 16을 4씩 묶으면 4묶음이므로 12는 16의 $\frac{3}{4}$입니다. ⇨ ㉠＝3

• 24를 3씩 묶으면 8묶음이므로 15는 24의 $\frac{5}{8}$입니다. ⇨ ㉡＝5

• 63을 9씩 묶으면 7묶음이므로 18은 63의 $\frac{2}{7}$입니다. ⇨ ㉢＝2

❷ 금고의 비밀번호는 3352입니다.

/ 3352

04 예 ❶ 하루는 24시간입니다. 24의 $\frac{2}{6}$는 8이므로 잠을 자는 시간은 8시간입니다.

❷ 24의 $\frac{1}{12}$은 2이므로 운동을 하는 시간은 2시간입니다.

❸ 잠을 자는 시간과 운동을 하는 시간은 모두 8＋2＝10(시간)으로 나타내어야 합니다. / 10시간

풀이

01

채점 기준		
	❶ 가분수 또는 대분수로 통일하여 나타내기	10점
	❷ 줄넘기 줄의 길이가 가장 짧은 사람 구하기	15점

02

채점 기준		
	❶ 안경을 쓴 학생 수 구하기	15점
	❷ 안경을 쓰지 않은 학생 수 구하기	10점

03

채점 기준		
	❶ ㉠, ㉡, ㉢에 알맞은 수 각각 구하기	15점
	❷ 금고의 비밀번호 구하기	10점

04

채점 기준		
	❶ 잠을 자는 시간은 몇 시간인지 구하기	8점
	❷ 운동을 하는 시간은 몇 시간인지 구하기	8점
	❸ 잠을 자는 시간과 운동을 하는 시간은 모두 몇 시간으로 나타내어야 하는지 구하기	9점

6 그림그래프

쪽지시험 1회

81쪽

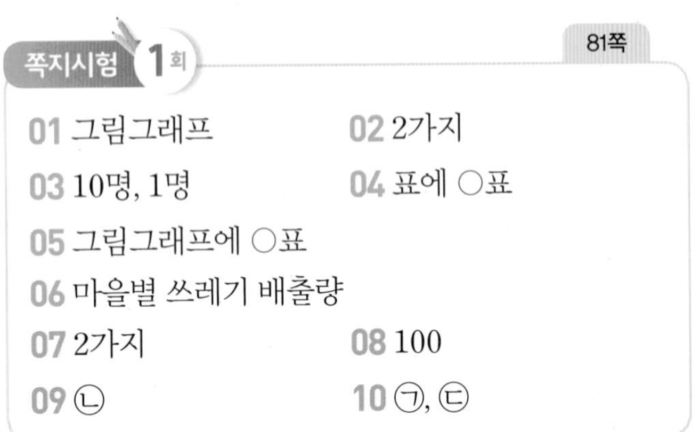

01 그림그래프　02 2가지
03 10명, 1명　04 표에 ○표
05 그림그래프에 ○표
06 마을별 쓰레기 배출량
07 2가지　08 100
09 ㉡　10 ㉠, ㉢

풀이

02 학생 수를 나타내는 그림을 큰 그림과 작은 그림 2가지로 나타내었습니다.

07 쓰레기 배출량을 나타내는 그림을 큰 그림과 작은 그림 2가지로 나타내었습니다.

08 가 마을의 배출량 260 kg을 (큰 그림) 2개, (작은 그림) 6개로 나타내었으므로 (큰 그림)은 100 kg을 나타냅니다.

09 표에는 합계가 있고 그림그래프에는 합계가 없습니다.

10 제목과 마을 이름은 표에도 있고 그림그래프에도 있습니다.

쪽지시험 2회

82쪽

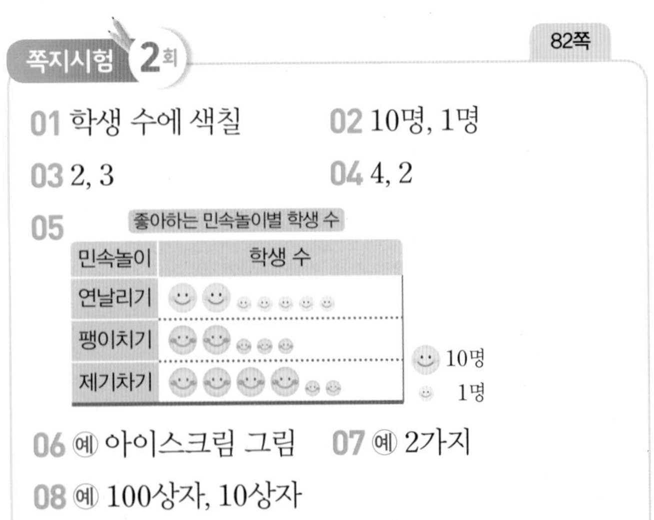

01 학생 수에 색칠　02 10명, 1명
03 2, 3　04 4, 2
05

좋아하는 민속놀이별 학생 수

민속놀이	학생 수
연날리기	☺☺ ☺☺☺☺☺
팽이치기	☺☺ ☺☺☺
제기차기	☺☺☺☺ ☺☺

(큰 그림) 10명, (작은 그림) 1명

06 예 아이스크림 그림　07 예 2가지
08 예 100상자, 10상자

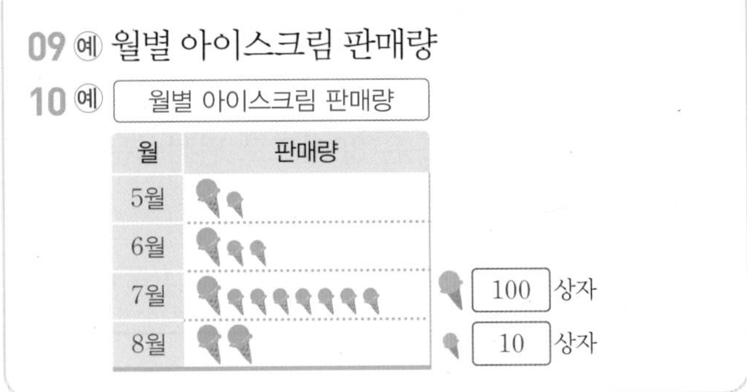

09 예 월별 아이스크림 판매량
10 예

월별 아이스크림 판매량

월	판매량
5월	(큰 그림 1, 작은 그림 1)
6월	(큰 그림 1, 작은 그림 2)
7월	(큰 그림 1, 작은 그림 7)
8월	(큰 그림 2)

(큰 그림) 100 상자, (작은 그림) 10 상자

풀이

07 100상자를 나타내는 그림과 10상자를 나타내는 그림 2가지로 나타내는 것이 좋습니다.

09 그림그래프의 제목은 조사한 내용을 나타낼 수 있는 것으로 하는 것이 좋습니다.

10 (큰 그림)은 100상자, (작은 그림)은 10상자를 나타내도록 하여 월별 아이스크림 판매량을 그림그래프로 그려 봅니다.

쪽지시험 3회

83쪽

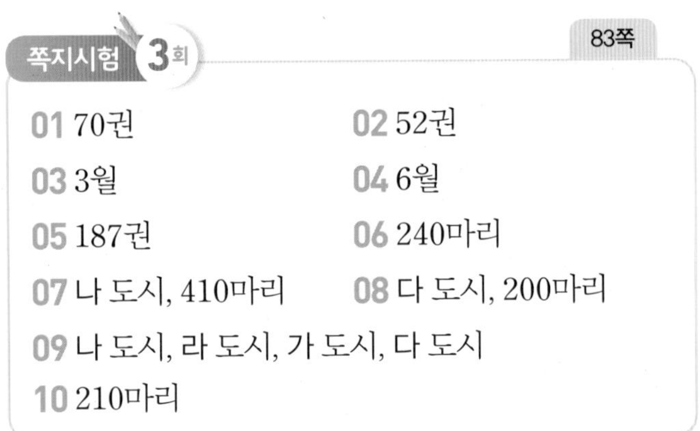

01 70권　02 52권
03 3월　04 6월
05 187권　06 240마리
07 나 도시, 410마리　08 다 도시, 200마리
09 나 도시, 라 도시, 가 도시, 다 도시
10 210마리

풀이

05 3월: 70권, 4월: 40권, 5월: 52권, 6월: 25권
⇨ $70+40+52+25=187$(권)

06 (100마리) 2개, (10마리) 4개 ⇨ 240마리

07 고양이 수가 가장 많은 도시는 (100마리)의 수가 가장 많은 나 도시이고, 410마리입니다.

08 고양이 수가 가장 적은 도시는 (100마리)의 수가 가장 적은 가 도시와 다 도시 중 (10마리)의 수가 없는 다 도시이고, 200마리입니다.

09 (100마리)과 (10마리)의 수를 차례로 비교합니다. ⇨ 고양이 수가 가장 많은 도시부터 차례로 쓰면 나 도시, 라 도시, 가 도시, 다 도시입니다.

10 고양이 수가 가장 많은 도시: 나 도시(410마리)
고양이 수가 가장 적은 도시: 다 도시(200마리)
⇨ $410-200=210$(마리)

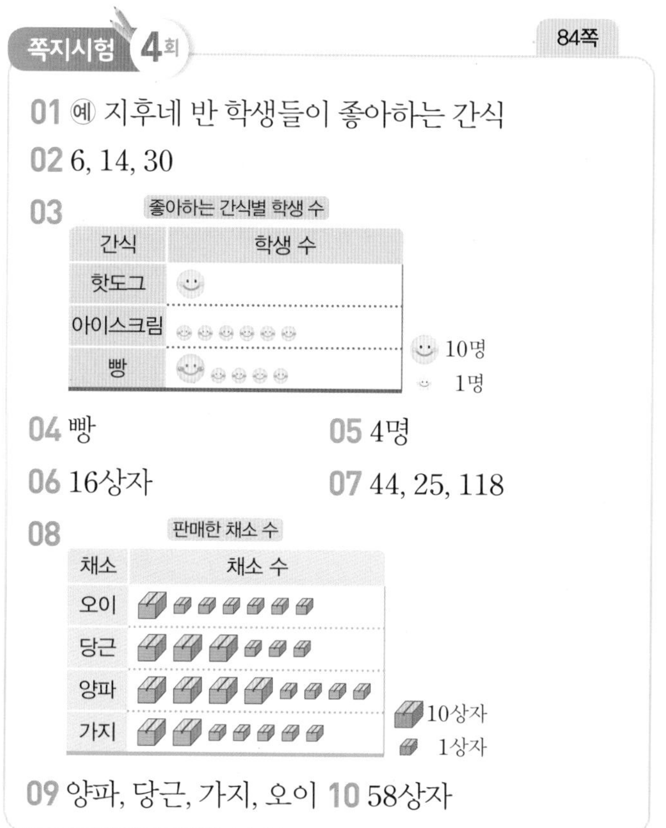

쪽지시험 4회 — 84쪽

01 예 지후네 반 학생들이 좋아하는 간식
02 6, 14, 30
03 좋아하는 간식별 학생 수

간식	학생 수
핫도그	☺
아이스크림	◦◦◦◦◦◦
빵	☺◦◦◦◦

☺ 10명, ◦ 1명

04 빵　**05** 4명
06 16상자　**07** 44, 25, 118
08 판매한 채소 수

채소	채소 수
오이	▣▪▪▪▪▪▪
당근	▣▣▣▪▪▪
양파	▣▣▣▣▪▪▪▪
가지	▣▣▪▪▪▪▪

▣ 10상자, ▪ 1상자

09 양파, 당근, 가지, 오이　**10** 58상자

풀이

04 가장 많은 학생들이 좋아하는 간식은 ☺(10명)의 수가 같은 핫도그와 빵 중에서 ◦(1명)의 수가 더 많은 빵입니다.

05 핫도그: 10명, 아이스크림: 6명 ⇨ $10-6=4$(명)

07 (합계)$=16+33+44+25=118$(개)

08 ▣은 10상자, ▪은 1상자를 나타내도록 하여 판매한 채소 수를 그림그래프로 그려 봅니다.

09 ▣(10상자)의 수를 비교하여 가장 많이 판매한 채소부터 차례로 쓰면 양파, 당근, 가지, 오이입니다.

10 당근: 33상자, 가지: 25상자 ⇨ $33+25=58$(상자)

기본 단원 평가 — 85~87쪽

01 개수에 ○표　**02** 2가지　**03** 10명, 1명
04 예 조사한 것이 무엇인지 그림을 보고 쉽게 알 수 있습니다.
05 예 2가지
06 좋아하는 음식별 학생 수

음식	학생 수
떡볶이	◦◦◦◦◦
치킨	☺◦◦◦◦◦
돈가스	◦◦◦◦◦◦◦◦◦◦
피자	☺◦◦◦

☺ 10명, ◦ 1명

07 그림그래프
08 예 윤재네 반 학생들이 좋아하는 과일
09 3, 6, 24
10 좋아하는 과일별 학생 수

과일	학생 수
바나나	☺◦◦
사과	☺◦◦◦
포도	◦◦◦
딸기	☺◦

☺ 5명, ◦ 1명

11 사과　**12** 12줄　**13** 7줄　**14** 치즈 김밥
15 예 ❶ 참치 김밥
❷ 참치 김밥이 가장 많이 팔렸으므로 내일은 참치 김밥 재료를 가장 많이 준비할 것입니다.
16 하늬 목장, 산들 목장, 남실 목장, 높새 목장
17 높새 목장, 남실 목장
18 예 ❶ 산들 목장: 320병, 높새 목장: 500병, 남실 목장: 430병, 하늬 목장: 150병
❷ 네 목장의 우유 생산량은 모두 $320+500+430+150=1400$(병)입니다.
/ 1400병
19 8명
20

계절	학생 수
봄	◎◎○○○○○○○○
여름	◎◎◎○○
가을	◎○○○○○○
겨울	◎◎○○○○○○

◎ 10명, ○ 1명

풀이

03 ☺은 10명, ☺은 1명을 나타냅니다.

04

채점 기준	그림을 이용하여 그래프로 나타내었을 때 편리한 점 쓰기	5점

05 10명을 나타내는 그림과 1명을 나타내는 그림 2가지로 나타내는 것이 좋습니다.

06 ☺은 10명, ☺은 1명을 나타내도록 하여 좋아하는 음식별 학생 수를 그림그래프로 그려 봅니다.

07 그림그래프는 자료의 수량이 많고 적음을 한눈에 비교하기 쉽습니다.

09 바나나: 7명, 사과: 8명, 포도: 3명, 딸기: 6명
(합계)$=7+8+3+6=24$(명)

10 ☺은 5명, ☺은 1명을 나타내도록 하여 좋아하는 과일별 학생 수를 그림그래프로 그려 봅니다.

11 가장 많은 학생들이 좋아하는 간식은 ☺(5명)의 수가 1개인 바나나, 사과, 딸기 중에서 ☺(1명)의 수가 가장 많은 사과입니다.

12 (10줄) 1개, (1줄) 2개 ⇨ 12줄

13 야채 김밥: 31줄, 치즈 김밥: 24줄
⇨ $31-24=7$(줄)

14 치즈 김밥: 24줄, 불고기 김밥: 12줄
$12\times2=24$이므로 판매한 치즈 김밥 수는 불고기 김밥 수의 2배입니다.

15

채점 기준	❶ 어떤 김밥 재료를 가장 많이 준비할지 쓰기	2점
	❷ 이유 쓰기	3점

16 (100병)의 수를 비교하여 생산량이 가장 적은 목장부터 차례로 쓰면 하늬 목장, 산들 목장, 남실 목장, 높새 목장입니다.

17 산들 목장: 320병, 높새 목장: 500병,
남실 목장: 430병, 하늬 목장: 150병
⇨ 우유 생산량이 400병보다 많은 목장은 높새 목장, 남실 목장입니다.

18

채점 기준	❶ 네 목장의 우유 생산량 각각 구하기	3점
	❷ 네 목장의 우유 생산량은 모두 몇 병인지 구하기	2점

19 박물관에 가고 싶어 하는 12명을 ☺ 1개와 ☺ 2개로 나타내었으므로 ☺은 10명, ☺은 1명을 나타냅니다.
가장 많은 학생들이 가고 싶어 하는 장소:
과학관(19명)
가장 적은 학생들이 가고 싶어 하는 장소:
생태공원(11명)
⇨ $19-11=8$(명)

20 (가을을 좋아하는 학생 수)$=16$명
(여름을 좋아하는 학생 수)$=16\times2=32$(명)
(겨울을 좋아하는 학생 수)$=100-27-32-16$
$=25$(명)
여름과 겨울의 학생 수에 맞게 그림을 그려 넣습니다.

실력 단원 평가

88~90쪽

01 날짜별 음료수 판매량

02 100병, 10병

03 4일, 500병

04 2일, 240병

05 13

06 예 10명, 1명

07 예 배우고 싶어 하는 악기별 학생 수

악기	학생 수
피아노	☺☺☺☺☺☺☺
바이올린	☺☺☺
첼로	☺☺☺☺
플루트	☺☺☺☺☺☺☺☺☺☺

☺ 10 명
☺ 1 명

08

표	그림그래프
예 ❶ 각 항목별 수나 합계를 쉽게 알 수 있습니다.	예 ❷ 자료의 수량이 많고 적음을 한눈에 비교할 수 있습니다.

09 42개

10 민하, 성규, 지은, 진호

11 3개

12 3배

13

면 요리	국수	우동	스파게티	쫄면	합계
학생 수(명)	15	22	20	7	64

14 예 좋아하는 면 요리별 학생 수

면 요리	학생 수
국수	(10명) 1개, (1명) 5개
우동	(10명) 2개, (1명) 2개
스파게티	(10명) 2개
쫄면	(1명) 7개

(큰 그림) 10명, (작은 그림) 1명

15 예 ❶ 우동을 좋아하는 학생이 가장 많습니다.
❷ 쫄면을 좋아하는 학생이 가장 적습니다.

16 학년별 휴대 전화를 가지고 있는 학생 수

학년	학생 수
3학년	◎◎△○
4학년	◎◎◎◎◎○○
5학년	◎◎◎◎◎◎◎◎△

◎ 10명, △ 5명, ○ 1명

17 163명

18 예 ❶ 튼튼 수목원: 350그루, 기쁨 수목원: 380그루
❷ 힘찬 수목원의 나무는
$890-350-380=160$(그루)입니다.
/ 160그루

19 69개 20 840원

풀이

05 $60-16-12-19=13$(명)

07 (큰 그림)은 10명, (작은 그림)은 1명을 나타내도록 하여 배우고 싶어 하는 악기별 학생 수를 그림그래프로 그려 봅니다.

08

채점 기준		
	❶ 표의 편리한 점 쓰기	3점
	❷ 그림그래프의 편리한 점 쓰기	2점

09 (10개) 4개, (1개) 2개 ⇨ 42개

10 (10개)의 수가 많은 것부터 찾아보면 민하, 성규, 지은이와 진호 순서입니다. 그중 지은이와 진호의 (1개)의 수를 비교하면 지은이의 (1개)의 수가 더 많으므로 가장 많이 만든 사람부터 차례로 쓰면 민하, 성규, 지은, 진호입니다.

11 성규: 20개, 지은: 17개 ⇨ $20-17=3$(개)

12 민하: 42개, 진호: 14개
⇨ $14\times3=42$이므로 민하가 만든 송편 수는 진호가 만든 송편 수의 3배입니다.

13 국수: 15명, 우동: 22명, 스파게티: 20명, 쫄면: 7명
(합계)$=15+22+20+7=64$(명)

14 (큰 그림)은 10명, (작은 그림)은 1명을 나타내도록 하여 좋아하는 면 요리별 학생 수를 그림그래프로 그려 봅니다.

15

채점 기준		
	❶ 알 수 있는 내용을 한 가지 쓰기	3점
	❷ 알 수 있는 또 다른 내용을 한 가지 쓰기	2점

16 3학년: 26명 ⇨ 4학년: $26\times2=52$(명)
⇨ 그림그래프의 빈칸에 ◎ 5개, ○ 2개를 그려 넣습니다.

17 3학년: 26명, 4학년: 52명, 5학년: 85명
⇨ $26+52+85=163$(명)

18

채점 기준		
	❶ 튼튼, 기쁨 수목원의 나무 수 각각 구하기	3점
	❷ 힘찬 수목원의 나무 수 구하기	2점

19 다 지역의 병원 수 21개를 (큰 그림) 2개와 (작은 그림) 1개로 나타내었으므로 (큰 그림)은 10개, (작은 그림)은 1개를 나타냅니다.
⇨ 가 지역의 병원은 18개이므로 세 지역에 있는 병원은 모두 $18+30+21=69$(개)입니다.

20 라 과수원의 귤 생산량은 260 kg입니다. 100 kg씩 2상자에 담아 팔고, 60 kg이 남으므로 봉지 6개가 필요합니다. ⇨ 라 과수원에서 봉지를 사는 데 필요한 금액은 $140\times6=840$(원)입니다.

연습 서술형 평가 91~92쪽

01 예 ❶ 3가지
❷ 과수원별 복숭아나무 수가 세 자리 수이므로 각 자리 수를 나타낼 수 있게 그림을 3가지로 나타내면 좋을 것 같습니다.

02 예 ❶ 학생 수를 알아볼 때 단위의 수를 생각하지 않아 잘못 구했습니다.
❷ 그림의 수를 살펴보면 강아지는 13명, 고양이는 33명, 햄스터는 26명이 좋아하므로 가장 많은 학생들이 좋아하는 동물은 고양이입니다.

03 예) ❶ 6월에 판매한 칫솔은 21개, 8월에 판매한 칫솔은 52개입니다.
❷ 8월은 6월보다 칫솔을 52－21＝31(개) 더 많이 팔았습니다.
/ 31개

04 예) ❶ 마신 물의 양은 연우가 31 L, 우현이가 26 L, 승아가 23 L입니다.
❷ 네 사람이 마신 물의 전체 양이 125 L이므로 성준이가 마신 물의 양은 125－31－26－23＝45 (L)입니다.
❸ 23＜26＜31＜45이므로 물을 가장 적게 마신 사람은 승아입니다.
/ 승아

풀이

01

채점 기준	
❶ 그림을 몇 가지로 나타내는 것이 좋을지 쓰기	10점
❷ 이유 쓰기	15점

02

채점 기준	
❶ 설명이 잘못된 이유 쓰기	15점
❷ 바르게 고치기	10점

03

채점 기준	
❶ 6월과 8월에 판매한 칫솔 수 각각 구하기	15점
❷ 8월은 6월보다 칫솔을 몇 개 더 많이 팔았는지 구하기	10점

04

채점 기준	
❶ 연우, 우현, 승아가 마신 물의 양 각각 구하기	8점
❷ 성준이가 마신 물의 양 구하기	8점
❸ 물을 가장 적게 마신 사람 구하기	9점

실전 서술형 평가

93~94쪽

01 예) ❶ 심부름을 해서 받은 용돈 1600원을  1개와  6개로 나타내었습니다.
❷  은 1000원,  은 100원을 나타내므로 ㉠에 알맞은 수는 1000, ㉡에 알맞은 수는 100입니다.
/ 1000, 100

02 예) ❶ 지아가 심부름을 해서 받은 용돈은 1600원, 방 청소를 해서 받은 용돈은 2000원, 빨래 개기를 해서 받은 용돈은 800원, 동생 돌보기를 해서 받은 용돈은 1300원입니다.
❷ 한 달 동안 엄마를 도와드리며 받은 용돈은 모두 1600＋2000＋800＋1300＝5700(원)입니다.
/ 5700원

03 예) ❶ 가장 많은 학생들이 배우고 싶어 하는 운동은 수영입니다.
❷ 유도를 배우고 싶어 하는 학생은 태권도를 배우고 싶어 하는 학생보다 3명 더 많습니다.
❸ 수영을 배우고 싶어 하는 학생 수는 태권도를 배우고 싶어 하는 학생 수의 3배입니다.

04 예) ❶ 각 마을의 노인 인구수는 산내 마을 210명, 한빛 마을 320명, 노을 마을 140명, 강선 마을 60명이므로 한빛 마을의 노인 인구수가 가장 많습니다.
❷ 네 마을 중 노인 인구수가 가장 많은 한빛 마을에 노인복지시설을 세우면 좋을 것 같습니다.
/ 예) 한빛 마을

풀이

01

채점 기준	
❶ 심부름을 큰 그림과 작은 그림 몇 개로 나타냈는지 알아보기	10점
❷ ㉠과 ㉡에 알맞은 수 각각 구하기	15점

02

채점 기준	
❶ 종류별 받은 용돈은 각각 얼마인지 구하기	15점
❷ 한 달 동안 엄마를 도와드리며 받은 용돈은 모두 얼마인지 구하기	10점

03

채점 기준	
❶ 알 수 있는 내용을 한 가지 쓰기	8점
❷ 알 수 있는 다른 내용을 한 가지 쓰기	8점
❸ 알 수 있는 또 다른 내용을 한 가지 쓰기	9점

04

채점 기준	
❶ 각 마을의 노인 인구수 비교하기	15점
❷ 어느 마을에 노인복지시설을 세우면 좋을지 구하기	10점

초등 수학
자습서&평가문제집 3-2

평가문제 다잡기